KB070043

주역절중

周易折中

4

이 책은 (재)한국연구재단의 지원으로 학고방출판사에서 출간, 유통합니다.

한국연구재단 학술명저번역총서 동양편 620

주역절중
周易折中

4

周易下經

31. 咸䷞ ~ 47. 困䷮

편찬
이광지
李光地

책임역주
신창호

공동역주
김학목·심의용·윤원현

學古房

서문

『주역』은 '변화(變化)의 성경(聖經)'이라 불린다. 그만큼 자연 질서와 인간 사회 법칙을 변화의 원칙에 따라 변주하며, 성스럽게 우주적 삶의 기준을 구가한다. 그러나 '이현령비현령(耳懸鈴鼻懸鈴)'이라는 말이 붙을 정도로 다양하고 복합적인 해석의 차원이 개입하면서, 『주역』은 축적된 역사 이상으로 심오하고 의미심장한 세계를 형성한다. 그것이 『주역』의 특성이자 묘미일 수 있다.

본 번역 연구서 『어찬주역절중(御纂周易折中)』은 강희제(康熙帝)가 이광지(李光地, 1642~1718)에게 총괄책임의 칙명을 내려 1713~1715년에 걸쳐 완성한 『주역』 해설서이다. 전체 22권의 석판본(石版本)이 내부각본(內府刻本)으로 현존한다. 『주역절중』은 『주역』이 경전으로 성립된 이후 한대(漢代)에서 명대(明代)까지의 다양한 견해를 핵심적으로 정돈한 『주역』 학술의 결정판이다. 주희의 견해를 기본으로 하여 경(經)과 전(傳)이 분리된 『주역』 고본(古本)의 체제를 회복하였다. 또한 주희의 주역관을 근거로 의리학(義理學)과 상수학(象數學)을 망라하는 다양한 학설을 폭넓게 해석하고, 의리에 국한되었던 『주역전의대전(周易傳義大全)』의 결점을 보완하였다. 정주(程朱)의 뜻을 존숭하면서도 그와 다른 주장들을 절충하고 있는 저작이다.

『주역절중』의 편찬자인 이광지는 중국 청대(淸代) 사람으로 복건성(福建省) 천주(泉州) 출신이다. 자(字)는 진경(晋卿)이고 호(號)는 후암(厚庵)이다. 1670년 진사(進士)에 급제하고 삼번(三藩)의 난을 평정함으로써 강희제의 두터운 신임을 받았고, 관직이 문연각대학사

겸이부상서(文淵閣大學士兼吏部尙書)에 이르렀다. 학문의 경지도 상당하여 경전에 두루 통달하였는데, 특히 『주역』에 정통하여 『주역통론(周易通論)』, 『주역관상(周易觀象)』, 『이문정역의(李文貞易義)』, 『역의전선(易義前選)』 등을 저술하였다. 당시 반주자학적(反朱子學的) 학풍을 대표하던 모기령(毛奇齡)과 달리 정주리학(程朱理學)의 학풍을 충실히 계승하였다.

『주역절중』의 체계와 내용을 보면, 경과 전을 분리하여 편찬하고, 64괘의 괘사와 효사, 「단전」, 「상전」, 「계사전」, 「문언전」, 「설괘전」, 「서괘전」, 「잡괘전」의 순서로 『주역』 전문을 서술하였다. 그리고 『역학계몽』, 「계몽부록(啓蒙附錄)」, 「서괘잡괘명의(序卦雜卦明義)」를 첨부하였다. 주희의 『주역본의(周易本義)』, 정이(程頤)의 『역정전(易程傳)』, 한대부터 명대까지 역학에 조예가 깊은 학자 218명의 「집설(集說)」, 편찬자의 「안(案)」, 이를 종합한 「총론(總論)」이 실려 있다. 그런 만큼 『주역절중』은 『주역』 관련 학술 연구에서 의미가 크다.

본 번역 연구는 내부각본을 저본으로 하고 문연각(文淵閣) 『사고전서(四庫全書)』본을 대교본으로 하였으며 무구비재(無求備齋) 『역경집성(易經集成)』본을 참고하였다. 1715년에 이광지가 『어찬주역절중』을 완성했으므로, 『주역절중』이 만들어진지 이제 막 300년이 지났다. 이 긴 세월의 무게만큼 『주역』 연구도 질적으로 깊이를 더하고 양적으로 방대해졌다. 그런 와중에 300년 만인 21세기 초반에 『주역절중』이 한글로 번역·출간되어 무척이나 기쁘다. 『주역』을 비롯한 역학 연구자, 나아가 동양학을 연구하는 관련 학인들에게 조금이나마 보탬이 된다면 번역 연구자로서 더욱 보람을 느낄 것 같다.

본 번역 연구는 먼저, 『주역절중』의 본문을 완역하고, 원문 및 번역문을 온전하게 이해하기 위해 자세한 설명이 필요한 부분은 각주로 해설하였다. 아울러 『주역절중』에 등장하는 학자들의 「인명사전」을 별도로 작성하여 첨부하였다. 이런 연구 성과가 『주역절중』의 한문을 옮기는 수준을 훨씬 넘어서 있기에, 단순하게 『주역절중』 '번역'이라 하지 않고 '번역 연구'라고 자부해 본다.

본 번역 연구 작업은 2015년 5월~2017년 4월까지 2년여 동안 이루어졌다. 연구책임자를 맡은 신창호 교수를 비롯하여, 공동연구자인 윤원현 박사·김학목 박사·심의용 박사 등 우리 번역 연구진은 번역 연구기간 동안 수시로 만나 초교를 윤독하고 다양한 연구 자료를 교환하면서 『주역』의 학술 마당을 열었다. 한대부터 명대에 걸쳐 있는 『주역절중』의 특성상, 역학(易學) 사상의 방대함으로 인해 내용을 정확하게 이해하고 정돈하는데 애로 사항도 많았다. 하지만 전문 학자들의 자문과 번역 연구자 상호 간의 소통을 통해 문제점을 극복하려고 노력했다. 그러나 번역과 연구의 두 측면에서 여전히 아쉬운 부분이 많다. 대부분의 번역 연구가 장·단점을 지니고 있듯이, 본 번역 연구도 미비한 점이 있을 것이다. 특히, 제대로 연구가 이루어지지 않아 오류가 난 부분이 있다면, 사계의 권위 있는 학자들의 애정 어린 질정을 부탁한다.

본 번역 연구진 이외에 감사해야 할 분들이 있다. 먼저, 교정과 윤문 등 원고를 정돈하는 과정에서 수고해 준 고려대학교 대학원의 철학 및 교육철학 전공의 여러 제자들(김지은, 우버들, 위민성, 이유정, 임용덕, 장우재, 정순희, 한지윤 등)에게 고마운 마음을 전한다. 젊은 제자들은 그들의 시각에서 번역 연구 내용의 가독성과 표현 등 여러 부분을 꼼꼼하게 살피며 의미 있는 충고를 해 주었다.

또한 교육부와 한국연구재단에 감사를 드린다. 본 번역 연구는 2015년 한국연구재단의 '명저번역지원' 사업으로 2년 동안 지원을 받아 수행한 결과이다. 방대한 분량이기 때문에 한국연구재단의 지원이 없었다면, 실행하기 어려운 작업이었다. 마지막으로 어려운 사정에도 불구하고 편집과 출판을 맡아 책을 깔끔하게 정돈해 준 하운근 대표님을 비롯한 도서출판 학고방 가족들에게 감사의 말씀을 전한다.

어떤 저술이건 혼자만의 노력과 작업에 의해 이루어지는 성과는 존재하지 않는다. 마찬가지로 이 『주역절중』의 번역 연구에도 많은 분들의 땀과 열정이 녹아들어 있다. 번역 연구에 직·간접으로 참여한 모든 분들과 이 책을 참고로 연구를 진행하는 여러 학인들도 『주역』의 사유가 더욱 풍성해지기를 소망한다. 나아가 미래에 또 다른 공동 노력의 결실로, 본 번역 연구보다 세련된 『주역절중』이 많이 저술되기를 기대해 본다.

2018. 6
번역 연구자를 대표하여
신창호 삼가 씀

일러두기

1. 본 역서는 문연각(文淵閣)판본 『어찬주역절중(御纂周易折中)』을 저본으로 한다.
2. 본 역서는 원문을 먼저 제시하고 번역문을 붙이는 대조본 형식으로 한다.
3. 번역은 직역을 원칙으로 하되, 가독성을 높이기 위해 필요에 따라 의역을 가미한다.
4. 『역』의 경문(經文) 번역은 편자 이광지(李光地)가 정이(程頤)의 『이천역전』보다 주희(朱熹)의 『주역본의』를 전면으로 내세운 의도에 따라, 주희의 주장을 기준으로 한다.
5. 원문에는 최소한의 현대식 표점을 표기한다.
6. 인용한 선행 학설에 대해서는 가능한 출전을 밝히고, 요약문일 경우 필요에 따라 설명을 첨가한다.
7. 인용한 학설은 전체적으로 큰 따옴표(" ")로 묶고, 인용문 속의 인용문은 작은 따옴표(' '), 작은 꺽쇠(「 」) 순으로 한다.
8. 각주에서, 원문에 대한 각주는 원문을 먼저 제시하고(예 : 潛龍勿用[잠긴 용은 쓰지 않는다]), 번역문에 대한 각주는 한글을 먼저 제시한다(예 : 잠긴 용은 쓰지 않는다[潛龍勿用]).
9. 괘명(卦名)은 '곤(坤)괘'와 같은 형식으로 통일하되, 필요할 경우 '곤(坤䷁)괘', '곤(坤☷)괘'와 같이 괘상(卦象)을 병기한다.
10. 국한문 병기는 매 장과 매 괘의 첫 부분에서 표기하고, 나머지는 국문을 중심으로 하되, 각주에는 한문으로 처리한 것도 있다.

11. 번역문이 10줄을 초과할 경우, 가독성을 높이기 위해 가능한 단락을 구분한다.
12. 『역』과 관련된 전문적인 개념어는 주석에서 풀이하고, 번역문에는 해석하지 않고 드러내어 용어 통일을 기한다.
13. 제1권의 뒷부분에 『주역절중』에서 인용된 학자들의 약력을 정돈한 별도의 「인명사전」을 작성하여 첨부하였다.
14. 『주역절중』의 맨 마지막 부분인 22권 「서괘·잡괘명의(序卦·雜卦明義)」는 편의상 「서괘·잡괘전(序卦·雜卦傳)」 다음에 배치하였다.

주역하경周易下經

周易下經
주역하경

제5권

함咸䷞ 항恒䷟ 돈遯䷠ 대장大壯䷡ 진晉䷢
명이明夷䷣ 가인家人䷤ 규睽䷥ 건蹇䷦

31. 함咸괘

䷞ 兌上 艮下

程傳

咸, 「序卦」, "有天地然後, 有萬物, 有萬物然後, 有男女, 有男女然後, 有夫婦, 有夫婦然後, 有父子, 有父子然後, 有君臣, 有君臣然後, 有上下, 有上下然後, 禮義有所錯." 天地, 萬物之本, 夫婦, 人倫之始, 所以上經, 首乾坤, 下經, 首咸繼以恒也. 天地二物, 故二卦分爲天地之道. 男女交合而成夫婦, 故咸與恒, 皆二體合爲夫婦之義.

함(咸䷞)괘에 대해 「서괘전」에서 "천지가 있은 뒤에 만물이 있고, 만물이 있은 뒤에 남녀가 있으며, 남녀가 있은 뒤에 부부가 있고, 부부가 있은 뒤에 부자가 있으며, 부자가 있은 뒤에 군신이 있고, 군신이 있은 뒤에 상하가 있으며, 상하가 있은 뒤에 예의(禮義)를 둘 곳이 있다"라고 하였다.
천지(天地)는 만물의 근본이며, 부부는 인륜(人倫)의 시작이기 때문에 상경(上經)에서는 건괘와 곤괘를 맨 앞에 두었고, 하경(下經)에서는 함(咸䷞)괘를 맨 앞에 두고 항(恒䷟)괘로 그 다음을 이었다. 천지는 두 가지이기 때문에 두 괘가 나뉘어 하늘과 땅의 도가 되었다. 남녀는 교합하여 부부가 되기 때문에 함괘와 항괘는 모두 두 몸체가 합하여 부부의 의리가 된다.

咸, 感也, 以說爲主, 恒, 常也, 以正爲本, 而說之道自有正也. 正之道, 固有說焉. 巽而動, 剛柔皆應, 說也. 咸之爲卦, 兌上艮下, 少女少男也. 男女相感之深, 莫如少者, 故二少爲咸也. 艮體篤實, 止爲誠慤之義. 男志篤實以下交, 女心說而上應. 男, 感之先也, 男先以誠感, 則女說而應也.

'함(咸)'은 느낌이어서 기뻐함을 위주로 하고, '항(恒)'은 한결같음이어서 바름을 근본으로 하는데, 기뻐하는 도에는 본래 바름이 있다. 바름의 도에는 진실로 기쁨이 있다. 공손하면서 움직이고 굳셈과 유순함이 모두 호응하는 것이 기쁨이다.

함(咸䷞)괘는 태(兌☱)괘가 위에 있고 간(艮☶)괘가 아래에 있으니, 젊은 여자와 젊은 남자이다. 남녀가 서로 깊이 느낌은 젊음만한 것이 없기 때문에 두 젊은 남녀가 '함(咸)'이다. 간괘의 몸체는 독실하니 그침이 정성스럽고 참된 뜻이다. 남자의 뜻이 독실하면서 아래로 사귀면 여자의 마음이 기뻐하면서 위로 호응한다. 남자는 앞서 느끼니, 그가 먼저 정성으로 느끼게 하면 여자는 기뻐하면서 호응한다.

集說

● 丘氏富國曰 : "咸二少相交者, 夫婦之始也, 所以論交感之情, 故以男下女爲象. 男下於女, 婚姻之道成矣. 恒二長相承者, 夫婦之終也, 所以論處家之道, 故以男尊女卑爲象. 女下於男, 居室之倫正矣. 損雖二少, 而男不下女, 則咸感之義微, 益雖二長, 而女居男上, 則恒久之義悖. 此下經, 所以不首損益, 而首咸恒與."

구부국이 말했다. "함(咸䷞)괘는 두 젊은 남녀가 서로 만나는 것으로 부부의 시작이고, 교감의 정을 논하기 때문에 남자가 여자에게 낮추는 것으로 상을 삼았다. 남자가 여자에게 낮추면 혼인의 도가 이루어진다. 항(恒䷟)괘는 두 장성한 남녀가 만나는 것으로 부부의 완성이고, 집을 이루는 도를 논하기 때문에 남자가 높고 여자가 낮은 것으로 상을 삼았다. 여자가 남자에게 낮추면 집을 이루는 질서가 바르게 된다. 손(損䷨)괘가 두 젊은 남녀일지라도 남자가 여자에게 낮추지 않으니 교감하는 의리가 미미하고, 익(益䷩)괘가 두 장성한 남녀일지라도 여자가 남자 위에 있으니 한결같은 의리가 어그러진다. 이것이 「하경」에서 손괘와 익괘를 앞에 두지 않고 함괘와 항괘를 앞에 둔 이유이다."

咸, 亨, 利貞, 取女, 吉.

함(咸)은 형통하고 바름이 이로워서 여자를 취하면 길하다.

本義

'咸', 交感也. 兌柔在上, 艮剛在下, 而交相感應, 又艮止則感之專, 兌說則應之至. 又艮以少男, 下於兌之少女, 男先於女, 得男女之正, 婚姻之時, 故其卦爲'咸'. 其占亨而利貞取女則吉. 蓋感有必通之理, 然不以貞, 則失其亨而所爲皆凶矣.

'함(咸)'은 교감이다. 태(兌☱)괘의 부드러움이 위에 있고 간(艮☶)괘의 굳셈이 아래에 있어 사귐이 서로 느끼고 호응하며, 또 간괘가 그침이니 느낌이 전일하고 태괘는 기뻐함이니 호응함이 지극하다. 또 간괘가 젊은 남자로서 태괘의 젊은 여자에게 낮추어 남자가 여자보다 먼저 하고, 남녀의 바름과 혼인의 때를 얻었기 때문에 그 괘가 '함(咸)'이다.

그 점(占)은 형통하고 바름이 이로우니, 여자를 취하면 길하다. 느끼는 것에는 반드시 통하는 이치가 있으나, 바름으로 하지 않으면 그 형통함을 잃어 하는 것이 모두 흉하게 된다.

程傳

'咸', 感也. 不曰'感'者, '咸'有'皆'義, 男女交相感也. 物之相感,莫如男女而少復甚焉. 凡君臣上下, 以至萬物, 皆有相感之道, 物之相感, 則有亨通之理. 君臣能相感, 則君臣之道通, 上下能相感, 則上下之志通, 以至父子, 夫婦, 親戚, 朋友, 皆情意相感, 則和順而亨通. 事物皆然, 故咸有亨之理也.

'함(咸)'은 느낌이다. 그런데 '느낌[感]'이라고 말하지 않은 것은 '함' 자에 '모두'라는 뜻이 있어 남자와 여자가 사귀어 서로 느끼기 때문이다. 사물에서 서로 느끼는 데는 남녀만한 것이 없고 젊을수록 더욱 심하다.
임금과 신하, 위아래부터 만물에까지 모두 서로 느끼는 도가 있고, 만물은 서로 느끼면 형통한 이치가 있다. 임금과 신하가 서로 느낄 수 있다면 군신의 도가 통하고, 위아래가 서로 느낄 수 있다면 위아래의 뜻이 통하며, 부자와 부부와 친척과 친구에게까지 모두 마음으로 서로 느끼게 되면 순응하며 형통하다. 사물이 모두 그러하기 때문에 함괘에는 형통한 이치가 있다.

'利貞', 相感之道利在於正也, 不以正則入於惡矣. 如夫婦之以淫姣, 君臣之以媚說, 上下之以邪僻, 皆相感之不以正也. '取女吉', 以卦才言也. 卦有柔上剛下, 二氣感應相與, 止而說, 男下女之義, 以此義取女, 則得正而吉也.

'바름이 이롭다[利貞]'라는 것은 서로 느끼는 도는 바름에 이로움이 있다는 말이니, 바름으로 하지 않는다면 나쁘게 된다. 예를 들어 부부가 음란함으로 사랑하고, 임금과 신하가 아첨함으로 기뻐하며, 위아래가 사특함으로 치우치는 일은 모두 서로 느끼기를 바름으로 하지 않는 것이다. '여자를 취하면 길하다'는 괘의 재질로써 말한 것이다. 괘에서 유순한 음이 위에 있고 굳센 양이 아래에 있어 두 기운이 감응하여 서로 함께하면서 그치고 기뻐하며 남자가 여자에게 낮추는 뜻이 있다. 이러한 뜻을 가지고 여자를 취하면 바름을 얻어 길하다.

集說

● 胡氏炳文曰 : "'咸', 感也. 不曰'感'而曰'咸', '咸', 皆也, 無心之感也. 無心於感者, 無所不通也. 感則必通, 而利在於正, 汎言感之道如此, 取女吉, 專言取女者, 當如是也."

호병문이 말했다. "'함(咸)'은 느낌이다. '느낌[感]'이라 하지 않고 '함(咸)'이라 한 것은 '함(咸)'은 '모두'라는 의미로 무심하게 느끼기 때문이다. 느낌에 무심할 경우에 통하지 않음이 없다. 느끼면 반드시 통하는데, 이로움이 바름에 있다는 것은 느끼는 도가 이와 같음을 넓게 말했고, 여자를 취하면 길하다는 것은 여자를 취할 경우 이와 같이 해야 됨을 오로지 말하였다."

初六, 咸其拇.

초육은 그 발가락에서 느낀다.

本義

'拇', 足大指也. 咸以人身取象, 感於最下, 咸拇之象也. 感之尙淺, 欲進未能, 故不言吉凶. 此卦, 雖主於感, 然六爻皆宜靜而不宜動也.

'발가락[拇]'은 발의 엄지발가락이다. 함괘는 사람의 몸을 가지고 상을 취하였으니, 가장 아래에서 느낌은 발가락에서 느끼는 상이다. 느낌이 아직 미미하여 나아가려고 하지만 할 수가 없기 때문에 길함과 흉함을 말하지 않았다. 이 괘는 느낌을 위주로 할지라도 여섯 효는 모두 고요히 있어야 하고 움직여서는 안 된다.

程傳

初六, 在下卦之下, 與四相感, 以微處初, 其感未深, 豈能動於人? 故如人拇之動, 未足以進也. '拇', 足大指. 人之相感, 有淺深輕重之異, 識其時勢, 則所處不失其宜矣.

초육은 아래괘의 맨 아래에 있어 사효와 서로 느끼지만 하찮은 신분으로 초효에 있어 그 느낌이 깊지 않으니, 어떻게 남들을 감동시키겠는가? 그러므로 사람의 발가락이 움직이는 것과 같아 별로 나아가지 못한다.

'발가락[拇]'은 발의 엄지발가락이다. 사람들이 서로 느끼는 것이 얕고 깊음과 가볍고 무거움의 차이가 있으니, 때와 형세를 알면 처신함에 마땅함을 잃지 않을 것이다.

集說

● 『朱子語類』問: "咸内卦, 艮止也, 何以皆說動?"
曰: "艮雖是止, 然咸有交感之義, 都是要動, 所以都說動. 卦體雖說動, 然才動便不吉."[1)]

『주자어류』에서 물었다. "함(咸䷞)괘의 내괘는 간괘의 그침인데 어떻게 모두 기꺼이 움직입니까?
대답했다. "간괘가 그침일지라도 함괘에 교감(交感)하는 의미가 있어 모두 움직임을 구하기 때문에 모두 기꺼이 움직입니다. 그런데 괘의 몸체가 움직일지라도 움직이면 길하지는 않습니다."

● 蔡氏清曰: "'咸其拇', 辭意若曰, 感以其拇也, 諸爻皆同."

채청이 말했다. "'발가락에서 느낀다'는 것은 말의 의미가 '발가락으로 느낀다'와 같으니, 여러 효에서 모두 같다."

● 又曰: "『本義』云, '此卦雖主於感, 然六爻皆宜靜, 而不宜動'. 此卽以虛受人之理. 「大傳」曰, '寂然不動, 感而遂通天下之故',

1) 『주자어류』 권72, 1조목.

程子曰, '廓然而大公, 物來而順應', 周子所謂'主靜', 朱子所謂'鑑空衡平', 及先儒所謂, 無心之感'者, 皆謂此也."

또 말하였다. "『주역본의』에서 '이 괘는 비록 느끼는 것을 위주로 할지라도 여섯 효는 모두 고요히 있어야 하고 움직여서는 안 된다'라고 했으니, 이것이 바로 비움으로 사람을 받아들이는 이치로 「계사전」에서 말한 '고요히 움직이지 않다가 느껴서 천하의 연고에 통한다', 정자가 말한 '고요하고 크게 공평하여 사물이 오면 순응한다', 주자(周子 : 周惇頤)가 이른 바 '고요함을 위주로 한다', 주자(朱子)가 이른바 '거울이 비어 있어 저울처럼 공평하다'는 말, 선대의 학자들이 이른 바 '무심하게 느낀다'고 한 것이 모두 이를 말한다.

六二, 咸其腓, 凶, 居, 吉.
육이는 장딴지에서 느끼니 흉하나, 그대로 있으면 길하다.

本義

'腓', 足肚也, 欲行則先自動, 躁妄而不能固守者也. 二當其處, 又以陰柔, 不能固守, 故取其象. 然有中正之德, 能居其所, 故其占, 動凶而靜吉也.

'장딴지[腓]'는 발의 장딴지로 가려고 하면 먼저 스스로 움직이니 조급하고 함부로 해서 굳게 지킬 수 없는 것이다. 이효는 그런 처신에 해당하고, 또 음으로 부드럽고 굳게 지킬 수 없기 때문에 그러한 상을 취하였다. 그러나 중정한 덕이 있어 제 자리에 머물러 있을 수 있기 때문에 그 점은 움직이면 흉하고 그대로 있으면 길하다.

程傳

二以陰在下, 與五爲應, 故設咸腓之戒. '腓', 足肚, 行則先動. 足乃擧之, 非如腓之自動也. 二若不守道待上之求, 而如腓之動, 則躁妄自失, 所以凶也. 安其居而不動, 以待上之求, 則得進退之道而吉也. 二, 中正之人, 以其在咸而應五, 故爲此戒. 復云'居吉', 若安其分, 不自動則吉也.

이효는 음으로 아래에 있으면서 오효와 호응하기 때문에 '장딴지에서 느낀다'는 경계를 내세웠다. '장딴지는[腓]'는 발의 장딴지로 가려면 먼저 움직인다. 발은 그것에 따라 들리니 장딴지가 스스로 먼저 움직이는 것과 같지 않다.

이효가 도를 지켜 윗사람의 구함을 기다리지 않고 장딴지가 움직이는 것과 같이 한다면, 조급하고 함부로 해서 스스로 잘못을 저지르기 때문에 흉하게 된다. 그 거처를 편안히 여기고 움직이지 않아 윗사람의 구함을 기다린다면, 나아가고 물러나는 도를 얻어 길하게 된다. 이효는 중정한 사람이지만, 함괘에 있으면서 오효와 호응하기 때문에 이러한 경계를 하였다. 다시 '그대로 있으면 길하다'고 말하였으니, 그 분수를 편안하게 여겨 스스로 움직이지 않는다면 길하다.

集說

● 王氏弼曰 : "咸道轉進, 離拇升腓. 腓, 體動躁者也. 感物以躁, 凶之道也. 由躁, 故凶, 居則吉矣. 處不乘剛, 故可以居而獲吉."

왕필이 말했다. "함괘의 도는 발가락에서 장딴지로 올라갔다. 그런데 장딴지는 몸이 움직이면 조급해지는 것이다. 사물을 느껴 조급하게 움직임은 흉한 도이다. 조급하기 때문에 흉하니 그대로 있으면 길하다. 있는 곳이 굳셈을 올라타고 있지 않기 때문에 그대로 있으면 길함을 얻는다."

九三, 咸其股. 執其隨, 往, 吝.

구삼은 넓적다리에서 느낀다. 따르는 것을 잡고 있으니 가면 부끄럽다.

本義

'股', 隨足而動, 不能自專者也. '執'者, 主當持守之意. 下二爻, 皆欲動者, 三亦不能自守而隨之, 往則吝矣. 故其象占如此.

'넓적다리[股]'는 발을 따라 움직이니, 스스로 마음대로 할 수 없는 것이다. '잡고 있다[執]'는 것은 잡고 지켜야 함을 주로 담당하는 뜻이다. 아래에 있는 두 효는 모두 움직이려 하는 것이고, 삼효도 스스로 지킬 수 없어 따라가니, 가면 부끄럽다. 그러므로 그 상과 점이 이와 같다.

程傳

九三, 以陽居剛, 有剛陽之才, 而爲主於內. 居下之上, 是宜自得於正道, 以感於物, 而乃應於上六. 陽好上而說陰, 上居感說之極, 故三感而從之. '股者'在身之下足之上, 不能自由, 隨身而動者也, 故以爲象. 言九三不能自主, 隨物而動, 如股然, 其所執守者, 隨於物也. 剛陽之才, 感於所說而隨之, 如此而往, 可羞吝也.

구삼은 양으로 굳센 자리에 있고, 굳센 양의 재질을 가지고 있어 내괘의 주인이 된다. 아래 괘의 맨 위에 있어 스스로 바른 도리를 얻어 사물을 느껴야 하는 것인데도 상육과 호응하고 있다. 양은 위를 좋아하고 음을 기뻐하는데 상육은 느끼고 기뻐하는 끝에 있기 때문에 삼효가 느껴서 따른다.

'넓적다리'는 몸의 아래와 발의 위에 있어 자유로울 수 없고 몸을 따라서 움직이기 때문에 이것으로 상을 삼았다. 구삼이 스스로 주장할 수 없고 사물을 따라 움직임이 넓적다리가 그런 것과 같으니, 그것이 잡아 지키는 바가 사물을 따르는 일임을 말하였다. 굳센 양의 재질로 기뻐하는 것을 느껴 따라가니, 이와 같이 가면 부끄러워해야 한다.

集說

● 王氏宗傳曰："九三處下體之上, 所謂'股'也. 三雖艮體, 然以陽居陽, 又有應在上, 非能止也, 故曰'咸其股'. 夫股隨上體而動者也. 以剛過之才, 不能爲主於內, 而其所秉執者, 在於隨上體而動焉, 則躁動而失正矣, 故曰'往吝'."

왕종전이 말했다. "구삼은 아래 괘의 꼭대기에 있으니 이른바 '넓적다리'이다. 삼효가 간괘의 몸체일지라도 양으로 양의 자리에 있고 또 호응이 위에 있어 멈출 수 있는 것이 아니기 때문에 '넓적다리에서 느낀다'고 하였다. 넓적다리는 상체를 따라 움직이는 것이다. 굳셈이 지나친 재질로 안에서 주인이 될 수 없어 그 잡고 있는 것이 상체를 따라 움직임에 있으니 조급하게 움직여 바름을 잃기 때문에 '가면 부끄럽다'고 하였다."

案

'執其隨', 『本義』以爲隨下二爻, 『程傳』以爲隨上. 然隨之爲義, 取於鴈行相從, 則以三爲隨四者, 近是. 證之隨卦, 初剛隨二柔, 五剛隨上柔, 可見也. 蓋四者, 心位也, 心動, 則形隨之. 而三直股位, 與四相近而相承, 故有咸其股, 執其隨之象. 證之艮卦, 以三爲心位, 六二亦曰, 不拯其隨, 可見也. 夫心固身之主也, 然心動, 而形輒隨之, 亦非制外養中之道. 推之人事, 則如臣子之詭隨容順, 皆是也. 以三之德, 不中正, 故如此.

'따르는 것을 잡고 있다'는 것에 대해 『주역본의』에서는 아래의 두 효를 따르는 일로 여겼고, 『정전』에서는 상효를 따르는 일로 여겼다. 그런데 따른다는 의미는 기러기들이 날아가면서 서로 따름에서 취하였으니, 삼효가 사효를 따름으로 보는 것이 거의 옳다.
이것을 수(隨䷐)괘에서 증명하면, 초효의 굳셈이 두 부드러움을 따르고 오효의 굳셈이 상효의 부드러움을 따르는 것에서 알 수 있다. 사효는 마음의 자리로 마음이 움직이면 몸이 그것을 따른다. 그런데 삼효는 바로 넓적다리의 자리이고 사효와 서로 가까워 서로 이어받기 때문에 넓적다리에서 느끼고 따르는 것을 잡고 있는 상이 있다.
간(艮䷳)괘에서 증명하면, 삼효를 마음의 자리로 여겨 육이에서 또한 '건지지 못하고 따른다'[2]고 한 것에서 알 수 있다. 마음은 진실로 몸의 주인이지만 마음이 움직인다고 몸이 바로 그것을 따르는 것은 또한 밖을 제재하고 속을 기르는 도가 아니다. 사람의 일에

2) 『주역』「간괘(艮卦)」: "六二, 艮其腓, 不拯, 其隨, 其心不快.[육이는 장딴지에 그침이니 건지지 못하고 따르기 때문에 그 마음이 기껍지 않다.]"라고 하였다.

미뤄보면 신하가 함부로 따르고 받드는 것이 모두 여기에 해당한다. 삼효의 덕이 중정하기 않기 때문에 이와 같다.

九四, 貞, 吉, 悔亡, 憧憧往來, 朋從爾思.

구사는 곧으면 길하여 후회가 없을 것이니, 자주 가고 오면 벗들만 네 생각을 따를 것이다.

本義

九四, 居股之上脢之下, 又當三陽之中, 心之象, 咸之主也. 心之感物, 當正而固, 乃得其理. 今九四乃以陽居陰, 爲失其正而不能固. 故因占設戒, 以爲能正而固, 則吉而悔亡, 若憧憧往來, 不能正固而累於私感, 則但其朋類從之, 不復能及遠矣.

구사는 넓적다리의 위와 등살의 아래에 있고 또 세 양의 가운데 해당하니, 마음의 상이며 느낌의 근본이다. 마음이 사물을 느낄 때는 바르고 확고해야 그 이치를 얻을 수 있다. 그런데 이제 구사가 양으로 음의 자리에 있어 바름을 잃어 굳게 할 수 없다. 그러므로 점으로 말미암아 경계를 세워 바르고 굳게 할 수 있다면 길하여 후회가 없고, 자주 가고 오면 바르고 굳을 수 없고 사사로운 감정에 얽매여 벗들만 따르니 다시 멀리까지 미칠 수 없다고 여긴 것이다.

程傳

感者, 人之動也, 故皆就人身取象. '拇', 取在下而動之微, '腓', 取先動, '股', 取其隨. 九四, 无所取, 直言感之道, 不言咸其心, 感乃心也. 四在中而居上, 當心之位, 故爲感之主, 而言感之道, 貞正則吉而悔亡, 感不以正則有悔也.

느낌이란 사람이 움직이는 것이기 때문에 모두 사람의 신체로 상을 취하였다. '엄지발가락'은 맨 아래에 있어 움직임이 미미함을 취하였고, '장딴지'는 먼저 움직임을 취하였으며, '넓적다리'는 따름을 취하였다. 구사는 취하는 것 없이 다만 느끼는 도를 말하고 마음에서 느낀다고 말하지 않았으나, 느끼는 것은 바로 마음이다. 구사는 괘 가운데에 있으면서 위의 괘에 있어 마음의 자리에 해당하기 때문에 느낌의 근원이어서 느끼는 도를 말하였으니, 곧고 바르면 길하여 뉘우침이 없고, 느낌이 바르지 않으면 뉘우침이 있다.

又四說體居陰而應初, 故戒於貞. 感之道, 无所不通, 有所私係, 則害於感通, 乃有悔也. 聖人感天下之心, 如寒暑雨暘, 无不通无不應者, 亦貞而已矣. '貞'者, 虛中无我之謂也.

또 사효는 기쁨의 몸체로 음의 자리에 있으면서 초효와 호응하기 때문에 곧음[貞]으로 경계하였다. 느끼는 도는 통하지 않는 곳이 없으나 사사롭게 얽매이면 느껴 통함에 해로워 바로 뉘우침이 있다. 성인이 천하 사람들의 마음을 감동시킴은 춥고 더우며 비가 오고 해가 뜸과 같아서 통하지 않음이 없고, 호응하지 않음이 없는 것은 또한 곧기 때문일 뿐이다. '곧음'은 마음을 비워 내가 없음을 말한다.

'憧憧往來, 朋從爾思', 夫貞一則所感无不通, 若往來憧憧然, 用其私心以感物, 則思之所及者, 有能感而動, 所不及者, 不能感也, 是其朋類, 則從其思也. 以有係之私心, 旣主於一隅一事, 豈能廓然无所不通乎.

'자주 가고 오면 벗들만 네 생각을 따를 것이다'는 말은 곧고 한결같으면 감동하여 통하지 않음이 없고, 가고 오기를 자주하고 사사로운 마음으로 사람을 감동시키면, 생각이 미치는 자는 느껴서 움직일 수 있고 생각이 미치지 못하는 자는 느낄 수가 없으니, 벗들만 그 생각을 따른다는 뜻이다. 이미 얽매여 있는 사사로운 마음으로 한 귀퉁이와 한 가지 일을 주장하였다면, 어찌 막힘없이 통하지 않는 곳이 없을 수 있겠는가?

「繫辭」曰, "天下何思何慮. 天下同歸而殊塗, 一致而百慮, 天下何思何慮", 夫子因咸, 極論感通之道. 夫以思慮之私心, 感物, 所感狹矣. 天下之理, 一也, 塗雖殊而其歸則同, 慮雖百而其致則一, 雖物有萬殊, 事有萬變, 統之以一則无能違也, 故貞其意, 則窮天下, 无不感通焉. 故曰"天下何思何慮", 用其思慮之私心, 豈能无所不感也.

「계사전」에서 "천하가 무엇을 생각하고 무엇을 근심하겠는가? 천하가 돌아옴을 함께 하지만 길을 달리 하며, 이룸을 함께 하지만 생각은 백 가지이니, 천하가 무엇을 생각하고 무엇을 근심하겠는가?"라고 하였으니, 공자가 함괘를 가지고 느껴서 통하는 도를 지극히 논한 것이다. 생각하고 근심하는 사사로운 마음으로 사람을 감동시키면 감동시키는 것이 작다. 천하의 이치는 한 가지이니, 길은 다르더라도 돌아옴은 함께 하고, 생각은 백 가지더라도 이룸은 함께 하며, 사물이 만 가지로 다르고 일이 만 가지로 변할지라도 하나로 통솔

하면 어긋날 수가 없기 때문에, 그 뜻을 곧게 하면 천하를 다하여 느껴 통하지 않음이 없다. 그러므로 "천하가 무엇을 생각하고 무엇을 근심하겠는가"라고 하였으니, 생각하고 근심하는 사사로운 마음을 쓴다면, 어찌 감동시키지 못하는 것이 없을 수 있겠는가?

"日往則月來, 月往則日來, 日月相推而明生焉. 寒往則暑來, 暑往則寒來, 寒暑相推而歲成焉. 往者, 屈也, 來者, 信也, 屈信, 相感而利生焉", 此, 以往來屈信, 明感應之理. 屈則有信, 信則有屈, 所謂感應也. 故日月相推而明生, 寒暑相推而歲成, 功用由是而成, 故曰"屈信相感而利生焉", '感', 動也, 有感, 必有應. 凡有動, 皆爲感, 感則必有應, 所應, 復爲感, 感復有應, 所以不已也.

「계사전」에서 "해가 가면 달이 오고 달이 가면 해가 오니, 해와 달이 서로 번갈아서 밝음이 생긴다. 추위가 가면 더위가 오고 더위가 가면 추위가 오니, 추위와 더위가 서로 번갈아서 한 해가 된다. 가는 것은 굽힘이며 오는 것은 폄이니 굽힘과 폄이 서로 느껴서 이로움이 생겨난다"고 하였으니, 이것은 가고 오며 굽히고 펴는 것을 가지고 감응하는 이치를 밝혔다. 굽히면 폄이 있고 펴면 굽힘이 있는 것이 이른바 느껴서 호응함이다. 그러므로 해와 달이 서로 번갈아서 밝음이 생겨나고 추위와 더위가 서로 번갈아서 한 해가 이루어지며 공과 쓰임이 이로 말미암아 이루어지기 때문에 "굽히고 폄이 서로 느껴 이로움이 생겨난다"라고 하였다. '느낌'은 움직임이니, 느낌이 있으면 반드시 호응이 있다. 움직임이 있으면 모두 느끼고, 느끼면 반드시 호응이 있으며, 호응하는 것은 다시 느끼고 느끼면 다시 호응이 있기 때문에 그치지 않는다.

“尺蠖之屈, 以求信也, 龍蛇之蟄, 以存身也, 精義入神, 以致用也, 利用安身, 以崇德也, 過此以往, 未之或知也”. 前云屈信之理矣, 復取物以明之.

「계사전」에서 “자벌레의 굽힘은 폄을 구하려고 하기 때문이고, 용과 뱀이 숨어서 나오지 않는 것은 자신을 보존하려고 하기 때문이며, 의로움을 정밀하게 하여 신묘함으로 들어가는 것은 씀을 지극히 하려고 하기 때문이고, 씀을 이롭게 하여 몸을 편안히 하는 것은 덕을 높이려고 하기 때문이니, 이를 지나친 것은 혹 알지 못한다”라고 하였다. 앞에서는 굽히고 펴는 이치를 말하고 다시 사물로 그것을 밝혔다.

尺蠖之行, 先屈而後信. 蓋不屈則无信, 信而後有屈, 觀尺蠖則知感應之理矣. 龍蛇之藏, 所以存息其身而後, 能奮迅也. 不蟄則不能奮矣, 動息相感, 乃屈信也. 君子潛心精微之義, 入於神妙, 所以致其用也. 潛心精微, 積也, 致用, 施也, 積與施, 乃屈信也. “利用安身, 以崇德也”, 承上文‘致用’而言, 利其施用, 安處其身, 所以崇大其德業也. 所爲合理, 則事正而身安. 聖人能事盡於此矣, 故云“過此以往, 未之或知也”.

자벌레가 가는 것은 먼저 굽힌 다음에 펴기 때문이다. 굽히지 않는다면 펼 수 없고, 편 다음에 굽힘이 있으니, 자벌레를 관찰하면 감응하는 이치를 알게 된다. 용과 뱀이 숨어서 나오지 않는 것은 자신을 보존하여 쉰 다음에야 분발하여 빠르게 할 수 있기 때문이다. 숨어 있지 않는다면 분발할 수가 없으니, 움직임과 쉼이 서로 느껴야 굽히고 펴는 것이다.

군자가 정미한 뜻을 마음에 푹 잠겨두어 신묘한 경지에 들어가는 것은 그 씀을 지극히 하기 때문이다. 마음에 정미한 뜻을 푹 잠겨두는 것은 쌓는 일이며 씀을 지극히 하는 것은 베푸는 일이니, 쌓음과 베풂이 바로 굽힘과 폄이다. "씀을 이롭게 하여 몸을 편안히 하는 것은 덕을 높이려고 하기 때문이다"라고 한 것은 위의 문장에서 말한 '씀을 지극히 한다'를 이어서 한 말이니, 그 베풂과 씀을 이롭게 하여 그 자신을 편안하게 처신하기 때문에 덕업을 높고 크게 한다. 하는 것이 이치에 부합되면 일은 바르게 되어 자신은 편안하게 된다. 성인의 능한 일은 여기서 다하였기 때문에 "이를 지나친 것은 혹 알지 못한다"고 하였다.

"窮神知化, 德之盛也". 旣云"過此以往, 未之或知", 更以此語終之云, 窮極至神之妙, 知化育之道, 德之至盛也, 无加於此矣.

"신묘함을 궁구하여 조화를 앎은 덕의 성대함이다"라고 하였다. 그런데 이미 "이를 지나친 것은 혹 알지 못한다"라고 말해놓고 다시 이 말로 끝을 맺으면서 지극히 신령한 묘함을 극도로 다하여 화육하는 도를 아는 것은 덕이 지극히 성대함이라고 했으니, 여기에 더할 것이 없기 때문이다.

集說

● 程子曰:"天地之常, 以其心普萬物而無心, 聖人之常, 以其情順萬事而無情. 故君子之學, 莫若廓然而大公, 物來而順應, 故曰'貞, 吉, 悔亡, 憧憧往來, 朋從爾思'."

정자가 말했다. “천지의 떳떳함은 그 마음으로 모든 사물에 두루 하지만 마음을 씀이 없고, 성인의 떳떳함은 그 정으로 모든 일을 따르지만 정을 줌이 없다. 그러므로 군자의 배움은 모두 비워 크게 공평하고 사물이 오면 순응함과 같은 것이 없다. 그러므로 ‘곧으면 길하여 후회가 없을 것이니, 자주 가고 오면 벗들만 네 생각을 따를 것이다’라고 하였다.”

● 楊氏時曰 : “九四, 脢之下, 股之上, 心之位也. 不言心, 心無不該, 不可以位言也.”

양시가 말했다. “구사는 등살의 아래와 넓적다리의 위이니, 마음의 자리이다. 마음을 말하지 않은 것은 마음은 갖추어지지 않은 곳이 없어 자리로 말할 수 없기 때문이다.”

● 『朱子語類』問 : “咸九四, 『傳』說虛心貞一處, 全似敬.”
曰 : “蓋嘗有此語曰, ‘敬, 心之貞也.’”[3)]

『주자어류』에서 물었다. “함괘의 구사에 대해 『정전』에서 마음을 비우는 일이 곧음이라고 설명한 한 곳은 완전히 경(敬)과 비슷합니다.”
대답했다. “일찍부터 그런 말이 있었으니, ‘경은 마음의 곧음이다.’라고 하였습니다.”

● 問 : “‘憧憧往來, 朋從爾思’, 莫是此感彼應, ‘憧憧’是添一箇

---

3) 『주자어류』 권72, 9조목.

心否."

曰:"'往來'固是感應. '憧憧', 是一心方欲感他, 一心又欲他來應. 如正其義, 便欲謀其利, 明其道, 便欲計其功, 又如赤子入井之時, 此心方怵惕要去救他, 又欲他父母道我好. 這便是憧憧之病."[4]

물었다. "'자주 가고 오면 벗들만 네 생각을 따를 것이다'라는 구절은 이것이 느끼고 저것이 호응한다는 뜻이 아니니, '자주 하는 것'은 하나의 마음을 더한 것입니까?"

대답했다. "'가고 오는 것'이 느끼고 호응함입니다. '자주 하는 것'은 하나의 마음이 다른 것을 느끼려고 하면서 하나의 마음이 또 다른 것에 호응함입니다. 이를테면 의로움을 바르게 하면서 그 이익을 도모하고, 도를 밝히면서 그 공을 계산하는 것입니다. 또 이를테면 갓난아이가 우물에 빠지려고 할 때 그 마음이 측은해서 아기를 구하려고 하면서 또 그의 부모가 나에 대해 좋게 말해 주길 바라는 것입니다. 이런 일이 자주하는 것의 병폐입니다."

● 又云:"'憧憧往來, 朋從爾思'. 聖人未嘗不教人, 思只是不可憧憧, 這便是私了. 感應自有箇自然底道理, 何必思他. 若是義理, 却不可不思."[5]

또 말했다. "'자주 가고 오면 벗들만 네 생각을 따를 것이다'라는 구절은 성인이 사람들에게 가르치지 않음이 없으나 생각만을 자주 해서는 안 된다고 했으니, 그것이 곧 사사로움이기 때문입니다. 느끼고 호응함에는 저절로 자연스러운 도리가 있는데, 무엇 때문에 반

4) 『주자어류』 권72, 5조목.
5) 『주자어류』 권72, 8조목.

드시 다른 것을 생각 하겠습니까? 의리라면 생각하지 않을 수 없습니다."

● 問: "'往來', 是心中憧憧然往來, 猶言往來於懷否."
曰: "非也."
又問: "是憧憧於往來之閒否?"
曰: "亦非也. 只是對那日往則月來底說. 那個是自然之往來, 此憧憧者, 是加私意, 不好底往來. 憧憧只是加一箇忙迫底心, 不能順自然之理, 方往時, 又便要來, 方來時, 又便要往, 只是一箇忙."[6]

물었다. "'가고 오는 것'은 마음으로 자주 가고 오는 사안이니, 생각으로 가고 온다고 말하는 것과 같습니까?"
대답했다. "아닙니다."
또 물었다. "가고 오는 사이를 자주 하는 것입니까?"
대답했다. "그것도 아닙니다. 해가 가면 달이 온다는 설명일 뿐입니다. 그것은 저절로 그런 것의 가고 옴이고, 여기서 자주 하는 것은 사사로운 생각을 더해 좋게 여기지 않는 일입니다. 자주하는 것은 단지 바쁘게 몰아붙이는 마음을 더한 것으로 저절로 그런 이치에 순응할 수 없는 일입니다. 갈 때에 또 오려고 하고, 올 때에 또 가려고 하니, 바쁠 뿐인 것입니다."

● 問: "'憧憧往來', 如霸者, 以私心感人, 便要人應. 自然往來, 如王者, 我感之也, 無心而感, 其應我也, 無心而應. 周徧公溥,

6)『주자어류』 권72, 19조목.

無所私係."
曰:"也是如此."
又問:"此以私而感, 彼非以私而應, 只是應之者, 有限量否?"
曰:"也是以私而應. 如我以私惠及人, 少閒被我之惠者, 則以我爲恩, 不被我之惠者, 則不以我爲恩矣."[7]

물었다. "'자주 가고 오는 것'은 이를테면 패자(霸者)가 사사로운 마음으로 사람을 느끼게 하여 바로 호응시키려는 것입니다. 저절로 가고 오는 것은 이를테면 왕자(王者)가 우리가 느낌에 특별한 마음을 두지 않고 그렇게 되니, 우리를 호응하게 만드는 것이 특별한 마음을 두지 않고 그렇게 하는 것입니다. 두루 널리 하고 공평하게 하여 사적으로 얽매이지 않습니다."
대답했다. "바로 그런 것입니다."
또 물었다. "이 사람은 사사로운 마음으로 느끼게 했는데, 저 사람은 사사로운 마음으로 호응하지 않는다면, 호응에 한계가 있습니까?"
대답했다. "사사로운 마음으로 호응한 것입니다. 이를테면 자신이 사사로운 은혜를 사람들에게 입혔다면 조금이라도 나의 은혜를 입은 사람들은 나를 은인으로 여기고, 나의 은혜를 입지 않은 사람은 나를 은인으로 여기지 않는 것입니다."

● 胡氏炳文曰:"寂然不動, 心之體, 感而遂通, 心之用. '憧憧往來', 已失其寂然不動之體, 安能感而遂通天下之故. '貞吉悔亡', 無心之感也, 何思何慮之有. '憧憧往來', 私矣."

7) 『주자어류』 권72, 19조목.

호병문이 말했다. "고요히 움직이지 않는 것은 마음의 본체이고, 느껴서 마침내 통하는 것은 마음의 작용이다. '자주 가고 오는 것'은 이미 고요하게 움직이지 않는 본체를 잃은 것이니, 어떻게 느껴서 마침내 천하의 일에 통할 수 있겠는가? '곧으면 길하여 후회가 없는 것'은 무심으로 느끼는 것이니, 무엇을 생각하고 염려하겠는가? 그러니 '자주 가고 오는 것'은 사사로운 일이다."

● 林氏希元曰 : "以'憧憧往來', 反觀九四之貞, 只是往來付之無心爾. 蓋盡吾所感之道, 而人之應與否, 皆所不計也, 此便是正而固. '憧憧往來', 是把箇往來放在心上, 切切然不能放下, 故曰'何思何慮', 言其不消如此."

임희원이 말했다. "'자주 가고 오는 것'으로 구사의 곧음을 되돌려서 보면, 가고 오는 것을 특별히 마음을 두지 않는 일로 해야 할 뿐이다. 내가 느끼는 도를 극진하게 하고 남들이 호응하든 말든 모두 생각하지 않으면, 이것이 바로 곧고 굳게 하는 일이다. '자주 가고 오는 것'은 그렇게 함을 마음에 두고 절박해서 버릴 수 없기 때문에 「계사전」에서 '무엇을 생각하고 무엇을 근심하겠는가'라고 하였으니, 이처럼 할 필요가 없다는 말이다."

● 又曰 : "貞者, 施己之感, 不必人之應也. 惟不必人之應, 則不私己之感, 其應者, 亦感, 其不應者, 亦感, 無一人之不感, 亦無一人之不應, 故吉而悔亡. '憧憧往來'者, 施己之感, 必人之應也. 惟必人之應, 則私己之感. 應者, 則感, 不應者則不感, 而其應之, 亦惟其感者卽應, 不感者, 則不應矣. 故'朋從爾思'. 蓋'憧憧往來', 思也, '朋'則思之所及者. 以其思之所及, 故從而目之, 曰

'朋', 猶云朋黨也."

또 말하였다. "곧음은 자신이 느끼는 것을 베풀지만 굳이 남들의 호응이 필요 없다. 남들의 호응이 굳이 필요 없다면, 내가 느끼는 것을 사사롭게 하지 않으니, 호응하는 자들도 느끼고 호응하지 않는 자들도 느껴서 어떤 사람도 느끼지 않음이 없고 어떤 사람도 호응하지 않음이 없기 때문에 길하여 후회가 없다. '자주 가고 오는 것'은 자신이 느끼는 것을 베풀어 남들의 호응을 기필하는 일이다. 남들의 호응을 기필할 뿐이면, 자신이 느끼는 것을 사사롭게 한다. 그러니 호응하는 자는 느끼고 호응하지 않는 자는 느끼지 않으며, 그 호응 또한 느끼는 자가 바로 호응함일 뿐이고 느끼지 않는 자는 호응하지 않는다. 그러므로 '벗들만 네 생각을 따르는 것'이다. '자주 오고 가는 것'은 생각이고, '벗들'은 생각이 미치는 것이다. 그 생각이 미치는 것이기 때문에 그에 따라 지목해서 '벗들'이라고 했으니, 붕당이라고 하는 말과 같다."

九五, 咸其脢, 无悔.

구오는 등살에서 느끼니, 후회가 없다.

本義

'脢', 背肉, 在心上而相背, 不能感物而无私係. 九五適當其處, 故取其象而戒, 占者以能如是, 則雖不能感物, 而亦可以无悔也.

'등살[脢]'은 등의 살집으로 심장의 위치에 있는데도 서로 등지고 있으니, 상대를 느낄 수가 없어 사사롭게 얽매임이 없다. 구오는 처신이 합당하기 때문에 그런 상을 취해 경계하였으니, 점치는 자가 이와 같이 할 수 있다면 상대를 감동시킬 수 없을지라도 후회는 없을 수 있다.

程傳

九居尊位, 當以至誠感天下, 而應二比上. 若係二而說上, 則偏私淺狹, 非人君之道, 豈能感天下乎. '脢', 背肉也, 與心相背而所不見也. 言能背其私心, 感非其所見而說者, 則得人君感天下之正而无悔也.

양이 존귀한 자리에 있어 지성으로 천하를 감동시켜야 하는데, 이효와 호응하고 상효와 가깝게 지낸다. 이효에 얽매여 상효를 기쁘게 한다면, 사사롭고 편협해서 임금의 도가 아니니, 어찌 천하를 감동시킬 수 있겠는가?
'등살[脢]'은 등의 살집이니, 심장과 서로 등을 져서 보이지 않는 것이다. 사사로운 마음을 등져 보고 기뻐하는 것이 아닌 자들을 감동시킬 수 있다면, 임금이 천하를 감동시키는 바름을 얻어 후회가 없게 할 수 있다는 말이다.

集說

● 孔氏穎達曰 : "馬融云, '脢, 背也', 鄭康成云, '脢, 脊肉也', 王肅云, '脢在背而夾脊'. 諸說不同, 大體皆在心上."

공영달이 말했다. "마융은 '등살은 등이다'고 했고, 정강성은 '등살은 등의 살집이다'라고 했으며, 왕숙은 '등살은 등에서 뼈에 붙어 있는 것이다'라고 했다. 여러 가지 설명이 같지 않은데, 요점은 마음에 있다."

● 王氏宗傳曰 : "上六處咸之末, 以口舌爲容悅之道, 五或以其近已也比而說之. '脢', 背肉也, 與心相背者也. 戒之使背其心之所向, 則無親狎之悔矣."

왕종전이 말했다. "상육은 함괘의 끝에 있어 말로 기쁘게 하는 도를 일삼는데, 오효가 혹 자신과 가까운 것 때문에 가까이 하고 기뻐하는 것이다. '등살'은 등의 살집으로 심장과 서로 등지고 있다. 마음이 향하는 것과 등지게 하면 친하여 버릇없이 행동하는 후회가 없게 된다고 경계하였다."

上六, 咸其輔頰舌.

상육은 볼과 뺨과 혀에서 느낀다.

本義

'輔頰舌', 皆所以言者而在身之上. 上六, 以陰居說之終, 處咸之極, 感人以言而无其實, 又兌爲口舌, 故其象如此, 凶咎, 可知.

'볼과 뺨과 혀'는 모두 말하는 데 쓰이고 몸의 위에 있다. 상육은 음으로 기쁨의 끝에 있고 함괘의 끝에 있어 사람들을 말로 감동시키지만 그 실질이 없고, 또 태괘(兌卦)는 입과 혀이기 때문에 그 상이 이와 같으니, 흉함과 허물을 알만하다.

程傳

上, 陰柔而說體, 爲說之主, 又居感之極, 是其欲感物之極也. 故不能以至誠, 感物而發見於口舌之間, 小人女子之常態也, 豈能動於人乎. 不直云口而云輔頰舌, 亦猶今人謂口過, 曰唇吻, 曰頰舌也. 輔頰舌, 皆所用以言也.

상효는 유순한 음이고 기뻐하는 몸체여서 기쁨의 근본이고, 또 느끼는 것의 끝에 있으니 사물을 느끼고자 하는 궁극이다. 그러므로 지성으로 대상을 감동시킬 수 없어 말로 드러내는 것은 소인과 여자의 일상적인 태도이니, 어찌 다른 사람을 감동시킬 수 있겠는가? 곧바로 입이라고 말하지 않고 볼과 뺨과 혀라고 말한 것은 또한 오늘날 사람들이 실언[口過]를 '입술[脣吻]'이라 하고 '협설(頰舌)'이라 하는 것과 같다. 볼과 뺨과 혀는 모두 말을 하는 데 쓴다.

集說

● 王氏弼曰: "'輔頰舌'者, 所以爲語之具也. '咸其輔頰舌', 則滕口說也. '憧憧往來', 猶未光大, 況在滕口. 薄可知也."

왕필이 말했다. "'볼과 뺨과 혀'는 말하는 데 필요한 것들이다. '볼과 뺨과 혀에서 느낀다'는 입과 말로만 올려주는 것이다. '자주 가고 오는 것'은 아직 빛나게 크지 않은 것과 같으니, 하물며 말을 하는데서야 말해 무엇 하겠는가? 깊지 않음을 알 수 있다."

● 郭氏忠孝曰: "『易』稱近取諸身, 獨咸艮二卦言之爲詳. 而其成終有特異, 豈非咸極於說, 艮終於止耶. 觀'艮其輔, 言有序', 爲可知矣."

곽충효가 말했다. "『역』에서 말하는 것이 가까이 몸에서 취함은 유독 함괘와 간괘 두 괘로 말하면 자세하다. 그런데 끝을 내는 데 특이하니, 어찌 함괘는 말하는 것을 끝까지 하고 간괘는 그침에서 마쳤기 때문이 아니겠는가?[8] '볼에 그침이라 말이 순서가 있음이다'[9]

8) 『주역』「간괘(艮卦)」: "上九, 敦艮, 吉.[상구효는 그침에 돈독하니, 길하다.]"라고 하였다.

9) 『주역』「간괘(艮卦)」: "六五, 艮其輔, 言有序, 悔亡.[육오는 볼에 그침이

라고 한 것을 보면 알 수 있다."

總論

● 鄭氏汝諧曰 : "卦言感應之理, 六爻皆不純乎吉, 何也. 卦合而言之, 爻析而言之. 天地感而萬物化生, 聖人感人心而天下和平, 咸之全也. 六爻之所感不同, 咸之偏也. 自初至上, 皆以人身爲象, 囿於有我, 安能無所不感乎."

정여해가 말했다. "괘에서 느끼고 호응하는 이치를 말하였는데, 여섯 효가 모두 길함에 순수하지 못한 것은 무엇 때문인가? 괘사는 합하여 말하고, 효사는 나누어 말하기 때문이다. 천지가 느껴서 만물이 화육하고 생장하며, 성인이 사람의 마음을 느껴 천하가 평화로운 것은 함괘의 온전함이다. 여섯 효가 느낌이 다른 것은 함괘의 치우침이다. 초효에서 상효까지 모두 사람의 몸으로 상을 삼은 것은 내가 있는 곳에 얽매임이니, 어찌 느끼지 않음이 없을 수 있겠는가?"

● 易氏祓曰 : "咸, 感也. 感以心爲主, 而偏體皆所感之一. 初咸其拇, 二咸其腓, 三咸其股, 五咸其脢, 上咸其輔頰舌, 皆感其偏體者也. 所感出於心, 故皆以咸字明之. 九四在上下之閒, 其位在心, 故不言咸, 而言所感之道."

이볼[10]이 말했다. "함은 느낌이다. 느낌은 마음을 근본으로 하고,

라 말이 순서가 있음이니 후회가 없다.]"라고 하였다.

10) 이볼(易祓, 1156~1240) : 자는 언장(彦章)이고 나중에 언상(彦祥)으로

한쪽의 몸은 모두 느낌의 하나이다. 초효는 발가락에서 느끼고, 이효는 장딴지에서 느끼며, 삼효는 넓적다리에서 느끼고, 오효는 등살에서 느끼며, 상효는 볼과 뺨과 혀에서 느끼니, 모두 한쪽의 몸을 느끼는 것이다. 느낌은 마음에 나오기 때문에 모두 함(咸)이라는 글자로 밝혔다. 구사는 상하의 사이에 있고 그 자리에 마음이 있기 때문에 '느낀다[咸]'고 말하지 않고 느끼는 것의 도를 말하였다."

● 丘氏富國曰 : "咸六爻以身取象, 上卦象上體, 下卦象下體. 初在下體之下爲拇, 二在下體之中爲腓, 三在下體之上爲股, 此下卦三爻之序也. 四在上體之下爲心, 五在上體之中爲脢, 上在上體之上爲口, 此上卦三爻之序也."

구부국이 말했다. "함괘의 여섯 효는 몸으로 상을 취해 위의 괘에서는 상체로 상을 삼았고 아래의 효는 하체로 상을 삼았다. 초효는 하체의 아래에 있어 발가락이고, 이효는 하체의 가운데 있어 장딴지이며, 삼효는 하체의 위에 있어 넓적다리이니, 이것이 아래의 괘에서 세 효의 순서이다. 사효는 상체의 아래에 있어 심장이고, 오효는 상체의 가운데 있어 등살이며, 상효는 상체의 위에 있어 입이니, 이것이 위의 괘에서 세 효의 순서이다."

바꾸었다. 호는 산재(山齋)이다. 남송(南宋) 중후기 저명한 학자이다. 호남(湖南) 장사(長沙) 저향현(宁鄕縣) 사람이다. 효종(孝宗), 저종(宁宗), 이종(理宗) 삼조에 걸쳐 관직을 했다. 동군탕숙(同郡湯璹), 왕용(王容)과 더불이 장사삼준(長沙三俊)으로 칭해진다. 박학다식하고 시사(詩詞)에 뛰어나서 문인박사들이 흠모하였고 모두 포의거사(布衣居士)로 칭했다. 여러 관직을 거처 85세에 죽었다. 시호는 문창(文昌)이다. 『주례주역석의(周禮周易釋義)』, 『역학거우(易学擧隅)』, 『산재집(山齋集)』 등이 있다.

● 龔氏煥曰 : "咸以人身取象, 與艮卦相類, 但咸感艮止. 感者動, 而止者靜, 故咸諸爻, 不如艮吉多而凶少."

공환이 말했다. "함(咸䷞)괘가 사람의 몸으로 상을 취한 것은 간(艮䷳)괘와 서로 비슷한데, 함괘는 느끼는 것이고 간괘는 멈추는 것일 뿐이다. 느끼는 것은 움직이고 멈추는 것은 고요하기 때문에 함괘의 여러 효는 간괘의 길함이 많고 흉함이 적은 것만 못하다."

32. 항恒괘

䷟ 震上 巽下

程傳

恒, 序卦, "夫婦之道, 不可以不久也, 故受之以恒. 恒, 久也." 咸, 夫婦之道, 夫婦, 終身不變者也, 故咸之後, 受之以恒也.

항(恒䷟)괘에 대해 「서괘전」에서 "부부의 도는 오래하지 않을 수 없기 때문에 항괘로 받았다. '항(恒)'이란 오래한다는 것이다"라고 하였다. 함(咸䷞)괘는 부부의 도이니, 부부는 종신토록 변하지 않기 때문에 함괘의 뒤에 항괘로 받았다.

咸, 少男, 在少女之下, 以男下女, 是男女交感之義. 恒, 長男, 在長女之上, 男尊女卑, 夫婦居室之常道也. 論交感之情, 則少爲親切, 論尊卑之序, 則長當謹正, 故兌艮爲咸, 而震巽爲恒也. 男在女上, 男動於外, 女順於內, 人理之常, 故爲恒也. 又剛上柔下, 雷風相與, 巽而動, 剛柔相應, 皆恒之義也.

함(咸䷞)괘는 젊은 남자가 젊은 여자 아래에 있어 남자가 여자에게 낮추니, 남녀가 사귀어 감응하는 의리이다. 항(恒䷟)괘는 장성한 남자가 장성한 여자의 위에 있어 남자가 높고 여자가 낮으니, 부부가 집에서 처신하는 영원한 도이다.

사귀어 감응하는 실정으로 논한다면, 젊음은 친절한 것이고, 존비의 차례로 논한다면 장성함은 신중하고 바르게 해야 하는 것이기 때문에 태(兌☱)괘와 간(艮☶)괘가 함(咸䷞)괘가 되었고, 진(震☳)괘와 손(巽☴)괘가 항괘가 되었다. 남자가 여자 위에 있는 것은 남자가 밖에서 움직이고 여자가 안에서 유순한 것으로 인륜의 떳떳함이기 때문에 항(恒䷟)괘가 되었다. 또 굳센 양이 위에 있고 부드러운 음이 아래에 있는 것은 우레와 바람이 서로 함께 하며 공손하면서 움직이고 굳센 양과 부드러운 음이 서로 호응함이니, 모두 항괘의 뜻이다.

恒, 亨无咎, 利貞, 利有攸往.

항(恒)은 형통하여 허물이 없으나 곧음이 이로우니, 가는 것이 이롭다.

本義

恒, 常久也. 爲卦震剛在上, 巽柔在下, 震雷巽風, 二物相與, 巽順震動, 爲巽而動, 二體六爻, 陰陽相應. 四者皆理之常, 故爲恒. 其占, 爲能久於其道, 則亨而无咎, 然又必利於守貞, 則乃爲得所常久之道, 而利有所往也.

항(恒)은 항구함이다. 괘의 모양은 진(震☳)괘의 굳셈이 위에 있고 손(巽☴)괘의 유순함이 아래에 있으며, 진괘의 우레와 손괘의 바람 두 가지가 서로 함께 하고, 손괘의 유순함과 진괘의 움직임이 공손하면서도 움직이며, 두 몸체의 여섯 효가 음과 양으로 서로 호응한다. 네 가지가 모두 이치의 항구함이기 때문에 항괘가 된다. 그 점(占)은 도에서 오래할 수 있다면 형통하여 허물이 없지만, 또한 반드시 바름을 지키는 것에서 이로우니, 항구하게 할 수 있는 도를 얻어 가는 것이 있는 곳에 이롭다.

程傳

恒者, 常久也, 恒之道, 可以亨通. 恒而能亨, 乃无咎也. 恒而不可以亨, 非可恒之道也, 爲有咎矣. 如君子之恒於善, 可恒之道也, 小人恒於惡, 失可恒之道也. 恒所以能亨, 由貞正也, 故云'利貞'. 夫所謂恒, 謂可恒久之道, 非守一隅而不知變也, 故利於有徃. 唯其有徃, 故能恒也, 一定則不能常矣, 又常久之道, 何徃不利.

항(恒)이란 항구한 것이니, 항구한 도는 형통할 수 있다. 항구하면서 형통할 수 있으면 그야말로 허물이 없다. 항구한데 형통할 수 없으면 항구한 도가 아니어서 허물이 있게 된다. 이를테면 군자가 선에 항구한 것은 항구할 수 있는 도이고, 소인이 악에 항구한 것은 항구할 수 있는 도를 잃음이다. 항괘가 형통할 수 있는 까닭은 곧고 바르기 때문이니, '곧음이 이롭다'고 하였다. 이른바 '항(恒)'은 항구할 수 있는 도를 말하니, 한 쪽 귀퉁이만 지켜 변통할 줄 모르는 것이 아니기 때문에 가는 것이 이롭다. 오직 가는 것이 있기 때문에 항구할 수 있고, 일정하면 항구할 수 없으니, 또 항구한 도는 어디로 갈지라도 이롭지 않겠는가?

集說

● 『朱子語類』云 : "恒是箇一條物事, 徹頭徹尾, 不是尋常字. 古字作亙, 其說象一隻船兩頭靠岸, 可見徹頭徹尾."[1]

『주자어류』에서 말했다. "항(恒)은 하나의 사정에 철두철미하다는 뜻이지, 항구함을 찾는 것이 아니다. 옛날 글자에는 항(亙)으로 되어 있는데, 그 설명이 배 한 척의 양쪽 머리가 언덕에 기대 있는

1) 『주자어류』 권72, 21조목.

것을 상징하니 철두철미(徹頭徹尾)함을 알 수 있다."

● 徐氏幾曰 : "'恒'有二義, 有不易之恒, 有不已之恒. '利貞'者, 不易之恒也, '利有攸往'者, 不已之恒也. 合而言之, 乃常道也, 倚於一偏則非道矣."

서기가 말했다. "'항(恒)'에는 두 가지 의미가 있으니, 바뀌지 않아 항구하다는 뜻이 있고 그치지 않아 항구하다는 뜻이 있다. '곧음이 이롭다'는 바뀌지 않아 항구하다는 말이고, '가는 것이 이롭다'는 그치지 않아 이롭다는 것이다. 합해서 말해야 항구한 도이니, 한 편에 의지하면 도가 아니다."

● 林氏希元曰 : "惟其不易, 所以不已."

임희원이 말했다. "바뀌지 않을 뿐이기 때문에 그치지 않는다."

初六, 浚恒, 貞, 凶, 无攸利.

초육은 깊게 항구하게 하니, 바르더라도 흉하여 이로울 것이 없다.

本義

初與四爲正應, 理之常也, 然初居下而在初, 未可以深有所求, 四震體而陽性, 上而不下, 又爲二三所隔, 應初之意異乎常矣. 初之柔暗, 不能度勢, 又以陰居巽下, 爲巽之主, 其性務入, 故深以常理求之, 浚恒之象也. 占者如此, 則雖貞, 亦凶而无所利矣.

초효와 사효는 바른 호응이 되니 이치의 떳떳함이지만, 초효는 하괘에 있으면서 처음 자리에 있어 아직 깊게 구하는 것이 있어서는 안 되고, 사효는 진(震☳)괘의 몸체이면서 양의 성질이라서 위로 올라가고 내려오지 않으며, 또 이효와 삼효에 의하여 막히게 되어 초효와 호응하려는 뜻이 항구함과 다르다.
유순하고 어두운 초효는 형세를 헤아릴 수 없고 또 음으로 손(巽)괘의 아래에 있어 손괘의 주인이 되고 그 성질이 들어가기에 힘쓰기 때문에 깊게 항구한 이치로 구하니, 깊게 항구한 상이다. 점을 치는 사람이 이와 같이 한다면 바르더라도 또한 흉하여 이로운 바가 없다.

程傳

初居下而四爲正應, 柔暗之人, 能守常而不能度勢. 四震體而陽性, 以剛居高, 志上而不下, 又爲二三所隔, 應初之志異乎常矣. 而初乃求望之深, 是知常而不知變也.

초효가 아래에 있고 사효가 바른 호응이니, 유순하고 어두운 사람이 항구함을 지킬 수 있어도 형세를 헤아릴 수 없다. 구사는 진(震☳)괘의 몸체로 양의 성질이고 굳셈으로 높은 자리에 있어 뜻이 올라가려고 하고 내려오려고 하지 못하며, 또 이효와 삼효에 의하여 막히게 되어 초효와 호응하려는 뜻이 항구함과 다르다. 그런데도 초효가 여기서 구하고 바라기를 깊게 하는 것은 항구함을 알지만 변화를 몰라서이다.

'浚', 深之也, '浚恒', 謂求恒之深也. 守常而不度勢, 求望於上之深, 堅固守此, 凶之道也. 泥常如此, 无所往而利矣. 世之責望故素, 而致悔咎者, 皆浚恒者也. 志旣上求之深, 是不能恒安其處者也. 柔微而不恒安其處, 亦致凶之道. 凡卦之初終, 淺與深微與盛之地也, 在下而求深, 亦不知時矣.

'깊게[浚]'는 심하게 한다는 뜻이니, '깊게 항구하게 한다[浚恒]'는 것은 항구함을 구함을 심하게 한다는 말이다. 항구함을 지키지만 형세를 헤아리지 못해 윗사람에게 구하고 바라기를 심하게 하니, 견고하게 이것을 지킨다면 흉한 도이다. 항구함에 빠짐이 이와 같다면 가서 이로울 것이 없다.
세상에서 옛날 본래의 것을 요구하고 바라다가 허물을 이룬 경우는 모두 깊게 항구한 것이다. 뜻이 이미 위로 구하기를 심하게 하는 것은 그 있는 곳을 항구하게 하고 편안하게 할 수 없다. 유순하고 미미하여 그 있는 곳을 항구하고 편안하게 하지 못함은 또한 흉하게 되는 도이다. 괘의 처음과 끝은 얕고 깊으며 미세하고 성대한 곳이니, 아래에서 심하게 하기를 구함은 또한 때를 알지 못해서이다.

集說

● 陸氏希聲曰 : "常之爲義, 貴久於其道, 日以浸深. 初爲常始, 宜以漸爲常. 而體巽性躁, 遽求深入, 是失久於其道之義, 不可以爲常, 故貞凶."

육희성[2]이 말했다. "항구함의 의미는 도를 오래도록 하는 것을 귀하게 여기는 일인데 날마다 깊이 들어간다. 초효는 항구함의 시작이어서 점차로 항구함을 삼아야 한다. 그런데 몸체가 공손하고 성질이 조급하여 갑자기 깊이 들어가기를 구하는 것은 그 도를 오래도록 한다는 의미를 잃은 것으로 항구함이라 일컬을 수 없으니 바르더라도 흉하다."

● 胡氏瑗曰 : "天下之事, 必皆有漸, 在乎積日累久, 而後能成其功. 是故爲學旣久, 則道業可成, 聖賢可到, 爲治旣久, 則敎化可行, 堯舜可至. 若是之類, 莫不由積日累久而後至, 固非驟而

2) 육희성(陸希聲) : 자는 홍경(鴻磬)이고, 호는 군양둔수(君陽遁叟) 혹은 단양도인(君陽道人)이며, 당나라 소주(蘇州) 오현(吳縣) 사람이다. 의흥(義興)에 은거했다가 천거되어 벼슬은 우습유(右拾遺), 합주자사(歙州刺史), 급사중(給事中), 호부시랑(戶部侍郞), 동중서문하평장사(同中書門下平章事) 등을 역임했다. 『역(易)』, 『춘추(春秋)』, 『도덕경(道德經)』에 정통했고, 문장을 잘 지었다. 저서에 『춘추통례(春秋通例)』, 『도덕경전(道德經傳)』이 있다.

及也. 初六居下卦之初, 爲事之始, 責其長久之道, 永遠之效, 是猶爲學之始, 欲亟至於周孔, 爲治之始, 欲化及於堯舜. 不能積久其事, 而求常道之深, 故於貞正之道, 見其凶也. 无攸利者, 以此而往, 必無所利, 孔子曰, 欲速則不達, 是也."

호원이 말했다. "천하의 일은 반드시 점차적으로 해야 하니, 오래도록 한 다음에 그 공을 이룰 수 있다. 이 때문에 학문을 오래도록 하고 나면 도에 대한 공업을 이룰 수 있고 성현에 도달할 수 있으며, 다스림을 오래도록 하고 나면 교화를 행할 수 있고 요임금과 순임금에 이를 수 있다. 이런 것들은 오래도록 한 다음에 이르지 않음이 없으니, 진실로 갑자기 할 수 있는 것들이 아니다. 초육은 아래괘의 처음에 있어 일의 시작인데, 장구한 도와 영원한 효과를 요구하는 것은 학문의 시작에 주공이나 공자 같은 성인에 빨리 도달하려 하고, 다스림의 시작에 요임금과 순임금에게 미치려 하는 것과 같다. 그 일을 쌓아 오래도록 했으나 항구한 도를 깊이 구할 수 없기 때문에 곧고 바른 도에서 흉함을 당한다. 이로울 바가 없는 것은 이렇게 가면 반드시 이로울 바가 없으니, 공자가 '급히 하려다 보면 목적을 달성하지 못한다'[3]고 한 것이 이에 해당한다."

● 王氏宗傳曰 : "初, 巽之主也, 當恒之初, 而以深入爲恒, 故曰 '浚恒'. 猶之造事也, 未嘗有一日之勞, 而遽求其事成, 猶之爲學也, 未嘗有一日之功, 而遽求其造道. 夫造事而欲其有所成, 爲學而欲其有所造, 固所當然, 然望之太深, 責之太遽, 俱不免於無成而已. 故凶而无攸利也."

3) 『논어』「자로(子路)」: "欲速則不達.[급히 하려다 보면 목적을 달성하지 못한다.]"라고 하였다.

왕종전이 말했다. "초효는 손괘의 중심이어서 항괘의 처음인데도 깊이 들어가는 것으로 항구함을 삼기 때문에 '깊게 항구하게 한다'고 하였다. 그러니 그것은 일을 시작하면서 하루의 노력도 없이 갑자기 일의 성취를 바라는 것과 같고, 학문을 하면서 하루의 공도 없이 갑자기 도에 이르고자 하는 것과 같다. 일을 시작하면서 일을 이루기를 구하고 학문을 하면서 도에 나아가기를 바라는 것은 진실로 당연하지만 구하는 것이 너무 심하고 바라는 것이 너무 갑작스러워 모두 이루지 못할 뿐이다. 그러므로 흉하고 이로울 바가 없다."

● 王氏申子曰 : "恒, 久也. 天下可久之事, 豈一朝夕所能致者. 初六質柔而志剛. 質柔, 故昧於遠見, 志剛, 故欲速不達. 處恒之初, 是方爲可久之計者. 而遽焉求深, 故曰'浚恒'. 非急暴而不能恒, 則必苟且而不可恒矣. 貞固守此以爲恒, 取凶之道也, 何所利哉."

왕신자가 말했다. "항구함은 오래도록 하는 것이다. 천하에서 오래해야 되는 일을 어찌 하루아침이나 하루저녁에 할 수 있겠는가? 초육은 자질이 부드러운데 뜻이 굳세다. 자질이 부드럽기 때문에 멀리 보는 데 어둡고, 뜻이 굳세기 때문에 통달하지 못한 것에 빨리 하려고 한다. 항괘의 처음에는 오래도록 할 수 있는 계획을 하는 것이다. 그런데 갑자기 구하기를 심하게 하기 때문에 '깊게 항구하게 한다'고 하였다. 급하고 난폭한데도 항구하게 할 수 없는 것이 아니면, 반드시 구차해서 항구하게 할 수 없다. 바르고 굳게 이것을 지켜 항구함을 삼으면 흉함을 취하는 도이니, 무엇이 이롭겠는가?"

案

● 此爻義, 陸氏胡氏二王氏, 俱與『傳』『義』異, 於卦義尤爲精切可從. 蓋凡事漸, 則能久, 不漸則不能久矣. 孟子所謂其進銳者, 其退速也.

이 효의 의미는 육씨[육희성]와 호씨[호원]와 두 왕씨[왕종전·왕신자]가 모두 『정전』『주역본의』와 다르지만 괘의 의미로는 더욱 정밀하고 절실하여 따를 만하다. 모든 일은 점차적으로 하면 오래 할 수 있고 점차적으로 하지 않으면 오래할 수 없다. 맹자가 말한 "나아가는 것이 빠른 경우는 물러나는 것도 빠르다"[4]는 것이다.

4) 『맹자』「진심상(盡心上)」: "其進銳者, 其退速.[나아가는 것이 빠른 경우는 물러나는 것도 빠르다.]"라고 하였다.

九二, 悔亡.
구이는 후회가 없다.

本義

以陽居陰, 本當有悔, 以其久中, 故得亡也.

양으로 음의 자리에 있으니 본래 후회가 있어야 하지만 알맞음을 오래도록 하기 때문에 후회가 없다.

程傳

在恒之義, 居得其正則常道也, 九陽爻, 居陰位, 非常理也. 處非其常, 本當有悔. 而九二以中德而應於五, 五復居中, 以中而應中, 其處與動, 皆得中也, 是能恒久於中也. 能恒久於中, 則不失正矣. 中, 重於正, 中則正矣, 正, 不必中也. 九二以剛中之德, 而應於中, 德之勝也, 足以亡其悔矣. 人能識重輕之勢, 則可以言易矣.

항(恒)괘의 뜻에서보면, 거처에서 바름을 얻으면 항상된 도이지만, 구(九)는 양효가 음의 자리에 있으니 항구한 이치가 아니다. 처신이 항구함이 아니라면 본래 후회가 있어야 한다. 그런데 구이는 알맞은 덕으로 오효와 호응하고 오효가 다시 가운데 자리에 있어 알맞음으로 알맞음과 호응하고 그 머물러 있음과 움직임에서 모두 알맞음을 얻었으니, 알맞음에 항구할 수 있다.
알맞음에 항구할 수 있으면 바름을 잃지 않는다. 알맞음은 바름보다 중요하니, 알맞으면 바르지만 바르다고 반드시 알맞은 것은 아니다. 구이는 굳세고 알맞은 덕으로 알맞음에 호응하여 덕이 우세하니, 충분히 후회를 없게 할 수 있다. 형세의 경중을 식별할 수가 있는 사람이라면 역(易)을 말할 수 있다.

集說

● 程氏迥曰:"大壯九二解初六及此爻, 皆不著其所以然, 蓋以爻明之也."

정형[5]이 말했다. "대장(大壯䷡)괘 구이[6]와 해(解䷧)괘 초효[7]와 이

5) 정형(程迥): 남송 응천부(應天府) 영릉(寧陵) 사람으로 자는 가구(可久)이고, 호는 사수(沙隨)이다. 효종(孝宗) 융흥(隆興) 원년(1163)에 진사(進士)에 급제하여, 진현(進賢)과 상요(上饒)의 지현(知縣), 양주(揚州) 태흥위(泰興尉), 요주덕흥지현(饒州德興知縣) 등을 역임하였다. 일찍이 왕보(王葆)와 가흥(嘉興)의 학자 무덕(茂德), 엄릉(嚴陵), 유저(喩檮)에게 경전을 배웠고, 주희는 그의 박학다식함과 실천정신을 칭찬했다. 경서는 물론 불교와 도가, 음운에 이르기까지 두루 연구했다. 저서에 『고역고(古易考)』, 『고역장구(古易章句)』, 『역전외편(易傳外編)』, 『춘추전현미예목(春秋傳顯微例目)』,' 『논어전(論語傳)』, 『맹자장구(孟子章句)』, 『경사설제논변(經史說諸論辨)』, 『사성운(四聲韻)』, 『고운통식(古韻通式)』, 『의경정본서(醫經正本書)』, 『삼기도의(三器圖義)』, 『남재소집(南齋小集)』 등이 있는데, 세상에 전해진 것으로는 『주역고점법(周易古占法)』과 『주역장구외편(周易章句外編)』 등이 있다.
6) 『주역』「대장괘(大壯卦)」: "九二, 貞吉.[구이는 곧아야 길하다.]"라고 하였다.

효는 모두 그렇게 되는 까닭을 드러내지 않았으니, 효에서 분명하기 때문이다."

案

● 恒者, 常也, 中則常矣. 卦惟此爻以剛居中. 大壯之壯, 戒於太過, 而四陽爻, 惟二得中. 解利西南, 貴處後也. 而卦惟初六爲最後, 此皆合乎卦義而甚明者. 故直繫以吉占而辭可畧也.

항(恒)은 항구함으로, 알맞게 하는 것이 항구함이다. 괘에서 이 효만이 굳셈으로 알맞은 자리에 있다. 대장(大壯䷡)괘에서 씩씩함[壯]은 너무 지나친 것을 경계했는데, 네 양효 가운데 이효만이 알맞음을 얻었다. '해(解䷧)괘에서 서남쪽이 이롭다'[8]는 것은 뒤에 있음을 귀하게 여기기 때문이다. 그런데 괘에서 초육만 가장 뒤에 있으니, 이것이 괘의 의미에 부합하고 아주 분명한 것이다. 그러므로 곧바로 그것을 길한 점으로 내걸고 말은 생략할 수 있다.

7) 『주역』「해괘(解卦)」: "初六, 无咎.[초육은 허물이 없다.]"라고 하였다.
8) 『주역』「해괘(解卦)」: "解, 利西南, 无所往, 其來復, 吉. 有攸往, 夙, 吉.[해괘는 서남쪽이 이로우니, 갈 곳이 없으면 와서 회복함이 길하고, 갈 곳이 있으면 일찍 함이 길하다.]"라고 하였다.

九三, 不恒其德, 或承之羞, 貞, 吝.

구삼은 그 덕을 항구하게 하지 않아 어떤 이가 이어받는 수치이니, 곧게 하더라도 부끄럽다.

本義

位雖得正, 然過剛不中, 志從於上, 不能久於其所, 故爲不恒其德, 或承之羞之象. '或'者, 不知其何人之辭. '承', 奉也, 言人皆得奉而進之, 不知其所自來也. '貞吝'者, 正而不恒, 爲可羞吝, 申戒占者之辭.

자리에서 바름을 얻었을지라도 지나치게 굳세고 알맞지 않으며 뜻이 상효를 따라 그 곳에 오래 있을 수 없기 때문에, 그 덕을 항구하게 하지 못하여 어떤 자가 이어받는 수치스러운 상이다.

'어떤 이[或]'는 어떤 사람인지 알지 못한다는 말이다. '이어받는다'는 받든다는 말이니, 사람들이 모두 받들어 나아가면서도 어디에서 왔는지 알지 못하는 것이다. '곧게 하더라도 부끄럽다'는 바르게 해도 항구하지 못하여 부끄럽게 되는 것이니, 점치는 자를 거듭 경계한 말이다.

程傳

三, 陽爻居陽位, 處得其位, 是其常處也. 乃志從於上六, 不

唯陰陽相應, 風復從雷, 於恒處而不處, 不恒之人也. 其德不恒, 則羞辱或承之矣. '或承之', 謂有時而至也. '貞吝', 固守不恒以爲恒, 豈不可羞吝乎.

삼효는 양의 효가 양의 자리에 있어 처신이 그 자리를 얻었으니, 항구한 처신이다. 그런데 뜻이 상육을 따라 음과 양이 서로 호응할 뿐만 아니라, 바람이 다시 우레를 따라가 항구한 곳에 있지 못하니, 항구하지 못한 사람이다. 그 덕이 항구하지 못하면 부끄러움과 욕됨을 간혹 이어받는다. '간혹 이어받는다[或承之]'는 때에 따라 생긴다는 말이다. '곧으면 부끄러울 것이다[貞吝]'는 항구하지 않음을 굳게 지켜 그것으로 항구함을 삼았으니, 어찌 부끄럽지 않겠는가라는 뜻이다.

集說

● 蘇氏軾曰 : "咸恒無完爻, 以中者用之, 可以悔亡, 以不中者用之, 無常之人也, 故九三不恒其德."

소식이 말했다. "함(咸䷞)괘와 항(恒䷟)괘에는 온전한 효가 없어 알맞은 것으로 쓰면 후회가 없을 수 있고, 알맞지 않은 것으로 쓰면 항구하지 않은 사람이기 때문에 구삼은 그 덕을 항구하게 하지 않는 것이다."

● 王氏申子曰 : "人之爲德, 過乎中, 則不能恒. 三過乎中矣, 且以剛居剛, 而處巽之極. 過剛則躁, 巽則不果, 是無恒者也."

왕신자가 말했다. "사람이 덕을 행함에 알맞음을 지나치면 항구할 수 없다. 삼효는 알맞음을 지나쳤고 또 굳셈으로 굳센 자리에 있고 손괘의 끝에 있다. 굳셈을 지나치게 하면 조급하게 되고 공손하게 되면 결과가 없으니 항구함이 없는 것이다."

案

● 『易』所最重者中. 故卦德之不善者, 過乎中, 則愈甚, 睽歸妹之類, 是也, 卦德之善者, 過乎中, 則不能守矣, 復中孚之類, 是也. 況恒者, 庸也常也. 惟中故庸, 未有失其中而能常者也. 三上之爲不恒振恒者, 以此.

『역』에서 가장 중요한 것이 알맞음이다. 그러므로 괘의 덕이 선하지 못한 경우에는 알맞음을 지나치면 더욱 심해지니, 규(睽䷥)괘와 귀매(歸妹䷵)괘 같은 것들이 여기에 해당하고, 괘의 덕이 선한 경우에는 알맞음을 지나치면 지킬 수가 없으니, 복(復䷗)괘와 중부(中孚䷼)괘 같은 것들이 여기에 해당한다. 항(恒䷟)괘에 비유할 경우에는 평상이고 항구함이다. 오직 알맞기 때문에 평상이니, 알맞음을 잃고 항구할 수 있는 경우는 없다. 삼효와 상효가 항구하지 않으면서 항구함을 떨치는 것은 이 때문이다.

九四, 田无禽.

구사는 사냥을 해도 잡을 짐승이 없다.

本義

以陽居陰, 久非其位, 故爲此象. 占者田无所獲, 而凡事亦不得其所求也.

양으로 음의 자리에 있으니 그 자리가 아닌 것에 오래하기 때문에 이러한 상이 되었다. 점을 치는 사람이 사냥을 하면 잡은 것이 없고, 모든 일에서도 또한 구하는 것을 얻지 못한다.

程傳

以陽居陰, 處非其位. 處非其所, 雖常, 何益. 人之所爲, 得其道則久而成功, 不得其道則雖久何益. 故以田爲喩. 言九之居四, 雖使恒久, 如田獵而无禽獸之獲, 謂徒用力而无功也.

양으로 음의 자리에 있으니 있는 곳이 제 자리가 아니다. 있는 곳이 제 자리가 아니라면 늘 있더라도 무엇이 유익하겠는가? 사람이 하는 것에서 도를 얻으면 오래하여 성공할 수 있지만, 도를 얻지 못하면 오래하더라도 무엇이 유익하겠는가? 그러므로 사냥으로 비유하였다. 양[九]이 사효에 있는 것은 항구하게 하더라도 사냥에 잡을 짐승이 없다는 말과 같으니, 한갓 힘만 쓰고 공이 없음을 말한다.

集說

● 胡氏瑗曰:"常久之道, 必本於中正. 九四以陽居陰, 是不正也, 位不及中, 是不中也. 不中不正, 不常之人也. 以不常之人, 爲治, 則敎化不能行, 撫民, 則膏澤不能下, 是猶田獵而无禽可獲也."

호원[9]이 말했다. "항구한 도는 반드시 알맞음과 바름을 근본으로 한다. 구사는 양으로 음의 자리에 있으니 바르지 않고 자리가 알맞음에 미치지 못했으니 알맞지 않음이다. 알맞지 않고 바르지 않은 것은 항구하지 않은 사람이다. 항구하지 않은 사람이 다스리면 교화가 행해지지 않고, 백성들을 어루만지면 혜택이 내려가지 않으니, 사냥을 해도 잡을 짐승이 없는 것과 같다."

案

● '浚恒'者, 如爲學太銳而不以序, 求治太速而不以漸也. '田无禽'者, 如學不衷於聖而失其方, 治不準於王而乖其術也. 如此則

9) 호원(胡瑗, 993~1059) : 자는 익지(翼之)이고 시호는 문소(文昭)로서, 북송시대 태주 해릉(泰州海陵 : 현 강소성 태주시) 사람이다. 13살에 오경(五經)을 통독하고, 20세에 손복(孫復)과 석개(石介)를 산동성 태산(泰山) 서진관(棲眞觀)에서 배알하고 10년 동안 사사하였다. 30세에 귀향하여 7번 과거에 응시했으나 낙방하여, 안정서원(安定書院)을 짓고 후학배양에 힘썼다. 이에 세칭 안정선생으로 불렸다. 42세에 범중엄(范仲淹)의 천거로 교서랑(校書郞)이 되고, 태자중사(太子中舍), 광록시승(光祿寺丞), 천장각시강(天章閣侍講), 태상박사(太常博士) 등을 역임하였다. 특히 관직 생활 중에도 강학에 힘을 쏟아 손복(孫復)·석개(石介)와 함께 송초삼선생(宋初三先生)으로 추숭되어 송대 리학의 선구가 되었다. 저서에 『주역구의(周易口義)』, 『홍범구의(洪範口義)』, 『춘추구의(春秋口義)』, 『논어설(論語說)』 등이 있다.

雖久何益哉. 韓愈與侯生釣魚之詩, 卽此田无禽之喻也."

'깊게 항구하게 한다'는 것은 학문을 함에 너무 날카롭고 순서대로 하지 않고 다스림을 구함에 너무 서두르고 점차적으로 하지 않는 것과 같다. '사냥을 해도 잡을 짐승이 없다'는 배움이 성인을 근본으로 하지 않아 그 방법을 잃은 것이고, 다스림이 왕도를 따르지 않아 그 방법을 어그러뜨린 것이다. 이와 같이 하면 오래도록 할지라도 무엇이 이롭겠는가? 한유(韓愈)[10]가 후생과 낚시질하던 시에서 여기의 '사냥을 해도 짐승이 없을 것이다'[11]는 말을 깨우치게 한다.

---

10) 한유(韓愈, 768~824) : 하남(河南) 하양(河陽) 사람으로 자는 퇴지(退之)이다. 당(唐)나라 때의 관리이자 문학가, 철학가, 사상가이다. 정원(貞元) 8년(792)에 진사(進士) 출신으로 벼슬은 선무군절도사관찰추관(宣武軍節度使觀察推官), 국자감사문박사(國子監四門博士), 감찰어사(監察御史), 연주양산령(連州陽山令), 강릉법조참군(江陵法曹參軍), 권지국자박사(權知國子博士), 수찬(修撰), 지제고(知制誥), 중서사인(中書舍人), 조주자사(潮州刺史), 원주자사(袁州刺史), 국자제주(國子祭酒), 병부시랑(兵部侍郎), 이부시랑(吏部侍郎) 등을 역임했다. 고문운동(古文運動)의 제창자로 유종원(柳宗元), 소순(蘇洵), 소식(蘇軾), 소철(蘇轍), 왕안석(王安石), 구양수(歐陽修), 증공(曾鞏)과 더불어 '당송팔대가(唐宋八大家)'로 일컬어진다. 시호는 문(文)이다. 저서로 『한창려집(韓昌黎集)』, 『외집(外集)』, 『사설(師說)』 등이 있다.

11) 『한창려집(韓昌黎集)』 3권에 있는 것으로 한유(韓愈)가 일찍이 후희(侯喜)의 권유에 의해 온수(溫水)로 함께 낚시질을 갔으나, 종일토록 고기를 낚지 못하고는, 후희에게 준 시에서 "우리 패거리 후생의 자는 숙기인데, 날 불러 온수로 낚시질 가자고 하였네. 아침 일찍 말을 타고 도문을 나가서, 진종일 가시밭길을 헤치고 갔었지. …… 잠깐 건드리다 다시 그치니 기약할 수 없어라. 개구리 거머리가 건드려도 고기인 양 생각하였네. …… [吾黨侯生字叔起, 呼我持竿釣溫水. 平明鞭馬出都門, 盡日行行荊棘裏. …… 暫動還休未可期. 蝦行蛭渡似皆疑.]"라고 하였다.

六五, 恒其德, 貞, 婦人, 吉, 夫子, 凶.

육오는 그 덕을 항구하게 하여 바른데, 부인은 길하고 남자는 흉하다.

本義

以柔中而應剛中, 常久不易, 正而固矣. 然乃婦人之道, 非夫子之宜也, 故其象占, 如此.

부드럽고 알맞음으로 굳세고 알맞음에 호응하고 항구하며 바꾸지 않아 바르고 굳건하다. 그런데 부인의 도이지 남자의 마땅함은 아니기 때문에 그 상과 점이 이와 같다.

程傳

五應於二, 以陰柔而應陽剛, 居中而所應, 又中, 陰柔之正也. 故恒久其德則爲貞也. 夫以順從爲恒者, 婦人之道, 在婦人則爲貞, 故吉. 若丈夫而以順從於人爲恒, 則失其剛陽之正, 乃凶也. 五君位而不以君道言者, 如六五之義在丈夫, 猶凶, 況人君之道乎. 在它卦, 六居君位而應剛, 未爲失也, 在恒故不可耳. 君道豈可以柔順爲恒也.

오효가 이효와 호응하는 것은 음의 부드러움으로 양의 굳셈과 호응하며, 가운데에 있어 호응하는 것이 또한 알맞으니, 부드러운 음의 올바름이다. 그러므로 그 덕을 항구하게 하면 바르게 된다.
순하게 따름으로 항구함을 삼는 것은 부인(婦人)의 도로 부인에게는 바르기 때문에 길하다. 남자인데 남에게 순하게 따르는 것으로 항구함을 삼는다면 굳센 양의 바름을 잃어 흉하다.
오효는 임금의 자리인데 임금의 도로 말하지 않은 것은 육오의 뜻이 남자에게서는 오히려 흉하기 때문이니, 하물며 임금의 도에 있어서야 말해 무엇 하겠는가? 다른 괘에서는 음[六]이 임금의 자리에 있으면서 굳셈과 호응하는 것은 잘못이 아니지만, 항괘에 있기 때문에 안 되는 것일 뿐이다. 임금의 도가 어찌 유순함으로 항구함을 삼겠는가?

集說

● 『朱子語類』問 : "'恒其德, 貞, 婦人吉, 夫子凶'. 德指六, 謂常其柔順之德, 固貞矣. 然此婦人之道, 非夫子之義."
曰 : "固是如此. 然須看得象占分明. 六五有恒其德貞之象, 占者若婦人則吉, 夫子則凶. 大抵看『易』, 須是曉得象占分明. 所謂吉凶者, 非爻之能吉凶, 爻有此象, 而占者視其德, 而有吉凶耳."[12]

『주자어류』에서 물었다. "'덕을 항구하게 하여 바른데, 부인은 길하고 남자는 흉하다'는 것에서 덕은 육(六)을 가리키고 그 유순한 덕을 오래도록 유지하니 진실로 바르다는 말입니다. 그러나 이는 부인의 도이지 남자의 의(義)는 아닙니다."
대답했다. "진실로 그렇습니다. 그러나 상과 점을 분명히 볼 수 있

12) 『주자어류』 권72, 28조목.

어야 합니다. 육오에는 그 덕을 오래 유지하는 상이 있으니, 점치는 자가 부인이면 길하고 남자이면 흉합니다. 『역』을 볼 때는 반드시 상과 점을 분명히 이해할 수 있어야 합니다. 이른바 길함과 흉함은 효가 길하고 흉할 수 있다는 것이 아니라 효에 이런 상이 있으면 점치는 사람이 그 덕을 보고 길함과 흉함이 있을 뿐입니다."

● 丘氏富國曰 : "二以陽居陰, 五以陰居陽, 皆位不當, 而得中者也. 在二則悔亡, 而五有夫子凶之戒者, 蓋二以剛中爲常, 而五以柔中爲常也, 以剛處常能常者也. 以柔爲常, 則是婦人之道, 非夫子所尚, 此六五所以有從婦之凶."

구부국이 말했다. "이효는 양으로 음의 자리에 있고 오효는 음으로 양의 자리에 있으니, 모두 자리가 마땅하지 않지만 알맞음을 얻은 것들이다. 그런데 이효에서는 후회가 없고 오효에서 남자가 흉하다는 경계가 있으니, 이효는 굳셈이 알맞음으로 항구함을 삼았고 오효는 부드러움이 알맞음으로 항구함을 삼음에 굳셈이 항구함으로 처신해야 항구할 수 있기 때문이다. 부드러움으로 항구함을 삼는 것은 부인의 도이지 남자가 숭상할 바가 아니므로, 이 육오에는 그 때문에 부인을 따르는 흉함이 있다."

上六, 振恒, 凶.

상육은 떨치는 항구함이니, 흉하다.

本義

振者, 動之速也. 上六, 居恒之極, 處震之終. 恒極則不常, 震終則過動, 又陰柔不能固守. 居上, 非其所安, 故有振恒之象而其占則凶也.

'떨침[振]'이란 빨리 움직이는 것이다. 상육은 항괘의 끝에 있고 진괘(震卦)의 마지막에 있다. 항구함이 다하면 항구하지 않고, 떨침이 끝나면 움직임을 지나치며, 또 유순한 음은 그 지킴을 견고하게 할 수 없다. 맨 위에 있음은 그 편안한 곳이 아니기 때문에 떨치는 항구함의 상이 있고 그 점이 흉하다.

程傳

六, 居恒之極, 在震之終. 恒極則不常, 震終則動極. 以陰居上, 非其安處, 又陰柔不能堅固其守, 皆不常之義也. 故爲振恒, 以振爲恒也. 振者, 動之速也. 如振衣如振書, 抖擻運動之意. 在上而其動无節, 以此爲恒, 其凶宜矣.

육(六)이 항구함의 끝에 있고 떨침의 마지막에 있다. 항구함이 다하면 항구하지 않고, 떨침이 끝나면 움직임이 다한다. 음으로 맨 위에 있으니, 편안한 거처가 아니고, 또 유순한 음은 그 지킴을 견고하게 할 수 없으니, 모두 항구하게 하지 못하는 뜻이다. 그러므로 떨치는 항구함이니, 떨침으로 항구함을 삼는 것이다. '떨침'은 빨리 움직이는 것이다. 이를테면 '옷의 먼지를 털어낸다[振衣]'나 '책의 먼지를 털어낸다[振書]'는 것이니, 털며 움직이는 의미이다. 맨 위에 있어 움직임에 절제가 없으니, 이것으로 항구함을 삼으면 당연히 흉하다.

集說

● 王氏弼曰:"夫静爲躁君, 安爲動主, 故安者上之所處也, 静者可久之道也. 處卦之上, 居動之極, 以此爲恒, 無施而得也."

왕필이 말했다. "고요함은 조급함의 임금이고, 편안함은 움직임의 근본이기 때문에 편안한 것은 위에 있고 고요한 것은 항구할 수 있는 도이다. 괘의 꼭대기에 있고 움직임의 끝에 있으니, 이것으로 항구함을 삼으면 베풀어 얻음이 없다."

● 王氏申子曰:"振者, 運動而無常也. 居恒之終, 處震之極, 恒終, 則變而不能恒, 震極, 則動而不能止. 故有振恒之象. 在上而動無恒, 其凶宜矣."

왕신자가 말했다. "떨침은 움직이면서 항구함이 없다. 항구함의 끝에 있고 떨침의 끝에 있으니, 항구함이 끝나면 바뀌어 항구할 수 없고 떨침이 끝까지 가면 움직여서 그칠 수 없다. 그러므로 떨치는 항구함의 상이 있다. 위에서 움직이면서 항구함이 없으면 당연히 흉하다."

總論

● 丘氏富國曰 : "恒, 中道也. 中則能恒, 不中則不恒矣. 恒卦六爻, 無上下相應之義, 惟以二體而取中焉, 則恒之義見矣. 初在下體之下, 四在上體之下, 皆未及乎恒者. 故泥常而不知變. 是以初浚恒, 四田无禽也. 三在下體之上, 上在上體之上, 皆已過乎恒者. 故好變而不知常. 是以三不恒, 而上振恒也. 惟二五得上下體之中, 知恒之義者. 而五位剛爻柔, 以柔中爲恒, 故不能制義而但爲婦人之吉. 二位柔爻剛, 以剛中爲恒, 而居位不當, 亦不能盡守常之義, 故特言悔亡而已. 恒之道, 豈易言哉."

구부국이 말했다. "항구함은 중도이다. 중도는 항구할 수 있고, 중도가 아니면 항구하지 않다. 항(恒䷟)괘의 여섯 효는 상하로 서로 호응하는 의리가 없으니, 단지 두 몸체로 알맞음을 취하면 항구함의 의미가 드러난다. 초효는 아래 몸체의 아래에 있고 사효는 위 몸체의 아래에 있으니, 모두 항구함에 미치지 못한 것들이다. 그러므로 항구함에 빠져 변화를 모른다.

이 때문에 초효는 깊게 항구하게 하고, 사효는 사냥을 해도 잡을 짐승이 없다. 삼효는 아래 몸체의 위에 있고, 상효는 위 몸체의 위에 있어 모두 항구함에 이미 지나친 것들이다. 그러므로 변화를 좋아하여 항구함을 모른다. 이 때문에 삼효는 항구하게 하지 않고 상효는 항구함을 떨친다. 오직 이효와 오효만이 위아래 몸체의 가운데여서 항구함의 의리를 아는 것들이다. 그런데 오효는 자리가 굳세고 효가 부드러워 부드러움과 알맞음으로 항구함을 삼기 때문에 의리를 재단할 수 없어 단지 부인의 길함이 될 뿐이다. 이효는 자리가 부드럽고 효가 굳세어 굳셈과 알맞음으로 항구함을 삼았는데, 자리를 차지한 것이 부당하여 또한 항구함을 지키는 의리를 다할 수 없기 때문에 후회가 없어진다고 말했을 뿐이다. 그러니 항괘의 도를 어찌 쉽게 말하겠는가?"

● 李氏舜臣曰:"咸恒二卦, 其象甚善, 而六爻之義, 鮮有全吉者, 蓋以爻而配六位, 則陰陽得失, 承乘逆順之理, 又各不同故也."

이순신이 말했다. "함(咸䷞)괘와 항(恒䷟)괘 두 괘는 그 단사가 아주 좋은데도 효사의 의리에서 길함을 온전히 하는 것이 드무니, 효를 가지고 여섯 자리에 배치하면 음양의 얻고 잃음과 받들고 올라타고 거역하고 따르는 이치가 또 각기 다르기 때문이다."

33. 돈遯괘

☰ 乾上
☶ 艮下

程傳

遯,「序卦」, "恒者, 久也. 物不可以久居其所, 故受之以遯, 遯者, 退也". 夫久則有去, 相須之理也, 遯所以繼恒也. 遯, 退也, 避也, 去之之謂也. 爲卦天下有山. 天, 在上之物, 陽性, 上進. 山, 高起之物, 形雖高起, 體乃止物, 有上陵之象而止不進. 天乃上進而去之. 下陵而上去, 是相違遯, 故爲遯去之義. 二陰, 生於下, 陰長將盛, 陽消而退, 小人漸盛, 君子退而避之, 故爲遯也.

돈괘에 대해 「서괘전」에서 "항(恒)괘는 오래함이다. 사물은 그 자리에 오래 있을 수 없기 때문에 돈괘로 받았으니, 돈(遯)이란 물러남이다"라고 하였다. 오래되면 떠나가는 것은 서로 필요한 이치이니, 돈괘가 항괘를 잇는 까닭이다. 돈(遯)은 물러남이며 피함이니, 떠나감을 말한다.

괘의 모양은 하늘 아래에 산이 있다. 하늘은 위에 있는 것으로 양의 성질이 위로 올라간다. 산은 높게 솟은 것으로 모양이 높게 솟아있을지라도 본체는 멈춰있는 것이니, 위로 능멸하는 상이 있어 멈추어 나아가지 않는다. 하늘은 이에 위로 올라가 떠나버린다.

아래에서는 능멸하고 위에서 떠나가는 것은 서로 어긋나 도피하는 것이기 때문에 도피해 떠나려는 뜻이다. 두 음이 아래에서 생겨 자라남이 성대해지려고 하고 양은 사라지며 물러나니, 소인은 점점 번성하고 군자는 물러나 도피하기 때문에 돈괘이다.

遯, 亨, 小利貞.

돈(遯)은 형통하니, 소인은 바르게 함이 이롭다.

本義

'遯', 退避也. 爲卦二陰, 浸長, 陽當退避, 故爲遯, 六月之卦也. 陽雖當遯, 然九五當位, 而下有六二之應, 若猶可以有爲. 但二陰, 浸長於下, 則其勢不可以不遯. 故其占爲君子能遯, 則身雖退而道亨, 小人則利於守正, 不可以浸長之故而遂侵迫於陽也. '小', 謂陰柔小人也. 此卦之占, 與否之初二兩爻, 相類.

'돈(遯)'은 물러나 도피함이다. 괘의 모양은 두 음이 점점 자라나서 양이 물러나 도피해야 하기 때문에 돈괘가 되었고, 유월의 괘이다. 양이 도피해야 할지라도 구오가 자리를 차지하고 있고 아래로 육이의 호응이 있어 여전히 일을 할 수 있을 것 같다. 다만 두 음이 아래에서 점점 자라나니, 그런 형세로는 물러나지 않을 수 없다.
그러므로 그 점은 군자가 물러날 수 있으니, 자신이 물러나더라도 도가 형통하고, 소인이 바름을 지키는 데에 이로우니, 점점 자란다는 이유로 마침내 양을 침해하고 핍박해서는 안 된다. '소인[小]'은 음의 유순한 소인을 말한다. 이 괘의 점은 비(否䷋)괘의 초효와 이효 두 효와 서로 비슷하다.

程傳

遯者, 陰長陽消, 君子遯藏之時也. 君子退藏, 以伸其道, 道不屈則爲亨, 故遯所以有亨也. 在事, 亦有由遯避而亨者, 雖小人道長之時, 君子知幾退避固善也, 然事有不齊, 與時消息, 无必同也. 陰柔方長而未至於甚盛, 君子尙有遲遲致力之道, 不可大貞而尙利小貞也.

돈(遯)은 음이 자라나고 양이 쇠퇴하고 있어 군자가 도피하여 숨는 때이다. 군자가 물러나 숨으면서 그 도를 펴니, 도가 굽혀지지 않으면 형통하게 되기 때문에 돈괘가 형통한 까닭이다. 일에서도 도피하여 형통한 것이 있으니, 소인의 도가 자라날 때 군자가 기미를 알고 물러나 피하는 것이 진실로 좋을지라도 일에 똑같지 않음이 있어 때에 따라 변천하니 굳이 같게 할 필요는 없다. 부드러운 음이 한창 자라지만 아직 성대하지 않아 군자에게 오히려 느슨하게 힘쏟을 방법이 있으니, 크게 바르게 해서는 안 되지만 오히려 조금 바르게 하는 것은 이롭다.

集說

● 『朱子易說』問 : "'遯小利貞', 『本義』謂小人也. 案『易』中小字, 未有以爲小人者. 如小利有攸往, 與小貞吉之類, 皆大小之小耳." 曰 : "經文固無此例. 以「彖傳」推之, 則是指小人而言, 今當且依經而存傳耳."[1)]

1) 『주문공문집(朱文公文集)』 권60. : "遯小利貞, 『本義』謂小人也. 按『易』中'小'字, 未有以為小人者. 如小利有攸往, 與小貞吉之類, 皆大小之小

『주자역설』에서, 물었다. "'돈은 소인[小]은 바르게 함이 이롭다'는 구절의 주석에서 『주역본의』에서는 소인이라고 하였습니다. 『역』에 있는 '소(小)'자를 살펴보면 소인으로 여긴 경우는 없습니다. 이를테면 '가는 것이 조금 이롭다'[2]와 '작은 일에는 곧으면 이롭다'[3]와 같은 것들은 모두 크다고 하고 작다고 할 때의 작다는 것일 뿐입니다."
대답했다. "경문에서는 진실로 이런 사례가 없습니다. 그런데 「단전」으로 미뤄보면,[4] 소인을 가리켜 말했으니, 이제 경문에 따라 전하는 것을 보존했을 뿐입니다."

案

● '小利貞'之義, 『傳』『義』說各不同. 據『易』例, 則似『傳』說爲長. 蓋至於三陰之否, 則直曰不利君子貞矣. 遯猶未至於否, 但當遜避以善處之, 不可過甚以激成其勢. 故曰'小利貞'也.

'소인[小]은 바르게 함이 이롭다'는 구절의 의미는 『정전』과 『주역본의』의 설이 같지 않다. 『역』의 사례에 의거하면 『정전』의 설이 뛰

耳, 未知此義如何? 經文固無此例. 然以「彖傳」推之, 則是指小人而言, 今當且依經而存傳耳."으로 되어 있다.

2) 『주역』「비괘(賁卦)」: "賁, 亨, 小利有攸往.[비는 형통하고 가는 것이 조금 이롭다.]"라고 하였다.
3) 『주역』「준괘(屯卦)」: "九五, 屯其膏, 小貞, 吉, 大貞, 凶.[구오는 은택을 베풀기 어려우니, 작은 일에는 곧으면 길하고 큰일에는 곧아도 흉하다.]"라고 하였다.
4) 『주역』「돈괘(遯卦)」: "彖曰, …. 小利貞, 浸而長也.[「단전」에서 말하였다. …. '소인은 바르게 함이 이로움'은 점점 자라나기 때문이다."]라고 하였다.

어나다. 세 음이 된 비(否䷋)괘에서도 '군자의 곧음에 이롭지 않다'[5]고만 했다. 돈(遯䷠)괘는 아직 비(否䷋)에 이르지 않았으니, 겸손하게 물러나 잘 처신해야 할 뿐이고, 지나치고 심하게 해서 그 형세를 격하게 이룰 필요가 없다. 그러므로 '조금[小] 바르게 함이 이롭다'고 하였다.

5) 『주역』「비괘(否卦)」: "否之匪人, 不利君子貞, 大往小來.[비는 사람이 아니어서 군자의 곧음에 이롭지 않으니, 큰 것이 가고 작은 것이 온다.]" 라고 하였다.

初六, 遯尾, 厲, 勿用有攸往.

초육은 도피함의 꼬리라 위태로우니, 가는 곳을 두는 데 쓰지 말라.

本義

遯而在後, 尾之象, 危之道也. 占者, 不可以有所往, 但晦處靜俟, 可免災耳.

도피하면서 뒤에 있는 것은 꼬리의 상이어서 위태로운 도(道)이다. 점을 치는 자는 가는 곳이 있어서는 안 되니, 처신을 숨기고 조용히 기다리면서 재앙을 면해야 할 뿐이다.

程傳

他卦, 以下爲初. 遯者, 往遯也, 在前者先進, 故初乃爲尾. 尾, 在後之物也. 遯而在後, 不及者也, 是以危也. 初以柔處微, 旣已後矣, 不可往也, 往則危矣. 微者, 易於晦藏, 往旣有危, 不若不往之无災也.

다른 괘에서는 아래를 처음으로 삼는다. 그런데 돈(遯)은 떠나 물러남으로 앞에 있는 것이 먼저 나아가기 때문에 초효가 꼬리가 된다. 꼬리는 뒤에 있는 것이다. 물러나면서 뒤에 있다면 피하지 못하는 것이니, 이 때문에 위태롭다.

초효는 부드러운 음으로 미약한 곳에 있고 이미 뒤쳐 있어 가서는 안 되니, 가면 위태롭다. 미약한 자는 숨기고 감추기 쉬우니, 가서 이미 위태로움이 있으면 가지 않아서 재앙이 없는 것만 못하다.

集說

● 陸氏績曰 : "陰氣已至於二, 而初在其後, 故曰'遯尾'也. 避難當在前, 而在後故厲. 往, 則與災難會, 故勿用有攸往."

육적이 말했다. "음의 기운이 이미 이효까지 올라와 초효가 뒤에 있기 때문에 '도피함의 꼬리라서'라고 했다. 어려움을 피할 때는 앞에 있어야 하는데, 뒤에 있기 때문에 위태롭다. 가면 재난을 당하기 때문에 가는 곳을 두는 데 쓰지 말라는 것이다."

● 孔氏穎達曰 : "'遯尾厲'者, 爲遯之尾, 最在後遯者也. 小人長於內, 應出外以避之, 而最在卦內, 是遯之爲後, 故曰'遯尾厲'也. 危厲旣至, 則當危行言遜, 勿用更有所往."

공영달이 말했다. "'도피함의 꼬리라서 위태롭다'는 도피함의 꼬리가 되어 가장 뒤에서 도피한다는 뜻이다. 소인이 속에서 자라 밖으로 호응하여 나가니, 그 때문에 도피한다. 그런데 가장 안에 있어 도피함의 뒤이기 때문에 '도피함의 꼬리라서 위태롭다'라고 했다. 위태로움이 이미 닥쳤다면, 행동은 준엄하게 하지만 말은 공손하게 하며[6] 다시 갈 곳을 두는 데 쓰지 말아야 한다."

---

6) 『논어』「헌문(憲問)」: "邦有道, 危言危行, 邦無道, 危行言孫.[나라에 도

● 『朱子語類』問 : "'遯尾厲勿用有攸往'者, 言不可有所往, 但當晦處靜俟耳. 此意如何?"
曰 : "『程傳』作'不可往', 謂不可去也, 言'遯已後矣不可往. 往則危. 往旣危, 不若不往之無災.' 某竊以爲不然. 遯而在後尾也, 旣已危矣. 豈可更不往乎. 若作占辭看尤分明."[7]

『주자어류』에서 물었다. "'도피함[遯]의 꼬리라서 위태로우니, 가는 곳을 두는 데 쓰지 말라'는 가는 곳이 있어서는 안 되니, 처신을 숨기고 조용히 기다려야 할 뿐임을 말하였다고 했습니다. 이것의 의미를 어떻게 이해해야 하는지요?"
대답했다. "『정전』에서 '가서는 안 된다[不可往]'고 해 놓은 것은 '떠나서는 안 된다'는 것을 말하니, '도피함이 이미 뒤처져 있어 가서는 안 되니 가면 위태롭다. 가는 것이 이미 위태롭다면 가지 않아 재앙이 없는 것만 못하다'는 말입니다. 그런데 내가 곰곰이 생각해 보니 그렇지 않습니다. 도피하였으나 뒤에 있는 꼬리여서 이미 위태롭습니다. 이런데 어찌 다시 가지 않겠습니까? 점사로 보면 아주 분명합니다."

● 王氏申子曰 : "遯, 往遯也, 故遯以初爲後. 在前者, 見幾先遯. 初柔而不能決, 止而不能行, 故遯而在後, 危厲之象也. 旣已處後, 然位居卑下, 不往卽遯也, 若又有所進往, 則危厲益甚矣."

왕신자가 말했다. "도피함은 가서 도피하는 것이기 때문에 도피하

가 행해질 때에는 말과 행동을 모두 준엄하게 해야 하지만 나라에 도가 행해지지 않을 때는 행동은 준엄하게 하지만 말은 낮춰서 해야 한다.]"라고 하였다.

7) 『주자어류』 권72, 32조목.

는 차원에서는 초효를 뒤로 여겼다. 앞에 있는 것들은 기미를 보고 먼저 도피했다. 그런데 초효는 부드럽고 결단할 수 없어 멈추고 가지 않기 때문에 도피하지만 뒤에 있으니 위태로운 상이다. 이미 뒤에 있지만 지위가 낮은 데 있어 가지 않은 것이 바로 도피함인데, 만약 또 나아간다면 위태로움이 더욱 심할 것이다."

● 楊氏啟新曰 : "卦中以二陰爲小人, 至爻中則均退避之君子. 蓋皆遯爻, 則發遯義也."

양계신이 말했다. "괘에서는 두 음을 소인으로 여겼는데 효에서는 모두 물러나 도피하는 군자이다. 모든 둔(遯䷠)괘의 효는 도피하는 의미를 드러낸다."

案

● 『易』例多取初爻爲居先, 何獨遯而取在後之義. 曰, 因卦義而變者也. 初於序則先, 然於位則內也. 遯者遠出之義也, 故以外卦爲善. 初居最內, 豈非在後者乎. 或曰明夷之初, 九居內, 何以爲先幾乎. 曰明夷則以上卦爲內, 以上六爲主故也. 是以六四入左腹, 而六五當內難也. 如是, 則初又爲最遠, 與遯之義, 正相反也.

『역』의 사례에서는 대부분 초효를 앞에 있는 것으로 여겼는데, 어째서 둔괘에서만 뒤에 있는 의미로 했는가? 말하자면 괘의 의미 때문에 변한 것이다. 초효가 순서로는 먼저이지만 자리로는 안이기 때문이다. 도피함은 멀리 나가는 의미이기 때문에 외괘를 좋은 것으로 여긴다. 초효는 가장 안에 있으니 어찌 뒤에 있는 것이 아니겠는가?

어떤 이가 말했다. "명이(明夷䷣)괘의 초효는 양[九]이 안에 있는데 어째서 기미를 먼저 아는지요?" 답한다. "명이는 위의 괘를 안으로 여기고 육오를 주인으로 하기 때문입니다. 이 때문에 육사는 좌측 배로 들어가고[8] 육오는 내부의 어려움을 만난 것[9]입니다. 이와 같으면 초효는 또 가장 멀리 있는 것이니, 돈괘의 뜻과는 정반대입니다."

8) 『주역』「명이괘(明夷卦)」: "六四, 入于左腹, 獲明夷之心, 于出門庭.[육사는 좌측 배로 들어가니, 명이의 마음을 얻어 대문의 뜰로 나온다.]"라고 하였다.

9) 『주역』「명이괘(明夷卦)」: "六五, 箕子之明夷, 利貞.[육오는 기자의 명이이니, 곧음이 이롭다.]"라고 하였다.

六二, 執之用黃牛之革, 莫之勝說.

육이는 황소의 가죽으로 붙잡으니 죄다 벗길 수가 없다.

本義

以中順自守, 人莫能解必遯之志也, 占者固守, 亦當如是.

알맞고 유순함으로 스스로를 지켜 사람들이 반드시 도피하려는 뜻을 풀 수가 없으니, 점을 치는 자가 견고하게 지키는 것을 또한 이와 같이 해야 한다.

程傳

二與五, 爲正應, 雖在相違遯之時, 二以中正, 順應於五, 五以中正, 親合於二, 其交自固. 黃, 中色, 牛, 順物, 革, 堅固之物. 二五, 以中正順道相與, 其固如執繫之以牛革也. 莫之勝說, 謂其交之固, 不可勝言也. 在遯之時, 故極言之.

이효와 오효는 바로 호응함이니 서로 떠나 도피하는 때에 있을지라도 이효가 중정으로 오효에 유순하게 호응하고, 오효가 중정으로 이효와 친밀하게 합하여 그 사귐이 본래 견고하다.
황색은 중앙의 색이고, 소는 유순한 동물이며 가죽은 견고한 사물이다. 이효와 오효가 중정하고 유순한 도를 가지고 서로 함께 하여 그 견고함이 소가죽으로 붙잡아 맨 것과 같다.

'죄다 벗길 수가 없다[莫之勝說]'는 것은 그 사귐의 견고함을 죄다 말할 수 없음을 뜻한다. 도피할 때에 있기 때문에 지극히 말하였다.

集說

● 吳氏綺曰 : "六二居人臣之位, 任國家之責, 不當遯者也, 故六二不言遯."

오기(吳綺)[10]가 말했다. "육이가 신하의 자리에 있고 나라와 가문의 직책을 맡아 도피해서는 안 되기 때문에 육이에서는 도피함을 말하지 않았다."

● 龔氏煥曰 : "五爻皆言遯. 惟六二不言者, 二上與五應, 雖當遯時, 固結而不可遯者也. 故有執用黃牛之革之象, 謂其有必遯之志, 似未必然."

공환[11]이 말했다. "다섯 효에서 모두 도피함을 말했다. 그런데 육이에서만 말하지 않은 것은 이효가 위로 오효와 호응하여 도피해야 할 때일지라도 굳게 묶여 도피할 수 없는 것이다. 그러므로 육이는 황소의 가죽으로 붙잡는 상이 있으니, 반드시 도피하려는 뜻이 있

10) 오기(吳綺) : 송대의 역학자로 자는 충무(忠畝)이며, 호는 삼산(三山)이다. 저서로는 『역설(易說)』이 있었으나 전하지 않는다.

11) 공환(龔煥) : 자는 유문(幼文)이고, 천봉선생(泉峯先生)이라고 불렸다. 원(元)대 임천(臨川)사람이다. 요응중(饒應中)에게 사사하여 본체를 밝히고 실천에 옮기는 데 힘썼다. 당시 아직 과거제도가 시행되지 못했는데, 시행되면 반드시 정자와 주자의 학문을 법식으로 삼아야 한다고 주장했다. 과연 뒤에 그의 말대로 시행되었다.

어도 굳이 그렇게 하지 않을 것 같다는 말이다."

● 蔡氏淸曰:"就隱遯上說, 如何見是中順. 蓋收斂其德, 不形於外, 不危言激論, 不矯矯伸節, 惟知自守而已. 此之謂中順."

채청이 말했다. "은둔으로 말하면, 어떻게 알맞음과 유순함을 드러낼 수 있겠는가? 그 덕을 수렴해서 밖으로 드러내지 않아 직언으로 격렬하게 말하지 않고 용감하게 절개를 펴지 않으며 스스로 지키는 것을 알 뿐이니, 이것을 알맞음과 유순함이라고 한다."

附録

● 孔氏穎達曰:"處中居內, 非遯之人也. 旣非遯之人, 便爲所遯之主, 物皆棄己而遯, 何以執固留之. 惟有中和厚順之道, 可以固而安之也. 能用此道, 則無能勝己, 解脫而去."

공영달이 말했다. "가운데 있고 안에 있어 도피하는 사람이 아니다. 이미 도피하는 사람이 아니라면 도피하는 주인이니, 사물이 모두 자신을 버리고 도피해도 무엇으로 붙잡아 굳게 만류하겠는가? 알맞게 화합하고 두텁게 따르는 도리만이 견고하고 편안할 수 있다. 이런 도를 사용하면 자신을 누르고 벗겨내며 갈 수 있는 것은 없다."

案

此爻, 『傳』『義』說, 亦不同. 吳氏龔氏, 則暢『程傳』之說, 謂六二爲五正應, 如肺腑之臣, 義不可去. 箕子所謂'我不顧行遯', 是也. 蔡氏, 則申『本義』之說, 謂處遯以中順之道, 如所謂'危行言遜'

者, 亦與'不惡而嚴'之義合. 至孔氏則別爲一說, 謂其能羈縻善類而不使去, '執'如雅詩'執我仇仇'之執. 於經文執之兩字語氣, 亦自恰合也, 故並存其說.

이 효에서도 『정전』과 『주역본의』의 설명이 또한 같지 않다. 오씨[오기]와 공씨[공환]는 『정전』의 설명에 충실하였으니, 육이가 오효의 바른 호응인 것이 가까운 신하가 의리 때문에 떠날 수 없음과 같다는 말이다. 기자의 이른바 '나는 여기를 떠나 숨지 않겠다'[12]는 말이 여기에 해당한다.

채씨[채정]는 『주역본의』의 말을 거듭했으니, 알맞고 순응하는 도리로 도피함에 처신하는 것이 이른바 '행동은 준엄하게 하지만 말은 공손하게 한다[13]는 것과 같으니, 또한 '미워하지 않고 엄하게 한다'[14]는 의미와 합한다.

공씨[공영달]는 별도로 하나의 설명으로 선한 것들을 굴레로 묶어 떠나지 못하게 한다는 말이니, '붙잡는 것'이 『시경』「소아」에서 '나를 원수처럼 잡아둔다'[15]고 할 때의 '잡아둔다'는 것과 같다. 경문의 붙잡는다는 말투와 또한 스스로 잘 합하기 때문에 그의 설명을 함께 두었다.

---

12) 『서경』「미자(微子)」: "自靖, 人自獻于先王, 我不顧行遯.[스스로 편안하게 각자 선왕에게 고하라. 나는 여기를 떠나 숨지 않겠다.]"라고 하였다.

13) 『논어』「헌문(憲問)」: "邦有道, 危言危行, 邦無道, 危行言孫.[나라에 도가 행해질 때에는 말과 행동을 모두 준엄하게 해야 하나 나라에 도가 행해지지 않을 때는 행동은 준엄하게 하지만 말은 낮춰서 해야 한다.]"라고 하였다.

14) 『주역』「돈괘(遯卦)」: "象曰, 天下有山, 遯, 君子以, 遠小人, 不惡而嚴. [「상전」에서 말하였다. 하늘 아래에 산이 있는 것이 돈(遯)이니, 군자가 이를 본받아 소인을 멀리하는데 미워하지 않고 엄하게 한다.]"라고 하였다.

15) 『시경』「소아(小雅)」: "執我仇仇.[나를 원수처럼 잡아둔다.]"라고 하였다.

九三, 係遯, 有疾, 厲, 畜臣妾, 吉.

구삼은 얽매여 있는데 도피해야 하니, 병이 있어 위태롭지만 신첩을 기름에는 길하다.

本義

下比二陰, 當遯而有所係之象, 有疾而危之道也. 然以畜臣妾則吉, 蓋君子之於小人, 唯臣妾則不必其賢而可畜耳. 故其占如此.

아래로 두 음과 가까워 도피해야 하는데도 얽매여 있는 상이니, 병이 있어 위태로운 도이다. 그러나 신첩을 기른다면 길하니, 군자가 소인을 대하는 것으로 보면 오직 신첩이라고 하여 꼭 그들이 어질어야 기를 수 있는 것은 아니다. 그러므로 그 점이 이와 같다.

程傳

陽志說陰, 三與二切比, 係乎二者也. 遯貴速而遠, 有所係累, 則安能速且遠也. 害於遯矣, 故爲有疾也, 遯而不速, 是以危也. 臣妾, 小人女子, 懷恩而不知義. 親愛之則忠其上, 係戀之私恩, 懷小人女子之道也. 故以畜養臣妾, 則得其心, 爲吉也. 然君子之待小人, 亦不如是也. 三與二非正應, 以暱比相親, 非待君子之道. 若以正則雖係, 不得爲有疾. 蜀先主之不忍棄士民, 是也, 雖危, 爲无咎矣.

양의 마음은 음을 즐거워하니, 삼효가 이효와 아주 가까워서 그것에 얽매여 있는 것이다. 도피함[遯]은 빠르고 멀리함을 귀하게 여기니, 얽매이는 것이 있다면 어찌 빠르고 멀리할 수 있겠는가? 도피에 방해되기 때문에 병이 되고, 도피하여도 멀리 가지 못하니, 이 때문에 위태롭다.

신첩은 소인과 여자로 은혜를 마음에 품고서도 의(義)를 알지 못한다. 그들을 가까이 하여 아껴주면 윗사람에게 충성을 하니, 얽매여 연연하는 은혜는 소인과 여자를 따르게 하는 도이다. 그러므로 이러한 도로 신첩을 기르면 그들의 마음을 얻어 길하다. 그러나 군자가 소인을 대하는 일이 또한 이와 같지는 않다.

삼효는 이효와 바르게 호응함이 아니고 사사로이 가깝게 함으로 서로 친하니, 군자를 대하는 도가 아니다. 바름으로 한다면 얽매여 있을지라도 병이 되지는 않는다. 촉나라의 첫 임금 유비가 차마 선비와 백성들을 버리지 못한 것이 이에 해당하니, 위태로울지라도 허물이 없었던 것이다.

集說

● 孔氏穎達曰："九三無應於上，與二相比，處遯之世，而意有所係，故曰'係遯'．遯之爲義，宜遠小人，旣係於陰，卽是有疾憊，而致危厲也．親於所近，係在於下，施之於人，畜養臣妾則可矣，大事則凶．故曰'畜臣妾吉'．"

공영달이 말했다. "구삼은 상구와 호응이 없고 이효와 서로 가까이 하며, 도피하는 세상에 있으면서 뜻이 얽매여 있기 때문에 '얽매여 있는데 도피해야 한다'고 했다. 도피한다는 의미는 소인을 멀리해야 한다는 것인데, 이미 음에 얽매여 있으니 바로 병이 있어 위태롭다. 가까운 곳과 친하여 아래로 얽매여 있으면서 사람들에게 베푸니, 신첩을 기르는 것이라면 괜찮고 큰일이라면 흉하다. 그러므로 '신첩을 기름에는 길하다'고 하였다.

● 胡氏瑗曰: "爲遯之道, 在乎遠去, 九三居內卦之上, 切比六二之陰, 不能超然遠遯, 是有疾病而危厲者也. '畜臣妾吉'者, 言九三旣不能遠遯, 然畜羣小以臣妾之道, 卽得其吉. 蓋臣妾至賤者也, 可以遠則遠之, 可以近則近之. 如此則吉可獲也."

호원이 말했다. "도피하는 도를 행함은 멀리 떠나는 데 있는데, 구삼은 내괘의 꼭대기에 있고 육이의 음과 아주 가까워 초연히 멀리 도피할 수 없으니, 병이 있어 위태로운 것이다. '신첩을 기름에는 길하다'는 구삼이 이미 멀리 도피할 수 없지만 신첩의 도로 여러 소인들을 기르면, 바로 길함을 얻는다는 것이다. 신첩은 지극히 미천한 자들로 멀리해야 되면 멀리하고 가까이해야 되면 가까이 한다. 이와 같이 하면 길함을 얻을 수 있다."

● 蘇氏濬曰: "'畜臣妾吉', 示之以待小人之道, 見其不可繫也. 蓋小人之易親, 如臣妾之易以惑人, 畜之法, 止有不惡而嚴. 嚴以杜其狎侮之奸, 而不惡以柔其忿戾之氣, 用畜臣妾之法, 以畜之, 庶可以免疾憊而吉耳."

소준[16]이 말했다. "'신첩을 기름에는 길하다'는 소인을 대하는 도로

16) 소준(蘇濬, 1542~1599) : 명나라 때 유명한 안찰사이다. 자는 군우(君禹)이고 호는 자계(紫溪)이다. 진(晋)땅 강소(江蘇) 사람이다. 남경의

보여주어 그들이 얽맬 수 없음을 보여주는 것이다. 소인이 쉽게 친해지는 것은 신첩이 쉽게 사람을 미혹시키는 일과 같으니, 기르는 법은 단지 미워하지 않고 엄하게 하는 것이다. 엄함으로 오만불손한 간특함을 막고 미워하지 않음으로 난폭한 기운을 부드럽게 하면서 신첩을 기르는 법으로 기르면, 거의 병을 면해 길하게 될 수 있다."

案

● 孔子曰 : "惟女子與小人, 爲難養也. 近之則不遜, 遠之則怨." 然則不遠不近之間, 豈非不惡而嚴之義乎. 故當遯之時, 有所係而未得去者, 待小人以畜臣妾之道, 則可矣. 胡氏蘇氏說明白.

공자가 "유독 여자와 소인은 상대하기가 어려우니, 가까이하면 공손하지 못하고, 멀리하면 원망한다"17)고 하였다. 그렇다면, 멀리하지 않고 가까이하지 않은 사이가 어찌 미워하지 않고 엄하게 하는 의미가 아니겠는가? 그러므로 도피할 때 얽매여 떠날 수 없는 것은 신첩을 기르는 도로 소인을 대하면 된다. 호씨[호원]와 소씨[소준]의 설명은 명백하다.

형부주사, 협서성 참의, 광서성 안찰사와 광서성 참정을 지냈다. 광서성에 있을 때 『광서통지(廣西通志)』를 편찬하였는데 병에 걸려 귀주(貴州)로 돌아가 연구에 매진했다. 『역경인설(易經儿說)』, 『사서인설(四書儿說)』 등이 있다.

17) 『논어』「양화(陽貨)」: "唯女子與小人, 爲難養也, 近之則不孫, 遠之則怨.[유독 여자와 소인은 상대하기가 어려우니, 가까이하면 공손하지 못하고, 멀리하면 원망한다.]"라고 하였다.

九四, 好遯, 君子, 吉, 小人, 否.

구사는 좋아하면서도 도피하는 것이니, 군자는 길하고 소인은 그렇지 못하다.

本義

下應初六而乾體剛健, 有所好而能絶之以遯之象也. 惟自克之君子能之, 而小人不能, 故占者君子則吉而小人, 否也.

아래로 초육과 호응하지만 건괘(乾卦)의 몸체로 강건하니, 좋아하는 것이 있어도 끊어내고 도피할 수 있는 상이다. 스스로를 이기는 군자만이 그것을 할 수 있고 소인은 할 수 없기 때문에 점을 치는 자가 군자라면 길하고 소인이라면 그렇지 않다.

程傳

四與初, 爲正應, 是所好愛者也. 君子雖有所好愛, 義苟當遯則去而不疑. 所謂'克己復禮', '以道制欲', 是以吉也. 小人則不能以義處, 暱於所好, 牽於所私, 至於陷辱其身而不能已, 故在小人則否也. 否, 不善也. 四乾體, 能剛斷者, 聖人以其處陰而有係, 故設小人之戒, 恐其失於正也.

사효는 초효와 바르게 호응함이니, 좋아하고 사랑하는 것이다. 군자는 좋아하고 사랑하는 것이 있을지라도 의리상 진실로 도피해야 하면 가고 의심하지 않는다. 이른바 '자신을 극복하여 예로 돌아가는 것'[18]이고, '도로써 욕심을 제어하는 것'[19]이니, 이 때문에 길하다. 소인은 의(義)로 처신할 수가 없어 좋아하는 것과 친하고 사사로운 것에 이끌려 자신을 욕보이면서도 그만 둘 수가 없기 때문에 막힌다. 막히는 것은 좋지 않다. 사효는 건괘(乾卦)의 몸체여서 굳세게 결단할 수 있는 것인데, 성인은 그것이 음의 자리에 있고 얽매여 있으므로 소인의 경계를 두었으니, 아마도 바름을 잃을까 염려했기 때문일 것이다.

集說

● 張子曰 : "有應於陰, 不惡而嚴, 故曰'好遯'. 小人暗於事幾, 不忿怒成仇, 則私溺爲慮矣."

장재(張載)가 말했다. "음에 호응하여 미워하지 않고 엄하기 때문에 '좋아하면서도 도피하는 것이다'라고 하였다. 소인은 일의 기미에 어두우니, 분노하여 원수를 만들지 않으면 사사롭게 빠져서 염려한다."

---

18) 『논어』「안연(顔淵)」: "子曰, 克己復禮爲仁, 一日克己復禮, 天下歸仁焉.[공자가 말하였다. '자신을 극복하여 예로 돌아가는 것이 인(仁)이다. 하루라도 자신을 극복하여 예로 돌아갈 수 있으면 천하 사람들이 그 인에 귀의할 것이다.']"라고 하였다.

19) 『예기(禮記)』「악기(樂記)」: "君子樂得其道, 小人樂得其欲. 以道制欲, 則樂而不亂, 以欲忘道, 則惑而不樂.[군자는 도 얻기를 즐기고, 소인은 욕심 충족하기를 즐긴다. 도로 욕심을 제어하면 즐거우면서도 음란하게 되지 않고, 욕심 때문에 도를 잊으면 미혹되어 즐겁지 않다.]"라고 하였다.

● 朱氏震曰 : "好者, 情之所好也. 君子剛決, 以義斷之, 舍所好而去, 故吉. 否者, 不能然也. 此爻與初六相應, 處陰而有所係, 故陳小人之戒, 以佐君子之決."

주진이 말했다. "좋아하는 것은 마음이 좋아함이다. 군자는 과감하게 의로 결단하여 좋아하는 것을 버리고 떠나기 때문에 길하다. 그렇지 못한 자는 그렇게 할 수 없다. 이 효는 초효와 서로 호응하고 음의 자리에 있으면서 얽매인 것이 있기 때문에 소인에게 하는 경계를 해서 군자의 결단을 도왔다."

案

● 好者, 惡之反也. '好遯', 言其不惡也. 從容以遯, 而不爲忿戾之行, 孟子曰 : '予豈若是小丈夫然哉. 怒悻悻然見於其面', 正好遯之義也. 小人否者, 卽孟子所謂小丈夫者也.

좋아하는 것은 미워함의 반대이다. '좋아하면서도 도피한다'는 미워하지 않는다는 말이다. 침착하게 도피하여 분노로 사나운 행동을 하지 않으니, 맹자가 '내가 어떻게 속 좁은 사내와 같겠는가! 임금에게 간언하여 받아 주지 않으면 성을 내며 얼굴에 노기를 드러내겠는가?'[20]라고 한 것이 바로 좋아하면서도 도피한다는 의미이다. 소인이 그렇지 못한 것은 맹자가 말한 속 좁은 사내이다.

---

20) 『맹자』「공손추하(公孫丑下)」 : "予豈若是小丈夫然哉, 諫於其君, 而不受則怒, 悻悻然見於其面, 去則窮日之力而後宿哉.[내가 어떻게 속 좁은 사내와 같겠는가! 임금에게 간언하여 받아 주지 않으면 성을 내며 얼굴에 노기를 드러내고, 한번 떠나면 하루 종일 쉬지 않고 간 뒤에야 묵겠는가!]"라고 하였다.

● 又案, '君子吉, 小人否', 若以小人與君子相敵者言之, 則'否'字解如泰否之義, 謂'好遯'者, 身退道亨, 在君子固吉矣. 然豈小人之福哉. 自古君子退避, 則小人亦不旋踵而覆敗, 是君子之遯者, 非君子之凶, 乃君子之吉, 而致君子之遯者, 非小人之泰, 乃小人之否也. 此義與剝上'小人剝廬'之指正同. 蓋『易』雖不爲小人謀, 而未嘗不爲小人戒也. 『本義』以'小利貞'爲戒小人之辭, 似與此意亦合.

또 생각건대, '군자는 길하고 소인은 그렇지 못하다'는 소인과 군자를 서로 짝지어 말한 것과 같다. 그렇다면 '그렇지 않다[否]'는 것은 태(泰)괘와 비(否)괘의 뜻처럼 풀이하니, '좋아하면서도 도피한다'고 말한 것은 자신이 물러나 도가 형통한 것으로 군자에게 진실로 길한 것이다. 그런데 어찌 소인의 복이겠는가!
옛날부터 군자가 물러나 피하면 소인이 또한 시간을 단축하지 않아도 망하니, 군자가 도피하는 것은 군자의 흉함이 아니라 군자의 길함이고, 군자가 도피하게 하는 것은 소인의 통함이 아니라 소인의 막힘이다. 이런 의미는 박(剝䷖)괘 상구의 '소인은 집을 허물 것'[21] 이라는 의미와 똑 같다. 『역』이 소인을 위해 도모한 것이 아닐지라도 소인을 위해 경계하지 않은 적은 없다. 『주역본의』에서 '소인은 바르게 함이 이롭다[小利貞]'는 구절을 소인을 경계하는 말로 여긴 것은 여기의 의미와 또한 부합하는 것 같다.

21) 『주역』「박괘(剝卦)」: "上九, 碩果不食, 君子得輿, 小人剝廬.[상구는 큰 열매가 먹히지 않은 것이니, 군자는 수레를 얻고 소인은 집을 허물 것이다.]"라고 하였다.

九五, 嘉遯, 貞, 吉.

구오는 아름다운 도피이니 곧게 하면 길하다.

本義

剛陽中正, 下應六二, 亦柔順而中正, 遯之嘉美者也. 占者如是而正則吉矣.

굳센 양이 중정으로 아래로 육이와 호응하여 또한 유순하면서도 중정하니, 도피하기를 아름답게 하는 것이다. 점을 치는 사람이 이처럼 해서 바르면 길하다.

程傳

九五, 中正, 遯之嘉美者也. 處得中正之道, 時止時行, 乃所謂嘉美也. 故爲貞正而吉. 九五非无係應, 然與二皆以中正自處, 是其心志, 及乎動止, 莫非中正而无私係之失, 所以爲嘉也.

구오는 중정하니 도피를 아름답게 한 것이다. 처신이 중정의 도를 얻어 때에 따라 그치고 때에 따라 행하여 아름답다고 말하는 것이기 때문에 곧고 바르게 하여 길하다. 구오는 얽매여 호응함이 없는 것은 아니지만 이효와 함께 모두 중정함으로 자처하여 그 마음과 뜻으로 움직이고 멈추어 중정하지 않음이 없고 사사롭게 얽매이는 잘못이 없기 때문에 아름답다.

在「彖」則概言遯時, 故云'與時行'. '小利貞', 尙有濟遯之意, 於爻, 至五, 遯將極矣, 故唯以中正處遯言之. 遯非人君之事, 故不主君位言, 然人君之所避遠, 乃遯也, 亦在中正而已.

「단전」에서는 도피할 때를 개략적으로 말하였기 때문에 '때에 따라 행한다'고 하였다. '소인은 바르게 함이 이롭다'는 오히려 도피함을 구제할 뜻이 있는 것이고, 효로는 오효에서야 도피함이 끝나려고 하기 때문에 오직 중정하게 도피하는 것으로 말하였다. 도피함은 임금의 일이 아니기 때문에 임금의 자리를 위주로 하여 말하지 않았지만 임금이 피하여 멀리하는 것은 도피함이니, 또한 중정한 것에 있을 뿐이다.

集說

● 龔氏煥曰 : "'嘉遯貞吉', 卽「彖傳」所謂'遯而亨也'. 五當位而應, 與時偕行者也."

공환이 말했다. "'아름다운 도피이니 곧게 하면 길하다'는 것은 곧 「단전」에서 말한 '도피하여 형통한 것이다'[22]라는 뜻이다. 오효는 지위를 맡아 호응하니 때와 함께 행하는 것이다."

案

● 此爻雖不主君位, 然居尊則亦臣之位高者也. 凡功成身退者,

22) 『주역』「돈괘(遯卦)」: "彖曰, 遯亨, 遯而亨也.[「단전」에서 말하였다. '돈(遯)은 형통함이란 도피하여 형통한 것이다.']"라고 하였다.

人臣之道, 故伊尹曰, '臣罔以寵利居成功', 豈非遯之嘉美者乎. 嘉之義比好, 又優矣.

이 효가 임금의 자리를 주로 하지 않을지라도 존귀한 자리에 있다면 신하의 지위가 높은 것이다. 성공하고 자신이 물러나는 것은 신하의 도이기 때문에 이윤이 '신은 은총과 녹봉으로 성공을 차지하지 않습니다'[23]라고 하였으니, 어찌 도피의 아름다움이 아니겠는가! 아름답다는 의미는 좋다는 것보다 더 나은 차원이다.

23) 『서경』「태갑하(太甲下)」: "臣罔以寵利居成功.[신은 총애와 이록으로 성공을 차지하지 않습니다.]"라고 하였다.

上九, 肥遯, 无不利.

상구는 여유 있는 도피이니, 이롭지 않음이 없다.

本義

以剛陽居卦外, 下无係應, 遯之遠而處之裕者也, 故其象占, 如此. '肥'者, 寬裕自得之意.

굳센 양으로 괘의 밖에 있고 아래로 얽매이고 호응함이 없으니, 도피를 멀리하여 처신에 여유 있는 것이기 때문에 그 점과 상이 이와 같다. '여유 있다[肥]'는 것은 넉넉해서 저절로 얻는다는 뜻이다.

程傳

'肥'者, 充大寬裕之意. 遯者, 唯飄然遠逝, 无所係滯之爲善. 上九乾體剛斷, 在卦之外矣, 又下无所係, 是遯之遠而无累, 可謂寬綽有餘裕也. 遯者, 窮困之時也, 善處則爲肥矣. 其遯如此, 何所不利.

'여유 있다[肥]'는 것은 가득 차고 커서 넉넉하다는 뜻이다. 도피하는 것은 오직 가볍게 멀리 떠나가서 얽매이고 지체할 것이 없어야 좋다. 상구가 건체(乾體)의 굳센 결단으로 괘의 밖에 있고, 또 아래로 얽매인 바가 없는 것은 멀리 도피하고 얽매임이 없으니, 넉넉히 여유가 있다고 할만하다. 도피하는 것은 곤궁한 때이지만 잘 처신한다면 여유롭게 된다. 그 도피함이 이와 같다면 어떤 것인들 이롭지 않겠는가?

集說

● 王氏弼曰: "最處外極, 無應於內, 超然絶去, 心無疑顧, 憂患不能累, 矰繳不能及. 是以肥遯无不利也."

왕필이 말했다. "바깥의 끝에 첫째로 있고 안으로 호응함이 없어 초연히 끊어버리고 떠나니, 마음으로 의심하고 돌아볼 것이 없고 근심으로 장애가 될 수 없으며 화살이 닿지 않는다. 이 때문에 여유 있는 도피함이니 이롭지 않음이 없다."

● 姜氏寶曰: "四之好, 不如五之嘉, 五之嘉, 不如上之肥. 上與二陰, 無應無係, 故肥. 肥者, 疾憊之反也."

강보가 말했다. "사효의 좋아함은 오효의 아름다움만 못하고, 오효의 아름다움은 상효의 여유 있음만 못하다. 상효는 두 음과 호응하지 않고 얽매이지 않기 때문에 여유 있다. 여유 있는 것은 병으로 고달픈 상황의 반대이다."

總論

● 項氏安世曰: "下三爻艮也, 主於止, 故爲不往, 爲執革, 爲係遯. 上三爻乾也, 主於行, 故爲好遯, 爲嘉遯, 爲肥遯也."

항안세[24]가 말했다. "아래의 세 효는 간(艮☶)괘로 그치는 것을 주로 하기 때문에 가지 않고, 가죽으로 붙잡으며, 얽매여 있는데 도피해야 하는 것이다. 위의 세 효는 건괘로 가는 것을 주로 하기 때문에 좋아하면서도 도피하고, 아름다운 도피이며, 여유 있는 도피이다."

24) 항안세(項安世, ?~1208) : 송나라 강릉(江陵) 사람으로 자는 평부(平父)이고, 호는 평암(平庵)이다. 효종(孝宗) 순희(淳熙) 2년(1175) 진사(進士)가 되고, 교서랑(校書郎)과 지주통판(池州通判) 등을 지냈다. 영종(寧宗)이 즉위하자 양병(養兵)과 궁액(宮掖)에 드는 비용을 줄여야 한다고 건의했다. 경원(慶元) 연간에 글을 올려 주희(朱熹)를 유임하라고 했다가 탄핵을 받고 위당(僞黨)으로 몰려 파직되었다. 나중에 복직되어 여러 벼슬을 거쳤다. 저서에 『주역완사(周易玩辭)』와 『항씨가설(項氏家說)』, 『평암회고(平庵悔稿)』 등이 있다.

34. 대장大壯괘

䷡ 震上
乾下

程傳

大壯, 「序卦」, "遯者退也. 物不可以終遯, 故受之以大壯". 遯爲違去之義, 壯爲進盛之義, 遯者, 陰長而陽遯也, 大壯, 陽之壯盛也. 衰則必盛, 消息相須. 故旣遯則必壯, 大壯所以次遯也. 爲卦震上乾下. 乾剛而震動, 以剛而動, 大壯之義也. 剛陽, 大也, 陽長已過中矣. 大者壯盛也, 又雷之威震而在天上, 亦大壯之義也.

대장괘에 대해 「서괘전」에서 "돈(遯)은 물러남이다. 그런데 사물은 끝까지 물러날 수 없기 때문에, 대장괘로 받았다"라고 하였다. 돈(遯)은 멀리 떠난다는 뜻이고, 장(壯)은 나아가서 장성하다는 뜻이니, 돈은 음이 자라서 양이 물러나는 것이며, 대장은 양이 장성한 것이다. 쇠하면 반드시 장성하고 사라짐과 생장함은 서로 의존한다. 그러므로 이미 물러났다면 반드시 장성하게 되고, 대장(大壯䷡)괘가 그 때문에 돈(遯䷠)괘 다음에 온다.
괘의 형태는 진(震☳)괘가 위이고, 건(乾☰)괘가 아래이다. 건괘는 굳세고 진괘는 움직이니, 굳셈으로 움직이는 것이 대장괘의 뜻이다. 굳센 양은 큰 것으로 양이 자라 이미 가운데를 지난 것이다. 큰 것은 장성한 것으로 또 우레의 위엄과 진동이 하늘에 있는 것도 대장괘의 뜻이다.

大壯, 利貞.

대장은 곧음이 이롭다.

本義

大壯之道, 利於貞正也. 大壯而不得其正, 强猛之爲耳, 非君子之道壯盛也.

대장의 도는 곧고 바름이 이롭다. 크게 장성해도 바름을 얻지 못하면, 사나운 짓을 할 따름이니, 군자의 도가 장성한 것은 아니다.

程傳

大, 謂陽也, 四陽盛長, 故爲大壯, 二月之卦也. 陽壯則占者, 吉亨, 不假言, 但利在正固而已.

큼은 양을 뜻하니, 네 양이 장성하게 자라나기 때문에 대장이고, 2월의 괘이다.
양이 장성해지면 점치는 자가 길하고 형통함을 말할 필요가 없지만 이로움이 바르고 단단함에 있을 뿐이다.

初九, 壯于趾, 征, 凶有孚.

초구는 발에 장성하니, 가면 흉함이 틀림없다.

本義

'趾', 在下而進動之物也. 剛陽處下而當壯時, 壯于進者也, 故有此象. 居下而壯于進, 其凶必矣, 故其占又如此.

'발'은 아래에 있으면서 나아가고 움직이는 부위이다. 굳센 양이 아래에 있는데 장성한 때여서 나아감에 장성한 것이기 때문에 이러한 상이 있다. 아래에 있으면서 나아감에 장성하다면, 흉함이 반드시 있기 때문에 그 점이 또한 이와 같다.

程傳

初, 陽剛乾體而處下, 壯于進者也. 在下而用壯, 壯于趾也. 趾, 在下而進動之物. 九在下用壯而不得其中, 夫以剛處壯, 雖居上, 猶不可行, 況在下乎. 故征則其凶有孚. '孚', 信也, 謂以壯往則得凶可必也.

초효는 양의 굳셈과 건의 몸체로 맨 아래에 있어 나아감에 장성한 것이다. 밑에 있으면서 장성함을 사용함은 발에 장성함이다. 발은 밑에 있으면서 나아가고 움직이는 부위이다.
구(九)가 밑에서 장성함을 사용하면서도 알맞음을 얻지 못해 굳셈으로 장성하게 처신한다면, 위에 있더라도 오히려 시행할 수가 없는데, 하물며 밑에서야 말해 무엇 하겠는가? 그러므로 가면 흉함이 틀림없이 생기게 된다.
'틀림없다[孚]'는 것은 분명하다는 의미로 장성함으로 가면, 흉하게 됨이 틀림없다는 말이다.

集說

● 王氏弼曰 : "在下而壯, 故曰'壯于趾'也. 居下而用剛壯, 以斯而進, 窮凶可必也, 故曰'征凶有孚'."

왕필이 말했다. "아래에서 장성하기 때문에 '발에서 장성하다'고 했다. 아래에 있으면서 굳셈과 장성함을 사용하니, 이렇게 나아간다면 궁하고 흉함이 틀림없기 때문에 '가면 흉함이 틀림없다'고 하였다."

● 王氏申子曰 : "卦雖以剛壯爲義, 然爻義皆貴於用柔. 蓋以剛而動, 剛不可過也. 趾在下, 而主於行, 初乾體而居剛用剛, 是壯於行而不顧者也. 在上猶爲過, 況在下乎. 其凶必矣."

왕신자가 말했다. "괘사에서는 굳셈과 장성함을 아름답게 여길지라도 효의 의미에서는 모두 부드러움을 사용하는 것을 귀하게 본다. 굳셈으로 움직이면 굳셈이 지나쳐서는 안 된다. 발은 아래에 있고 가는 것을 주로 하며, 초구는 건괘의 몸체로 굳센 자리에서 굳셈을 사용하니, 가는 데 장성하여 돌아보지 못하는 것이다. 위에 있어도 오히려 지나친 것인데, 하물며 아래에서야 말해 무엇 하겠는가! 흉함이 틀림없다."

九二, 貞吉.

구이는 곧아야 길하다.

本義

以陽居陰, 已不得其正矣. 然所處得中, 則猶可因以不失其正. 故戒占者使因中以求正, 然後可以得吉也.

양으로 음의 자리에 있어 이미 그 바름을 얻지 못하였다. 그러나 대처함이 알맞음을 얻었으니, 오히려 그것에 따라 바름을 잃지 않을 수 있다. 그러므로 점치는 자가 알맞음에 따라 바름을 구한 뒤에 길할 수 있다고 경계하였다.

程傳

二雖以陽剛, 當大壯之時, 然居柔而處中, 是剛柔得中, 不過於壯, 得貞正而吉也.

이효가 양의 굳셈으로 크게 장성한 시기에 있을지라도 부드러운 음의 자리에 있고 가운데 자리에 있으니, 굳셈과 부드러움이 알맞음을 얻어 장성함에 지나치지 않고 곧고 바를 수 있어 길하다.

或曰, '貞', 非以九居二爲戒乎. 曰 :『易』取所勝爲義, 以陽剛健體, 當大壯之時, 處得中道, 无不正也. 在四則有不正之戒,

人能識時義之輕重, 則可以學『易』矣.

어떤 이가 물었다 : '곧아서'는 구(九)가 이효에 있음을 경계로 한 것이 아닙니까?

답하였다 : 『역』에서는 뛰어난 것으로 뜻을 삼았으니, 굳센 양과 강건한 몸체로 크게 장성한 시기에 대처함이 중도를 얻었으면, 바르지 않음이 없습니다. 그런데 사효에서는 바르지 못함에 대한 경계가 있으니, 사람이 때와 뜻의 경중을 알면 『역』을 배울 수 있습니다.

集說

● 王氏弼曰 : "居得中位, 以陽居陰, 履謙不亢, 是以貞吉."

왕필이 말했다. "처신이 알맞은 자리를 얻고 양으로 음의 자리에 있어 겸손함을 밟고 높이 올라가지 않았으니, 이 때문에 곧아야 길하다."

● 易氏祓曰 : "爻貴得位, 大壯則以陽居陰爲吉, 蓋慮其陽剛之過於壯也. 故二與四皆言'貞吉'."

이불이 말했다. "효에서는 자리를 얻은 것을 귀하게 여기는데, 대장(大壯䷡)괘에서는 양이 음의 자리에 있음을 귀하게 여겼으니, 양의 굳셈이 장성함에서 지나칠 것을 염려했기 때문이다. 그러므로 이효와 사효에서 모두 '곧아야 길하다'고 하였다."

九三, 小人用壯, 君子用罔, 貞厲, 羝羊觸藩, 羸其角.

구삼은 소인은 장성함을 사용하고, 군자는 무시함을 사용하여 곧으면 위태로우니, 숫양이 울타리를 받아 그 뿔이 위태롭다.

本義

過剛不中, 當壯之時, 是小人用壯而君子則用罔也. '罔', 无也, 視有如无, 君子之過於勇者也. 如此則雖正亦危矣. 羝羊, 剛壯喜觸之物. '藩', 籬也, '羸', 困也, '貞厲'之占, 其象如此.

지나치게 굳세어 알맞음을 잃었는데 장성할 때이니, 소인은 장성함을 사용하고 군자는 무시함을 사용한다. '무시함[罔]'은 없는 것으로 봄이니, 있는 것을 마치 없는 것처럼 보는 것으로, 군자가 용맹함에 지나친 것이다. 이처럼 하게 된다면, 바를지라도 위태롭다.
숫양은 굳세고 장성하여, 들이받기를 좋아하는 동물이다. '울타리[藩]'는 경계를 지어 막는 것이고, '위태롭다[羸]'는 곤궁하게 된다는 말이니, '곧으면 위태롭다'는 점괘에서 그 상이 이와 같다.

程傳

九三, 以剛居陽而處壯, 又當乾體之終, 壯之極者也. 極壯如此, 在小人則爲用壯, 在君子則爲用罔. 小人尙力, 故用其壯勇, 君子志剛, 故用罔. 罔, 无也, 猶云蔑也. 以其至剛, 蔑視於事,而无所忌憚也. 君子小人, 以地言, 如"君子有勇而无義爲亂".

구삼은 굳셈으로 양의 자리에 있고 장성한 때 있으며, 또한 건괘 몸체의 끝에 있어 장성함이 지극한 것이다. 지극히 장성함이 이와 같다면, 소인에게서는 장성함을 사용하고, 군자에게서는 무시함을 사용한다. 소인은 힘을 숭상하기 때문에 용맹함을 사용하고, 군자는 굳셈을 뜻으로 삼기 때문에 무시함을 사용한다.
'무시함[罔]'은 없는 것으로 봄이니, 업신여김[蔑]이라고 하는 말과 같다. 지극히 굳세기 때문에 그 일을 업신여겨서 거리낌이 없는 것이다. 군자와 소인은 그 지위로 말했으니, 이를테면 "군자가 용맹함만 있고 도의가 없으면 난리를 일으킨다"[1]는 것이다.

剛柔得中, 則不折不屈, 施於天下而无不宜. 苟剛之太過, 則无和順之德, 多傷莫與, 貞固守此則危道也. 凡物莫不用其壯, 齒者齧, 角者觸, 蹄者踶. 羊壯於首, 羝爲喜觸, 故取爲象. 羊喜觸藩籬, 以藩籬當其前也. 蓋所當必觸, 喜用壯如此, 必羸困其角矣, 猶人尚剛壯, 所當必用, 必至摧困也. 三, 壯甚如此而不至凶, 何也. 曰, 如三之爲, 其往足以致凶. 而方言其危, 故未及於凶也. 凡可以致凶而未至者, 則曰厲也.

굳셈과 부드러움이 알맞음을 얻으면, 꺾이거나 굽히지 않고, 천하에 베풂에 합당하지 않음이 없다. 굳셈이 너무 지나치면, 조화롭고

1) 『논어』「양화(陽貨)』: "君子義以爲上. 君子有勇而無義爲亂, 小人有勇而無義爲盜.[군자는 도의를 으뜸으로 여긴다. 군자가 용맹함만 있고 도의가 없으면 난을 일으키고, 소인이 용맹함만 있고 도의가 없으면 도둑이 된다.]"

유순한 덕이 없고 대부분 피해를 입혀 남들이 상대하지 않으니, 곧게 이것을 고수하면, 위태로운 도이다.
모든 사물은 장성함을 사용하지 않음이 없으니, 이빨로는 물고, 뿔로는 들이받으며, 발굽으로는 찬다. 양(羊)은 머리에서 장성하고, 숫양은 들이받기를 좋아하기 때문에 이것으로 상을 삼았다. 양이 울타리를 들이받길 좋아하는 것은 울타리가 앞에 있기 때문이다. 마주치는 것은 반드시 들이받으며 장성함을 이처럼 즐겨 사용하면, 반드시 그 뿔을 곤궁하게 만드니, 사람이 굳셈과 장성함을 숭상하여 마주치는 것에 사용하면, 반드시 꺾이고 곤궁하게 되는 것과 같다. 삼효는 장성함이 이처럼 심한데도 흉하게 되지 않는 것은 무엇 때문인가? 삼효가 하는 것처럼 하면, 그 나아감이 흉함을 불러오기에 충분하다. 그런데 그 위태로움에 대해 이제 막 언급하기 때문에, 흉하게 된 것은 아니다. 흉하게 될 수 있지만, 아직 그렇게 되지 않았으므로 '위태롭다[厲]'고 한다.

集說

● 京氏房曰:"壯一也, 小人用之, 君子有而不用."

경방[2]이 말했다. "장성함은 한 가지인데, 소인을 그것을 사용하고

2) 경방(京房, B.C.77~B.C.37) : 자는 군명(君明)이고, 전한(前漢) 때 동군 돈구(東郡頓丘 : 현 하남성 청풍〈清豐〉) 사람이다. 본래의 성은 이씨(李氏)였는데, 율(律)을 미루어 스스로 경(京)씨로 고쳤다. 양(梁)나라 사람 초연수(焦延壽)에게서 역학(易學)을 배웠으며, 효렴(孝廉)으로 관리가 되었다. 재이사상(災異思想)에 밝았으므로 원제(元帝)의 총애를 받았고, 나중에 위군(魏郡)의 태수(太守)가 되었으나, 재이점후(災異占候)에 대하여 자주 황제에게 아뢰였기 때문에 석현(石顯)·오록충종(五鹿充

군자는 가지고 있어도 사용하지 않는다."

● 劉氏牧曰 : "罔, 不也. 君子尚德而不用壯, 若固其壯則危矣."

유목[3]이 말했다. "무시함은 그렇게 하지 않는다는 것이다. 군자는 덕을 숭상해서 장성함을 사용하지 않으니, 장성함을 확고하게 하면 위태롭기 때문이다."

● 胡氏瑗曰 : "九三處下卦之上, 當乾健之極, 以陽居陽, 是強壯之人也. 以小人乘此, 則必恃剛強陵犯於人, 雖至壯極而不已,

---

宗) 등의 미움을 사서, 하옥된 후에 살해당했다. 그는 또한 당시의 음악 이론가였으며, 음률(音律)에 조예가 깊었다. 그는 그때까지의 율관(律管)에 의한 12율(律)의 산정법(算定法)이 삼분손익으로 11율을 만든 뒤 다시 처음의 율로 돌아오지 못하는 불합리함을 알고, 새로이 현(絃)에 의한 음률측정기인 준(準)을 발명함으로써 60률을 산정하였다. 이 60율은 극히 미세한 음의 차이로서 음율을 변환시키는 이론적 가치가 뛰어나지만, 악기 제작과 실제 연주에 곤란한 점이 많아 실제에 적용되지 못한 단점도 있었다. 저서에는 『경씨역전(京氏易傳)』이 유명하다.

3) 유목(劉牧, 1011~1064年) : 자는 선지(先之) 혹은 목지(牧之)이고 호는 장민(長民)이다. 원래는 항주(杭州) 임안(臨安) 사람이었는데, 조부의 공적으로 인해 서안(西安 : 현 절강성 구현〈衢縣〉) 사람이 되었다. 범중엄(範仲淹)을 스승으로 모시고, 손복(孫複)에게서 『춘추』를 배웠으며, 석개(石介)와도 친분이 두터웠다. 역학방면으로는 범악창(範諤昌)의 역학을 이어받아 진단(陳摶)의 「하도」·「낙서」 상수학을 전승하였다. 벼슬은 범중엄과 부필(富弼) 등의 추천으로 연주(兗州) 관찰사를 거쳐 태상박사(太常博士)까지 역임하였다. 역학 방면의 저술에는 『괘덕통론(卦德通論)』, 『신주주역(新注周易)』, 『주역선유유론구사(周易先儒遺論九事)』, 『역수구은도(易數鉤隱圖)』 등이 있다.

是用壯者也. 君子則不然, 雖壯而不矜, 雖大而不伐, 罔而不用其壯也. 小人居強壯之時, 動則過中, 進則不顧, 是猶剛狠之羊, 雖藩在前, 亦觸突而進, 以至反羸其角, 凶之道也."

호원이 말했다. "구삼은 아래 괘의 꼭대기에 있고 굳센 건괘의 끝에 있으면서 양이 양의 자리에 있으니, 굳세게 장성한 사람이다. 소인이 여기에 있으면 반드시 강건함을 믿고 사람들을 침범하여 극도로 장성할지라도 그치지 않으니 장성함을 사용하는 것이다. 군자는 그렇게 하지 않으니, 장성할지라도 교만하지 않고 크게 될지라도 자랑하지 않으며 없는 것처럼 여기고 장성함을 사용하지 않는다. 소인은 굳세고 장성한 때는 움직이면 알맞음을 지나치고 나아가면 되돌아보지 않아 사나운 양이 울타리가 앞에 있을지라도 받으며 나아가 뿔이 위태롭게 되는 것과 같으니, 흉하게 되는 도이다."

● 郭氏雍曰: "剛至三而壯矣. 小人務勝人, 故喜壯而用之, 君子務勝己之私, 是以勿用壯於外也. 以用壯爲正則危矣. 羊狠喜觸, 用壯之象也. 觸藩羸角, 用壯而厲也. '君子用罔'者, 君子罔以壯爲用也. 先儒或爲羅網之罔, 失之矣."

곽옹[4]이 말했다. "굳셈이 삼효까지 와서 장성하게 되었다. 소인은 힘써 남을 이기기 때문에 굳셈을 즐겨 사용하고, 군자는 힘써 자기

---

4) 곽옹(郭雍, 1106~1187) : 송(宋)대 낙양(洛陽 : 현 하남성 낙양시) 사람으로 자는 자화(子和)이고 자호는 백운(白雲)이다. 정이(程頤)의 제자인 곽충효(郭忠孝)의 둘째 아들로 가학을 이었으며, 벼슬길은 나아가지 않고 은거하면서 역학과 의학에 정통하였다고 한다. 역학 방면 저술로 『전가역해(傳家易解)』, 『괘사지요(卦辭指要)』, 『시괘변의(蓍卦辨疑)』 등이 있다고 한다.

의 사사로움을 이기기 때문에 밖으로 장성함을 사용하지 않는다. 장성함을 사용하는 것으로 바름을 삼으면 위태롭게 된다. 양이 사나우면 받기를 좋아하는 것은 장성함을 사용하는 상이다. 울타리를 받아 뿔이 위태롭게 되는 것은 장성함을 사용해서 위태로워진 것이다. '군자가 무시함을 사용한다'는 장성함을 사용하는 것을 무시하는 일이다. 선대의 학자들 중에 어떤 이는 그물[羅網]이라는 법망[罔]으로 여겼는데 잘못된 것이다."

● 項氏安世曰 : "旣曰'小人用壯', 又曰'君子用罔', 勸戒備矣. 又曰'貞厲, 羝羊觸藩, 羸其角'者, 恐人以用剛居剛爲得正也."

항안세가 말했다. "이미 '소인이 장성함을 사용한다'고 해놓고, 또 '군자가 무시함을 사용한다'고 한 것은 권장하면서 경계하였다. 또 '곧으면 위태로우니, 숫양이 울타리를 받아 그 뿔이 위태로운 것이다'고 한 것은 사람들이 굳셈을 사용하고 굳센 자리에 있음을 바름을 얻은 것으로 여길까 염려한 것이다."

案

● 京氏以下諸家, 說用罔, 與『傳』『義』異. 以夫子「小象」文意參之, 諸說近是.

경씨[경방] 이하 여러 학자들이 무시함을 사용하는 일에 대해 설명한 것은 『정전』이나 『주역본의』와는 다르다. 공자 「소상전」의 문맥과 의미를 참고하면,5) 여러 학자들의 설명이 옳은 것 같다.

5) 『주역』「대장괘(大壯卦)」: "象曰, 小人用壯, 君子罔也.[「상전」에서 말하였다. 소인은 장성함을 사용하고, 군자는 멸시한다.]"라고 하였다.

九四, 貞吉, 悔亡, 藩決不羸, 壯于大輿之輹.

구사는 곧으면 길하여 뉘우침이 없게 되니, 울타리가 터져서 곤궁하지 않게 되며, 큰 수레의 바퀴살에 장성한 것이다.

本義

'貞吉悔亡', 與咸九四同占. '藩決不羸', 承上文而言也, '決', 開也. 三前有四, 猶有藩焉, 四前二陰, 則藩決矣. 壯于大輿之輹, 亦可進之象也, 以陽居陰, 不極其剛, 故其象占如此.

'곧으면 길하여 뉘우침이 없게 된다'는 말은 함(咸䷞)괘 구사와 점사가 같다. "울타리가 터져서 곤궁하지 않게 된다"는 말은 앞 문장에 연이어 말한 것으로, '터진다[決]'는 열린다는 뜻이다.
구삼의 앞에는 구사가 있으니, 울타리가 있는 형상과 같고, 구사 앞에는 두 개의 음이 있으니, 울타리가 터진 형상이다.
큰 수레의 바퀴살이 장성함은 또한 나아갈 수 있다는 상이니, 양으로서 음의 자리에 있으면, 그 굳셈을 지극히 할 수 없기 때문에, 그 상과 점이 이와 같다.

程傳

四, 陽剛長盛, 壯已過中, 壯之盛也. 然居四, 爲不正, 方君子道長之時, 豈可有不正也. 故戒以貞則吉而悔亡. 蓋方道長之時, 小失則害亨進之勢, 是有悔也. 若在他卦, 重剛而居柔,

未必不爲善也, 大過是也.

사효는 굳센 양이 성대하게 자라 그 장성함이 이미 알맞음을 지나쳤으니, 장성함이 성대한 것이다. 그러나 사효의 자리에 있어 바르지 못하니, 군자의 도가 자라나는 때 어찌 바르지 않음이 있어서야 되겠는가? 그렇기 때문에 곧으면 길하여 후회가 없게 된다고 경계를 하였다.

도가 자라나는 때 조금이라도 실수를 하면, 형통하게 나아가는 기세를 해치니, 후회가 있다. 다른 괘에서라면, 거듭 굳세지만 부드러운 음의 자리에 있으니, 반드시 좋지 않은 것은 아니다. 대과(大過 ䷛)괘가 여기에 해당한다.

'藩', 所以限隔也, 藩籬決開, 不復羸困其壯也. 高大之車, 輪輹强壯, 其行之利, 可知, 故云'壯于大輿之輹'. '輹', 輪之要處也. 車之敗, 常在折輹, 輹壯則車强矣. 云'壯于輹', 謂壯于進也. 輹, 與輻同.

'울타리'는 제한하고 막는 것인데, 그것이 터져서 열렸다면, 그 장성함을 재차 곤궁하게 할 수 없다. 높고 큰 수레는 바퀴와 바퀴살이 강하고 장성하여 가는 데 이로움을 알 수 있기 때문에 '큰 수레의 바퀴살에 장성한 것이다'고 하였다.

'바퀴살'은 바퀴의 핵심 부위이다. 수레가 망가지는 것은 항상 바퀴살이 부러지기 때문이니, 바퀴살이 장성하다면, 수레가 튼튼하다. '바퀴살에 장성하다'고 한 것은 나아감에 장성하다는 말이다. '바퀴살 복[輹]'자는 '바퀴살 복[輻]'자와 같다.

集說

● 王氏弼曰："未有違謙越禮，而能全其壯者也．故陽爻皆以居陰位爲美."

왕필이 말했다. "겸손과 예의를 어기고 무시하면서 장성함을 온전하게 하는 경우는 없다. 그러므로 효에서 모두 음의 자리에 있는 것을 아름답게 여긴다."

● 鄭氏汝諧曰："居四陽之終，其壯易過，故必正吉則悔亡．羣陽竝進，非二陰之所能止，藩決不羸，其道通也，壯于大輿之輹，其行健也."

정여해[6]가 말했다. "네 양의 끝에 있어 그 장성함이 쉽게 지나치기 때문에 반드시 곧아서 길하면 뉘우침이 없게 된다. 여러 양이 함께 나아감은 두 음이 멈추게 할 수 있는 것이 아니고, 울타리가 터져 곤궁하지 않게 됨은 그 도가 통하는 것이며, 큰 수레의 바퀴살에 장성함은 감이 강건한 것이다."

● 『朱子語類』云："'九二貞吉'，只是自守而不進，九四却是有可進之象．蓋以陽居陰，不極其剛，而前遇二陰，有藩決之象，所以

6) 정여해(鄭汝諧, 1126~1205) : 자가 순거(舜擧)이고 호는 동곡거사(東谷居士)이다. 청전현성(靑田縣城) 사람이다. 송나라 소흥(紹興) 27년(1157)에 진사가 되어 건도(乾道) 4년(1168) 양절(兩浙) 전운판관(轉運判官)에 임명되었다. 여러 관직을 거쳐 고향으로 돌아가 석개서원(介石書院)을 세웠다. 개희(開禧) 원년(1205)에 죽었다. 『동곡역익전(東谷易翼傳)』, 『논어의원(論語意源)』, 『동곡집(東谷集)』 등이 있다.

爲進, 非如九二前有三四二陽隔之, 不得進也."[7]

『주자어류』에서 말했다. "'구이는 곧아야 길하다'는 것은 단지 스스로 지키면서 나아가지 않는다는 것일 뿐인데, 구사(九四)에는 도리어 나아가야 되는 상이 있다. 양이 음의 자리에 있어 그 굳셈을 다하지 않는데, 앞에서 두 음을 만나 울타리가 터지는 상(象)이 있기 때문에 나아감이 되니, 구이 앞에 구삼과 구사 두 양이 막고 있어 나아갈 수 없는 것과는 같지 않다."

● 俞氏琰曰: "爻剛位柔, 不極其壯, 故因占設戒曰, '貞吉悔亡'. 三以九四之剛在前, 如藩籬之障而不能進, 故觸而受羸. 四以六五之柔在前, 如藩籬剖破而無俟乎觸, 故不羸, 曰'藩決不羸'而不及羊, 承九三之辭也."

유염이 말했다. "효가 굳센데 자리가 부드러워 그 장성함을 다하지 않기 때문에 점에 따라 경계하여 '곧으면 길하여 뉘우침이 없게 된다'고 하였다. 삼효는 구사의 굳셈이 앞에 있어 울타리로 막은 것처럼 나아갈 수 없기 때문에 받아서 위태롭게 된다. 사효는 육오의 부드러움이 앞에 있어 울타리가 터진 것처럼 받을 것을 기다릴 필요가 없기 때문에 위태롭게 되지 않는다. '울타리가 터져 곤궁하게 되지 않는다'고 하고 양을 언급하지 않은 것은 구삼효의 말을 이어 받았기 때문이다."

7) 『주자어류』 권72, 41조목.

六五, 喪羊于易, 无悔.

육오는 양을 쉽게 잃지만, 후회가 없다.

本義

卦體似兌, 有羊象焉, 外柔而內剛者也. 獨六五以柔居中, 不能抵觸, 雖失其壯, 然亦无所悔矣. 故其象如此, 而占亦與咸九五同. '易', '容易'之'易', 言忽然不覺其亡也. 或作'疆埸'之'埸', 亦通. 『漢』「食貨志」'埸'作'易'.

괘의 몸체가 태(兌☱)괘와 유사하여 양(羊)의 상이 있으니, 밖으로는 부드럽지만 안으로는 굳센 것이다. 육오만이 부드러운 음으로 가운데 자리에 있어 들이받지 않으니, 장성함은 없을지라도 뉘우침이 없게 된다. 그러므로 그 상이 이와 같고 점도 함(咸䷞)괘의 구오[8]와 같다. '쉽게[易]'는 '용이하다'고 할 때의 '쉽다'는 것이니, 그것이 없어짐을 어느 사이 갑자기 알지 못함을 말한다. 간혹 '강역(疆埸)'이라고 할 때의 '역(埸)'자로 하는 것도 뜻이 통하니, 『한서』「식화지」에는 '역(埸)'자가 '역(易)'자로 되어 있다.

程傳

羊, 羣行而喜觸, 以象諸陽竝進. 四陽方長而竝進, 五以柔居

8) 『주역』「함괘(咸卦)」: "九五, 咸其脢, 无悔.[구오는 등살에서 느끼니, 후회가 없다.]"라고 하였다.

上, 若以力制, 則難勝而有悔. 唯和易以待之, 則羣陽无所用其剛, 是喪其壯于和易也, 如此則可以无悔. 五以位言則正, 以德言則中, 故能用和易之道, 使羣陽雖壯, 无所用也.

양은 떼 지어 다니면서 들이받기를 좋아하니, 그것으로 여러 양들이 함께 나아가는 것을 상징하였다. 네 개의 양들이 한창 자라나서 함께 나아가는데, 오효가 부드러움으로 위에 있으니, 힘으로 제어한다면 이기기 어려워 후회가 있다.
오직 사근사근하게 대하면, 여러 양들이 굳셈을 쓸 곳이 없어 사근사근한 것에 장성함을 잃는 것이니, 이처럼 하게 되면 후회가 없을 수 있다. 오효는 지위로 말하면 바르고, 덕으로 말하면 알맞기 때문에 사근사근한 도로 여러 양들이 장성할지라도 쓸 곳이 없게 할 수 있다.

集說

● 『朱子語類』云 : "'喪羊于易', 不若作疆埸之易. 『漢』「食貨志」'疆埸之埸', 正作易. 蓋後面有'喪牛于易', 亦同此義. 今『本義』所注, 只是從前所説如此, 只且仍舊耳."[9]

『주자어류』에서 말했다. "'양을 쉽게 잃는다[喪羊于易]'에서 쉽게[易]는 '국경의 경계[疆埸之易]'로 하는 것만 못하다. 『한서(漢書)』「식화지(食貨志)」에는 '국경의 경계[疆埸之埸]'가 바로 경계[易]로 되어 있다. 뒤에 있는 '양을 쉽게 잃지만[喪羊于易]'도 이 의미와 같다. 지금 『주역본의』의 주석은 종전에 이와 같이 말한 것을 따랐으니, 과거

9) 『주자어류』 권72, 41조목.

의 용례를 거듭한 것일 뿐이다."

● 胡氏炳文曰:"旅上九'喪牛于易', 牛性順, 上九以剛居極, 不覺失其所謂順. 此曰'喪羊于易', 羊性剛, 六五以柔居中, 不覺失其所謂剛, 自失其壯. 故爻獨不言壯."

호병문이 말했다. "려(旅䷷)괘의 상구에서 '쉽게 소를 잃는다'[10]는 소의 성질이 유순하고 상구가 굳셈으로 끝에 있어 이른바 순한 것을 알지 못한다는 뜻이다. 여기에서 '쉽게 양을 잃는다'는 양의 성질은 굳세고 육오가 부드러움으로 가운데 있어 이른바 굳센 것을 알지 못하고 그 장성함을 스스로 잃었다는 말이다. 그러므로 효에서 유독 장성함을 말하지 않았다."

案

● 壯之道, 貴乎得中, 九二方壯之時, 以剛處中, 壯之正也. 至六五則壯已過矣, 又以柔處中, 則無所用其壯矣, 故雖喪羊而无悔.

장성함의 도는 알맞음을 얻는 것을 귀하게 여기니, 구이는 한창 장성할 때 굳셈으로 가운데 있으니 장성함의 바른 것이다. 육오는 장성함이 이미 지나친데다가 또 부드러움으로 알맞음을 얻었으니, 장성함을 사용할 곳이 없기 때문에 양을 잃지만 후회가 없다.

10) 『주역』「여괘(旅卦)」: "上九, 鳥焚其巢, 旅人, 先笑後號咷. 喪牛于易, 凶.[상구는 새가 둥지를 불태우니, 나그네가 먼저 웃고 뒤에 울부짖는다. 쉽게 소를 잃으니, 흉하다.]"라고 하였다.

上六, 羝羊觸藩, 不能退, 不能遂, 无攸利, 艱則吉.

상육은 숫양이 울타리를 들이받아 물러날 수도 없고 나아갈 수 없어 이로운 것이 없으니, 어렵게 여기면 길하다.

本義

壯終動極, 故觸藩而不能退. 然其質本柔, 故又不能遂其進也. 其象如此, 其占可知. 然猶幸其不剛, 故能艱以處, 則尚可以得吉也.

장성함의 끝이고 움직임의 궁극이기 때문에 울타리를 들이받아도 물러나지 못한다. 그런데 그 재질이 본래 부드럽기 때문에 또한 나아감을 이루지도 못한다. 그 상이 이와 같으니 그 점을 알 수 있다. 그러나 오히려 다행스럽게도 굳세지 않기 때문에 어렵게 여겨 대처할 수 있다면 길함을 얻을 수 있다.

程傳

羝羊, 但取其用壯, 故陰爻亦稱之. 六, 以陰處震終而當壯極, 其過可知, 如羝羊之觸藩籬, 進則礙身, 退則妨角, 進退皆不可也. 才本陰柔, 故不能勝己以就義, 是不能退也. 陰柔之人, 雖極用壯之心, 然必不能終其壯, 有摧必縮, 是不能遂也. 其所爲如此, 无所往而利也. 陰柔處壯, 不能固其守, 若遇艱困, 必失其壯. 失其壯, 則反得柔弱之分矣, 是艱則得吉也. 用壯則不利, 知艱而處柔則吉也, 居壯之終, 有變之義也.

숫양은 그 장성함을 쓰는 것을 취했을 뿐이기 때문에 음효에서도 그것을 일컬었다. 육(六)은 음으로 진괘의 끝에 있고 장성함의 궁극에 해당하여 그 지나침을 알만하니, 숫양이 울타리를 들이받아 나아가면 몸이 막히고 물러가면 뿔이 방해가 되어, 나아가고 물러남을 모두 할 수 없는 것과 같다.
재질이 본래 유약한 음이기 때문에 자신의 사사로움을 이기고 의로 나아갈 수 없으니, 물러날 수 없다. 나약한 사람은 장성함을 쓰려는 마음을 지극하게 할지라도 반드시 그 장성함을 끝까지 할 수 없어 꺾이면 반드시 위축이 되니, 나아갈 수 없다.
하는 일이 이와 같으니 어디를 가도 이로운 것이 없다. 부드러운 음은 장성함에 있어도 그 지킴을 단단히 할 수 없으니, 어려움과 곤란함을 만나게 되면 반드시 그 장성함을 잃게 된다. 장성함을 잃게 된다면 반대로 유약한 본분을 얻게 되니, 어려우면 길함을 얻는다. 장성함을 사용하면 이롭지 않고, 어려움을 알아 부드럽게 있으면 길하니, 장성함의 끝에는 변하는 뜻이 있다.

集說

● 『朱子語類』云 : "上六取喻甚巧. 蓋壯終動極, 無可去處, 如羝羊之角, 掛於藩上, 不能退遂. 然'艱則吉'者, 畢竟有可進之理, 但必艱始吉耳."[11]

---

11) 『주자어류』 권72, 41조목.

『주자어류』에서 말했다. "상육(上六)에서 취한 비유는 매우 교묘하다. 장성함의 끝과 움직임의 궁극에는 갈 곳 없는 것이 숫양의 뿔이 울타리에 끼여 물러나지도 나아가지도 못하는 것과 같다. 그러나 '어렵게 여기면 길하다'는 뜻은 결국 나아갈 수 있는 이치가 있지만, 오직 어렵게 여겨야 비로소 길하다는 것일 뿐이다."

● 易氏祓曰: "三前有四, 故爲觸藩, 四前遇陰, 故爲藩決, 上六前無滯礙, 而亦言觸藩者, 處一卦之窮也. 不能退者, 在衆爻之上, 不能遂者, 亢而不可前進也. 然能艱則吉, 此『易』之所以備勸戒也."

이볼이 말했다. "삼효 앞에는 사효가 있기 때문에 울타리를 받고, 사효 앞에서 음을 만나기 때문에 울타리가 터지며, 상육은 앞에 가로 막는 것이 없어도 울타리를 들이받는다고 말한 것은 한 괘의 끝에 있기 때문이다. 물러날 수 없는 것은 여러 효의 위에 있고, 나아갈 수 없는 것은 높아서 앞으로 갈 수 없다. 그러나 어렵게 여길 수 있으면 길하니, 이것이 『역』에서 권장과 경계를 갖추었다는 것이다."

案

● 五與上皆陰爻, 而當陽壯已過之時, 五猶曰'喪羊', 而上反曰'羝羊觸藩', 何也. 蓋『易』者, 像也. 羊之觸也以角, 卦似兌, 有羊象, 而上六適當角位, 故雖陰爻, 而亦云觸藩也. 陰柔不至於羸角, 但不能退不能遂而已. '艱則吉'者, 知其難, 而不敢輕易以處之也, 故可進則進, 不可進則退. 「雜卦」謂'大壯則止', 是也.

오효와 상효는 모두 음의 효이고, 양의 장성함이 이미 지나친 때인데, 오효에서는 여전히 '양을 잃어버렸다'고 하고, 상효에서는 도리어 '숫양이 울타리를 들이받았다'고 하니, 무엇 때문인가?
『역』은 본뜨는 것이다. 양이 들이받음은 뿔로 하는데, 괘가 태(兌☱)괘와 비슷해 양의 상이 있고, 상육은 뿔의 위치에 적당하기 때문에 음의 효일지라도 울타리를 들이받는다고 한 것이다. 음의 부드러움으로는 뿔이 위태로울 지경까지는 가지 않고, 단지 물러날 수도 없고 나아갈 수도 없게 될 뿐이다. '어렵게 여기면 길하다'는 어려움을 알고 감히 가볍게 처신하지 않기 때문에 나아갈 수 있으면 나아가고 나아갈 수 없으면 물러나는 것이다. 「잡괘전」에서 '대장은 멈춤이다'라고 한 것이 여기에 해당한다.

總論

● 項氏安世曰 : "有以事理得中爲正者, 有以陰陽當位爲正者. 剛以柔濟之, 柔以剛濟之, 使不失其正, 此事理之正也. 以剛處剛, 以柔處柔, 各當其位, 此爻位之正也. 大壯之時, 義其所謂利貞者, 利守事理之正, 不以爻位言也. 是故九二九四六五三爻, 不當位而皆利, 初九九三上六三爻, 當位而皆不利. 又於九二九四爻辭, 明言貞吉. 於初九九三爻辭, 明言'征凶''貞厲', 聖人猶恐其未明也. 又以「小象」釋之, 於九二則曰'九二貞吉, 以中也', 明正吉以中而不以位也. 於六五則曰'位不當也', 亦明'无悔'在中不在位也. 『易』之時義, 屢遷如此."

항안세가 말했다. "사물의 이치가 알맞음을 얻어 바른 것이 있고, 음과 양이 자리에 합당하여 바른 것이 있다. 굳셈은 부드러움으로 구제하고, 부드러움은 굳셈으로 구제하는 것은 바름을 잃지 않게 하는 일이니, 이는 사물의 이치가 바른 것이다.

굳셈이 굳센 자리에 있고 부드러움이 부드러운 자리에 있으면 각기 자리에 합당하니, 이는 효의 위치가 바른 것이다. 대장의 때에 의리에서 이른바 곧음이 이롭다는 말은 사물의 바른 이치를 지키는 것이 이롭다는 뜻이니, 효의 위치로 말한 것이 아니다. 이 때문에 구이·구사·육오 세 효가 자리에 합당하지 않아도 모두 이롭고, 초구·구삼·상효 세 효는 자리에 합당해도 모두 이롭지 않다. 또 구이와 구사의 효사에서 분명히 '곧으면 길하다[貞吉]'고 했고, 초구와 구삼의 효사에서 분명히 '가면 흉하고' '곧으면 위태롭다'고 했으니, 성인은 여전히 분명하지 못할 것을 염려한 것이다.
또 「소상전」으로 해석하면, 구이에서 '구이는 곧아야 길함은 중도로 했기 때문이다'라고 했으니, '곧아야 길함'은 알맞기 때문이지 자리 때문이 아님을 분명히 했고, 육오에서 '자리가 합당하지 않기 때문이다'라고 했으니, 또한 '후회가 없음'이 알맞음에 있지 자리에 있지 않음을 분명히 했다. 『역』에서 때의 의리가 이처럼 자주 바뀐다."

35. 진晉괘

䷢ 震上
震下

程傳

晉,「序卦」, "物不可以終壯, 故受之以晉, '晉'者, 進也." 物无壯而終止之理, 旣盛壯則必進, 晉所以繼大壯也. 爲卦離在坤上, 明出地上也. 日出於地, 升而益明, 故爲晉, '晉', 進而光明盛大之意也. 凡物漸盛爲進, 故「彖」云, "晉, 進也".

진(晉䷢)괘에 대해 「서괘전」에서 "사물은 끝까지 장성할 수 없기 때문에 진괘로 받으니, '진(晉)'은 나아감이다"라고 하였다. 사물은 장성해서 끝내 머무는 이치가 없어 융성해지고 나면 반드시 나아가니, 그래서 진(晉䷢)괘가 대장(大壯䷡)괘 다음에 있다.
괘의 모양은 리(離☲)괘가 곤(坤☷)괘 위에 있으니 밝음이 땅 위로 나온다. 해가 땅에서 떠올라가 더욱 밝아지기 때문에 진(晉)이 되니, '진(晉)'은 나아가 광명하고 성대하다는 뜻이다. 모든 사물은 점차 융성해져 나아가기 때문에 「단전」에서 "진(晉)은 나아감이다"고 하였다.

卦有有德者, 有无德者, 隨其宜也. 乾坤之外, 云'元亨'者, 固有也, 云'利貞'者, 所不足而可以有功也. 有不同者, 革漸, 是

也, 隨卦可見. 晉之盛而无德者, 无用有也. 晉之明盛, 故更不言亨, 順乎大明, 无用戒正也.

괘에는 덕을 갖춘 경우도 있고 덕이 없는 경우도 있으니 그 마땅함을 따른 것이다. 건(乾☰)괘와 곤(坤☷)괘 외에 '크게 형통하다[元亨]'라고 말한 경우는 진실로 덕을 갖추고 있기 때문이고, '곧음이 이롭다[利貞]'라고 말한 경우는 부족하지만 공을 이룰 수 있기 때문이다.

이와 같지 않은 경우는 혁(革䷰)괘[1]와 점(漸䷴)[2]괘가 여기에 해당하니, 괘에 따라서 볼 수 있다. 진(晉䷢)괘가 성대한데도 덕이 없는 것은 그렇게 말할 필요가 없어서이다. 나아감이 밝고 융성하기 때문에 다시 형통하다고 말하지 않았고, 큰 밝음을 따르니 바르게 하라고 경계할 필요가 없다.

1) 『주역』「혁괘(革卦)」: "革, 已日, 乃孚, 元亨, 利貞, 悔亡.[혁(革)은 시일이 지나야 믿을 것이니, 크게 형통하고, 바름이 이로워 뉘우침이 없다.]"라고 하였다.

2) 『주역』「점괘(漸卦)」: "漸, 女歸吉, 利貞.[점(漸)은 여자가 시집을 가는 것이 길하니, 곧음이 이롭다.]"라고 하였다.

晉, 康侯, 用錫馬蕃庶, 晝日三接.

진은 강후이니, 여러 차례 말을 하사하고, 낮에 세 차례 접견을 한다.

本義

'晉', 進也. '康侯', 安國之侯也. "錫馬蕃庶, 晝日三接", 言多受大賜而顯被親禮也. 蓋其爲卦, 上離下坤, 有日出地上之象, 順而麗乎大明之德. 又其變, 自觀而來, 爲六四之柔進而上行, 以至于五. 占者有是三者, 則亦當有是寵也.

'진(晉)'은 나아감이다. '강후(康侯)'는 나라를 편안하게 하는 제후이다. "여러 차례 말을 하사하고, 낮에 세 차례 접견을 한다"는 큰 하사품을 여러 차례 받고 친애와 예우를 드러나게 받는다는 말이다.
괘의 모양은 위의 괘가 리(離☲)괘이고 아래의 괘가 곤(坤☷)괘이니, 해가 땅 위로 떠오르는 상이 있고 순종하여 큰 밝음에 붙는 덕이 있다.
또 그 변화는 관(觀䷓)괘로부터 와서 육사의 부드러움이 나아가며 위로 올라가 오효에 이른다. 점치는 자에게 이 세 가지가 있다면, 또한 당연히 이런 총애가 있다.

程傳

'晉', 爲進盛之時, 大明在上而下體順附, 諸侯承王之象也, 故

爲康侯. 康侯者, 治安之侯也. 上之大明而能同德以順附, 治安之侯也, 故受其寵數, 錫之馬衆多也. 車馬, 重賜也, '蕃庶', 衆多也. 不唯錫與之厚, 又見親禮, 晝日之中, 至於三接, 言寵遇之至也. 晉, 進盛之時, 上明下順, 君臣相得. 在上而言, 則進於明盛, 在臣而言, 則進升高顯, 受其光寵也.

'진(晉)'은 나아가 융성한 시기로 큰 밝음이 위에 있고 아래의 몸체가 순종하여 제후가 천자를 받드는 상이기 때문에 강후(康侯)이다. 강후는 다스려서 편안하게 하는 제후이다. 위에서 크게 밝고 덕을 함께 함으로써 순종하여 국가를 다스려 편안하게 하는 제후이기 때문에 총애를 자주 받아 말을 하사해줌이 많다.
수레와 말은 귀중한 하사품이며 '여러 차례[蕃庶]'는 많다는 것이다. 하사가 많을 뿐만 아니라, 또한 친애와 예우를 받아 낮 동안 세 차례나 접견을 했으니, 총애와 예우가 지극하다는 말이다.
진(晉)은 나아가 융성한 시기로 위에서 밝고 아래에서 순종하니, 임금과 신하가 서로 만난 것이다. 임금의 입장에서 말 한다면, 밝음이 융성한 곳으로 나아가고, 신하의 입장에서 말 한다면, 나아가 올라가고 높이 되어 드러나 영광과 총애를 받는다.

集說

● 郭氏雍曰 : "晉卦取名之義, 與大有畧相類. 大有火在天上, 君道也. 晉明出地上, 臣道也. 以人臣之進, 獨備一卦之義, 則臣之道至大者, 非康侯, 安足以當之."

곽옹이 말했다. "진(晉䷢)괘에서 이름을 취한 의미는 대유(大有䷍)

괘와 대략 서로 비슷하다. 대유괘는 화(火)가 하늘에 있으니 임금의 도리이다. 진괘는 밝음이 땅위로 떠오르니 신하의 도리이다. 신하의 나아감으로 한 괘의 의미를 독차지한 것은 신하의 도리가 지극히 큰 것이니, 강후가 나라를 편안히 하는 일이 아니라면, 어떻게 감당할 수 있겠는가?"

案

● 易有晉升漸三卦, 皆同爲進義而有別. 晉如日之方出, 其義最優, 升如木之方生, 其義次之, 漸如木之旣生而以漸高大, 其義又次之. 觀其「彖辭」, 皆可見矣.

『역』에서 진(晉䷢)괘 · 승(升䷭)괘 · 점(漸䷴)괘 세 괘는 모두 동일하게 나아간다는 의미인데 구별이 있다. 진괘는 해가 막 떠오르는 것과 같으니 그 의미가 가장 뛰어나고, 승괘는 나무가 한창 자라는 것과 같으니 그 의미가 그 다음이며, 점괘는 나무가 자란 다음에 점차로 높게 커지는 것이니 그 의미가 또 그 다음이다. 「단사」를 보면 모두 알 수 있다.[3]

---

3) 『주역』「진괘(晉卦)」: "象曰, 明出地上, 晉, 君子以, 自昭明德.[「상전」에서 말하였다. '밝음이 땅 위로 솟아나옴이 진(晉)이니, 군자가 그것을 본받아 밝은 덕을 스스로 밝힌다.']"라고 하였고, 「승괘(升卦)」: "象曰, 地中生木, 升, 君子以, 順德, 積小以高大.[「상전」에서 말하였다. '땅속에서 나무가 나오는 것이 승(升)이니, 군자가 그것을 본받아 덕을 순리대로 하며 작은 것을 쌓아 높고 크게 한다.']"라고 하였으며, 「점괘(漸卦)」: "象曰, 山上有木漸, 君子以, 居賢德, 善俗.[「상전」에서 말하였다. '산 위에 나무가 있는 것이 점(漸)이니, 군자가 그것을 본받아 덕에 머물며 풍속을 선하게 했다.']"라고 하였다.

初六, 晉如摧如, 貞吉, 罔孚, 裕, 无咎.

초육은 나아가려다 억누르지만 곧으면 길하니, 믿어주지 않더라도 여유로우면 허물이 없다.

本義

以陰居下, 應不中正, 有欲進見摧之象. 占者如是而能守正則吉, 設不爲人所信, 亦當處以寬裕則无咎也.

음으로 아래에 있고 호응함이 중정하지 못하니 나아가려다 억누르는 상이 있다. 점치는 자가 이와 같더라도 올바름을 지킬 수 있다면 길하고, 남에게 신임을 받지 않더라도 또한 마땅히 관대하고 여유롭게 처신한다면 허물이 없다.

程傳

初, 居晉之下, 進之始也. '晉如', 升進也, '摧如', 抑退也. 於始進而言, 遂其進, 不遂其進, 唯得正則吉也. '罔孚'者, 在下而始進, 豈遽能深見信於上. 苟上未見信, 則當安中自守, 雍容寬裕, 无急於求上之信也. 苟欲信之心切, 非汲汲以失其守, 則悻悻以傷於義矣, 皆有咎也, 故裕則无咎, 君子處進退之道也.

초효는 진괘의 아래에 있으니 나아감의 시작이다. '나아간다[晉如]'

는 것은 올라간다는 말이고, '억누른다[摧如]'는 것은 물러난다는 뜻이다. 처음 나아갈 때를 말하는데 그것을 이루거나 이루지 못하거나 오직 올바름을 얻으면 길하다.
'믿어주지 않는다'는 것은 밑에서 처음으로 나아가는데, 어찌 갑작스럽게 윗사람으로부터 깊이 신임을 받게 되겠느냐는 뜻이다. 진실로 윗사람이 아직 믿어주지 않는다면, 중도를 편안히 여기며 제 스스로를 지키고, 온화하고 관대하게 행동하여 윗사람의 신임을 얻는데 급급함이 없어야 한다. 믿어주기를 바라는 마음이 간절하여 자신이 지키는 것을 잃을까 급급해하지 않는다면 화가 나서 의를 해치게 되니 이 모두는 허물이 된다. 그렇기 때문에 여유로우면 허물이 없다고 한 것이니, 군자가 나아가거나 물러남에 대처하는 도이다.

集說

● 王氏安石曰:"初六以柔進, 君子也, 度禮義以進退者也. 常人不見孚, 則或急於進以求有爲, 或急於退, 則懟上之不知. 孔子曰, '我待價者也', 此罔孚而裕於進也, 孟子久於齊, 此罔孚而裕於退也."

왕안석[4]이 말했다. "초육이 부드러움으로 나아가는 것은 군자로 예

4) 왕안석(王安石, 1021~1086) : 북송(北宋)시대 사상가, 정치가, 문필가로서 임천(臨川 : 현 강서성 무주시 임천구〈撫州市臨川區〉) 사람이다. 자는 개보(介甫)이고 호는 반산(半山)이다. 1042년 진사에 급제하여 벼슬은 양주첨판(揚州簽判), 은현지현(鄞縣知縣), 서주통판(舒州通判) 등을 역임하고, 1069년 참지정사(參知政事)가 되어 변법(變法) 즉 신법(新

의를 헤아려 나아가고 물러가는 것이다. 보통 사람은 믿어주지 않으면, 나아가 일을 하려는 데 급히 서두르거나, 물러나는 데 급하니, 위에서 알아주지 않음을 원망한다. 공자가 '나는 값을 기다리는 것이다'[5]라고 한 말은 믿어주지 않더라도 나아가는 데 여유로운 것이고, 맹자가 제나라에 오래도록 기다리고 있었던 일[6]은 믿어주지 않더라도 물러나는 데 여유로운 것이다."

● 『朱子語類』問: "初六'晉如摧如', 象也, '貞吉'占辭." 曰: "'罔孚裕无咎', 又是解上兩句. 恐'貞吉'說不明, 故又曉之."[7]

法)을 주도하였으나. 구당파의 반대로 1074년 파직되었다. 1년 뒤 송 신종(神宗)이 재상에 재임용하여 신법(新法)을 시행하였으나, 또 파직되어 1086년 마침내 신법이 폐지되었다. 문학으로는 당송팔대가의 한 사람으로서, 특히 그의 시(詩)는 왕형공체(王荊公體)라는 하나의 문체를 이루었다. 경학(經學) 방면으로도 당시에 통유(通儒)라고 불릴 정도로 경전에 두루 해박하였으며, 특히 북송대의 의경변고학풍(疑經變古學風)을 촉진하는 데 기여하였다. 저서로 『왕임천집(王臨川集)』, 『임천집습유(臨川集拾遺)』 등이 전해지고 있다.

5) 『논어』「자한(子罕)」: "子貢曰, 有美玉於斯, 韞匵而藏諸, 求善價而沽諸. 子曰, 沽之哉, 沽之哉, 我待價者也.[자공(子貢)이 말하였다. '여기에 아름다운 옥(玉)이 있으니, 이것을 궤 속에 담아 두시겠습니까? 아니면 좋은 값을 구하여 파시겠습니까?' 공자가 말하였다. '팔아야지, 팔아야지. 그러나 나는 값을 기다리는 것이다.']"라고 하였다.

6) 『맹자』「공손추하(公孫丑下)」: "於崇, 吾得見王, 退而有去志, 不欲變, 故不受也. 繼而有師命, 不可以請, 久於齊, 非我志也.[숭 땅에서 내가 왕을 뵙고 물러 나와서 제나라를 떠날 마음이 있었는데 내 생각을 바꾸고 싶지 않았기 때문에 녹을 받지 않았던 것이다. 계속하여 군대의 동원령이 있어 떠나겠다는 말을 못했을 뿐이지, 제나라에 오래 머물게 된 것은 나의 뜻이 아니었다.]"라고 하였다.

『주자어류』에서 물었다. "초육(初六)에서 '나아가려다 억누른다[晉如摧如]'는 것은 상(象)이고 '바르면 길하다[貞吉]'는 것은 점사입니까?" 대답했다. "'믿어주지 않더라도 여유로우면 허물이 없다[罔孚裕无咎]'는 것은 또 앞의 두 구절을 해석한 말입니다. '곧으면 길하다[貞吉]'는 것이 설명으로 명확하지 않기 때문에 또 그것을 밝혔을 겁니다."

● 胡氏炳文曰 : "進之初, 人多有未信者. 然摧如在彼, 而吾不可以不正, 罔孚在人, 而吾不可以不裕, 貞與裕, 皆戒辭也."

호병문이 말했다. "나아가는 초기에는 사람들이 대부분 믿지 않는다. 그런데 억누르는 것은 저들에게 달려 있지만 자신은 바르지 않을 수 없고, 믿어주지 않는 것은 사람들에게 달려 있지만 자신은 여유롭지 않을 수 없으니, 곧게 함과 여유 있게 함은 모두 경계하는 말이다."

7) 『주자어류』 권72, 46조.

六二, 晉如愁如, 貞, 吉, 受茲介福于其王母.
육이는 나아감이 근심스럽지만 곧으면 길하여 이 큰 복을 왕의 어머니에게서 받는다.

本義

六二中正, 上无應援, 故欲進而愁. 占者如是而能守正, 則吉而受福于王母也. '王母', 指六五, 蓋享先妣之吉占, 而凡以陰居尊者, 皆其類也.

육이가 중정하지만 위에서 호응하여 끌어줌이 없기 때문에 나아가려 하지만 근심스럽다. 점치는 자가 이와 같더라도 올바름을 지킬 수 있다면, 길하여 왕의 어머니에게 복을 받는다. '왕의 어머니[王母]'는 육오를 가리키니, 윗대 할머니께 제사지내는 길한 점이고, 음으로 존귀한 지위에 있는 분들이 모두 그런 부류이다.

程傳

六二在下, 上无應援, 以中正柔和之德, 非强於進者也. 故於進爲可憂愁, 謂其進之難也. 然守其貞正, 則當得吉, 故云"晉如愁如貞吉". '王母', 祖母也, 謂陰之至尊者, 指六五也. 二以中正之道自守, 雖上无應援, 不能自進, 然其中正之德, 久而必彰, 上之人自當求之. 蓋六五大明之君, 與之同德, 必當求之, 加之寵祿, 受介福于王母也. '介', 大也.

육이는 아래에 있고, 위에서 호응하고 끌어줌이 없어 중정하며 부드럽고 온화한 덕을 사용하니, 나아감에 강건한 것이 아니다. 그렇기 때문에 나아감에 근심스러울 만하니, 나아감이 어렵다고 하였다. 그러나 곧고 바름을 지킬 수 있다면 당연히 길함을 얻을 수 있기 때문에, "나아감이 근심스럽지만 곧으면 길하다"고 말하였다. '왕의 어머니[王母]'는 조모이니, 음 가운데서도 지극히 높은 것을 말하는데 육오를 가리킨다. 육이는 중정의 도로 제 스스로를 지키니 위에서 호응하여 끌어줌이 없어 스스로 나아갈 수 없을지라도 중정한 덕은 오래되면 반드시 드러나 윗사람 스스로 그를 찾을 것이다. 육오는 크게 밝은 임금이고, 육이와 덕을 같게 하여 반드시 그를 찾아 은총을 내릴 것이니, 왕의 어머니에게서 큰 복을 받는다. '크다[介]'는 말은 두텁다는 뜻이다.

集說

● 胡氏炳文曰："小過六二曰'遇其妣'. 彼言'祖妣'即此言'王母'也."

호병문이 말했다. "소과(小過䷽)괘 육이에서 '할머니를 만나다'[8]고 하였다. 저기에서 '할아버지와 할머니'라고 한 것을 곧 여기에서는 '왕의 어머니'라고 하였다."

8) 『주역』「소과괘(小過卦)」: "六二, 過其祖, 遇其妣, 不及其君, 遇其臣, 无咎.[육이는 할아버지를 지나쳐 할머니를 만나고, 임금에게 가지 않고 신하를 만나니, 허물이 없다.]"라고 하였다.

案

● 二五相應者也. 以陰應陽, 以陽應陰, 則有君臣之象. 以陰應陰, 則有妣婦之象. 不曰母而曰王母者, 禮重昭穆, 故孫祔於祖, 則孫婦祔於祖姑. 蓋以昭穆相配, 『易』爻以相配, 喻相應也. 此明其爲王母, 而小過只言妣, 蒙上過其祖之文爾.

이효와 오효는 서로 호응하는 것이다. 음이 양에 호응하고 양이 음에 호응하는 것은 임금과 신하의 상이다. 음이 음에 호응하는 것은 시어머니와 며느리의 상이다. 그런데 어머니라고 말하지 않고 왕의 어머니라고 한 것은 예에서 소목(昭穆)[9]을 중시하는 것이기 때문에 손자는 할아버지와 함께 모시고, 손자며느리는 시할머니와 함께 모시는 것이다. 소와 목이 서로 짝하는 것으로 『역』의 효가 서로 짝지은 것은 서로 호응함을 비유하였다. 여기에서는 그것이 왕의 어머니라고 밝혀놓고, 소과괘에서는 단지 할머니라고만 했으니, 위로 할아버지를 지나친다는 말을 이은 것이다.

● 六五卦之主, 而二應之, 故有受福之義.

육오가 괘의 주인인데 이효가 그것에 호응하기 때문에 복을 받는 의미가 있다.

9) 소목(昭穆) : 사당에서 조상의 신주를 모시는 차례로 왼쪽 줄을 소(昭), 오른쪽 줄을 목(穆)이라 하니, 1세를 가운데에 두고 2, 4, 6세를 소에 3, 5, 7세를 목에 조상을 모시는 것을 말한다.

六三, 衆允, 悔亡.

육삼은 무리가 믿어주니, 후회가 없다.

本義

三不中正, 宜有悔者, 以其與下二陰, 皆欲上進, 是以爲衆所信而悔亡也.

삼효가 중정하지 못해 후회가 있어야 하지만 아래의 두 음과 함께 하여 모두 위로 나아가려고 하기 때문에, 무리들에게 신임을 얻어 후회가 없게 된다.

程傳

以六居三, 不得中正, 宜有悔咎. 而三在順體之上, 順之極者也. 三陰, 皆順上者也, 是三之順上, 與衆同志, 衆所允從, 其悔所以亡也. 有順上向明之志而衆允從之, 何所不利.

육(六)이 삼효에 있어 중정하지 못하니 후회와 허물이 있어야 한다. 그런데 삼효가 따르는 몸체의 위에 있으니 따름이 지극한 것이다. 세 음이 모두 위를 따르는 것들이니, 삼효가 위를 따름은 무리와 뜻을 함께 하고 무리가 믿고 따르는 것이니, 후회가 없는 이유이다. 윗사람에게 순종하고 밝음을 향하는 뜻이 있으며 무리가 믿고 따르니, 어찌 이롭지 않겠는가?

或曰 : 不由中正而與衆同, 得爲善乎.

어떤 이가 물었다. 중정을 따르지 않고 무리와 함께 하는 것을 좋다고 할 수 있습니까?

曰 : 衆所允者, 必至當也. 況順上之大明, 豈有不善也. 是以悔亡, 蓋亡其不中正之失矣. 古人曰, "謀從衆, 則合天心."

답하였다. 무리가 믿는 것은 반드시 지당하기 때문입니다. 하물며 위의 큰 밝음을 따르고 있는데 어찌 좋지 않은 것이 있겠습니까? 이 때문에 후회가 없게 되니, 중정하지 못한 잘못은 없게 됩니다. 옛 사람들은 "도모함이 무리를 따르면 천심에 합한다"고 했습니다.

集說

● 吳氏曰愼曰 : "初'罔孚', 未信也, 三'衆允', 見信也. 信於下, 斯信於上, 故弗信乎友, 弗獲於上矣."

오왈신이 말했다. "초효에서 '믿어주지 않는 것'은 아직 믿지 못함이고, 삼효에서 '무리가 믿어주는 것'은 믿음을 받는 것이다. 아래에서 믿으면 이는 위에서 믿는 것이기 때문에 친구에게서 믿지 못하면 위에서 믿지 못한다."

九四, 晉如鼫鼠, 貞, 厲.

구사는 나아감이 쥐와 같으니, 곧더라도 위태롭다.

本義

不中不正, 以竊高位, 貪而畏人, 蓋危道也, 故爲鼫鼠之象. 占者如是, 雖正亦危也.

중정하지 못해 높은 자리를 훔치고 탐욕을 부려놓고 사람들을 두려워하는 것은 위태로운 길이기 때문에 쥐의 상이 된다. 점치는 자가 이와 같이 하면 올바르더라도 위태롭다.

程傳

以九居四, 非其位也. 非其位而居之, 貪據其位者也. 貪處高位, 旣非所安, 而又與上同德, 順麗於上, 三陰皆在己下, 勢必上進, 故其心畏忌之. 貪而畏人者, 鼫鼠也, 故云晉如鼫鼠. 貪於非據, 而存畏忌之心, 貞固守此, 其危可知. 言'貞厲'者, 開有改之道也.

구(九)가 사효에 있으니 제 자리가 아니다. 제 자리가 아닌데도 머물러 있음은 그 자리를 탐해 차지한 것이다. 높은 자리를 탐해 차지하면, 이미 편안한 곳이 아니며, 또 위와 덕을 같이 해서 위에 순종하여 붙는데, 세 음이 모두 자신의 아래에서 그 기세가 반드시 위로 나아가려고 하기 때문에 마음이 두렵고 꺼린다.
탐하면서 사람을 두려워하는 것은 쥐이기 때문에 '나아감이 쥐와 같다'고 하였다. 차지할 곳이 아닌 것을 탐해 두렵고 꺼리는 마음이 있는데, 이를 단단하게 지킨다면 그 위태함을 알 수 있다. '고집을 부리면 위태롭다'고 말한 것은 고칠 수 있는 길을 열어주는 일이다.

集說

● 項氏安世曰:"晉之道, 以順而麗乎大明, 以柔進而上行, 皆主乎順者也. 三雖不正, 以其能順, 故得其志而上行. 四雖已進乎上, 以其失柔順之道, 故如鼫鼠之窮而不得遂."

항안세가 말했다. "나아가는 도를 따라 큰 밝음에 걸렸고, 그것으로 부드럽게 나아가 위로 올라가니, 모두 따름을 근본으로 한 것이다. 삼효는 곧지 않을지라도 따를 수 있기 때문에 뜻을 얻어 위로 간다. 사효는 위로 이미 나아갔을지라도 부드럽게 따르는 도를 잃었기 때문에 쥐가 곤궁한 것처럼 나아갈 수 없다."

案

● 此卦以「彖辭」觀之, 則九四以一陽而近君, 康侯之位也. 參之爻義, 反不然者, 蓋卦義所主在柔, 則剛正與時義相反. 當晉時, 居高位, 而失靜正之道, 乖退讓之節, 貪而畏人, 則非鼫鼠而何. '貞厲'者, 戒其以持祿保位爲常, 而不知進退之義也.

진괘는 「단사」로 보면, 구사가 하나의 양으로 임금과 가까우니, 강후의 자리이다. 그런데 효의 의미를 참고하면 도리어 그렇지 않은 것은 괘의 의미가 주로 하는 바가 부드러움에 있다면, 굳셈은 바로 시의(時義)와 상반된 것이기 때문이다.
나아가는 때 높은 자리에 있으면서 고요하고 바른 도리를 잃고, 겸손한 예절을 어그러뜨려 탐욕을 부리면서 사람들을 두려워하니, 쥐가 아니고 무엇이겠는가? '곧더라도 위태롭다'는 봉록을 지키고 자리보전하는 일을 한결같음으로 여겨, 나아가고 물러나는 의리를 모르는 것을 경계하였다.

六五, 悔亡, 失得勿恤, 往吉, 无不利.

육오는 후회가 없으니, 잃고 얻음을 근심하지 않으면, 가는 것이 길하여 이롭지 않음이 없다.

本義

以陰居陽, 宜有悔矣, 以大明在上, 而下皆順從, 故占者得之, 則其悔亡. 又一切去其計功謀利之心, 則往吉而无不利也. 然亦必有其德, 乃應其占耳.

음이 양의 자리에 있으니 후회가 있어야 되지만, 큰 밝음으로 위에 있고 아래가 모두 순종하기 때문에, 점치는 자가 이것을 얻으면 후회가 없다.

또 공을 계산하고 이로움을 도모하려는 마음을 모두 없앤다면, 가는 것이 길하여 이롭지 않음이 없게 된다. 그러나 이 또한 반드시 그 덕이 있어야만 그 점에 호응할 따름이다.

程傳

六以柔居尊位, 本當有悔. 以大明而下皆順附, 故其悔得亡也. 下旣同德順附, 當推誠委任, 盡衆人之才, 通天下之志, 勿復自任其明, 恤其失得. 如此而往, 則吉而无不利也. 六五大明之主, 不患其不能明照, 患其用明之過, 至於察察, 失委任之道. 故戒以失得勿恤也. 夫私意偏任, 不察則有蔽. 盡天下之公, 豈當復用私察也.

육(六)은 부드러움으로 존귀한 자리에 있으니, 본래 후회가 있어야 한다. 그런데 큰 밝음을 가지고 있고 아래가 모두 따르기 때문에 후회가 없을 수 있다. 아래가 이미 덕을 함께 하며 따르니, 정성을 미루고 위임하여 무리들의 재주를 다하고 천하의 뜻을 소통시키며, 다시 밝음을 자임하여 잃고 얻음을 근심하지 말아야 한다. 이처럼 하면서 간다면 길하여 이롭지 않음이 없게 된다.
육오는 크게 밝은 임금이니, 밝게 비춰주지 못함을 근심하지 않고, 밝음을 사용하는 것이 지나치고 너무 자세히 살피게 되어 위임하는 도를 잃을까 염려한다. 그러므로 잃고 얻음을 근심하지 말라고 경계 하였다. 사사로운 마음으로 한쪽으로 맡기고 살피지 않으면 가려짐이 있다. 그런데 천하의 공평함을 다하니, 어찌 다시 사사롭게 살핌을 사용하겠는가?

集說

● 劉氏牧曰 : "陽爲躁動, 陰爲静止. 三五陽位, 以陰居之, 能節其動, 故爻辭不稱晉而皆曰'悔亡'."

유목이 말했다. "양은 조급하게 움직이고, 음은 고요히 멈춰 있다. 삼효와 오효는 양의 자리인데 음이 그곳에 있어 그 움직임을 절제할 수 있기 때문에 효사에서 나아감을 말하지 않고 모두 '후회가 없다'고 하였다."

● 石氏介曰 : "以道自任, 得之自是, 失之自是, 曾不以介意. 小人患得患失, 恤也."

석개[10]가 말했다. "도로 자임하면 얻어도 옳고 잃어도 옳으니 개의할 것이 없다. 소인이 얻을 것을 염려하고 잃을 것을 염려하는 것이 근심하는 것이다."

● 胡氏炳文曰 : "事有不必憂者, '勿恤', 寬之之辭也, 有不當憂者, '勿恤', 戒之之辭也. 此曰'失得勿恤', 戒辭明矣. 蓋當晉之時, 易有患得患失之心, 才柔, 又易有失得之累. 大明在上, 用其明於所當爲, 不當用其明於計功謀利之私也."

호병문이 말했다. "일에 근심할 필요가 없는 경우가 있으면, '근심하지 않는다'는 것은 관대하게 한다는 말이고, 근심하지 않아야 할 경우가 있으면, '근심하지 않는다'는 것은 경계한다는 말이다. 여기서 '잃고 얻음을 근심하지 않는다'고 한 것은 경계하는 말이 분명하다. 나아갈 때는 얻을 것을 염려하고 잃을 것을 염려하는 마음이 있기 쉽고, 재질이 부드러우면 또 잃고 얻는 것에 근심이 있기 쉽다.

10) 석개(石介, 1005~1045) : 자는 수도(守道)이고 혹은 공조(公操)이다. 곤주(兗州) 봉부(奉符) 사람이다. 북송(北宋) 초기 학자이며 사상가로 송대 이학(理学)의 선구자이다. 태산서원(泰山書院)과 조래(徂徠書書院)을 창건하여 『역』과 『춘추(春秋)』를 가르쳐서 의리(義理)를 중시했다. 세상에서는 조래선생(徂徠先生)이라 부른다. 태산(泰山)학파의 창시자이다. 이정(二程)과 주희(朱熹)에게 영향을 미쳤다. 천성(天聖) 8년에 진사(進士)가 되었으며 국자감직강을 역임했다. 손복(孫復), 호원(胡瑗)과 함께 북송 삼선생(三先生)으로 불린다. 백성을 천하 국가의 근본으로 여겼으며 저작에 『조래집(徂徠集)』이 있다.

크게 밝은 것이 위에서 해야 할 것에 그 밝음을 사용하니, 공을 따지고 이익을 도모하는 사사로운 것에 밝음을 사용해서는 안 된다."

案

● 「彖辭」言康侯之被遇, 而『傳』以柔進上行釋之, 則聖人之意, 以此爻當康侯而爲卦主明矣. 蓋凡卦皆有主, 其合於「彖辭」者, 是也. 九四高位而爻辭不善如此, 則「彖辭」之義, 誠非六五不足以當之. '晉如鼫鼠'者, 患得患失, 鄙夫之行也. '失得勿恤'者, 竭誠盡忠, 君子之志也.

「단사」에서 강후의 극진한 대우를 말했는데, 『정전』에서 부드러움이 위로 올라간 것으로 해석했으니, 성인의 의도는 이 효가 강후에 해당함을 가지고 괘의 주인으로 여긴 것이 분명하다. 괘에는 모두 주인이 있는데, 그것이 「단사」와 합하는 것은 여기에 해당한다. 구사는 지위가 높으나 괘사에서 이처럼 좋지 않으니, 「단사」의 의미는 진실로 육오가 아니면 그것에 해당하기에 부족하다. '나아가는 것이 쥐와 같다'는 얻을 것을 근심하고 잃을 것을 근심하는 뜻으로 평범한 사람의 행동이다. '잃고 얻음을 근심하지 않는다'는 정성과 충성을 다하는 것으로 군자의 뜻이다.

上九, 晉其角, 維用伐邑, 厲, 吉, 无咎, 貞吝.
상구는 뿔에 나아감이니, 읍을 정벌하는 데만 사용하면, 위태로울 지라도 길하고 허물이 없는데, 곧을지라도 부끄럽다.

本義

角, 剛而居上, 上九剛進之極, 有其象矣. 占者得之而以伐其私邑, 則雖危而吉且无咎. 然以極剛治小邑, 雖得其正, 亦可吝矣.

뿔은 굳세고 위에 있으며, 상구는 굳세고 나아감의 끝이니, 이러한 상이 있다. 점치는 자가 이것을 얻어 개인의 읍을 정벌한다면 위태로울지라도 길하고 또 허물이 없다. 그런데 지극히 굳셈으로 작은 읍을 다스린다면 바름을 얻더라도 부끄러울 수 있다.

程傳

角, 剛而居上之物. 上九以剛居卦之極, 故取角爲象. 以陽居上, 剛之極也. 在晉之上, 進之極也. 剛極則有强猛之過, 進極則有躁急之失. 以剛而極於進, 失中之甚也, 无所用而可, 維獨用於伐邑, 則雖厲而吉且无咎也. 伐四方者, 治外也, 伐其居邑者, 治內也. 言伐邑, 謂內自治也.

뿔은 굳세고 위에 달려 있는 것이다. 상구는 굳센 것이 괘의 끝에 있기 때문에 뿔을 상으로 삼았으니, 양이면서 위에 있어 굳셈이 지극하고, 진괘의 맨 위에 있어 나아감이 지극하다. 굳셈이 지극하면 사납고 난폭한 잘못이 있고, 나아감이 지극하면 조급해지는 잘못이 있다. 굳셈으로 나아감에 지극하면, 알맞음을 잃음이 심해 사용해서 괜찮은 곳이 없고, 오직 읍을 정벌하는데 사용한다면 사나울지라도 길하고 또 허물이 없다. 사방을 정벌하는 것은 바깥을 다스리는 일이고, 머물 읍을 정벌하는 것은 안을 다스리는 일이다. 읍을 정벌한다고 말한 것은 안으로 자신을 다스린다는 말이다.

人之自治剛極, 則守道愈固, 進極則遷善愈速. 如上九者以之自治, 則雖傷於厲而吉且无咎也. 嚴厲, 非安和之道, 而於自治則有功也. 復云'貞吝', 以盡其義, 極於剛進, 雖自治有功, 然非中和之德, 故於貞正之道, 爲可吝也. 不失中正, 爲貞.

사람이 자신을 다스림에 굳셈이 지극하면 도를 지키는 것이 더욱 견고해지고, 나아감이 지극하면 선으로 옮겨가는 것이 더욱 빨라진다. 상구와 같은 것이 이로써 자신을 다스린다면, 사나움에 해를 입을지라도 길하고 또 허물이 없게 된다. 엄격함과 사나움은 안정되고 조화로운 도는 아니지만 자신을 다스리는 것에는 공이 있다. 거듭 '곧음에는 부끄럽다'고 한 말은 그 뜻을 다하였으니, 굳셈과 나아감에 지극하면 자신을 다스리는 것에는 공이 있지만, 중화의 덕이 아니기 때문에 곧고 바른 도에는 부끄러워해야 한다. 중정을 잃지 않음이 곧음이다.

集說

● 張子曰 : "無可進而進, 惟伐邑於內, 則可矣, 如君子則知止也."

장재(張載)가 말하였다. "나아갈만한 것이 없어 나아가니, 오직 안으로 읍을 정벌하는 것은 괜찮지만 군자라면 멈출 줄 안다."

● 王氏宗傳曰 : "晉之上九, 晉至於角, 無所復進矣, 惟能自反自克, 而內自治焉, 則知危厲自警而獲吉矣. 此所以無剛進之咎也."

왕종전이 말했다. "진괘의 상구는 뿔에 나아가 다시 나아갈 곳이 없으니, 오직 스스로 반성하고 스스로 극복해서 안으로 자신을 다스리면, 위태로움을 알고 스스로 경계해서 길함을 얻는다. 이것이 굳세게 나아가는 허물이 없게 되는 까닭이다."

● 『朱子語類』 : 看伯豐與廬陵問答內晉卦'伐邑'說, 曰 : "晉上九'貞吝', 吝不在克治, 正以其克治之難, 而言其合下有此吝耳. '貞吝'之義, 只云貞固守此則吝, 不應於此獨云'於正道爲吝'也."[11]

『주자어류』에서 말했다. 백풍(伯豐, 吳必大)[12]이 여릉(廬陵)에 참여한 문답 중에 진(晉)괘의 '읍을 정벌한다'는 설을 보고 말했다. "진(晉)괘 상구의 '곧더라도 부끄럽다[貞吝]'는 부끄러움이 사욕을 극복하여 다스리는 데 있지 않고, 사욕을 극복하여 다스리기 어려

11) 『주자어류』 권72, 51조목.

12) 백풍(伯豐) : 오필대(吳必大)의 자이다. 흥국(興國) 사람으로, 처음에는 장식과 여조겸에게 사사하였으나 만년에는 주희에게서 배웠다. 『사회집(師誨集)』을 남겼다.

움으로 바르게 하면, 그때에 이런 부끄러움만 있다는 말이다. '곧더라도 부끄럽다[貞吝]'는 의미는 이것을 정고하게 지키면 부끄럽다고 말하는 것일 뿐이니, 여기에서 정자가 유독 '바른 도에는 부끄럽다'고 한 것과는 호응하지 않는다."

● 項氏安世曰 : "晉好柔而惡剛, 故九四上九, 皆以厲言之. 四進而非其道, 故爲鼫鼠, 上已窮而猶晉, 故爲晉其角."

항안세가 말했다. "진괘에서는 부드러움을 좋아하고 굳셈을 싫어하기 때문에 구사와 상구에서 모두 위태로운 것으로 말했다. 사효는 나아가지만 그 도가 아니기 때문에 쥐이고, 상효는 이미 다했는데 여전히 나아가기 때문에 뿔에 나아간 것이다."

● 陸氏振奇曰 : "當晉之時, 聖人最喜用柔, 而不用剛, 故四陰吉悔亡, 二陽厲且吝也."

육진기가 말했다. "나아가는 때는 성인이 부드러움을 사용하는 것을 가장 좋아해 굳셈을 사용하지 않기 때문에 네 음은 길하고 후회가 없으며, 두 양은 위태롭고 또 부끄럽다."

案

● '晉其角'者, 是知進而不知退者也. 知進而不知退者, 危道也, 然亦有時事使然, 而進退甚難者. 惟內治其私, 反身無過, 如居家, 則戒子弟, 戢僮僕, 居官, 則杜交私, 嚴假託, 皆伐邑之謂也. 如此則雖危而吉无咎矣. 若以進爲常, 縱未至於危也, 寧無愧於心乎.

'뿔에 나아갔다'는 것은 나아갈 줄만 알고 물러날 줄 모른다는 뜻이다. 그렇게 하는 것은 위태로운 도이지만 또한 때에 따라 일이 그렇게 하게 하니, 나아가고 물러나는 것은 아주 어려운 일이다. 오직 안으로 사욕을 다스려 자신을 반성하고 잘못이 없는 것은 이를테면 집에서는 자제들을 경계시키고 하인들을 거두는 것이며, 관직에서는 결탁을 막고 거짓에 엄격한 것이니, 모두 읍을 정벌하는 일이다. 이와 같이 하면 위태로울지라도 길하고 허물이 없다. 만약 나아가는 것을 한결같이 여기면 위태롭게 되지는 않을지라도 어찌 마음에 부끄러움이 없겠는가?

總論

● 丘氏富國曰:"晉, 進也, 柔進而上行也, 故卦專主柔進爲義. 六爻四柔二剛, 六五一柔, 自四而升, 已進者也, 故往吉无不利. 下坤三柔, 皆欲進者, 而九四以剛間之, 故有晉如鼫鼠之象."

구부국이 말했다. "진(晉)은 나아감이다. 부드러움이 나아가서 위로 올라가기 때문에 괘에서는 오로지 부드러움이 나아가는 것을 근본 의미를 삼았다. 여섯 효에서 네 효가 부드럽고 두 효가 굳센데, 육오는 하나의 부드러움으로 사효에서 올라와 이미 나아간 것이기 때문에 가는 것이 길하여 이롭지 않음이 없다. 아래 곤괘의 세 부드러움은 모두 나아가고 싶은 것들인데 구사가 굳셈으로 막고 있기 때문에 나아감이 쥐와 같은 상이 있다."

● 趙氏汝騰曰:"下三爻, 皆柔順而坤體, 故初二吉, 三悔亡. 四上以陽不當位, 故厲且吝. 惟五以柔明居尊位, 故往吉无不利也."

조여등((趙汝騰)[13])이 말했다. "아래의 세 효는 모두 부드럽고 순해서 곤괘의 몸체이기 때문에 초효와 이효는 길하고, 삼효는 후회가 없다. 사효와 상효는 양으로서 자리에 합당하지 않기 때문에 위태롭고 또 부끄럽다. 오효만이 부드러움과 밝음으로 존귀한 자리에 있기 때문에 가는 것이 길하여 이롭지 않음이 없다."

● 龔氏煥曰 : "晉卦諸爻, 皆以進爲義. 初二三五, 柔之進, 四與上, 剛之進也. 四陰二陽, 陰多吉而陽多厲者, 晉以柔順爲善, 剛强則躁矣. 故「彖傳」曰'順而麗乎大明, 柔進而上行', 卦之得名, 其亦以柔爲主與."

공환이 말했다. "진괘의 여러 효는 모두 나가는 것으로 뜻을 삼았다. 초효·이효·삼효·오효는 부드러움이 나아가고, 사효와 상효는 굳셈이 나아가는 것이다. 네 음과 두 양에서 음이 대부분 길하고 양이 대부분 위태로운 것은 나아가는 데는 부드럽고 순한 것을 좋게 여기니, 굳세고 강함은 조급하기 때문이다. 그러므로 「단전」에서 '순종하여 큰 밝음에 걸렸고, 유순하게 나아가 위로 올라간다'고 했으니, 괘에서 이름을 가진 것마저도 부드러움을 근본으로 한다."

13) 조여등(趙汝騰, ?~1261) : 송대의 유학자로 복건 사람이고, 자는 무실(茂實)이며, 호는 용재(庸齋)이다. 1226년에 진사가 되고 예부상서겸급사중(礼部尚书兼给事中)을 거쳐 한림학사에 제수되었다. 만년에 자하옹(紫霞翁)이라 하였다. 저서로는 『용재집(庸齋集)』 6권이 있다.

36. 명이明夷괘

䷣ 坤上
離下

程傳

明夷, 「序卦」, "晉者, 進也, 進必有所傷, 故受之以明夷. 夷者傷也." 夫進之不已, 必有所傷, 理自然也, 明夷所以次晉也. 爲卦坤上離下, 明入地中也. 反晉, 成明夷, 故義與晉正相反. 晉者, 明盛之卦, 明君在上, 羣賢竝進之時也, 明夷, 昏暗之卦, 暗君在上, 明者見傷之時也. 日入於地中, 明傷而昏暗也, 故爲明夷.

명이(明夷䷣)괘에 대해 「서괘전」에서 "진(晉)은 나아감이니, 나아가면 반드시 상처를 입기 때문에 명이괘로 받았다. 이(夷)는 상처를 입음이다"라고 하였다. 나아감이 그치지 않으면 반드시 상처를 입게 됨은 이치가 저절로 그런 것이니, 명이(明夷䷣)괘가 진(晉䷢)괘 다음에 오는 이유이다.

괘의 모양은 곤(坤☷)괘가 위이고, 리(離☲)괘가 아래이니, 밝음이 땅속으로 들어가는 것이다. 진(晉䷢)괘를 뒤집으면 명이(明夷䷣)괘가 되기 때문에 그 뜻이 진괘와 정반대이다.

진괘는 밝음이 융성한 괘로 밝은 임금이 위에 있어 여러 현자들이 나란히 나아가는 때인데, 명이괘는 어두운 괘로 어두운 임금이 위에 있어 밝음이 상처를 입는 때이다. 해가 땅속으로 들어가서 밝음이 상처를 입어 어둡기 때문에 명이이다.

明夷, 利艱貞.

명이(明夷)는 어렵게 여기고 곧게 함이 이롭다.

本義

'夷', 傷也. 爲卦下離上坤, 日入地中, 明而見傷之象, 故爲明夷. 又其上六, 爲暗之主, 六五近之, 故占者利於艱難以守正, 而自晦其明也.

'이(夷)'는 상처 입음이다. 괘의 모양이 아래에 리괘(☲)가 있고 위에 곤괘(☷)가 있으니, 해가 땅속으로 들어가서 밝은 데도 상처를 입는 상이기 때문에 명이이다.
또 상육은 어둠의 주인이고 육오가 가까이 있기 때문에, 점치는 자는 어렵게 여김으로 바름을 지켜 스스로 그 밝음을 감춤이 이롭다.

程傳

君子當明夷之時, 利在知艱難而不失其貞正也. 在昏暗艱難之時, 而能不失其正, 所以爲明, 君子也.

군자는 명이의 때에 어려움을 알아 그 곧고 바름을 잃지 않는데 이로움이 있다. 어둡고 어려울 때 바름을 잃지 않을 수 있기 때문에 밝으니 군자이다.

集說

● 孔氏穎達曰："時雖至暗, 不可隨世傾邪, 故宜艱難堅固, 守其貞正之德."

공영달이 말했다. "시절이 지극히 어두울지라도 세상을 따라 옳지 않게 해서는 안 되기 때문에 어렵게 여기고 견고하게 하여 바른 덕을 지켜야 한다."

● 李氏舜臣曰："『易』卦諸爻, 噬嗑之九四, 大畜之九三, 曰利艱貞, 未有一卦全體以利艱貞爲義者. 此蓋覩君子之明傷爲可懼, 而危辭以戒之, 其時可知也."

이순신이 말했다. "『역』괘의 여러 효 가운데 서합괘의 구사[1]와 대축괘의 구삼[2]에서 '어렵게 여기고 곧게 함을 이롭게 여긴다'고 했지만, 한 괘의 전체에서 '어렵게 여기고 곧게 함을 이롭게 여기는 것'으로 뜻을 삼은 경우는 없다. 이는 군자의 밝음이 상해 두려워해야 함을 보고 심각하게 경계한 것이니 그 때를 알만하다."

● 胡氏炳文曰："以二體, 則離明也, 傷之者坤. 以六爻, 則初至五, 皆明也, 傷之者上. 上爲暗主, 而五近之, 故『本義』從「象傳」,

1) 『주역』「서합괘(噬嗑卦)」："九四, 噬乾胏, 得金矢, 利艱貞, 吉.[구사는 뼈의 마른 고기를 씹어 금과 화살을 얻으니, 어렵게 여기고 곧게 함을 이롭게 여기면 길하다.]"라고 하였다.

2) 『주역』「대축괘(大畜卦)」："九三, 良馬逐, 利艱貞, 日閑輿衛, 利有攸往.[구삼은 좋은 말이 달려가지만 어렵게 여기고 곧게 함이 이로우니, 날마다 수레 타기와 호위를 익히면, 가는 것이 이롭다.]"라고 하였다.

以利艱貞爲五."

호병문이 말했다. "두 몸체로 보면 리괘는 밝음이고 그것을 상하게 하는 것이 곤괘이다. 여섯 효로 보면 초효에서 오효까지가 모두 밝음이고, 그것들을 상하게 하는 것이 상효이다. 상효는 어두운 임금인데, 오효가 가까이 있기 때문에 『주역본의』에서는 「단전」에 따라 '어렵게 여기고 곧게 함이 이로운 것'을 오효로 여겼다."

初九, 明夷, 于飛, 垂其翼, 君子于行, 三日不食, 有攸往, 主人有言.

초구는 밝음이 상처가 나서 날 때에 날개를 늘어뜨림이니, 군자가 떠남에 삼일 동안 먹지 못하고, 가는 곳이 있음에 주인이 말을 한다.

本義

飛而垂翼, 見傷之象. 占者行而不食, 所如不合, 時義當然, 不得而避也.

날면서 날개를 늘어뜨림은 상처를 입은 상이다. 점치는 자가 떠남에 먹지 못하고 가는 곳마다 화합하지 못함은 때와 뜻이 당연하여 피할 수 없다는 말이다.

程傳

初九, 明體而居明夷之初, 見傷之始也. 九, 陽明上升者也, 故取飛象. 昏暗在上, 傷陽之明, 使不得上進, 是于飛而傷其翼也. 翼見傷, 故垂朶, 凡小人之害君子, 害其所以行者.

초구는 밝은 몸체이고 명이의 초효에 있으니 상처를 입기 시작하는 때이다. 구(九)는 양의 밝음이 위로 상승하는 것이기 때문에 날아가는 상을 취했다. 그런데 어둠이 위에서 양의 밝음을 손상시켜 위로 나아가지 못하게 하였으니, 날 때 그 날개에 상처를 입히는 것이다. 날개에 상처를 입었기 때문에 늘어뜨리니, 소인이 군자를 해쳐 그 행하는 것을 해치는 까닭이 된다.

'君子于行, 三日不食', 君子明照, 見事之微, 雖始有見傷之端, 未顯也, 君子則能見之矣, 故行去避之. '君子于行', 謂去其祿位而退藏也, '三日不食', 言困窮之極也. 事未顯而處甚艱, 非見幾之明, 不能也. 夫知幾者, 君子之獨見, 非衆人所能識也. 故明夷之始, 其見傷未顯而去之, 則世俗孰不疑怪. 故有所往適則主人有言也. 然君子不以世俗之見怪而遲疑其行也. 若俟衆人盡識, 則傷已及而不能去矣. 此薛方所以爲明, 而揚雄所以不獲其去也.

'군자가 떠남에 삼일 동안 먹지 못한다'는 것은 군자가 환히 알아 일의 기미를 보니, 처음에 상처를 입게 되는 단서가 아직 드러나지 않았을지라도 군자는 알아차릴 수 있기 때문에 피해버린다는 뜻이다. '군자가 떠남에'라는 것은 녹봉과 지위를 버리고 물러나 숨음을 말하고, '삼일 동안 먹지 못한다'는 것은 지극히 곤궁함을 말한다. 일이 아직 드러나지 않았지만 처신을 아주 어렵게 하는 것은 기미를 보는 밝음이 아니라면 할 수 없다. 그런데 기미를 안다는 것은 군자만 보는 일이고, 사람들이 볼 수 있는 사안이 아니다. 그러므로 명이의 처음에 손상됨이 아직 드러나지 않았을 때 떠난다면, 세상에서 그 누가 의심하거나 괴이하게 여기지 않겠는가? 그러므로 가는 곳이 있으면 주인이 말을 하는 것이다.
그러나 군자는 속세에서 괴이하게 여긴다고 해서 그 떠남을 지체하거나 의심하지 않는다. 만약 세상 사람이 모두 알아주기를 기다린다면, 이미 상처를 입게 되어 떠날 수 없을 것이다. 이는 설방(薛方)[3]이 밝게 여겨지는 이유이며, 양웅(揚雄)[4]이 떠나가지 못했던 이유이다.

或曰 : 傷至於垂翼, 傷已明矣, 何得衆人猶未識也.

어떤 이가 물었다. 상처를 입음이 날개를 늘어뜨릴 지경이라면 상처 입음이 분명히 드러난 것인데, 어찌 세상 사람들이 여전히 알지 못하는 것입니까?

曰 : 初, 傷之始也. 云'垂其翼', 謂傷其所以飛爾, 其事則未顯

3) 설방(薛方) : 중국 전한(前漢) 말의 정치가로 '신(新)' 왕조를 세운 왕망(王莽, B.C.45~A.D.23)이 설방(薛方)에게 관직을 주려고 하였으나 설방은 "요임금과 순임금 때 아래로 허유(許由)와 소보(巢父)가 있었는데, 지금 임금께서 요순시대의 덕을 드높이려 하시니 저는 기산의 절개를 지키려고 합니다[堯舜在上 下有巢由 今明主方隆堯舜之德 小臣欲守箕山之節也]"라고 말하며 벼슬자리를 거절하였다.

4) 양웅(揚雄, B.C.53년~B.C.18년) : 촉군(蜀郡) 성도(成都) 사람으로 자는 자운(子雲)이다. 서한(西漢)의 관리이자 학자, 문학가이다. 어려서부터 학문을 좋아하고 박학다식하고 사부(辭賦)에 능통했다. 40세가 되어서 도성에 가서 「감천(甘泉)」, 「하동(河東)」의 부(賦)를 올리고 황제의 부름을 받았다. 성제(成帝) 때에 급사황문랑(給事黃門郎)이 되었고, 왕망(王莽)이 집권할 때에 대부(大夫), 교서천록각(校書天祿閣)을 지냈다. 그는 사마상여(司馬相如) 이후, 서한(西漢) 시대의 가장 유명한 사부가(辭賦家)로 평가받고 있다. 저서로 『태현(太玄)』, 『법언(法言)』, 『방언(方言)』, 『훈찬편(訓纂篇)』 등이 있다.

也. 君子見幾, 故亟去之, 世俗之人, 未能見也, 故異而非之. 如穆生之去楚, 申公白公, 且非之, 況世俗之人乎. 但譏其責小禮, 而不知穆生之去避胥靡之禍也. 當其言, 曰 '不去, 楚人將鉗我於市', 雖二儒者, 亦以爲過甚之言也. 又如袁閎, 於黨事未起之前, 名德之士方鋒起, 而獨潛身土室. 故人以爲狂生, 卒免黨錮之禍. 所往而人有言, 胡足怪也.

답하였다. 초효는 상처를 입게 되는 시작입니다. '날개를 늘어뜨린다'고 한 것은 날 수 있는 수단에 상처를 입혔다는 말이니, 그 일은 아직 드러나지 않았습니다. 군자는 기미를 보았기 때문에 빨리 떠난 것이고, 세상 사람들은 아직 볼 수 없기 때문에 괴이하게 여겨서 비난한 것입니다. 이를테면 목생(穆生)[5]이 초나라를 떠날 때 신공(申公)[6]과 백공(白公)[7]마저도 비난했는데, 하물며 세상 사람들이야 말해 무엇 하겠습니까? 그가 하찮은 예우에 불평한다고 비난했을

5) 목생(穆生) : 전한 노(魯)의 사람으로 초원왕(楚元王) 유교(劉交)가 젊었을 때 그와 함께 부구백(浮丘伯)에게서 『시(詩)』를 배웠다. 유교가 원왕이 되자 백생(白生), 신공(申公)과 함께 중대부(中大夫)에 임명했다. 목생이 평소 술을 좋아하지 않아 원왕은 항상 단술[례(醴)]을 준비해 두었다. 급왕(及王) 유무(劉戊)가 자리를 이었는데, 단술을 준비해 두는 것을 잊자 왕의 태도가 나태해졌다고 여겨 병을 이유로 사직했다.

6) 신공(申公) : 춘추 시대 초(楚)나라 사람으로 대부(大夫)를 지냈다. 원왕(元王)이 목생(穆生), 백생(白生)과 함께 대부로 삼아 예우했지만, 훗날 백생과 함께 죄에 연루되어 붉은 죄수복을 입고 저자에서 절구질을 하게 되었다.

7) 백공(白公) : 춘추 시대 초(楚)나라의 대부(大夫)이다. 원왕(元王)이 목생(穆生), 신공(申公)과 함께 대부로 삼아 예우하였지만, 훗날 신공과 함께 죄에 연루되어 붉은 죄수복을 입고 저자에서 절구질을 하게 되었다.

뿐이니, 목생의 떠남이 서미(胥靡)의 화를 피해서 한 것인 줄 몰랐습니다. 목생이 '떠나지 않으면 초나라 사람들이 시장에서 나에게 칼을 씌울 것이다'라고 대꾸하자, 두 사람이 학자임에도 너무 심한 말이라고 여겼습니다. 또 이를테면 원굉(袁閎)[8]은 당고의 사건이 아직 일어나기 이전에 명망과 덕이 있는 선비들이 모두 봉기를 하였지만 혼자 토굴 속에 몸을 숨겼습니다. 그러므로 사람들은 그를 미친 사람으로 여겼지만 마침내 당고의 화를 모면했습니다. 그러니 가는 것을 사람들이 말하더라도 어찌 그렇게 괴이하게 여기겠습니까?

集說

● 蘭氏廷瑞曰："陽剛之君子, 居明夷之始, 戢翼避禍, 見幾先遯."

난정서(蘭廷瑞)가 말했다. "양으로 굳센 군자가 명이의 시작에서 날개를 접고 화를 피하는데, 기미를 보고 먼저 은둔하는 것이다."

● 項氏安世曰："'垂其翼', 不言夷, 未傷也. '夷于左股', 言已傷也. 說者, 以垂其翼爲傷翼, 非也. 斂翼而下飛者, 避禍之象也."

항안세가 말했다. "'날개를 늘어뜨린다'는 상처난 것을 말하는 뜻이 아니니 아직 상처를 입은 것이 아니다. '좌측 다리에 상처를 입었

8) 원굉(袁閎) : 후한(後漢) 때 사람으로 나라에 당파가 일어나 싸우는 것을 보고 세상과의 인연을 끊기 위해 머리를 풀어 헤쳐 산발하고는 깊은 산에 들어가 숨어 살았다.

다'는 이미 상처가 난 것을 말한다. 설명하는 자들이 날개를 늘어뜨린다를 날개에 상처가 난 것으로 여기는 것은 잘못이다. 날개를 접고 아래로 날아가는 것은 화를 피하는 상이다."

● 丘氏富國曰 : "初體離明, 去上最遠, 見傷卽避, 有飛而垂翼之象. 君子知幾, 義當速去. 蓋可以不食, 而不可以不去, 去重於食故也."

구부국이 말했다. "처음의 몸체인 리괘의 밝음은 위에서 가장 멀리 있어 상처를 입으면 바로 피하니 날아가면서 날개를 늘어뜨리는 상이 있다. 군자는 기미를 아니, 의리상 빨리 떠나야 한다. 먹지 않아도 되는데 떠나지 않으면 안 되는 것은 떠나는 일이 먹는 일보다 귀중하기 때문이다."

● 俞氏琰曰 : "居明夷之初, 不敢高飛, 遂垂斂其翼以向下, 此見幾之明, 不待難作而蚤避者也. 夫知幾而早去, 此君子獨見. 主人固不識也, 豈得無言."

유염이 말했다. "명이의 처음에 감히 높이 날지 않고 마침내 날개를 접고 아래로 가니, 이는 기미를 아는 밝음으로 어려움이 생기기를 기다리지 않고 일찌감치 피하는 것이다. 기미를 알고 일찍 떠나니, 이는 군자만 아는 것이다. 주인은 진실로 모르고 있으니, 어찌 말이 없겠는가?"

六二, 明夷, 夷于左股, 用拯馬壯, 吉.

육이는 밝음이 상처가 나서 왼쪽 다리에 상처를 입으니, 돕는 말을 건장한 것으로 쓰면 길하다.

本義

傷而未切, 救之速則免矣, 故其象占如此.

상처를 입었는데 깊지 않으니, 빨리 구원하면 모면할 수 있기 때문에 그 상과 점이 이와 같다.

程傳

六二以至明之才, 得中正而體順, 順時自處, 處之至善也. 雖君子自處之善, 然當陰闇小人傷明之時, 亦不免爲其所傷. 但君子自處有道, 故不能深相傷害, 終能違避之爾.

육이는 지극히 밝은 재질로 중정을 얻어 몸체가 순하고, 시기에 따라 스스로 처신하니 아주 잘 처신하는 것이다. 군자가 스스로 잘 처신할지라도 음험한 소인이 밝음에 상처를 입히는 때라면, 또한 상처 당하는 것을 벗어나지 못한다. 다만 군자는 스스로 처신함에 도가 있기 때문에 서로 깊은 상처를 줄 수 없고 마침내 떠나가 피할 따름이다.

足者, 所以行也. 股在脛足之上, 於行之用, 爲不甚切, 左又非便用者. 手足之用, 以右爲便, 唯蹶張用左, 蓋右立爲本也. '夷于左股', 謂傷害其行而不甚切也. 雖然亦必自免有道, 拯用壯健之馬, 則獲免之速而吉也. 君子爲陰闇所傷, 其自處有道, 故其傷不甚, 自拯有道, 故獲免之疾. 用拯之道, 不壯, 則被傷深矣, 故云'馬壯則吉也'. 二以明居陰闇之下, 所謂'吉'者, 得免傷害而已, 非謂可以有爲於斯時也.

발[足]은 걸어 다니는 수단이다. 그런데 다리[股]는 정강이[脛]와 발 위에 있어 걸어갈 때 사용 부위가 매우 절실하지 않고, 왼쪽 또한 편리하게 쓰는 편이 아니다. 손발을 사용할 때는 오른쪽을 편리하게 여기고, 쇠뇌를 당길 때 왼쪽 다리로 밟고 잡아당겨 왼쪽을 사용함은 오른쪽으로 서는 것이 근본이기 때문이다. '왼쪽 다리에 상처를 입는다'는 것은 걸어 다니는 데 피해를 주지만 심각하지 않다는 뜻이다. 그렇다 할지라도 반드시 스스로 모면하는 데는 방법이 있으니, 건장한 말을 도움이 되게 사용한다면 빨리 모면하여 길하게 된다.

군자가 음험한 것에 상처를 입지만 스스로 처신에 도가 있기 때문에 피해가 심하지 않고, 스스로 돕는 데 방법이 있기 때문에 모면하길 빨리 한다. 도움이 되게 하는 방법이 건장하지 않으면 피해를 당함이 심하기 때문에 '말이 건장하면 길하다'고 하였다. 이효는 밝음으로 음험한 것의 아래에 있으니, '길하다'는 것은 피해를 당하는 일에서 모면할 수 있다는 뜻일 뿐이지, 이런 때 무언가를 할 수 있다는 말이 아니다.

集說

● 王氏宗傳曰:“六二文明之主也, 以六居二, 柔順之至, 文王以之.”

왕종전이 말했다. “육이는 문채로 밝은 주인이다. 육(六)이 이효의 자리에 있어 지극히 유순하니 문왕이 그것을 사용했다.”

案

● 明夷與豐卦畧相似. 然豐者, 明中之昏, 明夷則昏極而不復明也. 兩卦皆以上六爲昏之主, 六二爲明之主. 旣爲明之主, 豈可不以救昏爲急. 故此之‘夷于左股’者, 與豐二之‘往得疑疾’, 同也, 此之‘用拯馬壯’者, 與豐之‘有孚發若’, 同也. 蓋未至於豐三之‘折其右肱’, 則猶有可爲之理也.

명이(明夷䷣)괘는 풍(豐䷶)괘와 대략 비슷하다. 그런데 풍(豐)은 밝은 가운데 어두운 것이고, 명이는 어두움이 지극하여 다시 밝지 못한 것이다. 두 괘는 모두 상육을 어두움의 근본으로 여기고 육이를 밝음의 근본으로 여겼다. 이미 밝음의 근본이 되었는데 어찌 어두움을 구제하는 데 서두르겠는가? 그러므로 여기에서 ‘왼쪽 다리에 상처를 입었다’는 것은 풍괘에서 ‘가면 의심과 미움을 얻을 것이다’[9]라는 말과 같고, 여기에서 ‘돕는 말을 건장한 것으로 쓴다’는 것은 풍괘에서 ‘믿음을 갖고 감동하여 분발한다’[10]는 말과 같다. 그런

9) 『주역』「풍괘(豐卦)」: “六二, 豐其蔀, 日中見斗, 往, 得疑疾, 有孚發若, 吉.[육이는 가리개[蔀]가 풍성하여 대낮에도 북두성을 보며, 가면 의심과 미움을 얻을 것이니, 믿음을 갖고 감동하여 분발하면 길할 것이다.]”라고 하였다.

데 아직 풍괘 삼효의 '오른 팔이 부러지는 지경'[11]까지는 되지 않았으니, 어떻게 해 볼 수 있는 도리가 있다.

---

10) 『주역』「풍괘(豐卦)」: "六二, 豐其蔀, 日中見斗, 往, 得疑疾, 有孚發若, 吉.[육이는 가리개[蔀]가 풍성하여 대낮에도 북두성을 보며, 가면 의심과 미움을 얻을 것이니, 믿음을 갖고 감동하여 분발하면 길할 것이다.]"라고 하였다.

11) 『주역』「풍괘(豐卦)」: "九三, 豐其沛. 日中見沬, 折其右肱, 无咎.[구삼은 장막이 풍성하다. 대낮에도 작은 별을 보고 오른팔이 부러졌으니, 허물할 데가 없다.]"라고 하였다.

九三, 明夷于南狩, 得其大首, 不可疾貞.

구삼은 밝음이 상처난 때 남쪽으로 사냥하여 큰 머리를 얻으니, 급히 곧게 해서는 안 된다.

本義

以剛居剛, 又在明體之上, 而屈於至暗之下, 正與上六闇主爲應. 故有向明除害, 得其首惡之象. 然不可以亟也, 故有'不可疾貞'之戒. 成湯起於夏臺, 文王興於羑里, 正合此爻之義, 而小事亦有然者.

굳셈이 굳센 자리에 있고, 또 밝은 몸체의 위에 있으면서도 지극한 어둠의 밑에 굽히고 있어 바로 상육의 어두운 임금과 호응한다. 그러므로 밝음을 향하고 해악을 제거하여 원흉을 얻는 상이 있다. 그러나 급하게 해서는 안 되기 때문에 '급히 곧게 해서는 안 된다'는 경계를 하였다.
성탕이 하대(夏臺)[12]에서 궐기하고 문왕이 유리(羑里)[13]에서 병사

12) 하대(夏臺) : 『사기(史記)』 권2 「하본기(夏本紀)」에 "하나라 걸(桀)이 덕을 닦지 않고 무력으로 백성을 해쳐 백성들이 견딜 수 없는 지경에 이르렀고, 걸이 또 탕(湯)을 불러서 감옥인 하대(夏臺)에 가두었다"는 말이 있다.

13) 유리(羑里) : 『사기(史記)』 권3 「은본기(殷本紀)」에 "서백은 주나라의 문왕(文王)이다. 은나라의 주(紂)가 구후(九侯)를 젓 담고 악후(鄂侯)를 포(脯) 뜨자 문왕이 탄식하였는데, 숭후(崇侯)가 주에게 고자질하여 주

를 일으킨 것이 바로 이 효의 뜻과 부합되니, 작은 일들에서도 그런 것들이 있다.

程傳

九三, 離之上, 明之極也, 又處剛而進. 上六, 坤之上, 暗之極也. 至明居下而爲下之上, 至暗, 在上而處窮極之地, 正相敵應, 將以明去暗者也, 斯義也, 其湯武之事乎.

구삼은 리괘의 위에 있어 지극히 밝고, 또 굳센 양의 자리에 있어 나아간다. 상육은 곤괘의 위에 있어 지극히 어둡다.
지극한 밝음이 아래에 있지만 아래의 위이고, 지극한 어둠이 위에 있지만 끝난 곳에 있어 서로 적으로 호응하여 밝음이 어둠을 제거하려는 것이니, 이러한 뜻은 탕임금과 무왕의 일에 해당할 것이다.

南, 在前而明方也, 狩, 畋而去害之事也. '南狩', 謂前進而除害也. 當克獲其大首, '大首', 謂暗之魁首, 上六也. 三與上, 正相應, 爲至明克至暗之象. '不可疾貞', 謂誅其元惡, 舊染汚俗, 未能遽革, 必有其漸. 革之遽, 則駭懼而不安, 故「酒誥」云, "惟殷之迪諸臣惟工, 乃湎于酒, 勿庸殺之, 姑惟教之", 至於旣久, 尙曰"餘風未殄". 是漸漬之俗, 不可以遽革也, 故曰 '不可疾貞', 正之, 不可急也. 上六, 雖非君位, 以其居上而暗之極, 故爲暗之主, 謂之'大首'.

가 문왕을 유리에 가두었다. 이에 문왕의 신하들이 미녀와 보물과 좋은 말을 바치자 주가 문왕을 풀어 주었다"라는 말이 있다.

남쪽은 앞에 있어 밝은 방향이고, 사냥[狩]은 사냥으로 해로움을 제거하는 일이다. '남쪽으로 사냥을 한다'는 앞으로 나아가서 해로움을 제거하는 일이다. 큰 머리를 이겨서 잡아야 하는데, '큰 머리'는 어둠의 괴수로 상육이다. 삼효와 상효는 바르게 서로 호응하니, 지극한 밝음이 지극한 어둠을 이기는 상이다.

'급히 곧게 해서는 안 된다'는 원흉을 제거하지만 예부터 더럽혀진 풍속을 갑자기 고칠 수 없어 반드시 점진적으로 해야 한다는 뜻이다. 갑자기 바꾸면 놀랍고 두려워 편안하지 못하기 때문에 『서경』「주고(酒誥)」편에서 "은나라가 이끌었던 여러 신하들과 백공들이 술에 빠지거든 그들을 죽이지 말고 먼저 가르쳐라"[14]고 했고, 오랜 시간이 지나고도 여전히 "남아 있는 풍기가 아직 끊어지지 않았다"[15]고 했다.

이것은 오랜 시간 축적된 풍속은 갑자기 고칠 수 없음을 뜻하기 때문에, '급히 곧게 해서는 안 된다'고 했던 것이니, 바르게 함은 서둘러서는 안 된다. 상육은 임금의 자리가 아닐지라도 맨 위에 있고 어둠의 끝이기 때문에 어두운 임금이니, '큰 머리'를 말한다.

集說

● 胡氏炳文曰 : "二之救難, 可速也, 三之除害, 不可速也, 故有

---

14) 『서경』「주고(酒誥)」: "又惟殷之迪諸臣惟工, 乃湎于酒, 勿庸殺之, 姑惟教之.[은나라가 이끌었던 여러 신하들과 백공들이 술에 빠지거든 그들을 죽이지 말고 먼저 가르쳐라.]"라고 하였다.

15) 『서경』「필명(畢命)」: "餘風未殄, 公其念哉.[남아 있는 풍기가 아직 끊어지지 않았으니 공은 이것을 생각할지어다.]"라고 하였다.

'不可疾貞'之戒."

호병문이 말했다. "이효가 어려움을 구제하는 것은 서둘러야 하지만 삼효가 해로움을 제거하는 것은 서둘러서는 안 되기 때문에 '급히 곧게 해서는 안 된다'는 경계가 있다."

六四, 入于左腹, 獲明夷之心, 于出門庭.

육사는 왼쪽 배로 들어가니, 밝음이 상처날 때의 마음을 얻어 대문의 뜰로 나온다.

本義

此爻之義, 未詳. 竊疑'左腹'者, 幽隱之處, '獲明夷之心于出門庭'者, 得意於遠去之義, 言筮而得此者, 其自處當如是也. 蓋離體, 爲至明之德, 坤體, 爲至闇之地, 下三爻, 明在闇外, 故隨其遠近高下, 而處之不同. 六四, 以柔正居闇地而尚淺, 故猶可以得意於遠去. 五, 以柔中居闇地而已迫, 故爲內難正志以晦其明之象. 上則極乎闇矣, 故爲自傷其明, 以至於闇而又足以傷人之明. 蓋下五爻, 皆爲君子, 獨上一爻爲闇君也.

이 효의 의미는 자세히 알지 못한다. 내 생각에 '좌측 배'는 그윽하고 숨겨진 장소이고, '밝음이 상처 날 때의 마음을 얻어 대문 뜰로 나온다'는 것은 멀리 떠나는 데 뜻을 얻었다는 의미이니, 점을 쳐서 이 효를 얻은 자는 이와 같이 스스로 처신해야 한다.
리괘의 몸체는 지극히 밝은 덕이고 곤괘의 몸체는 지극히 어두운 땅이며, 아래의 세 효는 밝음이 어둠의 밖에 있기 때문에 멀고 가까움과 높고 낮음에 따라 처신이 동일하지 않다. 육사는 부드럽고 바름으로 어두운 땅에 있지만 아직까지는 얕기 때문에 여전히 멀리 떠나는 것에 뜻을 얻을 수 있다. 오효는 부드럽고 알맞음으로 어두운 땅에 있고 이미 급박하기 때문에 안으로 어렵지만 뜻을 바르게 하여 밝음을 감추는 상이다. 상효는 어둠이 지극해지기 때문에 스스로 밝음을 손상시켜 어둡게 되니, 또 남의 밝음도 충분히 상처 입힐 수 있다. 그 아래의 다섯 효는 모두 군자이고, 상효 하나만 어두운 임금이다.

程傳

六四, 以陰居陰, 而在陰柔之體, 處近君之位, 是陰邪小人, 居高位, 以柔邪順於君者也. 六五, 明夷之君位, 傷明之主也. 四以柔邪順從之, 以固其交, 夫小人之事君, 未有由顯明以道合者也, 必以隱僻之道, 自結於上.

육사는 음으로 음의 자리에 있고 부드러운 음의 몸체에서 임금과 가까운 자리에 있으니, 음흉하고 사악한 소인이 높은 지위에 있으면서 사악함으로 군주에게 순종하는 것이다. 육오는 밝음이 다친 임금의 자리이니 밝음을 손상시킨 임금이다. 그런데 사효가 유약함과 사악함으로 순종해서 그 사귐을 견고하게 만드니, 소인이 임금을 섬김에 환히 드러나 도로써 합하는 자가 없고, 반드시 은밀하고 치우친 도로 스스로 위와 결탁한다.

右當用, 故爲明顯之所, 左不當用, 故爲隱僻之所. 人之手足, 皆以右爲用, 世謂僻所爲僻左, 是左者, 隱僻之所也. 四由隱僻之道, 深入其君, 故云'入于左腹'. '入腹', 謂其交深也, 其交之深, 故得其心. 凡奸邪之見信於其君, 皆由奪其心也. 不奪其心, 能无悟乎. '于出門庭', 旣信之于心, 而後行之於外也. 邪臣之事暗君, 必先蠱其心, 而後能行於外.

오른쪽은 쓰기에 합당하기 때문에 환히 드러나는 곳이고, 왼쪽은 쓰기에 합당하지 않기 때문에 은밀하게 치우친 곳이다. 사람의 손발은 모두 오른쪽을 사용하고 세상에서는 후미진 곳을 '벽좌(僻左)'라고 부르니, 왼쪽이 은밀하게 치우친 곳이기 때문이다.
사효는 숨고 치우친 도에 따라 임금에게 깊이 들어갔기 때문에 '좌측 배로 들어간다'고 했다. '배로 들어간다'는 것은 사귐이 깊음을 말하니, 사귐이 깊기 때문에 그 마음을 얻었다. 간사하고 사악한 자가 임금에게 신임을 얻는 것은 모두 그 마음을 빼앗았기 때문이다. 그 마음을 빼앗기지 않았다면 눈치 채지 못하겠는가? '대문의 뜰로 나온다'는 것은 이미 마음으로 믿게 하고 나서 뒤에 밖으로 시행한다는 뜻이다. 간사한 신하가 어두운 임금을 섬길 때는 먼저 그 마음을 좀먹은 뒤에 밖으로 시행할 수 있다.

集說

● 楊氏時曰:"腹, 坤象也. 坤體之下, 故曰'左腹', 尊右故也. '獲明夷之心', 所謂求仁而得仁也, 此微子之明夷也."

양시가 말했다. "배는 곤괘의 상이다. 곤괘 몸체의 아래이기 때문에 '왼쪽 배'라고 하니, 오른쪽을 높이기 때문이다. '밝음이 상처날 때의 마음을 얻는다'는 것은 이른바 어짊을 구해 어짊을 얻는 일이니, 이는 미자(微子)[16]의 명이이다."

---

16) 미자(微子) : 이름은 계(啟)이며, 상(商)의 29대 제을(帝乙)의 장자(長子)로서 주왕(紂王)의 이복형이다. 어머니가 정후(正后)가 아니었기 때문에 왕위(王位)를 계승받지 못했으며, 미(微)에 봉(封)해져 미자(微子)라고 불렸다. 춘추(春秋) 시대의 제후국(諸侯國)인 송(宋)의 시조(始祖)

이기도 하여 송미자(宋微子)라고도 하며, 송(宋)이 자(子)를 국성(國姓)으로 하였기에 자계(子啟)라고도 한다. 그는 은인자중(隱忍自重)하는 성격으로 사람들의 신망(信望)을 받았으며, 비간(比干), 기자(箕子)와 함께 상(商) 말기의 세 명의 어진 사람[三仁]으로 꼽힌다. 상(商)의 주왕(紂王)은 술과 음악을 지나치게 즐겼으며, 달기(妲己)를 총애하여 그녀의 말이면 무엇이든 들어주었다. 그는 '녹대(鹿臺)'라는 화려한 궁궐을 짓고, 연못을 술로 채우고 고기를 숲처럼 매달아 놓고 즐긴다는 '주지육림(酒池肉林)'이라는 말이 생길 정도로 방탕한 생활을 하였다. 주왕(紂王)의 폭정(暴政)에 대해 미자(微子)는 여러 차례 간언(諫言)을 하였으나 받아들여지지 않았다. 그러나 미자(微子)는 상(商)의 예악(禮樂)을 담당하는 태사(太師), 소사(少師)와 상의하여 아우인 자연(子衍)과 함께 상(商)을 떠나 봉지(封地)인 미(微)로 돌아갔다. 결국 기원전 1046년 주왕(紂王)은 주(周) 무왕(武王)에게 목야(牧野)의 전투에서 패하고 자살하였다. 상(商)이 멸망한 뒤 미자(微子)는 주(周) 무왕(武王)을 찾아가 투항하였다. 당시 미자(微子)는 두 손을 뒤로 묶은 채 왼손으로는 양(羊)을 끌고 오른손으로는 띠[茅]를 잡고 무릎을 꿇으며 상(商)의 종사(宗祀)를 유지할 수 있도록 간청했다. 무왕(武王)은 미자(微子)의 청을 받아들여 주왕(紂王)의 아들인 무경[武庚, 녹보(祿父)라고도 한다]을 상(商)의 도읍인 은(殷, 지금의 河南 安陽)에 봉(封)하여 상(商)의 종사(宗祀)를 잇도록 하였다. 기원전 1043년 무렵 무왕(武王)이 죽고 나이 어린 성왕(成王)이 즉위하자, 무왕(武王)의 동생인 주공(周公) 희단(姬旦)이 섭정(攝政)이 되어 주(周)를 통치하였다(주공이 왕위를 이었다는 학설도 있다). 그러자 무경(武庚)은 이에 불만을 품은 무왕(武王)의 다른 형제들인 관숙(管叔), 채숙(蔡叔), 곽숙(霍叔)과 함께 반란을 일으켰다. 이를 '삼감(三監)의 난(亂)'이라고 하는데, 반란은 3년 만에 진압되었고 무경(武庚)은 주살(誅殺)되었다. 주공(周公)은 반란을 진압한 뒤 옛 상(商)의 영역를 송(宋, 지금의 河南 商丘)과 위(衛, 지금의 河南 淇縣)의 둘로 나누었다. 그리고 위(衛)에는 자신의 막내동생인 강숙(康叔) 희봉(姬封)을 봉(封)하여 상(商)의 유민(遺民)들을 통제하였고, 송(宋)에는 미자(微子)를 봉(封)하여 상(商)의 종사(宗祀)를 잇도록 하였다. 미자(微子)는

● 『朱子語類』云 : "明夷下三爻, 皆說明夷, 是明而見傷者. 六四說者, 却以爲奸邪之臣, 先蠱惑其君心, 而後肆行於外. 下三爻, 皆說明夷, 是好底, 何獨此爻却作不好說. 以意觀之, 六四居闇地尙淺, 猶可以得意而遠去, 故雖入於幽隱之處, 猶能獲明夷之心于出門庭也. 上六'不明晦', 則是合下已是不明."[17]

『주자어류』에서 말했다. "명이괘의 아래 세 효에서 모두 명이를 설명했는데, 밝은 데도 상처를 입었다는 것이다. 사효에서 설명한 것은 간사한 신하가 먼저 그 임금의 마음을 미혹시킨 다음에 밖으로 마음대로 행한다는 것이다. 아래의 세 효는 모두 명이를 설명한 것이 좋은데 어찌하여 이 효에서만은 좋게 설명하지 않았는가? 의미로 보면 육사는 어두운 곳에 있는 것이 아직 깊지 않아 여전히 뜻대로 멀리 떠날 수 있기 때문에 어두운 곳으로 들어갈지라도 여전히 상처 입을 때의 마음을 얻어 대문의 뜰로 나올 수 있다. 상육이 '밝지 못하여 어두운 곳'은 아래로 합하여 이미 밝지 못한 것이다."

● 胡氏炳文曰 : "初二三在暗外, 至四則將入暗中. 然比之六五, 則四尙淺也, 猶可得意於遠去. '獲明夷之心'者, 微子之自靖, '于出門庭'者, 微子之行遯也."

호병문이 말했다. "초효·이효·삼효는 어두운 바깥에 있는데, 사효는 어두운 가운데로 들어가려고 한다. 그런데 상육이나 오효에 비교하면 사효는 아직 깊이 들어가지 않았으니 여전히 멀리 떠나는

상(商)의 문화 전통을 계승하여 송(宋)을 훌륭히 통치하여 안정시켰다. 그는 자식을 남기지 않아 아우인 자연(子衍)이 그의 뒤를 계승하였다.

17) 『주자어류』 권72, 55조목.

데 뜻을 얻을 수 있다. '밝음이 상처 입을 때의 마음을 얻는다'는 것은 미자가 스스로 고요함이고, '대문의 뜰에서 나온다'는 것은 미자의 달아남이다."

六五, 箕子之明夷, 利貞.

육오는 기자의 명이이니, 곧음이 이롭다.

本義

居至闇之地, 近至闇之君而能正其志, 箕子之象也, 貞之至也. '利貞', 以戒占者.

지극히 어두운 곳에 있고 지극히 어두운 임금을 가까이 하지만, 그 뜻을 올바르게 할 수 있으니 기자의 상으로 지극히 곧음이다. '곧음이 이롭다'는 점치는 자를 경계한 것이다.

程傳

五, 爲君位, 乃常也, 然易之取義, 變動隨時. 上六, 處坤之上, 而明夷之極, 陰暗傷明之極者也. 五切近之, 聖人因以五爲切近至暗之人, 以見處之之義, 故不專以君位言. 上六, 陰暗傷明之極, 故以爲明夷之主. 五切近傷明之主, 若顯其明, 則見傷害必矣. 故當如箕子之自晦藏, 則可以免於難.

오효가 임금의 자리인 것은 한결같지만 역에서 뜻을 취함은 때에 따라 변하며 움직이는 것이다. 상육은 곤괘의 맨 위에 있어 명이의 끝이고 음험함이 밝음을 해치는 끝이다. 그런데 오효가 매우 가까이 있고, 성인은 그 때문에 오효가 지극히 어두운 사람과 매우 가까이 있다는 것으로 여겨 대처하는 뜻을 나타내었기 때문에, 임금의 지위로써만 말하지 않았다. 상육은 음험함이 밝음에 지극히 상처를 입히기 때문에 명이의 주인으로 여겼다. 오효는 밝음에 상처 입히는 임금과 매우 가까워 그 밝음을 드러내면 반드시 상처를 입게 된다. 그러므로 기자가 스스로를 감춘 것처럼 하면 어려움에서 모면할 수 있다.

箕子商之舊臣, 而同姓之親, 可謂切近於紂矣. 若不自晦其明, 被禍可必也, 故佯狂爲奴, 以免於害. 雖晦藏其明, 而內守其正, 所謂內難而能正其志, 所以謂之仁與明也, 若箕子, 可謂貞矣. 以五陰柔, 故爲之戒云'利貞', 謂宜如箕子之貞固也. 若以君道言, 義亦如是, 人君有當含晦之時, 亦外晦其明, 而內正其志也.

기자는 은나라의 오래된 신하로 왕과 같은 성이니, 주왕과 매우 가깝다고 할 수 있다. 그 밝음을 스스로 감추지 못하면 반드시 화를 당하기 때문에, 거짓으로 미친 척하며 노예가 되어 재앙을 모면하였다.

밝음을 감추었을지라도 안으로 올바름을 지킨 것은 이른바 안으로 어렵지만 그 뜻을 올바르게 한 것으로 어질고 밝다고 하는 까닭이니, 기자와 같이 하면 곧다고 할 수 있다.

오효는 부드러운 음이기 때문에 그를 위해 경계하여 '곧음이 이롭다'고 했으니, 기자가 곧고 확고하게 한 것처럼 해야 한다는 말이다. 임금의 도로써 말한다면, 그 의미가 또한 이와 같으니, 임금이 어두움을 참아야 할 때가 있으면, 또 밖으로 그 밝음을 감추고 안으로 그 뜻을 바르게 해야 한다.

上六, 不明, 晦, 初登于天, 後入于地.

상육은 밝지 못하여 어두우니, 처음에는 하늘에 오르고, 뒤에는 땅으로 들어간다.

本義

以陰居坤之極, 不明其德, 以至於晦. 始則處高位, 以傷人之明, 終必至於自傷而墜厥命, 故其象如此, 而占亦在其中矣.

음으로 곤괘의 끝에 있고 그 덕을 밝히지 못하여 어둡게 되었다. 처음에는 높은 지위에 있어 사람들의 밝음에 상처를 입히고, 마침내 스스로에게 상처를 내어 그 목숨을 떨어뜨리기 때문에 그 상이 이와 같으니, 점이 또한 그 가운데 있다.

程傳

上居卦之終, 爲明夷之主, 又爲明夷之極. 上, 至高之地, 明在至高, 本當遠照. 明旣夷傷, 故不明而反昏晦也. 本居於高, 明當及遠, '初登于天'也, 乃夷傷其明而昏暗, '後入于地'也. 上, 明夷之終, 又坤陰之終, 明傷之極者也.

상효는 괘의 끝에 있고 명이의 주인이며 또 명이의 끝이다. 상효는 지극히 높은 곳이고 밝음은 지극히 높은 곳에 있으니, 본래 멀리 비춰야 한다. 그런데 밝음이 이미 상처를 입었기 때문에 밝지 못하고 도리어 어둡게 된다. 본래 높은 곳에 있어 밝음이 멀리 미쳐야 하니, '처음에는 하늘에 오른다'는 뜻이고, 밝음이 손상되어 어둡게 되니, '뒤에는 땅으로 들어간다'는 말이다. 상효는 명이의 끝이고 또 곤괘인 음의 끝이니, 밝음에 상처를 입힘이다.

集說

● 蘇氏軾曰 : "六爻皆晦也, 而所以晦者, 不同. 自五以下, 明而晦者也, 若上六不明而晦者也, 故曰'不明晦'."

소식이 말했다. "여섯 효가 모두 어둡지만 어둡게 된 까닭이 같지 않다. 오효 이하는 밝으면서 어두운 것이고, 육효라면 밝지 않아 어두운 것이기 때문에 '밝지 못하여 어둡다'고 하였다.

● 胡氏炳文曰 : "下三爻以'明夷'爲句首, 四五'明夷'之辭, 在句中. 上六不曰'明夷', 而曰'不明晦', 蓋惟上六不明而晦, 所以五爻之明皆爲其所夷也."

호병문이 말했다. "아래의 세효는 '밝음이 상처났다'는 것이 문장의 앞에 있고, 사효와 오효는 '밝음이 상처났다'는 말이 문장의 가운데 있다. 그런데 상육에서는 '밝음이 상처가 났다'고 하지 않고 '밝지 못하여 어둡다'고 했으니, 상육은 밝지 못할 뿐만 아니라 어둡기 때문에 다섯 효의 밝음이 모두 그것 때문에 다친 것이다."

總論

● 蘇氏軾曰 : "力能救則救之, 六之'用拯'是也. 力能正則正之,九三之'南狩'是也. 旣不能救, 又不能正, 則君子不敢辭其辱, 以私便其身, 六五之'箕子'是也. 君子居明夷之世, 有責必有以塞之, 無責必有以全其身, 而不失其正. 初九六四, 無責於斯世, 故近者則'入腹獲心于出門庭', 而遠者則'行不及食'也."

소식[18]이 말했다. "힘으로 구할 수 있다면 구하니, 육이의 '돕는 말을 건장한 것으로 쓴다'는 것이 여기에 해당한다. 힘으로 바르게 할 수 있으면 바르게 하니, 구삼의 '남쪽으로 사냥한다'는 것이 여기에 해당한다. 이미 구제할 수 없고 또 바르게 할 수 없다면 군자는 그 욕됨을 감히 사양하여 사사롭게 그 몸을 편하게 하지 않으니, 육오의 '기자'가 여기에 해당한다. 군자는 밝음에 상처를 입은 때는 따질 것이 있으면 반드시 막아버리고, 따질 것이 없으면 반드시 그 자신을 온전하게 하고 바름을 잃지 않는다. 초구와 육사는 이 세상에 따질 것이 없기 때문에 가까이 있는 경우에는 '왼쪽 배로 들어가니 마음을 얻어 대문의 뜰로 나오는 것'이고, 멀리 있는 경우에는 '떠남에 먹지 못하는 것'이다."

18) 소식(蘇軾, 1037~1101) : 자는 자첨(子瞻), 화중(和仲)이고, 호는 동파거사(東坡居士), 설당(雪堂), 단명(端明), 미산적선객(眉山謫仙客), 소염경(笑髥卿), 적벽선(赤壁仙) 등이며, 북송 미주 미산(眉州眉山 : 현 사천성 미산〈眉山〉) 사람이다. 소순(蘇洵)의 아들이고 소철(蘇轍)의 형으로 대소(大蘇)라고도 불렸다. 송대 저명한 문필가로 당송팔대가(唐宋八大家)의 한 사람이다. 북송 인종(仁宗) 가우(嘉祐) 2년(1057) 진사에 급제하여, 벼슬은 중서사인(中書舍人), 한림학사겸시독(翰林學士兼侍讀), 한림승지(翰林承旨), 예부상서(禮部尚書) 등을 역임했다. 저서에 『동파칠집(東坡七輯)』, 『동파역전(東坡易傳)』, 『동파서전(東坡書傳)』, 『동파악부(東坡樂府)』, 『논어설(論語說)』 등이 있다.

37. 가인家人괘

䷤ 巽上
離下

程傳

家人,「序卦」, "夷者傷也, 傷於外者, 必反於家, 故受之以家人." 夫傷困於外, 則必反於內, 家人所以次明夷也. 家人者, 家內之道, 父子之親, 夫婦之義, 尊卑長幼之序, 正倫理篤恩義, 家人之道也. 卦外巽內離, 爲風自火出. 火熾則風生. 風生自火, 自內而出也. 自內而出, 由家而及於外之象.

가인괘(家人䷤)괘에 대해 「서괘전」에 "'이(夷)'는 상처를 입음이니, 밖에서 상처를 입은 자는 반드시 집으로 돌아오기 때문에 가인괘로 받았다"라고 하였다. 밖에서 상처를 입어 곤궁하면 반드시 안으로 돌아오니, 가인괘가 그 때문에 명이(明夷)괘 다음에 있다. 가인은 집안의 도이니, 부모와 자식의 친함, 남편과 아내의 의리, 높음과 낮음·어른과 아이의 차례로 인륜과 이치를 바르게 하고 은혜와 의리를 돈독히 하는 것이 가인의 도이다.

괘가 밖은 손(巽☴)괘이고 안은 리(離☲)괘로 바람이 불에서 나오는 것이다. 불이 세차게 타오르면 바람이 생긴다. 바람이 불에서 나오는 것은 안에서 나온다. 안에서 나오는 것은 집에서 밖으로 미치는 상(象)이다.

二與五, 正男女之位於內外, 爲家人之道, 明於內而巽於外, 處家之道也. 夫人有諸身者, 則能施於家, 行於家者, 則能施於國, 至於天下治, 治天下之道, 蓋治家之道也. 推而行之於外耳, 故取自內而出之象, 爲家人之義也. 文中子書, '以明內齊外爲義', 古今善之, 非取象之意也. 所謂'齊乎巽', 言萬物潔齊於巽方, 非巽有齊義也, 如'戰乎乾', 乾非有戰義也.

이효와 오효가 안팎으로 남자와 여자의 자리를 바르게 함이 가인의 도이고, 안에서 밝고 밖에서 공손함이 집에 있는 도이다. 사람이 자신에게 있는 것은 집에 시행할 수 있고, 집에서 행하는 것은 나라에 시행할 수 있고 천하를 다스리는 것에까지 미칠 수 있으니, 천하를 다스리는 도가 집안을 다스리는 도이다.
미루어 밖으로 행할 뿐이기 때문에 안에서 나오는 상을 취한 것이 가인의 뜻이다. 문중자(文中子)의 책에서는 '안을 밝게 하고 밖을 가지런히 하는 것'으로 뜻을 삼았고, 예로부터 지금까지 이것을 좋게 여겼는데 상에서 취한 뜻은 아니다. 이른바 '손에서 가지런하다[齊乎巽]'는 것은 만물이 손괘의 방향에서 깨끗하고 가지런해짐을 말하는 것이지,[1] 손괘에서 가지런하다는 뜻이 있는 것은 아니니, '건에서 싸운다[戰乎乾]'는 것이 건괘(乾卦)에 싸운다는 뜻이 있는 것이 아님과 같다.[2]

---

1) 『주역』「설괘전(說卦傳)」: "齊乎巽, 巽東南也, 齊也者, 言萬物之潔齊也.[손괘에서 가지런하다는 것은 손괘는 동남이니, '가지런하다[齊]'는 것은 만물이 깨끗하여 가지런함을 말한다.]"라고 하였다.

2) 『주역』「설괘전(說卦傳)」: "戰乎乾, 乾西北之卦也, 言陰陽相薄也.[건괘에서 싸운다는 것은 건괘는 서북방의 괘이니, 음양이 서로 부딪힘을 말한다.]"라고 하였다.

家人, 利女貞.

가인은 여자가 곧음이 이롭다.

本義

家人者, 一家之人. 卦之九五六二, 內外各得其正, 故爲家人. '利女貞'者, 欲先正乎內也, 內正則外无不正矣.

가인은 한 집안의 사람들이다. 괘의 구오와 육이가 안팎으로 각기 그 곧음을 얻었기 때문에 가인이다.
'여자가 곧음이 이롭다'는 것은 먼저 안을 곧게 하고자 함이니, 안이 곧게 되면 밖이 곧지 않음이 없다.

程傳

家人之道, 利在女正, 女正則家道正矣. 夫夫婦婦而家道正, 獨云利女貞者, 夫正者, 身正也, 女正者, 家正也, 女正則男正可知矣.

가인의 도는 이로움이 여자가 곧은 데 있으니, 여자가 곧으면 집안의 도가 곧게 된다. 남편은 남편답고 아내는 아내다워야 집안의 도가 바르게 되는데, '여자가 곧음이 이롭다'라고만 말한 것은 남편이 곧으면 자신이 곧지만 여자가 곧으면 집안이 곧게 되기 때문이니, 여자가 곧으면 남자도 곧게 됨을 알 수 있다.

集說

● 楊氏時曰："家人者，治家人之道也. 齊家自夫婦始，舜觀刑于二女，文王刑于寡妻，至于兄弟，'利女貞'者，言家道之本也."

양시가 말했다. "가인은 집안사람들을 다스리는 도이다. 집안을 가지런히 하는 것은 부부에서 시작되니, 순(舜)은 그 법을 요임금의 두 딸에게서 보였고,[3] 문왕은 아내에게 모범이 되어 형제에게까지 미쳤으니,[4] '여자가 곧음이 이롭다'는 것은 집안 법도의 근본을 말하였다."

● 林氏希元曰："所正雖在女，所以正之者，則在夫，蓋主家之人也."

임희원이 말했다. "곧은 것이 여자에게 있을지라도 곧게 하는 것은 남편에게 있으니, 집안사람들의 어른이기 때문이다."

---

3) 『서경(書經)』「요전(堯典)」: "帝曰我其試哉，女于時，觀厥刑于二女，釐降二女于嬀汭，嬪于虞.[요임금이 '내가 시험해보겠다. 딸을 시집보내어 그 법을 두 딸에게서 관찰하리라'고 하고서, 두 딸을 치장하여 규수(嬀水)의 북쪽에 시집보내어 순의 아내로 삼아주었다.]"라고 하였다.

4) 『시경』「대아·문왕지십(大雅·文王之什)」: "刑于寡妻，至于兄弟.[아내에게 모범이 되어 형제에게까지 미쳤다.]"라고 하였다.

初九, 閑有家, 悔亡.

초구는 집안을 방비하니 후회가 없다.

本義

初九, 以剛陽處有家之始, 能防閑之, 其悔亡矣. 戒占者, 當如是也.

초구는 굳센 양으로 집안의 처음에 대비하여 막을 수 있으니, 그 후회가 없어진다. 점치는 자가 이와 같이 해야 한다고 경계하였다.

程傳

初, 家道之始也. '閑', 謂防閑法度也. 治其有家之始, 能以法度爲之防閑, 則不至於悔矣. 治家者, 治乎衆人也. 苟不閑之以法度, 則人情流放, 必至於有悔, 失長幼之序, 亂男女之別, 傷恩義害倫理, 无所不至. 能以法度閑之於始, 則无是矣, 故悔亡也. 九剛明之才, 能閑其家者也, 不云无悔者, 羣居必有悔, 以能閑, 故亡耳.

초효는 집안 법도의 시작이다. '방비한다[閑]'는 것은 대비해서 막는 법도를 말한다. 그 집안의 처음을 다스려 법도로 막아 방비할 수 있으면 후회하지 않을 것이다. 집안을 다스리는 일은 여러 사람을 다스리는 것이다. 법도로 막지 않으면 인정이 쓸려 흘러가 반드시 후회하게 되니, 어른과 아이의 차례를 잃고 남자와 여자의 분별을 어지럽혀 은혜와 의리를 손상시키고 윤리를 해쳐 하지 못하는 일이 없게 된다. 법도로 처음에 막을 수 있다면 이런 일이 없기 때문에 후회가 없다. 구(九)는 굳세고 밝은 재질로 집안의 무너진 질서를 막을 수 있는 것인데도 '후회가 없다[无悔]'고 말하지 않은 것은 함께 모여 살면 반드시 후회가 있는데, 막을 수 있기 때문에 없다고 말했을 뿐이다.

集說

● 王氏弼曰 : "凡教在初而法在始. 家瀆而後嚴之, 志變而後治之, 則悔矣. 處家人之初, 爲家人之始, 故必閑有家, 然後悔亡也."

왕필이 말했다. "가르침은 처음에 있고 법도는 시작에 있다. 집안이 더럽혀진 다음에 엄하게 하고 뜻이 변한 다음에 다스리면 후회한다. 가인의 처음에 처신할 때가 가인의 시작이기 때문에 반드시 집안을 방비한 다음에 후회가 없다."

● 胡氏炳文曰 : "初之時當閑, 九之剛能閑. 顔之推曰, '教子嬰孩, 教婦初來'."

호병문이 말했다. "초효의 때에 방비해야 하니, 구의 굳셈은 방비할 수 있다. 안지추(顔之推)[5]는 『안씨가훈』에서 '자식은 아이 때부터

5) 안지추(顔之推, 531~591) : 육조 시대 북제(北齊) 낭야(琅邪) 임기(臨沂) 사람으로 자는 개(介)고, 안협(顔勰)의 아들이다. 강릉(江陵)에서 태

가르치고 부인은 처음 올 때부터 가르친다'라고 했다."

어나 어릴 때 가업을 전수받았다. 많은 책을 두루 읽었고, 정취가 전려(典麗)했다. 남조 양간문제(梁簡文帝) 대보(大寶) 원년(550) 후경(侯景)이 영주(郢州)를 함락했을 때 포로가 되어 건강(建康)으로 이송되었다. 후경이 평정된 뒤 강릉으로 돌아왔고, 원제(元帝)가 산기상시(散騎常侍)에 임명했다. 양나라가 망하고 서위(西魏)가 강릉을 함락하자 포로로 북쪽으로 끌려갔고, 나중에 가족을 이끌고 북조(北朝)의 북제(北齊)로 달아났다. 문선제(文宣帝, 高洋)가 내관(內館)으로 불러 주변에서 시종하도록 했다. 무성제(武成帝, 高湛) 때 문림관(文林館)을 관장하고 『수문전어람(修文殿御覽)』을 편찬했다. 후주(後主, 高緯) 때 황문시랑(黃門侍郎)에 올랐다. 제나라가 망하자 북주(北周)에 들어가 위담(魏澹) 등과 함께 『위서(魏書)』를 중수했다. 북주 말에 어사상사(御史上士)가 되었다. 온건중정(穩健中正)한 사상의 소유자였으며, 학식은 풍부한 체험이 뒷받침 되어 있어 실천성이 당대 최고였다. 수문제(隋文帝) 개황(開皇) 중에 태자가 불러 학사(學士)로 삼았다. 특히 가족과 가정윤리의 확립을 중시하여 『안씨가훈(顔氏家訓)』을 지었다. 노장(老莊)을 극단적으로 배척했지만, 불교에는 호의를 나타내 유불(儒佛)의 조화를 주창했다.

六二, 无攸遂, 在中饋, 貞吉.

육이는 이루는 것이 없으나 안에서 먹여 바르니 길하다.

本義

六二, 柔順中正, 女之正位乎內者也, 故其象占如此.

육이가 유순하고 중정함은 여자가 안에서 자리를 바르게 하는 것이기 때문에 그 상과 점이 이와 같다.

程傳

人之處家, 在骨肉父子之間, 大率以情勝禮, 以恩奪義, 唯剛立之人, 則能不以私愛失其正理. 故家人卦大要以剛爲善, 初三上是也. 六二以陰柔之才而居柔, 不能治於家者也, 故无攸遂, 无所爲而可也. 夫以英雄之才, 尙有溺情愛而不能自守者, 況柔弱之人, 其能勝妻子之情乎. 如二之才, 若爲婦人之道, 則其正也, 以柔順處中正, 婦人之道也. 故在中饋, 則得其正而吉也. 婦人居中, 而主饋者也, 故云'中饋'.

사람이 집안에서 골육과 부자의 사이에 대체로 감정이 예절을 이기고 사랑이 의리를 빼앗으니, 굳세게 선 사람만이 사사로운 사랑 때문에 바른 이치를 잃지 않을 수 있다. 그러므로 가인괘의 큰 요체가 굳셈을 선(善)으로 삼으니, 초효와 삼효와 상효가 이에 해당한다.

육이는 음의 부드러운 재질로 부드러운 자리에 있어 집안을 다스릴 수 없는 것이기 때문에 이루는 바도 없고, 해서 괜찮을 바도 없다. 영웅의 재질로도 오히려 정과 사랑에 빠져 스스로를 지키지 못하는데, 하물며 유약한 사람이 처자의 정을 이겨낼 수 있겠는가?
이효와 같은 재질로 부인의 도를 행한다면 바를 것이니, 유순함으로 중정한 데 있는 것이 부인의 도이기 때문이다. 그러므로 안에서 먹이면 그 바름을 얻어 길하다. 부인은 집안에 있으면서 먹이는 것을 주관하는 자이기 때문에 '집안에서 먹인다[中饋]'고 하였다.

集說

● 孔氏穎達曰 : "六二履中居位, 以陰應陽, 盡婦人之義也. 婦人之道巽順爲常, 無所必遂, 其所職主在於家中, 饋食供祭而已. 得婦人之正, 故曰'无攸遂在中饋貞吉'."

공영달이 말했다. "육이는 가운데를 밟고 제자리에 있으면서 음으로 양과 호응하니 부인의 예의를 다한 것이다. 부인의 도는 공손한 것으로 떳떳함을 삼고 반드시 이룰 바가 없으니, 직분으로 주로 할 것은 집안에서 음식을 먹이고 공손하게 제사지내는 일일 뿐이다. 부인의 바름을 얻었기 때문에 '이루는 것이 없으나 안에서 먹여 바르니 길하다'고 하였다."

● 王氏宗傳曰 : "'无攸遂', 示不敢有所專也. 婦人之職, 不過奉祭祀饋飮食而已, 此外無他事也. 『詩』曰'無非無儀, 惟酒食是議', 「采蘩」以供祭祀爲不失職, 「采蘋」以供祭祀爲能循法度. 推而上之, 推而下之, 其職守莫不皆然, 是之謂'貞而吉'也."

왕종전이 말했다. "'이루는 것이 없다'는 말은 감히 오로지 하는 것이 있지 않음을 보여준다. 부인의 직분은 제사를 받들고 음식을 먹이는 것에 불과할 뿐이고 그 외에 다른 일이 없다. 『시경』「소아」에서 '잘못함도 없고 잘함도 없으니, 단지 술과 밥에 대해서만 상의한다.'[6]고 하였고, 『시경』「소남·채번(采蘩)」에서는 제사를 받드는 일을 직분을 잃지 않은 것으로 여겼고, 「채빈(采蘋)」에서는 제사를 받드는 일을 법도를 따를 수 있는 것으로 여겼다. 미루어 올라가든 미루어 내려가든 그 직분을 지키는 일이 모두 그렇지 않은 것이 없으니, 이를 '바르니 길하다'고 한 것이다."

● 易氏祓曰:"六二柔順得位, 與九五相應, 女正位乎內者也. 此爻正所以發明利女貞之義."

이불이 말했다. "육이가 유순하고 자리를 얻어 구오와 서로 호응하니, 여자가 안에서 바르게 자리한 것이다. 여기의 효가 바르기 때문에 여자가 바른 것이 길하다는 의미를 드러내 밝혔다."

---

6) 『시경』「소아(小雅)」: "無非無儀, 惟酒食是議, 無父母貽罹.[잘못함도 없고 잘함도 없으니, 단지 술과 밥에 대해서만 상의하여 부모에게 근심을 끼치지 않는다.]"라고 하였다.

九三, 家人嗃嗃, 悔厲吉, 婦子嘻嘻, 終吝.

구삼은 가인이 부르짖으니 엄하게 한 것을 후회하지만 길하고, 부인과 자식이 희희덕거리면 마침내 부끄럽게 된다.

本義

以剛居剛而不中, 過乎剛者也. 故有嗃嗃嚴厲之象, 如是則雖有悔厲而吉也. '嘻嘻'者, '嗃嗃'之反, 吝之道也. 占者各以其德爲應, 故兩言之.

굳센 것이 굳센 자리에 있는데 가운데가 아니니 지나치게 굳센 것이다. 그러므로 부르짖고 엄하게 하는 상이 있으니, 이와 같이 하면 모질게 한 것을 후회함이 있을지라도 길하다. '희희덕거림[嘻嘻]'은 '부르짖음[嗃嗃]'의 반대이니, 부끄러운 도리이다. 점치는 자가 각기 그 덕으로 호응하기 때문에 두 가지로 말하였다.

程傳

'嗃嗃', 未詳字義. 然以文義及音意觀之, 與'嗷嗷'相類, 又若急束之意. 九三在內卦之上, 主治乎內者也. 以陽居剛而不中, 雖得正而過乎剛者也. 治內過剛則傷於嚴急, 故家人嗃嗃然. 治家過嚴, 不能无傷, 故必悔於嚴厲. 骨肉恩勝, 嚴過故悔也. 雖悔於嚴厲, 未得寬猛之中, 然而家道齊肅, 人心祗畏, 猶爲家之吉也.

'부르짖는다[嗃嗃]'는 것은 글자의 뜻이 자세하지 않다. 그러나 글의 뜻과 음의 뜻으로 살펴보면 '울부짖는다[嗷嗷]'는 것과 서로 유사하고, 또 초조하다는 뜻과 같다.
구삼은 내괘의 위에 있으면서 안에서 다스림을 주관하는 것이다. 양으로 굳센 양의 자리에 있지만 가운데 있지 않으니, 바름을 얻었을지라도 지나치게 굳센 것이다. 안을 다스림에 지나치게 굳세면 엄하고 급한 것에서 상처를 입기 때문에 가인이 부르짖는다.
집안을 다스림에 지나치게 엄하면 상처를 입지 않을 수 없기 때문에 반드시 그렇게 한 것을 후회한다. 골육간에는 사랑이 커야 하는데 엄함이 지나치기 때문에 후회하는 것이다. 엄하게 한 것에 후회하고 너그러움과 사나움의 중도를 얻지 못하였을지라도 집안의 법도가 엄숙하고 사람들이 두려워하니, 오히려 집안의 길함이다.

若婦子嘻嘻, 則終至羞吝矣. 在卦非有嘻嘻之象, 蓋對嗃嗃而言, 謂與其失於放肆, 寧過於嚴也. '嘻嘻', 笑樂无節也. 自恣无節, 則終至敗家, 可羞吝也. 蓋嚴謹之過, 雖於人情不能无傷, 然苟法度立倫理正, 乃恩義之所存也. 若嘻嘻无度, 乃法度之所由廢, 倫理之所由亂, 安能保其家乎. 嘻嘻之甚, 則致敗家之凶. 但云'吝'者, 可吝之甚, 則至於凶, 故未遽言凶也.

만약 부인과 자식이 희희덕거리면 끝내 부끄러움에 이르게 된다. 괘에 희희덕거리는 상이 있지는 않지만, 부르짖는 것에 상대하여 말했으니, 방자하여 잘못되는 것보다 차라리 지나치게 엄한 것이 낫다.
'희희덕거림[嘻嘻]'은 웃고 즐겨 절도가 없는 것이다. 스스로 방자하여 절도가 없으면 마침내 집안을 망치게 되니 부끄러워해야 한다.

엄하고 삼감이 지나치면 인정에는 상처를 주지 않을 수 없을지라도 진실로 법도가 서고 윤리가 바르게 되니, 바로 사랑과 의리가 보존된다. 희희덕거려 절도가 없으면 법도가 이 때문에 폐지되고 윤리가 이 때문에 어지러워지니, 어떻게 그 집안을 보존할 수 있겠는가? 희희덕거림이 심하면 집안을 망치는 흉함을 이룬다. 그런데 '부끄럽다'고만 한 것은 부끄러움이 심해지면 흉하게 되기 때문에 갑자기 흉하다고 하지 않은 뜻이다.

集說

● 『朱子語類』問 : "『易傳』云, '正家之道, 在於正倫理篤恩義.' 今欲正倫理, 則有傷恩義, 欲篤恩義, 又有乖於倫理, 如何?"
曰 : "須是於正倫理處篤恩義, 篤恩義而不失倫理, 方可."[7]

『주자어류』에서 물었다. "『역전』에서 '집안을 바로잡는 도(道)는 윤리를 바르게 하고, 사랑을 돈독히 하는 데 있다'[8]고 했습니다. 지금 윤리를 바로잡으려 하면 사랑을 해치고, 사랑을 돈독히 하려 하면 또 윤리에 어그러지는데 어떻게 해야 합니까?"
대답했다. "윤리를 바르게 하는 곳에서 사랑을 돈독하게 해야 하니, 사랑을 돈독하게 하면서도 윤리를 잃지 않게 해야 합니다."

● 胡氏炳文曰 : "'嗃嗃', 以義勝情, 雖悔厲而吉. '嘻嘻', 以情勝義, 終吝. 悔, 自凶而吉, 吝, 自吉而凶. 九三以剛居剛, 若能嚴

7) 『주자어류』 권72, 60조목.
8) 『이천역전』 권3.

於家人者. 比乎二柔, 又若易昵於婦子者. 三其在吉凶之閒乎, 故悔吝之占, 兩言之."

호병문이 말했다. "'부르짖는다'는 예의로 정을 누른 것이니, 엄하게 한 것을 후회할지라도 길하다. '희희덕거린다'는 것은 정으로 예의를 누른 것이니, 마침내 부끄럽게 된다. 후회는 흉함에서 길하게 되고, 부끄러움은 길함에서 흉하게 된다.
구삼은 굳셈이 굳센 자리에 있어 집안사람들에게 엄하게 할 것도 같고, 이효의 부드러움과 가까이 있어 또 부인과 자식에게 쉽게 빠질 것도 같다. 삼효는 길함과 흉함의 사이에 있기 때문에 후회하고 부끄러워하는 점을 양쪽으로 말했다."

六四, 富家, 大吉.

육사는 집안을 부유하게 하니, 크게 길하다.

本義

陽主義, 陰主利, 以陰居陰而在上位, 能富其家者也.

양은 의리를 주장하고 음은 이익을 주장하니, 음이 음의 자리에 있으면서 윗자리에 있기 때문에 그 집안을 부유하게 할 수 있는 것이다.

程傳

六, 以巽順之體而居四, 得其正位, 居得其正, 爲安處之義. 巽順於事而由正道, 能保有其富者也, 居家之道, 能保有其富則爲大吉也. 四, 高位而獨云'富'者, 於家而言, 高位, 家之尊也. 能有其富, 是能保其家也, 吉孰大焉.

육(六)이 겸손[巽順]한 몸체로 사효의 자리에 있고 그 바른 지위를 얻어 처신이 바름을 얻었으니 편안히 처신한다는 뜻이다. 일에 겸손하고 정도를 따르면 그 부유함을 보유할 수 있고, 집안에 있는 법도가 그 부유함을 보전할 수 있으면 크게 길하다.

사효는 높은 자리인데 '부유하다[富]'고만 한 것은 집안으로 말한 것이니, 높은 자리는 집안의 높은 사람이다. 그 부유함을 지닐 수 있는 것은 그 집안을 보전할 수 있음이니, 길한 가운데 무엇이 이보다 크겠는가?

案

● 四在他卦, 臣道也, 在家人卦, 則亦妻道也. 夫主敎一家者也, 婦主養一家者也. 老子所謂'敎父''食母', 是也. 自二之在'中饋', 進而至於四之'富家', 則内職擧矣.

사효는 다른 괘에서 신하의 도리이니, 가인괘에서는 또한 아내의 도리이다. 남편은 한 집안을 교화시키는 일을 주로하고 부인은 한 집안을 기르는 일을 주로 하니, 노자가 말한 '가르침의 아버지[敎父]'[9]와 '먹여주는 어머니[食母]'[10]가 여기에 해당한다.
이효의 '안에서 먹여 기르는 것'에서 나아가 사효의 '집안을 부유하게 하는 것'에 이르렀으니, 집안의 직분이 거행된 것이다.

9) 『도덕경』 42장 : "强梁者, 不得其死, 吾將以爲敎父.[강포한 자는 제 명에 죽지 못하니, 나는 그들을 가르침의 아버지로 삼을 것이다.]"라고 하였다.
10) 『도덕경』 20장 : "我獨異於人, 而貴食母.[나만 홀로 남들과 다르게 먹여주는 어머니를 귀하게 여긴다.]"

九五, 王假有家, 勿恤, 吉.

구오는 왕이 집안을 이룸에 이르면 근심하지 않아도 길하다.

本義

'假', 至也, 如假于太廟之'假'. '有家', 猶言'有國'也. 九五剛健中正, 下應六二之柔順中正, 王者以是至于其家, 則勿用憂恤而吉可必矣. 蓋聘納后妃之吉占, 而凡有是德者遇之, 皆吉也.

'이르다[假]'는 왔다는 말이니, '태묘에 이른다[假于太廟]'고 할 때의 '이르다[假]'는 것과 같다. '집안을 이루다[有家]'는 '나라를 이루다[有國]'고 말하는 것과 같다.

구오가 강건하고 중정하면서 아래로 유순하고 중정한 육이와 호응하니, 임금이 이로써 그 집안에 이르면 근심하지 않아도 반드시 길할 것이다. 이는 후비(后妃)를 맞아들이는 길한 점이고, 이러한 덕이 있는 자가 이를 얻는다면 모두 길하다.

程傳

九五, 男而在外, 剛而處陽, 居尊而中正, 又其應順正於內, 治家之至正至善者也. '王假有家', 五君位, 故以王言. '假', 至也, 極乎有家之道也. 夫王者之道, 脩身以齊家, 家正而天下治矣. 自古聖王未有不以恭己正家爲本. 故有家之道旣至, 則不憂勞而天下治矣, 勿恤而吉也. 五, 恭己於外, 二, 正家於內, 內外同德, 可謂至矣.

구오는 남자이면서 밖에 있고 굳세면서 양(陽)의 자리에 있으며, 높이 있으면서 중정하고 또 호응하는 것이 안에서 순종하고 바르니, 집안을 다스림에 지극히 바르고 지극히 좋은 것이다.
'임금이 집안을 이룸에 지극하다[王假有家]'는 오효가 임금의 자리이기 때문에 왕으로 말한 것이다. '이르다[假]'는 말은 지극하게 한다는 뜻이니, 집을 이루는 도를 지극히 하는 것이다. 임금의 도는 자기 몸을 닦아 집안을 가지런하게 하니, 집안이 바르게 되면 천하가 다스려진다.
예로부터 성왕(聖王)은 자신을 삼가고 집안을 바르게 함을 근본으로 삼지 않은 적이 없었다. 그러므로 집안을 이루는 법도가 지극해지고 나면 근심하지 않아도 천하가 다스려지니, 근심하지 않아도 길하다. 오효가 밖에서 자신을 조심하고 이효가 안에서 집안을 바르게 하여 내외가 덕을 함께 하니, 지극하다고 할 수 있다.

集說

● 楊氏文煥曰 : "'閑有家', 閑之於其始, '假有家'則假之於其終也."

양문환이 말했다. "'집안을 방비한다'는 시작부터 방비한다는 말이고, '집안을 이룸에 이른다'는 그 끝까지 이른다는 뜻이다."

● 丘氏富國曰 : "三五陽剛, 皆主治家者也. 三則而不中, 失之過嚴, 未免有悔厲之失. 五剛而得中, 威而能愛, 盡乎治家之道者. 故人無不化, 可以勿憂恤而吉也. 或曰, '治家之道, 尙嚴, 在

「彖」以嚴正爲吉. 五以相愛爲義, 何也'. 曰, '嚴以分言, 正家之義也, 愛以情言, 假家之義也. 假有感格之義, 故以相愛言之.'"

구부국이 말했다. "삼효와 오효의 굳센 양은 모두 집안을 다스리는 일을 주로 한다. 그런데 삼효는 가운데 있지 않아 지나치게 엄격한 것에서 잘못되니 그것을 후회하는 잘못을 면할 수 없다. 오효는 굳세면서 가운데 있어 위엄이 있으면서도 사랑할 수 있으니, 집안을 다스리는 법도를 극진히 한 것이다. 그러므로 사람들이 화합하지 않음이 없어 근심하지 않아도 길하다.
어떤 이가 '집안을 다스리는 법도는 엄격함을 숭상하는데, 「단전」에서는 엄격하고 곧은 것을 길하게 여기고,[11] 오효에서는 서로 사랑하는 것을 의미로 여겼으니, 무엇 때문인가?'라고 하였다. '엄격함은 분수로 말한 것이니 집안을 곧게 하는 의미이고, 사랑은 정으로 말한 것이니 집안을 감격하게 하는 의미입니다. 이르다[假]는 말에는 감격의 의미가 있기 때문에 서로 사랑하는 것으로 말했습니다'라고 하였다."

● 龔氏煥曰 : "'假'與'格'同. 猶'奏假無言', '昭假烈祖'之'假', 謂感格也. 九五以陽剛中正居尊位, 爲有家之主, 盛德至善, 所以感

11) 『주역』「가인괘(家人卦)」: "彖曰, 家人, 女正位乎內, 男正位乎外, 男女正, 天地之大義也. 家人, 有嚴君焉, 父母之謂也. 父父子子兄兄弟弟夫夫婦婦而家道正, 正家而天下定矣.[「단전」에서 말하였다. '가인은 여자가 안에서 자리를 바르게 하고 남자가 밖에서 자리를 바르게 하니, 남자와 여자가 바르게 함은 천지의 큰 뜻이다. 가인에 엄한 어른이 있으니, 부모를 말한다. 아버지는 아버지답고 자식은 자식답고 형은 형답고 아우는 아우답고 남편은 남편답고 아내는 아내다움에 집안의 도가 바르게 되니, 집안을 바르게 함에 천하가 안정될 것이다.']"라고 하였다.

格乎家人之心者至矣. 王者家大人衆, 其心難一, 有未假者, 勿用憂恤而自吉也. 蓋初之閑有家, 是以法度防閑之, 至王假有家, 則躬行有以感化之矣."

공환[12]이 말했다. "'이르다[假]'는 '이르다[格]'는 말과 같다. '나아가 신명을 이르게 할 때 말이 없다'[13]고 하고 '열조를 밝게 이르게 한다'[14]고 할 때의 '이르게 한다'와 같으니, 감동시켜 이르게 함을 말한다. 구오가 중정하고 굳센 양으로 존귀한 자리에 있음을 집안을 이루는 주인으로 삼아 덕을 성대하게 하고 선을 지극하게 했는데, 이는 집안사람들의 마음을 감동시켜 이르게 한 것으로 지극하다. 그러니 임금은 집안이 크고 사람들이 많아지고 그들의 마음을 하나로 하기 어려워 아직 이르지 않은 사람들이 있음에 근심하지 않는데도 저절로 길하게 된다. 초효의 집을 방비함은 법도로 방비하여 막는 일이고, 왕이 집안을 이룸에 이른 것은 몸소 행해 감화시킨 일이다."

● 何氏楷曰: "'舜格于文祖', '公假于太廟', '格''假'互用可證. 身範

12) 공환(龔煥): 자는 유문(幼文)이고, 천봉선생(泉峯先生)이라고 불렸다. 원(元)대 임천(臨川)사람이다. 요응중(饒應中)에게 사사하여 본체를 밝히고 실천에 옮기는 데 힘썼다. 당시 아직 과거제도가 시행되지 못했는데, 시행되면 반드시 정자와 주자의 학문을 법식으로 삼아야 한다고 주장했다. 과연 뒤에 그의 말대로 시행되었다.

13) 『시경』「상송(商頌)」: "奏假無言, 時靡有爭.[나아가 신명에 감격할 때 말이 없고 시끄럽게 다투는 이도 없다.]"라고 하였다.

14) 『시경』「반수(泮水)」: "允文允武, 昭假烈祖, 靡有不孝, 自求伊祜.[진실로 문무를 겸전하여 열조를 밝게 감격하게 하니, 효도하지 않음이 없어 스스로 복을 구하는구나.]"라고 하였다.

旣端, 故能感格其家, 使父父子子, 兄兄弟弟, 夫夫婦婦, 各得其所, 以相敦睦, 正家而天下定, 故不待憂恤而吉也."

하해가 말했다. "'순임금이 문조의 사당에 이르고'[15] '공이 태묘의 사당에 이르다[16]'고 한 것에서 '이르다[格]'와 '이르다[假]'는 말을 뒤섞어 사용했음을 증명할 수 있다. 자신의 범절이 이미 바르기 때문에 그 집안을 감동시켜 이르게 하여 아비는 아비답고 자식은 자식다우며 형은 형답고 동생은 동생다우며, 남편은 남편답고 아내는 아내답게 하니, 각기 제 자리를 얻어 서로 돈독하고 화목하다. 집안을 바르게 하여 천하가 안정되기 때문에 근심하지 않아도 길하다."

● 游氏曰 : "九五尊位, 故以王言. '假'者, 感格之義, '王假有廟', 其義同也."

유씨가 말했다. "구오는 존귀한 자리이기 때문에 임금으로 말했다. '이르다[假]'는 말은 감동하여 이른다는 의미이니, 환(渙☴☵)괘와 취(萃☱☷)의 '임금이 사당에 이른다'[17]는 것과 그 의미가 같다."

---

15) 『서경』「순전(舜典)」: "月正元日 舜格于文祖.[정월 초하루에 순 임금이 문조의 사당에 이르렀다.]"라고 하였다.

16) 『예기(禮記)』「제통(祭統)」: "公假于太廟.[공이 태묘의 사당에 이르렀다.]"라고 하였다.

17) 『주역』「취괘(萃卦)」: "萃, 亨王假有廟「취(萃)는 왕이 사당에 이르니]"라고 하였고, 「환괘(渙卦)」: "渙, 亨, 王假有廟, 利涉大川, 利貞.[환(渙)은 형통하니, 왕이 사당에 이르며 큰 내를 건넘이 이로우니, 정고함이 이롭다.]"라고 하였다.

案

● '假'字訓感格, 諸說皆有明證可從. 何氏之說, 於「象傳」之義, 尤爲浹洽也.

'이르다[假]'를 감동하여 이르는 말로 풀이하는 것은 여러 설에서 모두 증명함이 있으니, 따라야 된다. 하씨의 설명은 「상전」의 의미와 더욱 잘 합한다.

上九, 有孚威如, 終吉.

상구는 믿음을 갖고 위엄으로 하면 마침내 길하다.

本義

上九, 以剛居上, 在卦之終. 故言正家久遠之道, 占者, 必有誠信嚴威則終吉也.

상구는 굳센 양으로 맨 위에 있고 괘의 끝에 있기 때문에 오래도록 집안을 바르게 하는 방도를 말했으니, 점치는 자가 반드시 정성과 위엄이 있다면 마침내 길할 것이다.

程傳

上, 卦之終, 家道之成也, 故極言治家之本. 治家之道, 非至誠不能也, 故必中有孚信則能常久, 而衆人自化爲善. 不由至誠, 己且不能常守也, 況欲使人乎. 故治家以有孚爲本.

상효는 괘의 끝이어서 집안 법도의 완성이기 때문에 집안을 다스리는 근본을 지극히 말하였다. 집안을 다스리는 법도는 지극한 정성이 아니면 할 수 없기 때문에 반드시 속에 믿음이 있으면 항구할 수 있고, 여러 사람들이 스스로 교화되어 선하게 된다. 지극한 정성으로 하지 않는다면 자신조차도 항상 지킬 수 없는데, 하물며 남들도 그러하게 할 수 있겠는가? 그러므로 집안을 다스림은 믿음을 갖는 것을 근본으로 한다.

治家者, 在妻孥情愛之間, 慈過則无嚴, 恩勝則掩義. 故家之患, 常在禮法不足而瀆慢生也, 長失尊嚴, 少忘恭順, 而家不亂者, 未之有也. 故必有威嚴, 則能終吉. 保家之終, 在有孚威如二者而已, 故於卦終言之.

집안을 다스릴 경우 처자식과 애정의 관계에 있으니, 사랑이 지나치면 엄격함이 없고 은혜가 지나치면 의리가 사라진다. 그러므로 집안의 근심은 항상 예법이 부족하여 무례함이 생기는 데 있으니, 어른이 존엄함을 잃고 젊은이가 공손함을 잃었는데도 집안이 어지럽지 않은 경우는 없다. 그러므로 반드시 위엄이 있으면 마침내 길할 수 있다. 집안을 끝까지 보존하는 것은 믿음을 갖고 위엄으로 하는 두 가지에 있을 뿐이기 때문에 괘의 끝에서 말하였다.

集說

● 王氏弼曰 : "家道可終惟信與威."

왕필이 말했다. "집안의 법도를 끝까지 지킬 수 있는 것은 믿음과 위엄일 뿐이다."

● 蘇氏軾曰 : "凡言'終'者, 其始未必然也. '婦子嘻嘻', 其始可樂, '威如之吉', 其始苦之."

소식이 말했다. "'마침내'라고 말하는 경우는 그 처음에 반드시 그

랬던 것이 아니다. '부인과 자식이 희희덕거린다'는 것은 그 처음에는 즐거울 수 있고, '위엄으로 하면 길하다'는 것은 그 처음에는 괴롭다."

● 王氏申子曰:"家人之終, 家道成也, 故極言齊家久遠之道. 齊家之道, 以誠爲本, 以嚴爲用. 不誠則上下相欺, 衆事不立. 不嚴則禮法不存, 瀆慢易生. 如此而家道齊者未之有也. 故家人之終, 以孚威二者言之, 是二者保家道之終吉者也."

왕신자가 말했다. "가인의 끝에 집안의 도가 이루어지기 때문에 오래도록 집안을 가지런히 하는 법도를 지극히 말하였다. 집안을 가지런히 법도는 성의를 근본으로 하고 엄함을 효용으로 한다. 성의가 없으면 상하가 서로 속여 모든 일이 성립되지 않는다. 엄하지 않으면 예법이 보존되지 않아 게으름이 쉽게 생긴다. 이렇게 하고도 집안의 법도가 가지런한 경우는 없다. 가인의 끝에 믿음과 위엄 두 가지로 말하였으니, 두 가지가 집안의 법도를 끝까지 보전하는 길한 것이기 때문이다."

● 何氏楷曰:"治家觀於身. 下五爻未及正身之義, 故於此爻足其意, 蓋探本之論, 與「大象」言'有物行有恒'相表裏."

하해가 말했다. "집안을 다스리는 것을 자신에게서 본다. 아래의 다섯 효는 자신을 곧게 하는 의미에 미치지 못했기 때문에 이 효에서 그 의미를 충분하게 했다. 근본을 찾는 논의는 「상전」에서 '말에 사실이 있고 행동이 일정함이 있다'[18]는 것과 서로 표리가 된다."

總論

● 吳氏曰愼曰："家人之道，男以剛嚴爲正，女以柔順爲正．初曰'閑'，三曰'厲'，上曰'威'，男子之道也．二四「象傳」，皆曰'順'，婦人之道也．五剛而中，非不嚴也，嚴而泰也."

오왈신[19]이 말했다. "가인의 도는 남자는 굳세고 엄한 것을 바름으로 삼고, 여자는 부드럽고 순한 것을 바름으로 삼는다. 초효에서 '방비한다'고 하고 삼효에서 '엄하다'고 하며, 상효에서 '위엄으로 한다'고 한 것은 남자의 도이다. 이효와 사효의 「상전」에서 모두 '순종한다'[20]고 한 것은 부인의 도이다. 오효는 굳세면서 가운데 있으니, 엄하지 않음이 아니라 엄하면서 편안한 것이다."

---

18) 『주역』「가인괘(家人卦)」："象曰，風自火出，家人，君子以，言有物而行有恒.[「상전」에서 말하였다. 바람이 불로부터 나옴이 가인이니, 군자가 그것을 본받아 말에 사실이 있고 행동에 일정함이 있다.]"라고 하였다.

19) 오왈신(吳曰愼)：자는 휘중(徽仲)이고 흡현(歙縣：현 안휘성 黃山市) 사람으로 제생[諸生：명(明)·청(淸) 시대 성(省)에서 실시하는 각종 고시(考試)에 합격한 다음 부(府), 주(州), 현(縣)의 학교에 들어가 공부하는 자들]을 지냈다. 북송오자의 책에 마음을 다 쏟았고, 학문을 논함에 경을 주로 하기 때문에 정암(靜菴)이라고 스스로 호를 붙였다. 초년에 양계(梁溪)를 유람하다가 동림(東林)서원에서 강학을 했다. 얼마 뒤 흡현으로 돌아와 자양서원과 환고서원 두 서원에서 제자들을 모아 강학했는데, 흥기하는 자들이 많았다.

20) 『주역』「가인괘(家人卦)」："象曰，六二之吉，順以巽也.[「상전」에서 말하였다. '육이의 길함'은 순종하여 공손하기 때문이다.]"라고 하였고, "象曰，富家大吉，順在位也.[「상전」에서 말하였다. '집안을 부유하게 하니 크게 길하다'는 것은 순종하여 제자리에 있기 때문이다.]"라고 하였다.

38. 규睽괘

☲ 離上
☱ 兌下

程傳

睽, 「序卦」, "家道窮必乖, 故受之以睽, '睽'者, 乖也." 家道窮則睽乖離散, 理必然也, 故家人之後受之以睽也. 爲卦上離下兌, 離火炎上, 兌澤潤下, 二體相違, 睽之義也, 又中少二女, 雖同居而所歸各異, 是其志不同行也, 亦爲睽義.

규(睽䷥)에 대해 「서괘전」에서 "집안의 법도가 다하면 반드시 어그러지기 때문에 규괘로 받았으니, 규(睽)는 어그러짐이다"라고 하였다. 집안의 법도가 다하면 어긋나 흩어지는 데 이치가 반드시 그런 것이기 때문에 가인(家人䷤)괘의 뒤를 규(睽䷥)괘로 받았다.
괘의 모양은 위가 리(離☲)괘이고 아래가 태(兌☱)괘이니, 리괘인 불은 타오르고 태괘인 못은 적시어 내려가서 두 몸체가 서로 어긋남이 규괘의 뜻이다. 또 둘째 딸과 막내 딸이 함께 있을지라도 시집가는 곳이 각각 달라 그 뜻을 함께 행하지 않는 것이 또한 규괘의 뜻이다.

睽, 小事, 吉.

규는 작은 일에 길하다.

本義

睽, 乖異也. 爲卦上火下澤, 性相違異, 中女少女志不同歸, 故爲睽. 然以卦德言之, 內說而外明, 以卦變言之, 則自離來者, 柔進居三, 自中孚來者, 柔進居五, 自家人來者, 兼之. 以卦體言之, 則六五得中, 而下應九二之剛, 是以其占不可大事, 而小事尙有吉之道也.

규(睽䷥)괘는 어긋나 다름이다. 괘의 모양이 위는 불이고 아래는 못이어서 성질이 서로 어긋나 달라지고, 둘째 딸과 막내 딸의 뜻이 같은 곳으로 돌아가지 않기 때문에 어긋난다.
그러나 괘의 덕으로 말하면 안으로 기뻐하고 밖으로 밝으며, 괘의 변화로 말하면 리(離䷝)괘에서 온 것은 부드러운 음이 나아가 삼효 자리에 있고, 중부(中孚䷼)괘에서 온 것은 부드러운 음이 나아가 오효 자리에 있으며, 가인(家人䷤)괘에서 온 것은 이를 겸하였다.
괘의 몸체로 말하면 육오가 가운데를 얻고 아래로 굳센 구이와 호응하니, 이 때문에 그 점이 큰 일은 할 수 없지만 작은 일에는 여전히 길한 도가 있다.

程傳

睽者, 睽乖離散之時, 非吉道也, 以卦才之善, 雖處睽時而小事吉也.

규는 어긋나고 흩어지는 때이니 길한 도가 아니지만, 괘의 재질이 선하기 때문에 어긋나는 때에 있을지라도 작은 일에 길하다.

集說

● 程子曰 : "'小事吉'者, 止是方睽之時, 猶足以致小事之吉, 不成終睽而已, 須有濟睽之道."

정자가 말했다. "'작은 일에 길하다'는 것은 단지 어그러지는 때이지만 여전히 작은 일의 길함은 충분히 이룰 수 있으니, 끝까지 어그러지게 하지 않고 반드시 그것을 구제하는 도가 있다."

● 趙氏汝楳曰 : "睽蓋人情事勢之適然, 聖人自有御時之方. '小事吉'者, 就其睽異之中, 有以善處之, 則亦吉也. 其屯之'小貞', 「洪範」之作'內之時'乎."

조여모가 말했다. "규는 사람의 마음과 일의 형세에 당연한 것이니, 성인에게는 저절로 때를 다스리는 방법이 있다. '작은 일에 길하다'는 것은 어그러져 달라지는 가운데 잘 처신하면 또한 길하다는 뜻이다. 준(屯䷂)괘 오효의 '작은 일에는 곧다'[1]는 것은 「홍범」에서

1) 『주역』「준괘(屯卦)」: "九五, 屯其膏, 小貞, 吉, 大貞, 凶.[구오는 은택을 베풀기 어려우니, 작은 일에는 곧으면 길하고 큰일에는 곧아도 흉하다.]"

'안에서의 때이다'로 되어 있다."

● 何氏楷曰 : "業已睽矣, 不可以忿疾之心驅迫之也. 惟不爲已甚, 徐徐轉移, 此合睽之善術也, 故曰'小事吉'. 小事猶言以柔爲事, 非大事不吉, 而小事吉之謂."

하해가 말했다. "사업이 이미 어그러졌다면 분노로 몰아붙여서는 안 된다. 할 수 없는 일이 이미 심하면 서서히 바꾸어가고, 이것이 어그러졌을 때 잘 대처하는 방법이기 때문에 '작은 일에 길하다'고 했다. 작은 일은 유순함으로 일을 한다고 말하는 것과 같으니, 큰 일이 길하지 않은 것이 아니라 작은 일에 길하다는 말이다."

案

● '小事吉'之義, 以爻義'見惡人''遇巷''噬膚'之類觀之, 則趙氏何氏之說, 是也. 蓋周旋委曲, 就其易者爲之, 皆'小事吉'之義.

'작은 일에 길하다'는 의미는 초효의 '나쁜 사람을 만나고' 이효의 '임금을 골목에서 만나며' 오효의 '살을 깨무는 것'으로 보면, 조씨[조여모]와 하씨[하해]의 설명이 옳다. 자세하게 돌리며 쉬운 것으로 하는 일들은 모두 '작은 일에 길하다'는 의미이다.

라고 하였다.

初九, 悔亡, 喪馬, 勿逐, 自復, 見惡人, 无咎.

초구는 후회가 없어지고, 말을 잃고 쫓지 않아도 스스로 돌아오니, 나쁜 사람을 만나야 허물이 없다.

本義

上无正應, 有悔也, 而居睽之時, 同德相應, 其悔亡矣. 故有喪馬勿逐, 而自復之象. 然亦必見惡人, 然後可以辟咎, 如孔子之於陽貨也.

위로 바르게 호응함이 없으니 후회가 있겠지만, 어긋나는 때 같은 덕으로 서로 호응하여 후회가 없어지기 때문에 말을 잃고 쫓지 않아도 스스로 돌아오는 상이 있다. 그러나 또한 반드시 나쁜 사람을 만난 뒤에야 허물을 피할 수 있으니, 공자가 양화(陽貨)에 대해 한 것과 같다.[2)]

程傳

九居卦初, 睽之始也. 在睽乖之時, 以剛動於下, 有悔可知. 所以得亡者, 九四在上, 亦以剛陽, 睽離无與, 自然同類相合.

2) 『논어』「양화(陽貨)」 서두에 나오는 내용으로 양화가 공자를 만나고 싶은데 만나주지 않자 공자가 없는 틈에 선물을 보내 인사를 하러 오게 하니, 공자도 양화가 없는 틈에 가서 인사하러 가다가 길에서 만난 것을 말한다.

同是陽爻, 同居下, 又當相應之位, 二陽本非相應者, 以在睽, 故合也, 上下相與, 故能亡其悔也. 在睽諸爻皆有應, 夫合則有睽, 本異則何睽. 唯初與四, 雖非應而同德相與, 故相遇.

구(九)는 괘의 처음에 있으니, 어긋남의 시작이다. 어긋나는 때 굳센 양으로 아래에서 움직이니, 후회가 있음을 알 수 있다. 그런데 후회가 없어지는 것은 구사가 위에 있더라도 굳센 양으로 어긋나 떨어져서 함께 함이 없음에 자연히 같은 부류끼리 서로 합하게 된다. 똑같이 양효(陽爻)이고 똑같이 아래에 있으며, 또 서로 호응하는 자리에 해당하니, 두 양은 본래 서로 호응하는 것이 아니지만 어긋나기 때문에 합하고, 위아래가 서로 함께 하기 때문에 그 후회를 없앨 수 있는 것이다. 규괘에서 여러 효가 모두 호응함이 있음에 합하면 어긋나겠지만 본래 다르다면 어찌 어긋난 것이겠는가! 오직 초효와 사효가 호응하는 것이 아닐지라도 같은 덕으로 서로 함께 하기 때문에 서로 만난다.

馬者, 所以行也, 陽上行者也, 睽獨无與, 則不能行, 是喪其馬也. 四旣與之合, 則能行矣, 是勿逐而馬復得也. '惡人', 與己乖異者也, '見'者, 與相通也. 當睽之時, 雖同德者, 相與, 然小人乖異者, 至衆, 若棄絶之, 不幾盡天下以仇君子乎. 如此則失含弘之義, 致凶咎之道也, 又安能化不善而使之合乎. 故必見惡人, 則无咎也, 古之聖王, 所以能化奸凶爲善良, 革仇敵爲臣民者, 由弗絶也.

말은 다니는 것이고 양(陽)은 위로 가는 것인데, 어긋나고 홀로 되어 함께 하는 것이 없으면 나아갈 수 없으니, 그 말을 잃었다. 사효가 이미 초효와 합했으면 나아갈 수가 있으니, 쫓지 않아도 다시 말을 얻는다. '나쁜 사람'은 자기와 어긋나고 다른 자이며, '만난다[見]'는 것은 함께 서로 통함이다.

어긋나는 때는 덕이 같은 사람들끼리 서로 함께 하더라도 어긋나고 달리하는 소인이 지극히 많으니, 그들을 버리고 끊는다면 온 천하 사람들이 거의 다 군자를 원수(怨讐)로 삼지 않겠는가? 이와 같으면 널리 포용하는 뜻을 상실하여 흉하고 허물이 있는 길에 이르게 될 것이니, 또 어떻게 나쁜 자를 감화시켜 합하게 할 수 있겠는가? 그러므로 반드시 나쁜 사람을 만나면 허물이 없으니, 옛날 성왕이 간사하고 흉악한 이를 교화시켜 선량한 사람을 만들고 원수를 바꾸어 신하와 백성으로 만들 수 있었던 것은 끊지 않았기 때문이다.

集說

● 鄭氏汝諧曰 : "居睽之初, 在卦之下, 必安静以俟之, 寬裕以容之, 睽斯合矣. 喪馬勿逐, 久則自復, 安静以俟之也. 睽而無應, 無非戾於已者, 拒絕之則愈戾, 故寬裕以容之也, 合睽之道, 莫善於斯."

정여해가 말했다. "어그러지는 처음에 있고 괘의 아래에 있으니, 반드시 편안하고 고요하게 기다리며 너그럽게 받아들이면 어그러진 것이 여기에서 합한다. 말을 잃고 쫓지 않아도 오래되면 스스로 돌아오는 것은 편안하고 고요하게 기다렸기 때문이다. 어그러져 호응이 없는데 자신에게 어그러지지 않음이 없어 거절한다면 더욱 어그러지기 때문에 너그러움으로 받아들이니, 어그러짐과 합하는 도가 이보다 좋은 것은 없다."

● 項氏安世曰："'喪馬勿逐自復', 往者不追也, '見惡人无咎', 來者不拒也. 此君子在下, 無應之時, 處睽之道也. '見'與'迫斯可見'之見, 同, 非往見之也. 若往見則違, 勿逐之戒矣."

항안세가 말했다. "'말을 잃고 쫓지 않아도 스스로 돌아온다'는 것은 가는 자는 막지 않는다는 뜻이고, '나쁜 사람을 만나야 허물이 없다'는 것은 오는 자는 막지 않는다는 뜻이다.[3] 이는 군자가 아래에서 호응이 없을 때 어그러짐에 대처하는 도이다. '만난다'는 '절박하게 하면 만날 수 있다'[4]고 할 때의 '만난다'는 뜻과 같으니, 찾아가서 만나는 것이 아니다. 찾아가서 만난다면 어그러지니, 쫓지 않는다는 경계를 하였다."

● 王氏申子曰："方睽之時, 其睽未深, 馬之失也, 未遠, 惡人睽閒之情, 未甚也. 失馬逐之, 則愈逐愈遠. 惡人激之, 則愈激愈

3) 『맹자』「진심상(盡心上)」："夫子之設科也, 往者不追, 來者不距, 苟以是心至, 斯受之而已矣.[부자께서 과정을 설치하신 것은 가는 자는 잡지 않고 오는 자는 막지 않아서 참으로 이러한 마음가짐으로 찾아오면 받아들일 따름인 것입니다.]"라고 하였다.

4) 『맹자』「등문공하(滕文公下)」："公孫丑問曰, 不見諸侯, 何義. 孟子曰, 古者, 不爲臣, 不見. 段干木, 踰垣而避之, 泄柳, 閉門而不納, 是皆已甚. 迫斯可以見矣.[공손추(公孫丑)가 물었다. '선생님이 자발적으로 제후를 만나지 않는 것은 무슨 경우입니까?' 맹자가 말하였다. '옛날에는 그의 신하가 아니면 가서 그를 만나지 않았다. 위(魏)나라 단간목은 위나라 문후(文侯)가 가서 그를 보자 담을 넘어 피하였고, 노(魯)나라 설류(泄柳)는 노나라 목공(穆公)이 가서 그를 보자 문을 잠그고 들어오지 못하게 하였다. 이렇게 하는 것은 모두 너무 지나치다. 절박하게 하면 만나볼 수 있다.']"라고 하였다.

睽, 故勿逐而聽其自復, 見之而可以免咎也. 處睽之初, 其道當如此. 不然睽終於睽矣."

왕신자가 말했다. "어그러지는 때는 그 어그러짐이 깊지 않아 말을 잃어도 멀리 달아나지 않고, 나쁜 사람이 어그러뜨려 이간질하는 실정이 심하지 않다. 말을 잃고 쫓아가면 그렇게 할수록 더욱 멀리 달아나고, 나쁜 사람은 부딪히면 그렇게 할수록 더욱 어긋나기 때문에 쫓지 않고 스스로 돌아오길 기다리니, 만나도 허물을 면할 수 있다. 어그러지는 처음에는 그 도를 이와 같이 해야 한다. 그렇게 하지 않으면 어그러짐이 어그러짐에서 끝난다."

● 何氏楷曰 : "静以俟之, 遜以接之, 泊然若不見其睽者. 夫惟不見其睽, 而後睽可合."

하해가 말했다. "고요히 기다리고 겸손히 맞이하며 담담히 어그러진 것을 보지 않은 듯이 한다. 오직 어그러진 것을 보지 않은 다음에야 어그러진 것이 합할 수 있다."

案

● 此爻所謂, 不立同異者也. 不求同, 故喪馬勿逐, 不立異, 故見惡人. 然惟居初處下, 其睽未甚者, 用此道爲宜耳. 立此心以爲之本, 然後隨所處而變通也. 此爻悔亡, 乃因無應. 程子所謂'合則有睽, 本異則何睽'者, 是也, 與六五'悔亡', 詞同而義異.

이 효에서 말한 것은 같고 다름을 내세우지 않는 것이다. 같은 것을 구하지 않기 때문에 말을 잃고도 쫓지 않으며, 다른 것을 내세우지 않기 때문에 나쁜 사람을 만난다. 그러나 초효의 자리에 있고 아래에 있어 그 어그러짐이 아직 심하지 않은 것이니, 이 도를 사용함이 마땅하다.
이런 마음을 내세워 근본으로 한 다음에 있는 곳에 따라 변통하니, 이 효에서 후회가 없어지니 바로 그것으로 말미암아 호응함이 없다. 정자가 말한 '합하면 어긋나겠지만 본래 다르다면 어찌 어긋난 것이겠는가'라는 것이 여기에 해당하니, 육오의 '후회가 없어진다'는 것과 말은 같지만 의미는 다르다.

九二, 遇主于巷, 无咎.
구이는 임금을 골목에서 만나야 허물이 없다.

本義

二五, 陰陽正應, 居睽之時, 乖戾不合, 必委曲相求而得會遇, 乃爲无咎. 故其象占, 如此.

이효와 오효는 음과 양의 정응이지만, 어긋나는 때에 있기에 어긋나 합하지 못하니, 반드시 곡진하게 서로 구해 만날 수 있어야 허물이 없게 된다. 그러므로 그 상과 점이 이와 같다.

程傳

二與五正應, 爲相與者也. 然在睽乖之時, 陰陽相應之道衰, 而剛柔相戾之意勝. 學易者識此, 則知變通矣. 故二五雖正應, 當委曲以相求也. 二以剛中之德居下, 上應六五之君, 道合則志行, 成濟睽之功矣. 而居睽離之時, 其交非固, 二當委曲求於相遇, 覬其得合也. 故曰'遇主于巷', 必能合而後无咎. 君臣睽離, 其咎大矣. '巷'者, 委曲之途也, '遇'者, 會逢之謂也, 當委曲相求, 期於會遇, 與之合也. 所謂'委曲'者, 以善道宛轉將就, 使合而已, 非枉己屈道也.

이효는 오효와 바르게 호응함이니 서로 함께하는 것이다. 그러나 어긋나는 때에 있어 음과 양이 서로 호응하는 도가 쇠퇴하고, 굳셈과 부드러움이 서로 어그러뜨리는 뜻이 기승을 부린다. 역을 배우는 자가 이것을 알면 변통(變通)을 알게 된다. 그러므로 이효와 오효가 바르게 호응할지라도 곡진하게 서로 구해야 한다.

이효가 굳세고 알맞은 덕으로 아래에 있으면서 위로 육오의 임금에게 호응하니, 도가 합하면 뜻이 행해져 어긋남을 구제하는 일을 이룰 수 있다. 그런데 어긋나 떨어지는 때에 있어 그 사귐이 견고하지 못하니, 이효가 곡진하게 서로 만나기를 구하여 합하기를 바라야 한다. 그러므로 '임금을 골목에서 만난다'고 하였으니, 반드시 합한 뒤에야 허물이 없다.

임금과 신하가 어긋나 떨어지면 그 허물이 크다. '골목[巷]'은 굽은 길이고 '만남[遇]'은 모임을 이르니, 곡진하게 서로 구하고 만남을 기약해서 더불어 합해야 한다. 이른바 '곡진하다[委曲]'는 것은 선한 도(道)로 완곡하게 나아가 합하게 할 뿐이니, 자신을 굽히고 도를 굽히는 것은 아니다.

集說

● 張氏清子曰 : "在睽之時, 惟九二獨遇六五之主, 故曰'遇主于巷', 「彖」所謂'得中而應乎剛'者, 指此爻也."

장청자가 말했다. "어그러지는 때에 구이만이 육오의 임금을 만나기 때문에 '임금을 골목에서 만났다'고 하였으니, 「단전」에서 말한 '가운데를 얻어 굳셈에 호응한다'[5]는 것은 이 효를 가리킨다."

5) 『주역』「규괘(睽卦)」: "彖曰, 睽, 火動而上, 澤動而下, 二女同居, 其志

● 蔣氏悌生曰："初九與九四, 同德相遇, 二與五爲正應, 亦曰'遇'.「小象」釋六三, 亦曰'遇剛'. 蓋當乖離之時, 相求相合, 在禮雖簡, 而於情則甚切至."

장제생이 말했다. "초구와 구사가 덕을 같이 하여 서로 만나고, 이효와 오효는 바르게 호응함이어서 또 '만난다'고 했다.「소상전」에서 육삼을 해석하면서 또 '굳셈을 만난다'[6]고 한 것은 어그러져 떠나는 때에 서로 구하고 서로 합하니 예(禮)에서는 간단할지라도 정(情)에서는 아주 절실하고 지극하다."

案

●『春秋』之法, 備禮則曰'會', 禮不備則曰'遇'. 睽卦皆言'遇', 小事吉之意也. 又禮君臣賓主相見, 皆由庭以升堂. '巷'者, 近宮垣之小逕, 故古人謂循牆而走, 則謙卑之義也. 謙遜謹密, 巽以入之, 亦'小事吉'之意也.

『춘추』의 법도에 예를 갖추면, '모인다[會]'고 했고, 예가 갖추어지지 않으면 '만난다[遇]'고 했다. 규괘에서는 모두 '만난다'고 했으니,

---

不同行. 說而麗乎明, 柔進而上行, 得中而應乎剛. 是以小事吉.[「단전」에서 말하였다. '규(睽)는 불이 움직여 올라가고 못이 움직여 내려가며, 두 여자가 함께 있으나 그 뜻이 한 가지로 행해지지 않는다. 기뻐하며 밝음에 걸리고, 부드러운 음이 나아가 위로 가서 가운데를 얻어 굳셈에 호응한다. 이 때문에 작은 일은 길한 것이다.']"라고 하였다.

6)『주역』「규괘(睽卦)」: "象曰, 見輿曳, 位不當也, 无初有終, 遇剛也.[「상전」에서 말하였다. '수레가 끌린다'는 것은 자리가 마땅하지 않기 때문이고, '처음은 없고 끝이 있다'는 것은 굳센 양을 만나기 때문이다.']"라고 하였다.

작은 일에 길하다는 의미이다.

또 예에 임금과 신하, 손님과 주인이 서로 만나면 모두 뜰을 통해 집으로 들어간다. '골목'은 집의 담과 가까운 작은 길이기 때문에 옛 사람들은 담을 따라 빨리 간다고 했으니, 겸손하게 낮추는 의미이다. 겸손하고 삼가 조심하여 공손히 들어가니, 또한 '작은 일에 길하다'는 의미이다.

六三, 見輿曳, 其牛掣, 其人天且劓, 无初有終.
육삼은 수레가 끌리고 소가 가로막으며, 그 사람이 천형을 당하고 또 비형을 당하니, 처음은 없고 끝이 있다.

本義

六三上九正應, 而三居二陽之間, 後爲二所曳, 前爲四所掣, 而當睽之時, 上九猜狠方深, 故又有髡劓之傷. 然邪不勝正, 終必得合, 故其象占, 如此.

육삼과 상구는 바르게 호응함이지만 삼효가 두 양 사이에 있어 뒤로는 이효에게 끌리고 앞으로는 사효에게 가로막히며 어긋나는 때여서 상구의 시기가 한창 깊기 때문에 또 머리가 깎이고 코가 베이는 상처를 입음이 있다. 그러나 간사함이 바름을 이기지 못해 끝내 반드시 합함을 얻기 때문에 그 상과 점이 이와 같다.

程傳

陰柔於平時, 且不足以自立, 況當睽離之際乎. 三居二剛之間, 處不得其所安, 其見侵陵, 可知矣. 三以正應在上, 欲進與上合志, 而四阻于前, 二牽於後. 車牛, 所以行之具也. 輿曳, 牽於後也, 牛掣, 阻於前也. 在後者, 牽曳之而已, 當前者, 進者之所力犯也, 故重傷於上, 爲四所傷也.

음의 유약함은 평시에도 스스로 설 수가 없는데, 하물며 어긋나고 떨어지는 때에 있어서야 말해 무엇 하겠는가! 삼효가 두 굳센 것들 사이에 있어 처신이 편안하지 못하니, 침해되고 능멸됨을 알 수 있다. 삼효는 바르게 호응함이 위에 있기 때문에 나아가 상효와 뜻을 합하고자 하지만 사효가 앞에서 가로막고 이효가 뒤에서 끌어당긴다.
수레와 소는 가는 도구이다. 그런데 수레가 끌린다는 것은 뒤에서 끌어당기고, 소가 가로막는다는 것은 앞에서 가로막음이다. 뒤에 있는 것은 끌어당길 뿐이지만, 앞에 있는 것은 나아감에 힘써 침범하기 때문에 윗사람에게 거듭 상처를 입게 되니, 사효에게 상처를 입게 되는 것이다.

'其人天且劓', '天,' 髡首也, '劓', 截鼻也. 三從正應而四隔止之, 三雖陰柔, 處剛而志行. 故力進以犯之, 是以傷也. 天而又劓, 言重傷也. 三不合於二與四, 睽之時, 自无合義, 適合居剛守正之道也. 其於正應, 則睽極, 有終合之理, 始爲二陽所戹, 是'无初'也, 後必得合, 是'有終'也. '掣', 從'制'從'手', 執止之義也.

'그 사람이 천형을 당하고 또 비형을 당한다[其人天且劓]'에서 '천형을 당한다[天]'는 머리를 깎이는 것이고 '비형을 당한다[劓]'는 코를 베이는 일이다. 삼효가 바르게 호응함을 따르려 하나 사효가 가로막아 멈추게 하고, 삼효가 음으로 유약할지라도 굳센 자리에 있어 뜻이 나아간다. 그러므로 힘써 나아가 침범하고, 이 때문에 상처를 입게 되는 것이다.
머리를 깎이고 또 코를 베이는 것은 거듭 상처를 입게 됨을 말한다.

삼효가 이효나 사효와 합하지 않는 것은 어긋나는 때는 스스로 합하려는 뜻이 없으니, 굳센 자리에 있으면서 바름[正]을 지키는 도에 딱 부합한다. 바르게 호응함에 대해서는 어긋남이 다되어 끝내 합하는 이치가 있으니, 처음에 두 양에게 고생하는 것은 '처음은 없다'는 뜻이고, 뒤에 반드시 합함을 얻는 것은 '끝이 있다'는 말이다. '가로막는다는 체(掣)'자는 '억제한다는 제(制)'자에다 '손이라는 수(手)'를 더한 것이니 잡아서 그치게 한다는 뜻이다.

集說

● 胡氏瑗曰 : "'天'當作'而'字, 古文相類, 後人傳寫之誤也. 然謂'而'者, 在漢法, 有罪髡其鬢髮曰'而', 又『周禮』'梓人爲筍簴作而', 亦謂髡其鬢髮也."

호원이 말했다. "'천형을 당한다는 천(天)'자는 '이(而)'자로 해야 한다. 옛글은 서로 비슷비슷해서 후대의 사람들이 베껴 전하면서 생긴 잘못이다. 그런데 '이(而)'라고 한 것은 한나라의 법에서 죄가 있어 머리털을 깎는 것을 '이(而)'라고 했고, 또 『주례(周禮)』에서 목공[梓人]이 '종과 악기를 거는 틀[筍簴]'을 설치하면서 '이(而)'를 만드니, 또한 털을 깎아내는 것을 말한다."

九四, 睽孤, 遇元夫, 交孚, 厲无咎.

구사는 어긋남에 외로워 으뜸 남편을 만나 서로 믿지만 위태하게 여겨야 허물이 없다.

本義

'睽孤', 謂无應, '遇元夫', 謂得初九, '交孚', 謂同德相信. 然當睽時, 故必危厲, 乃得无咎, 占者, 亦如是也.

'어긋남에 외롭다[睽孤]'는 호응이 없음을 말하고, '으뜸 남편을 만난다[遇元夫]'는 초구를 얻는 것을 말하며, '서로 믿는다[交孚]'는 덕이 같은 자와 서로 믿는 것을 말한다. 그러나 어긋나는 때이기 때문에 반드시 위태하게 여겨야 허물이 없을 수 있으니, 점치는 자도 이와 같이 해야 한다.

程傳

九四, 當睽時, 居非所安, 无應而在二陰之間, 是睽離孤處者也. 以剛陽之德, 當睽離之時, 孤立无與, 必以氣類相求而合. 是以遇元夫也, '夫', 陽稱, '元', 善也.

구사는 어긋나는 때에 거처가 편안한 곳이 아니고, 호응이 없으면서 두 음의 사이에 있으니, 어긋나 떨어져서 외롭게 있는 것이다. 굳센 양의 덕으로 어긋나 떨어지는 때에 고립되어 함께 하는 자가 없으니, 반드시 마음이 통하는 사람을 서로 찾아 화합해야 한다. 이 때문에 으뜸 남편[元夫]을 만나는 것이니, '남편[夫]'은 양을 말하고, '으뜸[元]'은 훌륭함[善]이다.

初九, 當睽之初, 遂能與同德而亡睽之悔, 處睽之至善者也. 故目之爲'元夫', 猶云'善士'也. 四則過中, 爲睽已甚, 不若初之善也. 四與初, 皆以陽處一卦之下, 居相應之位, 當睽乖之時, 各无應援, 自然同德相親, 故會遇也. 同德相遇, 必須至誠相與. '交孚', 各有孚誠也. 上下二陽, 以至誠相合, 則何時之不能行, 何危之不能濟. 故雖處危厲而无咎也. 當睽離之時, 孤居二陰之間, 處不當位, 危且有咎也, 以遇元夫而交孚, 故得无咎也.

초구는 처음 어긋나는 때에 마침내 덕이 같은 것과 함께 할 수 있어 어긋나는 후회를 없앨 수 있으니, 어긋남의 대처를 지극히 잘한 것이다. 그러므로 그것을 지목하여 '으뜸 남편[元夫]'이라고 하였으니, '훌륭한 선비[善士]'라고 하는 것과 같다. 사효는 알맞음이 지나쳐 어긋남이 이미 심하니, 초효의 훌륭함만은 못한다.
사효와 초효는 모두 양으로 한 괘의 아래에 있고 서로 호응하는 자리에 있는데, 어긋나 괴리하는 때에 각기 호응하여 도와주는 일이 없기에 자연스럽게 덕이 같은 것끼리 서로 가깝게 되었기 때문에 모여서 만난다. 덕이 같은 것과 서로 만남은 반드시 지극한 정성으로 서로 함께 해야 한다. '서로 믿는 것[交孚]'은 각각 성실함[孚誠]이 있기 때문이다.
위아래의 두 양효가 지극한 정성으로 서로 합하니, 어느 때인들 행하지 못하겠으며, 어떤 위험인들 구제하지 못하겠는가? 그러므로 위태로울지라도 허물이 없는 것이다. 어긋나 떨어지는 때에 두 음 사이에 외롭게 있고, 마땅하지 않은 자리에 있어 위험하고 또 허물이 있지만, 으뜸 남편을 만나 서로 믿기 때문에 허물이 없을 수 있다.

集說

● 孔氏穎達曰 : "'元夫', 謂初九也. 處於卦始故云元."

공영달이 말했다. "'으뜸 남편'은 초구를 말한다. 괘의 시작에 있기 때문에 으뜸이라고 했다."

● 王氏申子曰 : "四居近臣之位, 獨立无與, 幸有初九同德君子, 與之相遇. 四能交之以誠, 則睽不孤矣. 然當睽之時必危厲以處之乃得无咎."

왕신자가 말했다. "사효가 가까운 신하의 자리에 있고 홀로 서 있어 함께 하는 것이 없는데, 다행스럽게 초구라는 덕을 같이 하는 군자가 있어 그와 서로 만난다. 사효가 그와 정성으로 사귀면, 어긋남에 외롭지 않다. 그러나 어긋나는 때에는 반드시 위태롭게 여기면서 처신해야 허물이 없을 수 있다."

案

● 四亦無應者也, 然居大臣之位, 則孤立無黨, 乃正其宜, 故以睽孤爲无咎. 若元夫, 則非其所親厚者, 故雖遇之而交孚, 不害其爲淡然而寡合. 史稱諸葛亮法正, 趨尚不同, 而以公義相取者, 是也.

사효도 호응이 없는 것이지만 대신의 지위에 있으니, 고립되어 파당이 없어야 그 마땅함을 바르게 하기 때문에 어긋나 외로운 때를 허물이 없는 것으로 여겼다. 으뜸 남편은 친하여 두터운 자가 아니기 때문에 만나 사귀고 믿을지라도 무심하게 쉽게 투합하지 않는데 방해되지 않는다. 역사에서 제갈량의 법제는 취지가 같지 않아도 공의로 취했다고 하는 것이 여기에 해당한다.

六五, 悔亡, 厥宗, 噬膚, 往, 何咎.

육오는 후회가 없어지고 그 종친이 살을 깨무니, 가는데 무슨 허물이 있겠는가?

本義

以陰居陽, 悔也, 居中得應, 故能亡之. '厥宗', 指九二, '噬膚', 言易合. 六五有柔中之德, 故其象占, 如是.

음으로 양의 자리에 있는 것이 후회이다. 그러나 가운데 있고 호응을 얻었기 때문에 후회를 없앨 수 있다. '그 종친[厥宗]'은 구이를 가리키고, '살을 깨문다[噬膚]'는 쉽게 합한다는 말이다. 육오에는 부드럽고 알맞은 덕이 있기 때문에 그 상과 점이 이와 같다.

程傳

六以陰柔, 當睽離之時, 而居尊位, 有悔, 可知. 然而下有九二剛陽之賢, 與之爲應, 以輔翼之, 故得悔亡. '厥宗', 其黨也, 謂九二正應也. '噬膚', 噬齧其肌膚而深入之也. 當睽之時, 非入之者深, 豈能合也. 五雖陰柔之才, 二輔以陽剛之道而深入之, 則可往而有慶, 復何過咎之有. 以周成之幼稚, 而興盛王之治, 以劉禪之昏弱, 而有中興之勢, 蓋由任聖賢之輔, 而姬公孔明, 所以入之者, 深也.

육(六)이 음의 부드러움으로 어긋나 떨어지는 때에 존귀한 자리에 있으니, 후회가 있음을 알 수 있다. 그러나 아래에 구이라는 굳센 양의 어진 이가 있어 그것과 호응하여 돕기 때문에 후회가 없을 수 있다.
'그 종친[厥宗]'은 그 무리[黨]이니, 구이가 바르게 호응함을 말한다. '살을 깨문다[噬膚]'는 그 살갗[肌膚]을 깨물어 깊이 들어가는 것이다. 어긋나는 때는 들어가는 것이 깊지 않으면 어떻게 합할 수 있겠는가? 오효가 부드러운 음의 재질일지라도 이효가 굳센 양의 도(道)로 도와서 깊이 들어가면 나아가 경사가 있을 것이니, 다시 무슨 허물이 있겠는가?
주(周)나라 성왕(成王)이 어렸음에도 성대한 왕도 정치를 이룩하였고, 유선(劉禪)이 어리석고 나약했어도 중흥의 형세가 있었으니, 성현의 보필에 맡겨놔 주공[姬公]과 공명(孔明)이 들어감이 깊었기 때문이다.

集說

● 孔氏穎達曰 : "宗, 主也, 謂二也."

공영달 말했다. "종친은 주인으로 이효를 말한다."

● 王氏申子曰 : "睽之諸爻, 皆言睽. 獨二五不言睽而言合膚者, 睽之淺. 噬則合之深. 君臣之合如此, 可以往而有爲, 何咎之有."

왕신자가 말했다. "규괘의 여러 효는 모두 어긋남을 말했다. 유독 이효와 오효에서 어긋남을 말하지 않고 피부와 합함을 말한 것은 어긋남이 작은 것이다. 깨문다면 합하는 것이 깊다. 임금과 신하의 합이 이와 같으면, 가서 일을 할 수 있으니, 무슨 허물이 있겠는가?"

● 龔氏煥曰 : "睽與同人所謂宗, 皆以其應言也. 然同人于宗則吝, 而睽厥宗噬膚則无咎者, 處同人之世, 則欲其公, 不可以有私應, 處睽之世, 則欲其合, 不可以無正應, 時義有不同也."

공환이 말했다. "규괘와 동인괘에서 말한 종친[7]은 모두 그 호응으로 말한 것이다. 그러나 종친들에게서 사람들과 함께함은 부끄러운 일이고, 어긋나 그 종친이 살을 깨무는 것은 허물이 없는 일이다. 사람들과 함께 하는 때는 공평하게 하려고 하는 것에 사사롭게 호응해서는 안 되고, 어긋나는 때는 합하려고 하는 것에 바르게 호응함이 없어서는 안 되니, 시의가 같지 않기 때문이다."

● 胡氏炳文曰 : "噬嗑六二曰, '噬膚', 睽六五以九二爲厥宗噬膚, 睽二變卽噬嗑也. 或曰, 二至上有噬嗑象, 二五剛柔得中, 故五以二爲宗, 其合也如噬膚之易. 二以五爲主, 其合也. 有于巷之遭. 宗, 親之也, 上當以情親下也. 主, 尊之也, 下當以分嚴上也"

호병문이 말했다. "서합(噬嗑䷔)괘의 육이에서 '살을 깨문다'[8]고 하고, 규(睽䷥)괘의 육오는 구이를 그 종친이 살을 깨무는 것으로 여겼는데, 규(睽䷥)괘의 이효가 변하면 곧 서합(噬嗑䷔)괘이다. 어떤

7) 『주역』「동인괘(同人卦)」: "六二, 同人于宗, 吝.[육이는 종친들에게서 사람들과 함께 하니, 부끄럽다.]"

8) 『주역』「서합괘(噬嗑卦)」: "六二, 噬膚, 滅鼻, 无咎.[육이는 살을 깨무나 코를 없어지게 하니, 허물이 없을 것이다.]"

이가 '이효부터 상효까지 서합괘의 상이 있고, 이효와 오효는 굳셈과 부드러움이 알맞음을 얻었기 때문에 오효는 이효를 종친으로 여기니, 그 합함이 살을 깨무는 것처럼 쉽다. 이효는 오효를 임금으로 여기니, 그 합함에 골목에서 임금을 만남이 있다. 종친은 가까이 하는 것이니, 상효가 마음으로 아래를 가까이 한다. 임금은 높이는 것이니, 아래에서는 분수로 위에 엄격하게 해야 한다'라고 하였다."

案

● 睽之時, '小事吉'者, 逕情直行, 則難合, 委曲巽入, 則易通也. 如食物然, 齧其體骨則難, 而噬其膚則易. 九二遇我乎巷, 是厥宗之來噬膚也, 我往合之, 睽者不睽矣. 此其所以悔亡也, 何咎之有.

어긋날 때 '작은 일에 길하다'는 것은 정(情)으로 지름길로 곧장 가면 합하기 어렵고, 조심하고 겸손하게 들어가면 통하기 쉽다. 뼈를 씹으면 어렵고, 살을 깨물면 쉽다.
구이가 골목에서 나를 만난 것은 그 종친이 와서 살을 깨무는 일이니, 내가 가서 합한다면, 어긋난 일이 어긋나지 않는다. 이것이 후회가 없어지는 까닭이니, 무슨 허물이 있겠는가?

上九, 睽孤, 見豕負塗, 載鬼一車, 先張之弧, 後說之弧, 匪寇, 婚媾, 往遇雨則吉.

상구는 어긋남에 외로운데 돼지가 진흙을 짊어진 것을 보고, 귀신이 한 수레 실려 있어 먼저 활줄을 당겼다가 뒤에 활줄을 풀어놓으며, 도적이 아니라 혼인하려는 자이니 가서 비를 만나면 길하다.

本義

'睽孤', 謂六三爲二陽所制, 而己以剛處明極睽極之地, 又自猜狠而乖離也. '見豕負塗', 見其汚也, '載鬼一車', 以无爲有也. '張弧', 欲射之也, '說弧', 疑稍釋也. '匪寇婚媾', 知其非寇而實親也. '往遇雨則吉', 疑盡釋而睽合也, 上九之與六三, 先睽後合, 故其象占, 如此.

'어긋남에 외롭다'는 것은 육삼이 두 양에게 제재를 당했는데, 굳셈으로 밝음이 지극하고 어긋남이 지극한 곳에 있으면서, 또 스스로 시기하여 괴리되고 떨어진다는 말이다. '돼지가 진흙을 짊어진 것을 본다'는 그것이 더러운 것을 본다는 뜻이고, '귀신이 한 수레 실려 있다'는 없는 것을 있다고 여기는 것이다. '활줄을 당긴다'는 쏘려고 하는 것이며, '활줄을 풀어놓는다'는 의심이 점차로 풀리는 것이다. '도적이 아니라 혼인하려는 자이다'는 그가 도적이 아님을 알아 실제로 친애하는 것이다. '가서 비를 만나면 길하다'는 의심이 모두 풀려 어긋난 일이 화합하는 것이니, 상구가 육삼과 먼저는 어긋났다가 뒤에 합하는 것이다. 그러므로 그 상과 점이 이와 같다.

程傳

上, 居卦之終, 睽之極也, 陽剛居上, 剛之極也, 在離之上, 用明之極也. 睽極則咈戾而難合, 剛極則躁暴而不詳, 明極則過察而多疑. 上九, 有六三之正應, 實不孤, 而其才性如此, 自睽孤也. 如人雖有親黨, 而多自疑猜, 妄生乖離. 雖處骨肉親黨之間, 而常孤獨也.

상효는 괘의 끝에 있어 어긋남이 지극하고, 굳센 것이 맨 위에 있어 굳센 것이 지극하며, 리(離☲)괘의 맨 위에 있어 밝음을 쓰는 것이 지극하다. 어긋남이 지극하면 어그러져 합하기 어렵고, 굳셈이 지극하면 조급하고 자세하지 못하며, 밝음이 지극하면 지나치게 살펴 의심이 많다.
상구는 육삼이라는 바르게 호응함이 있어 실상 외롭지 않지만, 그 재주와 성질이 이와 같으니 스스로 어긋나서 외롭다. 이를테면 사람 중에 친근한 무리가 있더라도, 대부분 스스로 의심하고 시기하여 함부로 하고 어긋나서 떨어지니, 골육의 친근한 무리 사이에 있을지라도 항상 고독하다.

上之與三, 雖爲正應, 然居睽極, 无所不疑. 其見三如豕之汚穢, 而又背負泥塗, 見其可惡之甚也. 旣惡之甚, 則猜成其罪惡, 如見載鬼滿一車也. 鬼本无形, 而見載之一車, 言其以无爲有, 妄之極也.

상효가 삼효와 바르게 호응할지라도 어긋남이 지극한 데 있어 의심하지 않는 바가 없다. 삼효를 보면, 더러운 돼지인데다 등에 진흙을 짊어진 것과 같으니, 그 미워함이 심함을 알겠다. 이미 미워함이 심하니 시기함이 죄악을 이루어 귀신이 한 수레 가득 실림을 보는 것 같다. 귀신은 본래 형체가 없는데 한 수레에 실린 것처럼 본다는 말은 없는 것을 있는 것처럼 여긴다는 말이니, 함부로 함의 극치이다.

物理, 極而必反. 以近明之, 如人適東, 東極矣, 動則西也, 如升高, 高極矣, 動則下也. 旣極則動而必反也, 上之睽乖, 旣極, 三之所處者, 正理. 大凡失道, 旣極, 則必反正理, 故上於三, 始疑而終必合也.

사물의 이치는 끝까지 가면 반드시 돌아온다. 가까운 일로 밝히면, 사람이 동쪽으로 나아가 동쪽이 다하였을 때 움직이면 서쪽인 것과 같고, 높이 올라가 높음이 다하였을 때 움직이면 내려오는 것과 같다. 끝까지 가고 나면, 움직여 반드시 돌아오는데, 상효의 어긋나 괴리됨이 이미 지극하고, 삼효가 머무는 것은 바른 이치이다. 도를 잃음이 이미 지극하면 반드시 바른 이치로 돌아오므로 상효가 삼효에 대하여 처음에는 의심하지만 끝내는 반드시 화합한다.

'先張之弧', 始疑惡而欲射之也. 疑之者, 妄也, 妄安能常. 故終必復於正. 三實无惡, 故後說弧而弗射. 睽極而反, 故與三非復爲寇讎, 乃婚媾也. 此'匪寇婚媾'之語, 與他卦同而義則殊也.

'먼저 활줄을 당긴다'는 처음에 의심하고 미워하여 쏘려고 하는 것이다. 의심한다는 것은 함부로 함이니, 그렇게 하는 것을 어찌 한결같이 할 수 있겠는가? 그러므로 끝내 반드시 바름을 회복한다. 삼효는 실상 죄악이 없기 때문에 뒤에 활줄을 풀어놓고 쏘지 않는다. 어긋남이 다하여 돌아왔기 때문에 삼효와 다시 원수가 되지 않으니, 바로 혼인을 구하는 자이다. 여기에서 '도적이 아니라 혼인을 구하는 자이다[匪寇婚媾]'라는 말은 다른 괘와 말은 같지만 뜻은 다르다.

陰陽交而和暢, 則爲雨. 上於三, 始疑而睽, 睽極則不疑而合, 陰陽合而益和, 則爲雨. 故云'往遇雨則吉'. '往'者, 自此以往也, 謂旣合而益和, 則吉也.

음과 양이 사귀어 화창하면 비가 된다. 상효가 삼효에 대하여 처음에는 의심하여 어긋나지만 어긋남이 다하면 의심하지 않고 합하니, 음과 양이 합하고 더욱 화합하면 비가 되기 때문에 '가서 비를 만나면 길하다'고 하였다. '간다[往]'는 것은 여기에서 나아감이니, 합하고 나서 더욱 화합하면 길하다는 말이다.

集說

● 耿氏南仲曰 : "凡物之情, 信然後合, 合則愈信. 疑然後睽, 睽則愈疑."

경남중이 말했다. "사물의 정은 믿은 다음에 합하고 합하면 더욱 믿으며, 의심한 다음에 어긋나고 어긋나면 더욱 의심한다."

● 『朱子語類』云 : "小畜之上九曰, '旣雨旣處', 睽之上九曰, '往遇雨則吉'者, 畜極則通, 睽極則和也."

『주자어류』에서 말했다. “소축괘 상구에서 ‘이미 비가 오고 이미 그쳤다’[9]고 하고, 규괘의 상구에서 ‘가서 비를 만나면 길하다’고 하였으니, 쌓임이 다하면 통하고, 어긋남이 다하면 화합하기 때문이다.”[10]

● 丘氏富國曰：“上本與三應不孤也. 睽極而疑生, 故亦曰‘睽孤’. 豕鬼皆指三也. 上睽疑而未敢親近乎三, 如見豕背之負泥塗, 又如載鬼滿於一車之中. 始焉致疑, 則張弧, 終焉釋疑, 則說弧. 知其非爲寇讐, 乃我之婚媾也, 自此以往, 陰陽和暢, 向之疑心羣起者, 至此盡冰釋而亡矣.”

구부국이 말했다. “상효는 본래 삼효와 호응하여 외롭지 않다. 그런데 어긋남이 다해 의심이 생기기 때문에 ‘어긋남에 외롭다’고 하였다. 돼지와 귀신은 모두 삼효를 가리킨다. 상효는 어긋남에 의심해서 삼효에게 감히 친근하게 하지 못하니, 마치 돼지 등에 진흙을 싣고 있는 것을 보는 것과 같고, 또 수레에 귀신을 가득 싣고 있는 것과 같다. 처음에 의심하니 활줄을 당기고, 마침내 의심이 풀리니 활줄을 푼다. 그가 원수가 아니라 나와 혼인하려는 자임을 알게 되니, 이때부터 음양이 화창하게 되어 이전에 의심이 구름처럼 일어나던 것이 이제는 얼음이 다 녹듯이 없어진다.”

9) 『주역』「소축괘(小畜卦)」: “上九, 旣雨旣處, 尙德, 載, 婦貞, 厲.[상구는 이미 비가 왔고 이미 그쳤음은 덕을 숭상하여 가득 함이니, 아내가 곧더라도 위태롭다.]”라고 하였다.

10) 『주자어류』에는 이와 같은 내용이 없고, 장헌익(張獻翼)의 『독역기문(讀易紀聞)』「규괘(睽卦)」에 “소축괘 상구에서 ‘이미 비가 오고 이미 그쳤다’는 쌓임이 다하면 통한다는 것이고, 규괘의 상구에서 ‘가서 비를 만나면 길하다’는 어긋남이 다하면 화합한다는 것이다.[小畜上九曰, 旣雨旣處, 畜極則通, 睽上九曰往遇雨, 睽極則和.]”라는 말이 있다.

總論

● 馮氏當可曰:“內卦皆睽而有所待, 外卦皆反而有所應. 初喪馬勿逐, 至四遇元夫, 而初四合矣. 二委曲以求遇, 至五‘往何咎’, 而二五合矣. 三輿曳牛掣, 至上遇雨, 而三上合矣. 天下之理, 固未有終睽也.”

풍당가[11]가 말했다. “내괘는 모두 어긋나서 기다리는 바가 있고, 외괘는 모두 되돌아가서 호응하는 바가 있다. 초효는 말을 잃고 쫓지 않는데 사효가 으뜸 남편을 만나게 되자 초효와 사효가 합을 한다. 이효는 자세하게 하여 만남을 구하는데 오효가 ‘가는데 무슨 허물이 있겠는가?’에 이르자 이효와 오효가 합한다. 삼효는 수레가 끌리고 소가 가로 막는데 상효가 비를 만나자 삼효와 상효가 합한다. 그러니 천하의 이치에는 진실로 끝까지 어긋나는 것은 없다.”

● 吳氏曰愼曰:“六爻皆取先睽後合之象. 初之喪馬自復, 卽四之睽孤遇元夫也. 二之遇主于巷, 卽五之厥宗噬膚也. 三之无初有終, 卽上之張弧遇雨也. 合六爻處睽之道而言, 在於推誠守正, 委曲含弘, 而無私意猜疑之蔽, 則雖睽而必合矣.”

오왈신이 말했다. “여섯 효에서 모두 먼저 어긋하고 후에 합하는 상을 취했다. 초효의 말을 잃었는데 스스로 돌아옴은 곧 사효의 어

11) 풍당가(馮當可, 1100~1163) : 풍시행(馮時行)을 일컫는데, 자는 당가(當可)이고 호는 진운(縉雲)이다. 송나라 휘종(徽宗) 선화(宣和) 6년 장원 급제하여 봉절위(奉節尉), 강원현승(江原縣丞), 좌조봉의랑(左朝奉議郞) 등을 지냈다. 후에 항금(抗金)을 주장했다가 폐직되었다가 다시 기용되어 성도부노제형(成都府路提刑)까지 지냈다. 사천(四川) 아안(雅安)에서 서거했다. 『진운문집(縉雲文集)』과 『역륜(易倫)』이 있다.

긋남에 외로워 으뜸 남편을 만나는 것이다. 이효의 골목에서 임금을 만남은 곧 오효의 종친이 살을 깨무는 것이다. 삼효의 처음은 없고 끝이 있음은 상효의 활줄을 당겼다가 비를 만난 것이다. 여섯 효가 어긋남에 대처하는 도를 합하여 말하면, 정성을 미뤄 바름을 지키는 데 자세하고 포용하고 관대하며, 사사롭게 시기하고 의심하는 폐단을 없애면 어긋날지라도 반드시 합한다는 것이다."

39. 건蹇괘

䷦ 坎上
艮下

程傳

蹇, 「序卦」, "'睽者', 乖也, 乖必有難, 故受之以蹇. '蹇'者, 難也." 睽乖之時, 必有蹇難, 蹇所以次睽也. 蹇險阻之義, 故爲蹇難. 爲卦, 坎上艮下, 坎險也, 艮止也. 險在前而止, 不能進也. 前有險陷, 後有峻阻, 故爲蹇也.

건(蹇䷦)괘에 대해 「서괘전」에서 "'규(睽)'는 어긋남이며, 어긋나면 반드시 어려움이 있기 때문에 건괘로 받았다. '건(蹇)'은 어려움이다"라고 하였다. 어긋나는 때는 반드시 어려움이 있으니, 건괘가 그 때문에 규괘(睽卦)의 다음에 있다. 건(蹇)은 험하게 막혔다[險阻]는 의미이기 때문에 어려움[蹇難]이다.

괘의 모양은 감(坎☵)괘가 위에 있고, 간(艮☶)괘가 아래에 있는데, 감괘는 험함이고 간괘는 그침이다. 험한 것이 앞에 있어 그쳤으니 나아갈 수 없다. 앞에는 험함에 빠짐이 있고, 뒤에는 높게 막힘이 있기 때문에 건괘(蹇卦)이다.

蹇利西南, 不利東北, 利見大人, 貞, 吉.

건은 서남이 이롭고 동북이 이롭지 않으며, 대인을 보는 것이 이롭고, 곧으니 길할 것이다.

本義

蹇, 難也. 足不能進, 行之難也. 爲卦, 艮下坎上, 見險而止, 故爲蹇. 西南平易, 東北險阻, 又艮方也. 方在蹇中, 不宜走險. 又卦, 自小過而來, 陽進則往居五而得中, 退則入於艮而不進. 故其占曰'利西南而不利東北'.

건(蹇)은 어려움이다. 발을 내디딜 수 없어 가기가 어려운 것이다. 괘의 모양은 간괘가 아래에 있고 감괘가 위에 있어 험함을 보고 멈추기 때문에 건괘이다. 서남은 평이한데, 동북은 험하게 막혔고 또 간괘의 방향이다. 한창 어려운 가운데 있을 때는 험한 곳으로 가지 말아야 한다.

또 괘가 소과(小過䷽)괘에서 와서 양이 나아가면 오효로 가 있어 알맞음을 얻고, 물러나면 간괘로 들어가 나아가지 못하기 때문에 점에서 '서남이 이롭고 동북은 이롭지 않다'고 하였다.

當蹇之時, 必見大人然後, 可以濟難, 又必守正然後, 得吉. 而卦之九五, 剛健中正, 有大人之象, 自二以上五爻, 皆得正位, 則又貞之義也. 故其占, 又曰'利見大人貞吉'. 蓋見險者, 貴於能止, 而又不可終於止, 處險者, 利於進, 而不可失其正也.

어려운 때는 반드시 대인을 본 다음에 어려움을 구제할 수 있고, 또 반드시 바름을 지킨 다음에 길할 수 있다. 그런데 괘의 구오가 강건하고 중정하여 대인의 상이 있고, 이효부터 위로 다섯 효가 모두 바른 자리를 얻었으니, 또한 곧다는 뜻이다. 그러므로 점에서 다시 '대인을 보는 것이 이롭고, 곧으면 길하다'고 하였다.

험함을 본 경우에는 그칠 수 있는 것을 귀하게 여기지만 또 끝까지 그칠 수는 없으며, 험함에 있는 경우에는 나아감이 이롭지만 그 바름을 잃어서는 안 된다.

程傳

西南, 坤方. 坤地也, 體順而易. 東北, 艮方. 艮山也, 體止而險. 在蹇難之時, 利於順處平易之地, 不利止於危險也. 處順易則難可紓, 止於險則難益甚矣.

서남은 곤(坤☷)괘의 방향이다. 곤괘는 땅이니, 몸체가 유순하고 평이하다. 동북은 간(艮☶)괘의 방향이다. 간괘는 산이니, 몸체가 멈춰있고 험하다.

어려운 때는 평이한 곳에 유순하게 있음은 이롭고 위험한 곳에 머무름은 이롭지 않다. 평이한 곳에 있으면 어려움이 풀릴 수 있으나 험한 곳에 머무르면 어려움이 더욱 심해질 것이다.

蹇難之時, 必有聖賢之人, 則能濟天下之難, 故利見大人也. 濟難者, 必以大正之道而堅固其守. 故貞則吉也. 凡處難者, 必在乎守貞正, 設使難不解, 不失正德, 是以吉也. 若遇難而不能固其守, 入於邪濫, 雖使苟免, 亦惡德也, 知義命者, 不爲也.

어려운 때에 반드시 성현이 있으면, 곧 천하의 어려움을 구제할 수 있기 때문에 대인을 봄이 이롭다. 어려움을 구제함은 반드시 크게 바른 도로 하고 그 지킴을 견고히 해야 하기 때문에 곧으면 길하다.

어려움이 닥쳤을 경우 반드시 곧고 바름을 지키고 있다면, 어려움이 풀리지 않더라도 바른 덕을 잃지 않을 것이니, 이 때문에 길하다. 어려움을 만나 지킴이 견고하지 못하여 사특하고 참람함에 들어간다면, 구차하게 어려움을 면하더라도 악한 덕이니, 의리와 천명을 아는 경우에는 그렇게 하지 않는다.

集說

● 王氏弼曰 : "西南, 地也. 東北, 山也. 之平則難解, 之山則道窮."

왕필이 말했다. "서남은 땅이고 동북은 산이다. 평지로 가면 어려움이 풀리고, 산으로 가면 도가 막힌다."

● 范氏仲淹曰 : "蹇與屯近. 然屯則動乎險中, 難可圖也, 蹇則止乎險中, 難未可犯也."

범중엄[1]이 말했다. "건(蹇䷦)괘와 준(屯䷂)괘는 비슷하다. 그런데

1) 범중엄(范仲淹, 989~1052) : 북송(北宋)시대 오현(吳縣 : 현 강소성 소주〈蘇州〉) 사람으로, 사상가이자 정치가, 군사가, 문학가이다. 자는 희문(希文)이다. 대중상부(大中祥符) 8년(1015)에 진사(進士)로 급제하여,

준괘는 험한 가운데 움직이니 어려움을 도모할 수 있고, 건괘는 험한 가운데 멈춰 있으니 어려움을 범해서는 안 된다."

● 龔氏煥曰 : "蹇以見險而能止得名, 故爻辭除二五相應以濟外, 餘皆不宜往而宜止. 然事無終止之理, 故利西南利見大人, 以濟蹇難而諸爻皆無凶咎也."

공환이 말했다. "건(蹇䷦)괘는 험함을 보고 멈출 수 있는 것으로 이름을 얻었기 때문에 효사에서 이효와 오효가 서로 호응하여 구제하는 일 이외에 나머지는 모두 가서 안 되고 멈추어야 한다. 그런데 일에는 끝내 멈추어야 할 이유가 없기 때문에 서남이 이롭고 대인을 보는 것이 이로우니, 어려움을 구제하여 여러 효에 모두 흉함과 허물이 없어지기 때문이다."

案

● 『易』西南東北之義, 先儒皆以坤艮二卦釋之, 故謂西南屬地而平易, 東北屬山而險阻. 然以文意觀之, 所謂西南者西方南方,

---

벼슬은 비각교리(秘閣校理), 추밀부사(樞密副使), 참지정사(參知政事), 하동섬서선무사(河東陝西宣撫使) 등을 역임하였다. 인종(仁宗)에게 올린 10개항의 개혁 상소문은 나중에 왕안석(王安石) 신법의 선구가 되었다. 1043년에 경력신정(慶曆新政)에 참여했고, 『답수조조진십사(答手詔條陳十事)』라는 상소문을 올려 10가지 개혁을 주장했다. 1045년, 신정(新政)이 실패하자 좌천되어 나주지주(那州知州), 항주지주(杭州知州), 청주지주(青州知州)를 지냈다. 시호는 문정(文正)이고, 세인들은 '범문정공(范文正公)'이라고 불렀다. 문학 방면에서의 성취도 커서 후세에 많은 영향을 끼쳤다. 저서로 『범문정공문집(范文正公文集)』이 있다.

所謂東北者, 東方北方, 非指兩隅而言也. 此義自坤卦發端, 而蹇解彖辭申焉. 參之諸卦大義, 則坤者宜後而不宜先者也, 蹇者宜來而不宜往者也. 解或可以有往, 而終以來復爲安者也. 然則西南當爲退後之位, 東北當爲進前之方. 坤在後之地, 則可以得朋, 在先之地, 則利於喪朋, 蹇當退而居後, 不可進而居先, 此兩卦之義也. 難旣解矣, 或可以有進往, 故無不利東北之文. 然曰'利西南者', 終以退復自治爲安也. 蓋文王之卦, 陽居東北, 陰居西南, 陽先陰後, 陽進陰退. 大分如此, 似非險易之說也.

『역』에서 서남과 동북의 의미에 대해 선대 학자들은 모두 곤(坤☷)괘와 간(艮☶)괘 두 괘로 해석했기 때문에 서남은 땅에 속해 평이하고, 동북은 산에 속해 험하다. 그러나 문맥의 의미로 보면, 이른바 서남은 서방과 남방이고, 이른바 동북은 동방과 북방이지, 양쪽 모퉁이를 가리켜 말한 것이 아니다.

이런 의미는 곤(坤䷁)괘[2]에서 발단이 되어 건(蹇䷦)괘와 해(解䷧)괘의 단사[3]에서 거듭되었다. 여러 괘의 큰 의미를 참고하면, 곤(坤)은 뒤에 있어야 하고 앞장서서는 안 되고, 건(蹇)은 와야 되고 가서는 안 된다. 해괘에서는 간혹 가는 것이 있어야 하지만 끝내 와서 회복하는 것을 편안하게 여긴다. 그렇다면 서남은 물러나고 뒤에 있는 자리가 되어야 하고, 동북은 나아가 앞에 있는 방향이다. 그러니 곤괘가 뒤에 있는 곳이라면 친구들을 얻고, 앞에 있는

---

2) 『주역』「곤괘(坤卦)」: "西南得朋, 東北喪朋, 安貞, 吉.[서남에서는 벗을 얻고 동북에서는 벗을 잃을 것이니, 곧음에 편안하면 길할 것이다.]"라고 하였다.

3) 『주역』「해괘(解卦)」: "解, 利西南, 无所往, 其來復, 吉. 有攸往, 夙, 吉.[해괘(解卦)는 서남쪽이 이로우니, 갈 곳이 없으면 와서 회복함이 길하고, 갈 곳이 있으면 일찍 함이 길하다.]"라고 하였다.

곳이라면 친구들을 잃는 데 이로우며, 건(蹇䷦)괘는 물러나 뒤에 있어야 하고 나아가 앞에 있어서는 안 되니, 이것이 두괘의 의미이다.

어려움이 풀리고 나면 간혹 나아갈 수 있기 때문에 동북이 이롭지 않다는 말이 없다.[4] 그런데 '서남이 이롭다'고 한 것은 끝내 물러나고 돌아와 스스로 다스림을 편하게 여긴다는 뜻이다. 문왕의 괘는 양이 동북에 있고 음이 서남에 있으며, 양이 앞서고 음이 뒤지며, 양이 나아가고 음이 물러난다. 위와 같이 크게 나누는 것이 험함과 평이함을 설명하는 것은 아닌 듯하다.

4) 『주역』「해괘(解卦)」: "解, 利西南, 无所往, 其來復, 吉. 有攸往, 夙, 吉.[해괘는 서남쪽이 이로우니, 갈 곳이 없으면 와서 회복함이 길하고, 갈 곳이 있으면 일찍 함이 길하다.]"라고 하였다.

初六, 往蹇, 來譽.

초육은 가면 어렵고 오면 명예롭다.

本義

往, 遇險, 來, 得譽.

가면 험함을 만나고, 오면 명예를 얻는다.

程傳

六, 居蹇之初, 往進則益入於蹇, 往蹇也. 當蹇之時, 以陰柔无援而進, 其蹇可知. '來'者, 對'往'之辭, 上進則爲'往', 不進則爲'來'. 止而不進, 則有見幾知時之美, 來則有譽也.

육(六)이 건(蹇䷦)괘의 처음에 있어 나아가면 더욱 어려움으로 들어가니, 가면 어려운 것이다. 어려운 때는 부드러운 음으로 도움 없이 나아가니 그 어려움을 알만하다.
'온다[來]'는 '간다[往]'와 반대되는 말로, 위로 나아가면 '간다'이고 나아가지 않으면 '온다'이다. 그치고 나아가지 않으면 기미를 보고 때를 아는 아름다움이 있으니, 오면 명예가 있다.

集說

● 王氏弼曰 : "處難之始, 居止之初, 獨見前識, 覩險而止, 以待其時. 故往則遇蹇, 來則得譽."

왕필이 말했다. "어려움의 시작에 있고 멈춤의 처음에 있어 미리 알 것을 혼자 알아차리고 험함을 보고 멈추어 때를 기다린다. 그러므로 가면 어려움을 만나고 오면 명예를 얻는다."

● 『朱子語類』問 : "往蹇來譽."
曰 : "'來''往'二字, 惟『程傳』言'上進則爲往, 不進則爲來', 說得極好. 今人或謂六四'往蹇來連', 是來就三, 九三'往蹇來反', 是來就二, 上六'往蹇來碩', 是來就五, 亦說得通. 但初六'來譽', 則位居最下, 無可來之地, 其說不得通矣. 故不若『程傳』好, 只是不往爲佳耳."[5]

『주자어류』에서 물었다. "'가면 어렵고 오면 명예롭다'는 의미가 무엇입니까?"
대답했다. "'온다'와 '간다'는 두 말에 대해 『정전』에서 '위로 나아가면 간다는 것이고 나아가지 못하면 온다는 것이다'라고 했는데 설명이 아주 좋습니다. 요즘 사람들이 간혹 육사의 '가면 험난하고 오면 연합한다'는 와서 삼효에 나아가는 것이고, 구삼의 '가면 어렵고 오면 돌아올 것이다'는 와서 이효로 나아가는 것이며, 상육의 '가면 어렵고 오면 크다'는 와서 오효로 나아가는 것이라고 말하니 설명이 통합니다. 다만 초육의 '오면 명예롭다'는 것은 가장 아래에 있어 올 데가 없으니 그 설명이 통하지 않습니다. 그러므로 『정전』이 좋은 것만 못하니, 가지 않는 것이 아름답다는 것일 뿐입니다."

5) 『주자어류』 권72, 73조목.

● 何氏楷曰 : "此卦中言來者, 皆就本爻言, 謂來而止於本位也, 對往之辭. 初六去險最遠, 其止最先, 獨見前識, 正「傳」之所謂 '智'也."

하해가 말했다. "이 괘에서 온다고 한 것은 모두 이 효를 가지고 말했으니, 와서 본래의 자리에 머문다는 뜻으로 간다는 것과 반대되는 말이다. 초육은 험함에서 가장 멀리 있어 머무는 것이 가장 앞서고 미리 알 것을 혼자 알아차리니, 바로 「단전」에서 이른바 '지혜롭다'[6]는 뜻이다."

---

6) 『주역』「건괘(蹇卦)」: "彖曰, 蹇, 難也, 險在前也, 見險而能止, 知矣哉. [「단전」에서 말하였다. '건(蹇)은 어려움이니, 험함이 앞에 있음이다. 험함을 보고 그칠 수 있으니 지혜롭다.']"라고 하였다.

六二, 王臣蹇蹇, 匪躬之故.

육이는 임금의 신하가 어렵게 여기고 어렵게 여기는 것은 제 몸이 아니기 때문이다.

本義

柔順中正, 正應在上, 而在險中, 故蹇而又蹇, 以求濟之, 非以其身之故也. 不言吉凶者, 占者, 但當鞠躬盡力而已, 至於成敗利鈍, 則非所論也.

유순하고 중정한데 바르게 호응함이 위에서 험한 가운데 있기 때문에 어렵게 여기고 또 어렵게 여겨서 구제하니, 자신 때문이 아니다. 길흉을 말하지 않은 것은 점치는 자가 몸을 굽혀 힘을 다해야 할 뿐이지, 성공과 실패, 영리함과 어리석음은 논할 바가 아니기 때문이다.

程傳

二以中正之德, 居艮體, 止於中正者也. 與五相應, 是中正之人, 爲中正之君所信任. 故謂之'王臣'. 雖上下同德, 而五方在大蹇之中, 致力於蹇難之時. 其艱蹇, 至甚, 故爲蹇於蹇也. 二雖中正, 以陰柔之才, 豈易勝其任. 所以蹇於蹇也, 志在濟君於蹇難之中, 其蹇蹇者, 非爲身之故也. 雖使不勝, 志義可嘉, 故稱其忠藎, 不爲己也, 然其才不足以濟蹇也, 小可濟, 則聖人當盛稱以爲勸矣.

이효는 중정한 덕으로 간(艮☶)괘의 몸체에 있어 중정에 머물고 있다. 그런데 오효와 서로 호응하는 것은 중정한 사람이 중정한 임금에게 신임을 받는 것이기 때문에 '임금의 신하'라고 하였다.
위와 아래가 덕이 같을지라도 오효가 한창 크게 어려운 가운데 어려운 때에 힘을 다하고 있다. 그 어려움이 매우 심하기 때문에 어려운 가운데 어려운 것이다. 이효가 중정할지라도 부드러운 음의 재질을 가지고 어찌 쉽게 그 책임을 감당할 수 있겠는가? 어려운 가운데 어려운 것이기 때문에 뜻이 어려운 가운데 임금을 구제하는 데 있으니, 그 어려운 가운데 어려운 것은 자신 때문이 아니다.
감당하지는 못하더라도 뜻과 의리가 아름답다고 할 수 있기 때문에 그 충심으로 나아감이 자기 때문이 아니라고 칭찬하였다. 그런데 그 재질이 어려움을 구제하기에 부족해도 조금이라도 구제할 수 있다면 성인은 크게 칭찬해서 권장해야 하는 것이다.

集說

● 王氏弼曰："處難之時, 當位居中, 以應乎五, 執心不違, 志匡王室者也. 故曰王'臣蹇蹇匪躬之故'."

왕필이 말했다. "어려운 때에 지위를 담당하고 가운데 있으면서 오효에 호응하니, 마음을 잡고 어기지 않으면서 왕실을 마음으로 바로 잡는 것이다. 그러므로 '임금의 신하가 어렵게 여기고 어렵게 여기는 것은 제 몸이 아니기 때문이다'라고 하였다."

● 韓氏愈曰："易蠱之上九, '不事王侯, 高尚其事', 蹇之六二, 則曰'王臣蹇蹇, 匪躬之故'. 所居之時不一, 而所蹈之德不同也, 若蠱之上九居無用之地, 而致匪躬之節, 蹇之六二, 在王臣之位, 而高不事之心, 則冒進之患生, 曠官之刺興, 志不可則, 而尤不終無矣."[7]

한유(韓愈)[8]가 말했다. "『역』에서 고(蠱䷑)괘의 상구는 '왕후를 섬기지 않고 그 일을 높이 숭상하고',[9] 건(蹇䷦)괘의 육이는 '임금의 신하가 어렵게 여기고 어렵게 여기는 것은 제 몸이 아니기 때문이다'라고 한다. 있는 때가 같지 않고 밟고 있는 덕이 다르니, 고괘의 상구는 쓸데없는 곳에서 제 몸이 아닌 절개를 다하고, 건괘의 육이는 왕의 신하라는 지위에서 섬기지 못하는 마음을 높이니, 무릅쓰고 나아가는 근심이 생기고 관직에 걸맞지 않은 흠이 일어나며, 뜻은 본받을 수 없고 허물이 끝내 없지 않다."

---

7) 왕백대(王伯大), 『별본한문고이(別本韓文考異)』「쟁신론(争臣論)」.

8) 한유(韓愈, 768~824) : 당(唐)나라 때의 관리이자 문학가, 철학가, 사상가로 하남(河南) 하양(河陽) 사람으로 자는 퇴지(退之)이다. 정원(貞元) 8년(792)에 진사(進士) 출신으로 벼슬은 선무군절도사관찰추관(宣武軍節度使觀察推官), 국자감사문박사(國子監四門博士), 감찰어사(監察御史), 연주양산령(連州陽山令), 강릉법조참군(江陵法曹參軍), 권지국자박사(權知國子博士), 수찬(修撰), 지제고(知制誥), 중서사인(中書舍人), 조주자사(潮州刺史), 원주자사(袁州刺史), 국자제주(國子祭酒), 병부시랑(兵部侍郎), 이부시랑(吏部侍郎) 등을 역임했다. 고문운동(古文運動)의 제창자로 유종원(柳宗元), 소순(蘇洵), 소식(蘇軾), 소철(蘇轍), 왕안석(王安石), 구양수(歐陽修), 증공(曾鞏)과 더불어 '당송팔대가(唐宋八大家)'로 일컬어진다. 시호는 문(文)이다. 저서로 『한창려집(韓昌黎集)』, 『외집(外集)』, 『사설(師說)』 등이 있다.

9) 『주역』「고괘(蠱卦)」: "上九, 不事王侯, 高尚其事.[상구는 왕후를 섬기지 않고 그 일을 높이 숭상한다.]"라고 하였다.

● 蘇氏軾曰 : "初六九三六四上六四者, 或遠或近, 皆視其勢之可否, 以爲往來之節, 獨六二有應於五, 君臣之義深矣, 是以不計遠近, 不慮可否, 無往無來, 蹇蹇而已. 君子不以爲不智者, 非身之故也."

소식이 말했다. "초육·구삼·육사·상육 네효는 혹은 멀리 있고 혹은 가까이 있어 모두 그 시세의 가부를 보고 가고 오는 절개로 여긴다. 그런데 육이만은 오효와 호응하여 군신의 의미가 깊으니, 이 때문에 멀고 가까움을 따지지 않고 가부를 생각하지 않으며 가는 것도 없고 오는 것도 없이 어렵게 여기고 어렵게 여길 뿐이다. 군자가 지혜롭지 않다고 여기지 않은 것은 제 몸이 아니기 때문이다."

● 楊氏萬里曰 : "諸爻聖人皆不許其往, 惟六二九五, 無不許其往之辭者. 二爲王者之大臣, 五履大君之正位, 復不往以濟而誰當任乎."

양만리가 말했다. "여러 효에서 성인은 모두 그것들이 가는 것을 허락하지 않았는데, 오직 육이와 구오에서는 가는 것을 허락하지 않음이 없다는 말이다. 이효는 임금의 대신이고, 오효는 대군의 바른 자리를 밟고 있는데, 다시 가서 구제하지 않는다면 누가 책임을 지겠는가?"

九三, 往蹇, 來反.

구삼은 가면 어렵고 오면 돌아올 것이다.

本義

反就二陰, 得其所安.

돌아와 두 음에게 나아가니, 편안함을 얻는다.

程傳

九三, 以剛居正, 處下體之上, 當蹇之時, 在下者皆柔, 必依於三, 是爲下所附者也. 三與上, 爲正應, 上陰柔而无位, 不足以爲援, 故上往則蹇也. '來', 下來也, '反', 還歸也. 三爲下二陰所喜, 故來爲反其所也, 稍安之地也.

구삼이 굳셈으로 바른 자리에 있고 아래 몸체의 맨 위에 있는데, 어려운 때 아래에 있는 것들이 모두 유순하여 반드시 삼효를 의지하려 하니, 아래에 있는 것들이 따르는 것이다.

삼효는 상효와 바르게 호응하지만, 상효는 부드러운 음이고 지위가 없어서 도움이 되기에 부족하기 때문에 위로 가면 어렵다. '온다'는 내려온다는 것이고, '돌아온다'는 귀환한다는 것이다. 삼효는 아래의 두 음이 좋아하기 때문에 와서 제자리로 돌아오면, 다소 편안한 곳이다.

集說

● 孔氏穎達曰："九三與坎爲隣，進則入險，故曰'往蹇'，來則得位，故曰'來反'."

공영달이 말했다. "구삼은 감(坎☵)괘와 이웃이지만, 나아가면 험한 데로 들어가기 때문에 '가면 어렵다'고 했고, 오면 자리를 얻기 때문에 '오면 돌아올 것이다'라고 했다."

● 吳氏曰愼曰："九三剛正，爲艮之主，所謂見險而能止者. 故來而能反止於其所."

오왈신이 말했다. "구삼이 굳건하고 바르며 간괘의 주인이니, 이른바 험함을 보고 멈출 수 있는 것이다. 그러므로 와서 되돌아와 제 자리에 머무를 수 있다."

案

『傳』『義』以反爲反就二陰，孔氏吳氏，則謂止於其所，以孔子「象傳」觀之，則『傳』『義』理長，蓋三爲內卦之主故也.

『정전』과 『주역본의』에서는 돌아온다는 것을 되돌아와 두 음으로 나가는 것은 여겼고, 공씨[공영달]와 오씨[오왈신]는 제 자리에 머문다고 했다.
공자의 「상전」[10]으로 보면, 『정전』과 『주역본의』의 뜻이 뛰어나니, 삼효는 내괘의 주인이기 때문이다.

---

10) 『주역』「건괘(蹇卦)」："象曰，往蹇來反，內喜之也.[「상전」에서 말하였다. '가면 어렵고 오면 돌아올 것이다'는 것은 안에서 기뻐하기 때문이다.]"라고 하였다.

六四, 往蹇, 來連.

육사는 가면 어렵고 오면 연합한다.

本義

連於九三, 合力以濟.

구삼과 연합하여 힘을 합해 구제한다.

程傳

往則益入於坎險之深, 往蹇也. 居蹇難之時, 同處艱戹者, 其志不謀而同也. 又四居上位而與在下者, 同有得位之正, 又與三相比相親者也, 二與初, 同類相與者也, 是與下同志, 衆所從附也. 故曰'來連', 來則與在下之衆, 相連合也. 能與衆合, 得處蹇之道也.

가면 감괘(坎卦)의 깊은 험함으로 더욱 들어가니, 가면 어려운 것이다. 어려운 때 있으면서 함께 어려움과 곤액에 대처할 경우에는 그 뜻이 도모하지 않아도 같아진다.

또 사효는 윗자리에 있으면서 아래에 있는 것과 똑같이 자리의 바름을 얻었는데, 또 삼효와 서로 가까이 하고 서로 친애하는 것이며, 이효와 초효와는 같은 부류로 서로 함께 하는 것들이니, 아랫사람과 뜻을 같이 하여 무리가 따라 붙는 것이다.

그러므로 '오면 연합한다'고 하였으니, 오면 아래에 있는 무리와 서로 연합한다. 무리와 연합할 수 있다면, 어려움에 대처하는 도를 얻는다.

集說

● 荀氏爽曰 : "蹇難之世, 不安其所, 故曰'往蹇'也. 來還承五, 則與至尊相連, 故曰'來連'也."

순상이 말했다. "어려운 시대에는 그 있는 곳에 불안하기 때문에 '가면 어렵다'고 했다. 와서 되돌아와 오효를 계승하면 가장 존귀한 것과 서로 연합하기 때문에 '오면 연합한다'고 했다."

案

荀氏以'來連'爲承五, 極爲得之『易』例. 凡六四承九五, 無不著其美於爻象者. 況蹇有'利見大人'之文乎. 若三則於五無承應之義, 而爲內卦之主, 固不當與四竝論也."

순씨[순상]가 '오면 연합한다'는 오효를 계승하는 것으로 여겼으니 극도로 적합한 『역』의 사례이다. 육사가 구오를 계승하는 것은 효의 상징에 그 아름다움을 나타내지 않은 경우가 없으니, 하물며 건(蹇䷦)괘에 '대인을 보는 것이 이롭다'[11]는 구절이 있음에야 말해

11) 『주역』「건괘(蹇卦)」: "蹇利西南, 不利東北, 利見大人, 貞, 吉.[건(蹇)은 서남이 이롭고 동북은 이롭지 않으며, 대인을 보는 것이 이로우니, 곧으면 길할 것이다.]"라고 하였다.

무엇 하겠는가?

삼효는 오효에 대해 이어받고 호응하는 의리가 없고 내괘의 주인이니, 진실로 사효와 함께 논해서는 안 된다.

九五, 大蹇, 朋來.
구오는 크게 어려움에 벗이 올 것이다.

本義

'大蹇'者, 非常之蹇也. 九五, 居尊而有剛健中正之德, 必有朋來而助之者. 占者有是德, 則有是助矣.

'크게 어렵다'는 것은 보통의 어려움이 아니다. 구오가 높은 자리에 있으면서 강건하고 중정한 덕이 있으니, 반드시 벗이 와서 도와줌이 있을 것이다. 점치는 자에게 이러한 덕이 있으면 이러한 도움이 있다.

程傳

五居君位, 而在蹇難之中, 是天下之大蹇也, 當蹇而又在險中, 亦爲大蹇. 大蹇之時而二在下, 以中正相應, 是其朋助之來也. 方天下之蹇而得中正之臣相輔, 其助豈小也. 得朋來而无吉, 何也. 曰, 未足以濟蹇也.

오효가 임금의 자리에 있고 어려운 가운데 있으니 천하의 큰 어려움이고, 어려움을 맞아 또 험한 가운데 있으니, 또한 큰 어려움이다. 크게 어려운 때인데 이효가 아래에서 중정으로 서로 호응하니, 그 벗의 도움이 온다. 한창 천하가 어려운데 중정한 신하를 얻어 서로 도우니, 그 도움이 어찌 작겠는가? 벗이 옴을 얻었는데도 길함이 없는 것은 어째서인가? 말하자면, 어려움을 구제할 수 없기 때문이다.

以剛陽中正之君, 而方在大蹇之中, 非得剛陽中正之臣相輔之, 不能濟天下之蹇也. 二之中正, 固有助矣, 欲以陰柔之助, 濟天下之難, 非所能也. 自古聖王, 濟天下之蹇, 未有不由賢聖之臣, 爲之助者, 湯武得伊呂, 是也. 中常之君, 得剛明之臣, 而能濟大難者, 則有矣, 劉禪之孔明, 唐肅宗之郭子儀, 德宗之李晟, 是也.

굳센 양(陽)의 중정한 임금이지만 한창 크게 어려운 가운데 있으니, 굳센 양의 중정한 신하를 얻어 서로 돕는 것이 아니라면 천하의 어려움을 구제할 수 없다.
이효의 중정함은 참으로 도움이 있으나, 부드러운 음의 도움으로 천하의 어려움을 구제하려고 하니, 할 수 있는 것이 아니다. 예로부터 성왕이 천하의 어려움을 구제함에는 어질고 거룩한 신하가 도와줌을 말미암지 않은 적이 없었으니, 탕왕(湯王)과 무왕(武王)이 이윤(伊尹)과 여상(呂尙)을 얻은 것이 여기에 해당한다.
보통[中常]의 임금이 굳세며 현명한 신하를 얻어 큰 어려움을 구제한 경우가 있으니, 유선(劉禪)의 공명(孔明)과 당 숙종(肅宗)의 곽자의(郭子儀)와 덕종(德宗)의 이성(李晟)이 여기에 해당한다.

雖賢明之君, 苟无其臣, 則不能濟於難也. 故凡六居五, 九居二者, 則多由助而有功, 蒙泰之類, 是也. 九居五, 六居二, 則其功多不足, 屯否之類, 是也. 蓋臣賢於君, 則輔君以君所不

能, 臣不及君, 則贊助之而已, 故不能成大功也.

현명한 임금이라도 진실로 그런 신하가 없으면 어려움을 구제할 수 없다. 그러므로 음효[六]가 오효의 자리에 있고 양효[九]가 이효의 자리에 있는 것은 대부분 도움으로 말미암아 공로가 있으니, 몽(蒙䷃)괘와 태(泰䷊)괘의 부류가 여기에 해당한다.
양효[九]가 오효자리에 있고 음효[六]가 이효자리에 있는 것은 그 공로가 부족한 경우가 많으니, 준(屯䷂)괘와 비(否䷋)괘의 부류가 여기에 해당한다. 신하가 임금보다 현명하면 임금이 할 수 없는 것으로 임금을 보필하지만, 신하가 임금에 미치지 못하면 임금을 도와 보조할 뿐이기 때문에 큰 성공을 이룰 수 없다.

集說

● 干氏寶曰 : "在險之中而當五位, 故曰'大蹇'."

간보[12]가 말했다. "험한 가운데에 있고 오효의 자리에 해당하기 때

12) 간보(幹寶, ?~336) : 자는 영승(令升)이고, 동진(東晉)의 신채(新蔡 : 현 하남성 신채현) 사람이다. 역사·음양·산수를 연구했고, 원제(元帝) 때 저작랑(著作郞)이 된 뒤 역사찬집(歷史撰集)에 종사했다. 특히 역학(易學)에 조예가 깊어 『진서(晉書)』에서 "간보가 『주역』을 주석했다."고 했으며, 『수서(隋書)』「경적지(經籍志)」에는 "『주역』 10권을 진(晉)의 산기상시(散騎常侍)인 간보가 주석했고, 또한 『주역효의(周易爻義)』 1권을 간보가 지었으며, 양(梁)나라에는 『주역종도(周易宗塗)』 4권이 있는데 간보가 지었다."라고 기재되어 있다. 저서에는 『주역주(周易注)』, 『오기변화론(五氣變化論)』, 『진기(晉記)』, 『주관례주(周官禮注)』, 『춘추좌자의외전(春秋左子義外傳)』, 『수신기(搜神記)』 등이 있으며, 특히 『수신

문에 '크게 어렵다'고 했다."

● 『朱子語類』問 : "蹇九五何故爲'大蹇'."
曰 : "五是爲蹇主, 凡人臣之蹇, 只是一事, 至大蹇, 須人主當之."[13]

『주자어류』에서 물었다. "건괘의 오효는 무엇 때문에 '크게 어렵다'는 것입니까?"
대답했다. "오효는 건괘의 임금이니, 신하의 어려움은 하나의 일일 뿐이고, 큰 어려움이 생겨야 반드시 임금이 감당합니다."

● 又問 : "'大蹇朋來'之義."
曰 : "處九五尊位, 而居蹇之中, 所以爲大蹇, 所謂'遺大投艱于朕身', 人君當此, 則須屈羣策, 用羣力, 乃可濟也."[14]

또 물었다. "'크게 어려움에 벗이 올 것이다'는 구절은 무슨 의미입니까?"
대답했다. "구오가 존귀한 자리에 있고, 어려움의 가운데 있기 때문에 크게 어려운 것이니, 이른바 '내 몸에 큰 일을 물려주고 어려운 일을 던져 주셨다'[15]는 의미이다. 임금이 이런 때 반드시 여러 사람

기』는 괴이전설(怪異傳說)을 집대성한 것으로 육조(六朝) 소설의 뛰어난 작품일 뿐만 아니라, 당·송시대(唐宋時代) 전기물(傳奇物)의 선구가 되었다.

13) 『주자어류』 권72, 74조목.

14) 『주자어류』 권72, 75조목.

15) 『서경』「주서(周書)」: "肆予沖人, 永思艱, 曰嗚呼, 允蠢, 鰥寡哀哉. 予造, 天役, 遺大投艱于朕身, 越予沖人, 不自恤.[내 몸에 큰일을 물려주

의 질책에 몸을 구부려야 하니, 여러 사람의 힘을 써야 구제할 수 있기 때문이다."

● 胡氏炳文曰 : "諸爻皆以'往'爲'蹇', 聖人又慮天下皆不往, 蹇無由出矣, 二五君臣復不往, 誰當往乎. 是以於二曰'蹇蹇', 於五曰'大蹇'."

호병문이 말했다 "여러 효에서 모두 '간다'는 것을 '어려움'으로 여겼고, 성인은 또 천하에서 모두 가지 않으면 어려움을 벗어날 방법이 없음을 근심했으니, 이효와 오효의 임금과 신하가 다시 가지 않으면 누가 가야 하겠는가? 이 때문에 이효에서는 '어렵게 여기고 어렵게 여긴다'고 했고, 오효에서는 '크게 어렵다'고 했다."

案

● 二五獨無往來之文. 蓋君臣相與濟蹇者, 其責不得辭, 而於義無所避, 猶之遯卦諸爻皆遯, 六二獨以應五, 而固其不遯之志也. 胡氏之說得之. 凡易之應, 莫重於二五, 故二之稱'王臣'者, 指五也, 五之稱'朋來'者, 指二也. 如在下者, 占得五, 則當念國事之艱難, 而益致其匪躬之節, 如在上者, 占得二則當諒臣子之忠貞, 而益廣其朋來之助, 正如朱子說乾卦二五相爲賓主之例也. 推之蒙師諸卦, 無不皆然.

이효와 오효에만 가고 온다는 말이 없다. 임금과 신하가 서로 함께

고 어려운 일을 던져 주시니, 나 충인은 스스로 구휼할 겨를이 없다.]"라고 하였다.

어려움을 구제할 경우 그 책임을 사양할 수 없고 의리에서는 피할 길이 없으니, 돈(遯䷠)괘의 여러 효가 모두 도피하는 것이지만 육이만은 오효와 호응하여 진실로 피하지 않는다[16]는 뜻과 같다. 호씨의 설명이 적당하다.

역의 호응에서 이효와 오효보다 중요한 것은 없기 때문에 이효에서 '왕과 신하'라고 한 것은 오효를 가리키고 오효에서 '벗이 온다'고 한 것은 이효를 가리킨다. 아래에 있는 자가 점에서 오효를 얻으면 국가의 어려움을 생각하여 제 몸이 아닌 절개를 다해야 하고, 위에 있는 자가 점에서 이효를 얻으면 신하나 자식의 충정을 믿고 벗의 도움을 더욱 넓혀야 하니, 바로 주자가 건(乾䷀)괘에서 설명한 것으로 이효와 오효는 서로 손님과 주인이라는 사례와 같다. 몽괘와 사괘의 여러 괘에 미루어보면, 모두 그렇지 않은 것이 없다.

16) 『주역』「돈괘(遯卦)」: "六二, 執之用黃牛之革. 莫之勝說.[육이는 황소의 가죽으로 붙잡으니 죄다 벗길 수가 없다.]"라고 하였다.

上六, 往, 蹇, 來, 碩, 吉, 利見大人.

상육은 가면 어렵고 오면 커서 길할 것이니, 대인을 보는 것이 이롭다.

本義

已在卦極, 往无所之, 益以蹇耳, 來就九五, 與之濟蹇, 則有碩大之功. '大人', 指九五. 曉占者, 宜如是也.

이미 괘의 끝에 있어 가려 해도 갈 곳이 없고 더욱 어려울 뿐이니, 와서 구오에게 나아가 함께 어려움을 구제하면 큰 공(功)이 있다. '대인'은 구오를 가리킨다. 점치는 자가 이와 같이 해야 함을 깨우친 것이다.

程傳

六, 以陰柔居蹇之極, 冒極險而往, 所以蹇也, 不往而來, 從五求三, 得剛陽之助, 是以碩也. 蹇之道, 戹塞窮蹇, '碩', 大也, 寬裕之稱, 來則寬大, 其蹇紓矣. 蹇之極, 有出蹇之道, 上六, 以陰柔, 故不得出, 得剛陽之助, 可以紓蹇而已. 在蹇極之時, 得紓則爲吉矣, 非剛陽中正, 豈能出乎蹇也. 利見大人, 蹇極之時, 見大德之人, 則能有濟於蹇也. '大人'謂五, 以相比, 發此義. 五, 剛陽中正而居君位, 大人也.

육(六)이 부드러운 음으로 어려움의 끝에 있어 지극히 험함을 무릅쓰고 가기 때문에 어렵다. 가지 않고 와서 오효를 따르고 삼효에게 구하여 굳센 양의 도움을 얻는다면 이 때문에 클 것이다.

건(蹇)의 도는 재앙으로 막히고 곤궁하여 어렵다. '크다[碩]'는 것은 큼으로 너그럽고 넉넉함을 일컬으니, 오면 관대하여 그 어려움이 풀린다. 어려움의 끝에는 어려움을 벗어나는 길이 있는데, 상육은 부드러운 음이기 때문에 벗어나지 못하니, 굳센 양의 도움을 얻어야만 어려움을 풀 수 있다. 어려움이 다한 때 풀리게 된다면 길하겠지만, 굳센 양의 중정함이 아니라면 어찌 어려움을 벗어날 수 있겠는가?

대인을 봄이 이로운 것은 어려움이 다한 때 큰 덕이 있는 사람을 만난다면 어려움에서 구제될 수 있기 때문이다. '대인'은 오효를 말하니, 서로 가깝기 때문에 이 뜻을 밝혔다. 오효가 굳센 양으로 중정하며 임금의 지위에 있으니 대인이다.

在五不言其濟蹇之功, 而上六利見之, 何也. 曰, 在五不言, 以其居坎險之中, 无剛陽之助, 故无能濟蹇之義, 在上六, 蹇極而見大德之人, 則能濟於蹇, 故爲利也. 各爻取義, 不同, 如屯初九之志正, 而於六二, 則目之爲寇也. 諸爻, 皆不言吉, 上獨言吉者, 諸爻皆得正, 各有所善, 然皆未能出於蹇, 故未足爲吉, 唯上處蹇極, 而得寬裕, 乃爲吉也.

오효에서 어려움을 구제하는 공(功)을 말하지 않았는데, 상육에서 보면 이롭다는 것은 무엇 때문인가? 말하자면, 오효에서 말하지 않은 것은 감괘의 험함 가운데 있으면서 굳센 양의 도움이 없기 때문에 어려움을 구제할 수 있는 뜻이 없지만, 상육에서는 어려움이 다하여 큰 덕이 있는 사람을 본다면 어려움을 구제할 수 있기 때문에 이롭다.
각 효에서 뜻을 취한 것이 같지 않으니, 이를테면 준괘(屯卦) 초구의 뜻은 바른 데도 육이에서는 그것을 지목하여 도적으로 여겼다. 여러 효에서 모두 길함을 말하지 않다가 상효에서만 길함을 말했으니, 여러 효는 모두 바름을 얻어 각기 착한 것이 있으나 모두 어려움을 벗어날 수는 없기 때문에 길하지 못하고, 상효만이 어려움의 끝에 있고 너그럽고 넉넉함을 얻었으니 이에 길한 것이다.

集說

● 『朱子語類』云 : "諸爻皆不言吉, 蓋未離乎蹇中也. 至上六'往蹇來碩吉', 却是蹇極有可濟之理."[17]

『주자어류』에서 말했다. "여러 효에서 모두 길하다고 하지 않은 것은 어려운 가운데에서 떠나지 않았다는 말이다. 상육(上六)의 '가면 어렵고 오면 크게 길할 것이다'는 어려움이 극에 이르면 구제될 수 있는 이치가 있다는 뜻이다."

● 項氏安世曰 : "上六本無所往, 特以不來爲往耳, 初六本無所來, 特以不往爲來耳."

항안세가 말했다. "상육은 본래 갈 곳이 없어 오지 않는 것으로 갈 뿐이고, 초육은 본래 올 것이 없어 가지 않는 것으로 올 뿐이다."

17) 『주자어류』 권72, 73조목.

案

● 『易』卦, 上與五雖相比, 然無隨從之義者, 位在其上, 故於象如事外之人, 不與二三四同也. 惟有時取尙賢之義, 則必六五遇上九乃可. 大有大畜頤鼎之類, 是也. 然隨以九五遇上六, 亦取下賢之義, 則以卦義剛來, 下柔故耳.

『역』의 괘에서 상효가 오효와 서로 가까울지라도 따를 의미가 없는 것은 자리가 위에 있기 때문에 상징에서 일 밖의 사람이 이효·삼효·사효와 함께 하지 않는 것과 같다.
오직 때에 따라 어진 이를 높이는 의미를 취하는 것은 반드시 육오가 상구를 만나야 되니, 대유(大有☲)괘[18]·대축(大畜☶)괘[19]·이(頤☶)괘[20]·정(鼎☲)괘[21]와 같은 것들이 여기에 해당한다. 그런데 수(隨☱)괘에서 구오가 상육을 만난 것[22]이 또한 어진 이에게 낮추

---

18) 『주역』「대유괘(大有卦)」: "六五, 厥孚交如, 威如, 吉.[육오는 믿음으로 사귀니, 위엄 있게 하면 길하다.]"라고 하였고, "上九, 自天祐之, 吉无不利.[상구는 하늘로부터 도움을 받아 길하여 이롭지 않음이 없다.]"라고 하였다.
19) 『주역』「대축괘(大畜卦)」: "六五, 豶豕之牙, 吉.[육오는 멧돼지를 거세하여 이빨을 쓰지 못하게 하니, 길하다.]"라고 하였고, "上九, 何天之衢, 亨.[상구는 어찌 그리 하늘의 거리와 같은가? 형통하다.]"라고 하였다.
20) 『주역』「이괘(頤卦)」: "六五, 拂經, 居貞吉, 不可涉大川.[육오는 바른 도리에 위배되지만 곧음으로 처신하면 길하고, 큰 내를 건너서는 안 된다.]"라고 하였고, "上九, 由頤, 厲吉, 利涉大川.[상구는 자신으로 말미암아 길러지는 것이니 위태롭게 여기면 길하고, 큰 내를 건너는 것이 이롭다.]"라고 하였다.
21) 『주역』「정괘(井卦)」: "九五, 井洌, 寒泉食.[구오는 우물이 깨끗하여 차가운 샘물을 먹는다.]"라고 하였고, "上六, 井收勿幕, 有孚元吉.[상육은 우물을 길어 덮지 않으니 믿음이 있어서 크게 길하다.]"라고 하였다.

는 의미를 취한 것이라면, 괘의 의미로 굳셈이 와서 부드러움에 낮추었기 때문이다.

至於以上六遇九五, 吉者絶少, 而凶吝者多. 蓋以漸染於陰, 爲剛中正之累, 大過咸夬兌之類, 是也. 惟是卦有'利見大人'之文, 而以九五爲義者, 則上六與五相近, 可以反而相從. 訟巽之「彖」, 以九五爲大人矣, 而上九以剛遇剛, 則不相從也. 升「彖」亦言'用見大人'矣, 而卦無九五, 故言'用見'以別之.

심지어 상육이 구오를 만나 길한 것은 아주 적고, 흉하고 부끄러운 것은 많으니, 점점 음에게 물들어 굳세게 중정한 것에 누가 되기 때문으로 대과(大過䷛)괘[23] · 함(咸䷞)괘[24] · 쾌(夬䷪)괘[25] · 태(兌䷹)괘[26]와 같은 것들이 여기에 해당한다.

---

22) 『주역』「수괘(隨卦)」: "九五, 孚于嘉, 吉.[구오효는 훌륭함을 믿으니, 길하다.]라고 하였고, 上六, 拘係之, 乃從維之, 王用亨于西山.[상육효는 잡아매 놓고 이에 따르면서 동여매니, 임금이 서쪽 산에 제사드린다.]"라고 하였다.

23) 『주역』「대과괘(大過卦)」: "上六, 過涉滅頂, 凶, 无咎.[상육은 지나치게 건너 이마까지 빠지니, 흉하나 허물은 없다.]"라고 하였다.

24) 『주역』「함괘(咸卦)」: "上六, 咸其輔頰舌.[상육은 볼과 뺨과 혀에서 느낀다.]"라고 하였고, "象曰, 咸其輔頰舌, 滕口說也.[「상전」에서 말하였다. '볼과 뺨과 혀에서 느낌'은 입과 말로만 올려주는 것이다.]"라고 하였다.

25) 『주역』「쾌괘(夬卦)」: "上六, 无號, 終有凶.[상육은 호소할 곳이 없으니, 마침내 흉함이 있다.]"라고 하였다.

26) 『주역』「태괘(兌卦)」: "上六, 引兌.[상육은 이끌어서 기뻐함이다.]"라고 하였고, "象曰, 上六引兌, 未光也.[「상전」에서 말하였다: '상육이 이끌어서 기뻐함'은 빛나지 못하는 것이다.]"라고 하였다.

다만 이 괘에 '대인을 보는 것이 이롭다'는 말이 있고 구오를 의미로 삼은 것은 상육이 오효와 서로 가까워 되돌아가 서로 따를 수 있다. 송(訟䷅)괘[27]와 손(巽䷸)괘[28]의 「단사」에서 구오가 대인이고, 상구가 굳셈으로 굳셈을 만난 것은 서로 따르지 않는다. 승(䷭)괘의 「단사」에서도 '이것으로 대인을 만난다'[29]고 했는데, 괘에 구오가 없기 때문에 '이것으로 만난다'고 구분했다.

獨蹇萃之「彖」, 以九五爲大人而遇之者, 上六也, 以柔遇剛, 則有相從之義, 故萃則齎咨求萃於五而无咎, 蹇則來就於五而得吉. 蹇之上優於萃者, 聚極則散, 難極則解也. 乾卦二五而外, 爻辭言利見大人者, 惟此而已.

건(蹇䷦)괘 취(萃䷬)의 「단사」에서 구오를 대인으로 보고 만난 것은 상육으로 부드러움이 굳셈을 만나 서로 따르는 의미가 있기 때문에 취(萃)괘는 한탄하면서 오효에게 구하고 모여들어 허물이 없고,[30] 건(蹇)괘는 와서 오효에게 가서 길함을 얻는다.
건(蹇)괘의 상효는 취(萃)괘보다 나으니, 모이는 것이 다하면 흩어지고 어려움이 다하면 풀리기 때문이다. 건(乾䷀)괘의 이효[31]와 오

27) 『주역』「송괘(訟卦)」: "利見大人, 不利涉大川.[대인을 보는 것이 이롭고, 큰 내를 건너는 것이 이롭지 않다.]"라고 하였다.
28) 『주역』「손괘(巽卦)」: "巽, 小亨, 利有攸往, 利見大人.[손(巽)은 조금 형통하니, 가는 것이 이로우며 대인을 보는 것이 이롭다.]"라고 하였다.
29) 『주역』「승괘(升卦)」: "升, 元亨, 用見大人, 勿恤, 南征, 吉.[승은 크게 형통하여 이것으로 대인을 만나니 근심하지 말고 남쪽으로 가면 길하다.]"라고 하였다.
30) 『주역』「취괘(萃卦)」: "上六, 齎咨涕洟, 无咎.[상육은 한탄하며 눈물과 콧물을 흘리니 허물이 없다.]"라고 하였다.

爻[32] 이외에 효사에서 대인을 보면 이롭다는 것은 여기뿐이다.

31) 『주역』「건괘(乾卦)」: "九二, 見龍在田, 利見大人.[구이는 나타난 용이 밭에 있으니, 대인을 보는 것이 이롭다.]"라고 하였다.

32) 『주역』「건괘(乾卦)」: "九五, 飛龍在天, 利見大人.[구오는 나는 용이 하늘에 있으니, 대인을 보는 것이 이롭다.]"라고 하였다.

周易下經
주역하경

제6권

해解䷧ 손損䷨ꀀ 익益䷩ 쾌夬䷪
구姤䷫ 취萃䷬ 승升䷭ 곤困䷮

40. 해解괘

䷧ 震上
坎下

程傳

解, 「序卦」, "蹇者, 難也, 物不可以終難, 故受之以解." 物无終難之理, 難極則必散. 解者, 散也, 所以次蹇也. 爲卦, 震上坎下, 震動也, 坎險也, 動於險外, 出乎險也, 故爲患難解散之象. 又震爲雷, 坎爲雨, 雷雨之作. 蓋陰陽交感, 和暢而緩散, 故爲解. 解者, 天下患難解散之時也.

해(解䷧)괘에 대해 「서괘전」에서 "건(蹇)이란 어려움인데, 사물이 끝까지 어려울 수는 없기 때문에 해괘로 받았다"라고 하였다. 사물은 끝까지 어려울 리가 없으니, 어려움이 다하면 반드시 흩어진다. 해(解)는 흩어지는 것이기 때문에 건(蹇䷦)괘 다음에 놓였다.
괘의 모양은 진괘(☳)가 위이고 감괘(☵)가 아래인데, 진괘는 움직이고 감괘는 험하니, 험함의 밖에서 움직여 험함에서 벗어나기 때문에 환난이 풀려 흩어지는 상이다. 또한 진괘는 우레가 되고 감괘는 비가 되어 우레와 비가 일어난다.
음양이 교감하여 화창하고 부드럽게 퍼지기 때문에 해괘가 된다. '해(解)'는 천하의 환난이 풀려 흩어지는 때이다.

解, 利西南, 无所往, 其來復, 吉, 有攸往, 夙, 吉.

해는 서남쪽이 이로우니, 갈 곳이 없으면 와서 회복함이 길하고, 갈 곳이 있으면 일찍 함이 길하다.

本義

解, 難之散也. 居險能動, 則出於險之外矣, 解之象也. 難之旣解, 利於平易安靜, 不欲久爲煩擾. 且其卦自升來, 三往居四, 入於坤體, 二居其所而又得中, 故利於西南平易之地. 若无所往, 則宜來復其所而安靜, 若尚有所往, 則宜早往早復, 不可久煩擾也.

해(解)는 어려움이 흩어지는 것이다. 험한 데 있으면서 움직일 수 있으면 위험의 밖으로 벗어날 것이니, 풀리는 상이다. 어려움이 풀리고 나면 평이하고 안정된 것이 이로우니, 오래도록 번거롭고 어지럽게 되기를 바라지 않는다.

또 해(解☳☵)괘가 승(升☷☴)괘에서 와서 삼효가 사효의 자리로 가 있으니 곤괘의 몸체로 들어간 것이고, 이효가 제 자리에 있는데다 중(中)을 얻기 때문에 서남쪽의 평이한 땅이 이롭다.

갈 곳이 없으면 와서 제 자리를 회복하여 안정되어야 하고, 아직도 갈 곳이 있다면 일찍 갔다가 빨리 돌아와야 하며, 오래도록 번거롭고 어지럽게 해서는 안 된다.

程傳

西南, 坤方. 坤之體, 廣大平易. 當天下之難方解, 人始離艱苦, 不可復以煩苛嚴急治之, 當濟以寬大簡易乃其宜也. 如是則人心懷而安之. 故利於西南也. 湯除桀之虐而以寬治, 武王誅紂之暴而反商政, 皆從寬易也.

서남쪽은 곤괘의 방향이다. 곤의 몸체는 광대하고 평이하다. 천하의 어려움이 막 풀릴 때 사람들이 비로소 고난에서 벗어나니, 다시 번거롭고 가혹하고 엄하고 급하게 다스려서는 안 되고 관대하고 아주 간이한 것으로 구제해야 한다. 이와 같이 하면 사람들이 마음에 품고 편안하게 여기기 때문에 서남쪽에서 이롭다.
탕(湯)임금은 걸(桀)의 학정을 없애고 너그러움으로 다스렸고, 무왕(武王)은 주(紂)의 폭정을 척결하고 상나라의 정치로 되돌렸으니, 모두 너그럽고 간이함을 따른 것이다.

"无所往其來復吉有攸往夙吉", '无所往', 謂天下之難, 已解散, 无所爲也, '有攸往', 謂尚有所當解之事也. 夫天下國家, 必紀綱法度廢亂而後, 禍患生, 聖人旣解其難而安平无事矣, 是无所往也. 則當脩復治道, 正紀綱明法度, 進復先代明王之治, 是來復也, 謂反正理也, 天下之吉也. '其', 發語辭.

"갈 곳이 없으면 와서 회복함이 길하다. 갈 곳이 있으면 일찍 해야 길하다"에서 '갈 곳이 없다'는 것은 천하의 어려움이 풀리고 나서 할 일이 없음을 말하고, '갈 곳이 있다'는 것은 여전히 풀어야 할 일이 있음을 말한다.
천하와 나라·가문은 반드시 기강과 법도가 무너져 어지러운 뒤에

화와 근심이 생기는데, 성인이 이미 그 어려움을 풀어버려 편안하고 할 일이 없으니, 갈 곳이 없다. 그렇다면 다스리는 도리를 닦고 회복하고 기강을 바르게 하며 법도를 밝히면서 나아가 선대의 명철한 임금의 통치를 회복해야 하니, 와서 회복하고 바른 이치로 돌아가 천하가 길함을 말한다. '와서 회복함[其來復]'에서 '기(其)'는 발어사이다.

自古聖王, 救難定亂, 其始未暇遽爲也, 旣安定則爲可久可繼之治. 自漢以下, 亂旣除則不復有爲, 姑隨時維持而已, 故不能成善治, 蓋不知'來復'之義也. '有攸往夙吉', 謂尙有當解之事, 則早爲之乃吉也. 當解而未盡者, 不早去則將復盛, 事之復生者, 不早爲則將漸大, 故夙則吉也.

예로부터 성왕이 난리를 구제하고 혼란을 안정시킬 때, 처음에는 서두르며 할 겨를이 없고, 안정이 되고 나면 오래도록 계속할 수 있는 통치를 한다. 한나라 이후로 혼란이 제거되고 나면 회복해서 해보려 하지 않고 잠시 때에 따라 유지할 뿐이었기 때문에 훌륭한 정치를 이룰 수 없었으니, '와서 회복한다'는 뜻을 몰랐기 때문이다. '갈 곳이 있으면 일찍 함이 길하다'는 여전히 풀어야 할 일이 있다면 일찍 하는 것이 길함을 말한다. 풀어야 하는데 아직 다 하지 못한 것은 일찍 없애지 않으면 다시 왕성해지고, 일이 다시 생기는 것은 일찍 조치하지 않으면 점점 커지기 때문에 일찍 하면 길하다.

集說

● 王氏弼曰："解之爲義, 解難而濟厄者也. 以解來復, 則不失中, 有難而往, 則以速爲吉也. 無難則能復其中, 有難則能濟其厄也."

왕필이 말했다. "해괘의 의미는 어려움을 풀어버려 재앙을 구제하는 것이다. 풀어버림으로써 와서 회복하는 것은 알맞음을 잃지 않고, 어려움이 있어 가는 것은 신속함으로 길함을 삼는다. 어려움이 없으면 그 알맞음을 회복할 수 있고, 어려움이 있으면 그 재앙을 구제할 수 있다."

● 孔氏穎達曰 : "褚氏云, '世有無事求功, 故誡以無難宜靜, 亦有待敗乃救, 故誡以有難須速也'."

공영달이 말했다. "저씨가 '세상에 일 없이 공을 구하려고 하기 때문에 어려움이 없으면 조용히 있어야 한다고 경계하였고, 또한 크게 잘못되고서야 구제하려고 하기 때문에 어려움이 있으면 신속하게 해야 한다고 경계하였다'라고 하였다."

● 林氏栗曰 : "蹇止乎坎中, 是以言'利西南, 不利東北'. 解動於險外, 是以但言西南之利, 不復言東北之不利也."

임률[1]이 말했다. "어려움이 감괘 가운데 머무르고 있으니, '서남이

1) 임률(林栗) : 자는 황중(黃中)·관부(寬夫)이고, 시호는 간숙(簡肅)이다. 송대 복청(福淸 : 현 복건성 소속) 사람으로 1142년 진사에 급제했고 병부시랑(兵部侍郞)에 이르렀다. 1188년 6월 주희를 탐방하여 『역』과 「서명」을 토론하였는데 의견이 일치하지 않았다. 이를 계기로 주희는 학문이 천박한데도 고관대작을 탐내고 병부랑의 벼슬에 부임하지 않으려 한

이롭고 동북이 이롭지 않다'[2]고 말했다. 풀림이 험함의 밖에서 움직이니, 이 때문에 서남의 이로움만 말하고 동북의 이롭지 않음을 다시 말하지 않았다."

● 胡氏炳文曰 : "解之時, 以平易爲利, 畧有苛急卽非利, 以安靜爲吉, 久爲煩擾卽非吉. 『本義』曰 : '若无所往, 則宜來復其所而安靜', 是以安靜爲吉也. 曰'若有所往, 則宜早往早復, 不可久爲煩擾', 亦以安靜爲吉也. 『本義』'兩若'字, 未定之辭, 顧其時何如耳. 然其吉也, 皆在於來復."

호병문이 말했다. "풀릴 때는 평이한 것을 이로움으로 여기니, 조금이라도 급히 서둘면 이로움이 아니고, 안정된 것을 길함으로 여기니, 오래도록 번거롭게 하면 길함이 아니다. 『주역본의』에서 '갈 곳이 없으면 와서 제자리를 회복하여 안정해야 할 것이다'라고 했는데, 이 때문에 안정한 것이 길함이 된다. '갈 곳이 있다면 일찍 갔다가 빨리 돌아와야 하고 오래도록 번거롭고 어지럽게 해서는 안 된다'고 했는데, 또한 안정을 길함으로 삼았다. 『주역본의』에서 두 번 '~하면[若]'[3]이라고 한 말은 결정되지 않은 것에 대한 말로 그 때가

다고 탄핵하였다. 태상박사(太上博士)인 섭적(葉適)이 이를 바로 잡도록 상소하였으나 결국 임율이 처벌되었다. 저술로 『주역해전집해(周易解傳集解)』가 있다.

2) 『주역』「건괘(蹇卦)」: "蹇利西南, 不利東北, 利見大人, 貞, 吉.[건(蹇)은 서남이 이롭고 동북은 이롭지 않으며, 대인을 보는 것이 이로우니, 곧으면 길할 것이다.]"라고 하였다.

3) 『주역』「해괘(解卦)」 괘사 『주역본의』: "若无所往, 則宜來復其所而安靜, 若尙有所往, 則宜早往早復, 不可久煩擾也.[갈 곳이 없으면 와서 제 자리를 회복하여 안정해야 할 것이고, 아직도 갈 곳이 있다면 일찍 갔다가

어떤지 되돌아보는 것일 뿐이다. 그러나 그 길함은 모두 와서 회복하는 데에 있다."

案

● 解之時, 異於蹇之時, 故其辭小異. 然處解之道, 猶然處蹇之道, 故其意大同. 言利西南, 不言不利東北, 是辭小異也. 然西南者, 退後也, 猶蹇所云'來'也, 東北者, 前進也, 猶蹇所謂'往'也. 今無事則來, 固以西南爲利矣. 有事雖可以往, 而必以夙爲吉, 不可以往而忘返也. 是猶不以東北爲利, 而終以西南爲利也, 其與處蹇之道, 意大同矣. 蓋國家無論有事無事, 皆以退而自脩爲本, 以爻義與卦相參, 皆可見矣.

풀릴 때는 어려울 때와 다르기 때문에 그 말에 다소 차이가 있다. 그렇게 풀릴 때 대처하는 도는 그렇게 어려울 때 대처하는 도와 같기 때문에 그 의미가 크게는 같다.
서남이 이롭다고 말하고 동북이 이롭지 않다고 말하지 않은 것은 말에 다소 차이가 있다. 그런데 서남은 물러나 뒤에 있는 것으로 건(蹇䷦)괘에서 '온다'고 말한 것과 같고, 동북은 앞으로 나아가는 것으로 건(蹇䷦)괘에서 '간다'고 말한 것과 같다. 이제 일이 없으면 오는 것은 진실로 서남을 이롭게 여기는 것이다.
일이 있으면 가야 하고 반드시 빠른 것을 길함으로 여길지라도 가서 돌아올 것을 잊어서는 안 된다. 이것은 동북을 이롭게 여기지만 마침내 서남을 이롭게 여기는 것과 같으니, 어려움에 대처하는 도와 의미가 크게는 같다. 국가는 일이 있든 없든 말할 필요 없이 모

빨리 돌아와야 하고, 오래도록 번거롭고 어지럽게 해서는 안 된다.]"라고 하였다.

두 물러나 자신을 수양하는 것을 근본으로 삼는다. 효의 의미와 괘를 서로 참고하면 모두 알 수 있다.

初六, 无咎.

초육은 허물이 없다.

本義

難旣解矣, 以柔在下, 上有正應, 何咎之有. 故其占如此.

어려움이 풀린 다음 부드러운 음이 아래에서 위로 바르게 호응하니, 무슨 허물이 있겠는가? 그러므로 그 점사가 이와 같다.

程傳

六居解初, 患難旣解之時, 以柔居剛, 以陰應陽, 柔而能剛之義. 旣无患難而自處, 得剛柔之宜. 患難旣解, 安寧无事, 唯自處得宜, 則爲无咎矣. 方解之初, 宜安靜以休息之, 爻之辭寡, 所以示意.

육[六]이 해(解䷧)괘의 처음에 있고 환난이 이미 풀린 때에 부드러움으로 강건한 자리에 있고 음으로 양에 호응하니, 부드러우며 굳셀 수 있다는 뜻이다. 이미 환난이 없어졌고 스스로 처신함이 굳셈과 부드러움의 마땅함을 얻었다.
환난이 풀린 다음이라 편안하고 일이 없으며 스스로 처신함이 마땅함을 얻었으니 허물이 없는 것이다. 한창 풀릴 때는 편안하고 고요히 쉬어야 하니, 효사의 말이 적은 것은 그러한 뜻을 보이기 위함이다.

集說

● 郭氏雍曰:"處解之初, 得无所往其來復吉之義, 故无咎也."

곽옹이 말했다. "풀리는 처음에 처신할 때 갈 곳이 없으면 와서 회복하여 길하다는 의미를 얻었기 때문에 허물이 없다.

● 胡氏炳文曰:"恒九二'悔亡', 大壯九二'貞吉', 解初六'无咎', 三爻之占, 只二字, 其言甚簡, 象在爻中, 不復言也."

호병문이 말했다. "항(恒䷟)괘 구이의 '후회가 없어진다'[4]는 것, 대장(大壯䷡)괘 구이의 '곧아야 길하다'[5]는 것, 해괘 초육의 '허물이 없다'는 것, 세 효의 점은 두 마디뿐으로 그 말이 매우 간략하지만 상이 그 가운데 있기 때문에 다시 말하지 않았다."

● 蔡氏清曰:"初六以柔在下, 則能安靜而不生事以自擾, 何咎之有."

채청이 말했다. "초육이 부드러움으로 아래에 있으면, 편안하고 고요하여 일을 만들어 스스로 어지럽게 하지 않으니, 무슨 허물이 있겠는가?"

4) 『주역』「항괘(恒卦)」:"九二, 悔亡.[구이는 후회가 없어진다.]"라고 하였다.
5) 『주역』「대장괘(大壯卦)」:"九二, 貞吉.[구이는 곧아야 길하다.]"라고 하였다.

案

「彖」'利西南'者處後也. 初應剛承剛而處其後, 得卦義矣. 義明故辭寡."

「단사」에서 '서남쪽이 이롭다'는 것은 뒤에 있어서이다. 초육이 굳셈에 호응하고 그것을 계승하며 뒤에 있으니 괘의 의미를 얻었다. 의미가 분명하기 때문에 괘사가 적다.

九二, 田獲三狐, 得黃矢, 貞, 吉.

구이는 사냥하여 세 마리 여우를 잡아 누런 화살을 얻으니, 곧게 하면 길하다.

本義

此爻取象之意, 未詳. 或曰: "卦凡四陰, 除六五君位, 餘三陰, 卽三狐之象也." 大抵此爻爲卜田之吉占, 亦爲去邪媚而得中直之象, 能守其正, 則无不吉矣.

이 효에서 상을 취한 뜻은 자세하지 않다. 어떤 이는 "괘의 네 음에서 육오인 임금 자리를 제외한 나머지 세 음이 바로 세 여우의 상이다"라고 한다.
대체로 이 효는 사냥하는 데 길한 점이고, 또 사악하고 아첨하는 이를 제거하여 알맞고 강직함을 얻는 상이니, 그 올바름을 지킬 수 있다면 길하지 않음이 없다.

程傳

九二, 以陽剛得中之才, 上應六五之君, 用於時者也. 天下小人常衆, 剛明之君在上, 則明足以照之, 威足以懼之, 剛足以斷之, 故小人不敢用其情. 然尤常存警戒, 慮其有間而害正也. 六五以陰柔, 居尊位, 其明易蔽, 其威易犯, 其斷不果而易惑, 小人一近之, 則移其心矣. 況難方解而治之初, 其變尙易.

구이는 굳센 양이 알맞음을 얻은 재질로 위로 육오의 임금과 호응하니, 때에 맞게 쓰이는 것이다. 천하에는 소인이 언제나 많지만 굳세고 밝은 임금이 위에 있으면, 밝음으로 충분히 비출 수 있고, 위엄으로 충분히 두렵게 할 수 있으며, 굳셈으로 충분히 결단할 수 있기 때문에 소인이 감히 제멋대로 하지 못한다. 그러나 항상 경계하여 그 틈이 생겨 바름을 해칠 것을 염려해야 한다.
육오는 유약한 음으로 존귀한 지위에 있어 그 밝음이 가려지기 쉽고 그 위엄이 침범되기 쉬우며 그 결단이 과감하지 못하여 미혹되기 쉬우니, 소인이 한 번이라도 가까이 하면 그 마음을 움직인다. 더구나 어려움이 막 풀리고 다스려지는 초기여서 더욱 쉽다.

二旣當用, 必須能去小人, 則可以正君心而行其剛中之道. '田'者, 去害之事, '狐'者, 邪媚之獸. '三狐', 指卦之三陰, 時之小人也. '獲', 謂能變化除去之, 如田之獲狐也. 獲之則得中直之道, 乃貞正而吉也. '黃', 中色, '矢', 直物, '黃矢', 謂中直也. 羣邪不去, 君心一入, 則中直之道无由行矣, 桓敬之不去武三思是也.

이효가 등용된 다음에는 반드시 소인을 없앨 수 있으니, 임금의 마음을 바로 잡아 그 굳세고 알맞은 도를 행할 수 있다.
'사냥한다'는 것은 해로움을 제거하는 일이고, '여우'는 간사하고 아첨하는 짐승이다. '세 마리 여우'는 괘의 세 음을 가리키니 당시의 소인이다. '잡는다'는 것은 변화하고 제거하기를 사냥해서 여우를 잡듯이 할 수 있다는 말이다. 잡으면 알맞고 강직한 도를 얻으니, 이에 곧고 바르게 되어 길하다.
'누런 것[黃]'은 가운데 색이고, '화살'은 곧은 물건이니, '누런 화살'

은 알맞고 강직함을 말한다. 사악한 무리들이 제거되지 않아 임금의 마음이 한 번 빠지면, 알맞고 곧은 도리가 행해질 수 없으니, 환언범(桓彦範)[6]과 경휘(敬暉)[7]가 무삼사(武三思)[8]를 제거하지 않은 것이 여기에 해당한다.

集說

● 楊氏萬里曰："當解之時，此爻欲其獲狐，三戒其致寇．四欲其解拇，五欲其退小人，六欲其射隼，一卦六爻，而去小人之象，居其五．然則召天下多難者，誰乎．人君亦何利於天下之多難，而樂於近小人以疎君子哉."

양만리[9]가 말했다. "풀리는 때 이 효에서는 여우를 잡으려 하고,

---

6) 환언범(桓彦範, 653~706) : 당나라 사람으로 측천무후를 몰아내고 중종을 복위시켜 시중이 되었으나, 곧 무삼사의 참소로 귀양가다가 피살당했다.
7) 경휘(敬暉, ?~706) : 중종(中宗) 신룡(神龍) 원년(705) 장간지(張柬之) 등과 함께 장창종(張昌宗)과 장역지(張易之)를 살해하고 중종을 맞아 복위시켰고, 시중(侍中)에 발탁되어 평양군공(平陽郡公)에 봉해졌다. 얼마 뒤 무삼사(武三思)의 모함을 받아 위후(韋后)를 폐위하려는 음모를 꾸몄다는 죄목으로 애주(崖州)로 좌천되었다가 살해되었다.
8) 무삼사(武三思, ?~707) : 당나라 사람으로 측천무후(則天武后)의 이복오빠의 아들인데 아첨을 잘해 무측천의 신임을 얻었다. 둘째 아들 무숭훈(武崇訓)이 중종의 딸 안락공주(安樂公主)와 결혼하자 환언범(桓彦范) 등 대신들을 모함하여 사람들이 조조(曹操)나 사마의(司馬懿)에 비교했다. 황태자 이중준(李重俊)을 제거하려다가 태자의 거병으로 부자가 함께 참형되었다.
9) 양만리(楊萬里, 1127~1206) : 송나라 때 길수(吉水) 출신으로 이름은 만

삼효에서는 도적이 오는 것을 경계하며, 사효에서는 엄지발가락을 풀려고 하고, 오효에서는 소인을 물리치려고 하며, 육효에서는 새매를 쏘려고 한다. 하나의 괘 여섯 효에서 소인을 제거하는 상이 오효에 있다. 그렇다면 천하에 어려움이 많게 한 것은 누구인가? 임금이 또한 어찌 천하에 어려움이 많은 것을 이롭게 여기고 소인을 가까이 하고 군자를 멀리하는 일을 즐겁게 여기겠는가?"

● 王氏應麟曰: "世之治也, 君子以直勝小人之邪. 『易』曰, '田獲三狐得黃矢', 世之亂也. 小人以狡勝君子之介, 『詩』曰, '有兎爰爰, 雉離于羅'."

왕응린[10]이 말했다. "세상이 다스려지면 군자가 곧음으로 소인의

리(萬里)이고 자는 정수(廷秀)이며 시호는 문절(文節)이다. 학자로서 성재선생(誠齋先生)이라고 불린다. 소흥(紹興) 때 진사가 되었고 영릉승(零陵丞)이 되었다. 때마침 영주(永州)에서 귀양살이하는 장준(張浚)에게 정심·성의의 학을 공부했다. 양만리는 그의 가르침에 감복하여 책 읽는 방을 성재라고 불렀다. 효종 때 국자감박사가 되었고, 보문각대제(寶文閣待制)에서 벼슬을 사양하고 물러났다. 개희(開禧) 2년 보모각(寶謨閣) 학사에 나아갔다. 한탁주(韓胄)의 전참(專僭)에 분개하다 병이 나서 죽었다. 광종(光宗)이 성재라는 두 글자를 써서 내렸다. 시문에 뛰어났다. 저서에 『성재역전(誠齋易傳)』, 『당언(唐言)』, 『성재집(誠齋集)』, 『천려책(千慮策)』, 『성재시화(誠齋詩話)』가 있다.

10) 왕응린(王應麟, 1223~1296) : 자는 백후(伯厚)이고, 호는 심녕거사(沈寧居士)이다. 남송(南宋) 때의 학자로서 박학하고 경사백가(經史百家)·천문지리 등에 조예가 깊었다. 장고제도(掌故制度)에 익숙하고 고증에 능했다. 저서로는 『곤학기문(困學紀聞)』, 『옥해(玉海)』, 『시고(詩考)』, 『시지리고(詩地理考)』, 『한예문지고증(漢藝文志考證)』, 『옥당류고(玉堂類稿)』, 『심녕집(深寧集)』, 『삼자경(三字經)』 등이 있다. 그중에서 『옥

간사함을 이긴다. 『역』에서 '사냥하여 세 마리 여우를 잡아 누런 화살을 얻었다'는 것은 세상이 어지러워 소인이 간교함으로 군자의 기개를 누른다는 뜻이니, 『시경』에서 '토끼는 여유만만한데 꿩은 그물에 걸리었다'[11]고 한 말이다."

● 何氏楷曰："天下之難，率自小人始，欲解天下之難者，必有以處小人然後可．然非柔者所能辨，又非剛而過者所能辨也．九二以陽居陰，秉剛中之德，果而不激，故有田獲三狐之象．黃矢所以取狐．狐獲則黃矢亦得矣．"

하해가 말했다. "천하의 어려움은 대체로 소인에게서 시작되니, 천하의 어려움을 풀려고 할 경우에는 반드시 소인을 처결한 다음에야 된다. 그러나 부드러운 것이 판단할 수 있는 일은 아니고, 또 굳세면서 지나친 것이 판단할 수 있는 일도 아니다. 구이는 양으로 음의 자리에 있으면서 굳세고 알맞은 덕을 잡고 있어 과감하면서도 격하지 않기 때문에 사냥하여 세 마리 여우를 잡는 상이 있다. 누런 화살은 여우를 잡는 것이다. 여우가 잡혔다면 누런 화살도 얻는다."

해』 200권은 남송에서 가장 완비된 『유서(類書)』 곧 백과사전이다.

11) 『시경』「왕풍(王風)」: "有兎爰爰，雉離于羅.[토끼는 여유만만한데 꿩은 그물에 걸리었다.]"라고 하였다.

六三, 負且乘, 致寇至, 貞吝.

육삼은 짊어지고 또 올라타서 도둑을 오게 하니, 곧게 하더라도 부끄럽게 된다.

本義

「繫辭」備矣. '貞吝', 言雖以正得之, 亦可羞也, 唯避而去之, 爲可免耳.

「계사전」에 설명되어 있다. '곧게 하더라도 부끄럽게 된다'는 것은 바름으로 얻을지라도 부끄러울 수 있다는 말이니, 오직 피해서 떠나야 벗어날 수 있다.

程傳

六三, 陰柔居下之上, 處非其位, 猶小人宜在下以負荷, 而且乘車, 非其據也. 必致寇奪之至, 雖使所爲得正, 亦可鄙吝也. 小人而竊盛位, 雖勉爲正事, 而氣質卑下, 本非在上之物, 終可吝也. 若能大正則如何. 曰大正, 非陰柔所能也, 若能之則是化爲君子矣. 三, 陰柔小人, 宜在下, 而反處下之上, 猶小人宜負而反乘, 當致寇奪也. 難解之時而小人竊位, 復致寇矣.

육삼은 유약한 음으로 하괘의 위에 있는데 그 있는 곳이 제 자리가 아니니, 소인이 아래에서 짐을 지고 메고 있어야 하는데 수레를 타고 있어 의지할 곳이 아닌 것과 같다. 반드시 도둑이 뺏으러 오게 할 것이니, 하는 일이 바르더라도 비루하고 부끄럽다.
소인이면서 성대한 지위를 훔쳤고, 힘써 바른 일을 하더라도 기질이 낮고 본래 위에 있을 것이 아니니, 끝내 부끄럽다. 크게 바르게 할 수 있다면 어떻겠는가? 말하자면, 크게 바르게 함은 유약한 음이 할 수 있는 바가 아니니, 그렇게 할 수 있다면 변하여 군자가 된 것이다. 삼효가 유약한 음인 소인으로 아래에 있어야 하는데 도리어 하괘의 위에 있는 것은 소인이 짊어져야 하는데 도리어 올라탄 것과 같으니, 도둑이 뺏으러 오게 하는 것은 당연하다. 어려움이 풀리는 때인데 소인이 지위를 훔쳤으니, 다시 도적을 불러들인 것이다.

集說

● 孔氏穎達曰 : "乘者, 君子之器也, 負者, 小人之事也. 施之於人, 卽在車騎之上, 而負物也, 故寇盜知其非己所有, 於是競欲奪之."

공영달이 말했다. "올라타는 것은 군자의 기구이고, 짊어지는 것은 소인의 일이다. 사람에게 베푼 것은 바로 수레의 위에 있는데 물건을 짊어지고 있기 때문에 도둑이 자신의 소유가 아닌 것을 알고 이에 경쟁해서 빼앗으려고 한다."

● 胡氏瑗曰 : "六三以不正之質, 居至貴之地, 是小人在君子之位也, 故致寇盜之至, 爲害於己而奪取之. 然而小人得在高位者, 蓋在上之人, 慢其名器, 不辨賢否而與之, 以至爲衆人所奪, 而致寇戎之害也."

호원이 말했다. "육삼이 바르지 못한 자질로 지극히 귀한 지위에 있는 것은 소인이 군자의 자리에 있는 것이기 때문에 도둑이 와서 자신에게 해롭게 하고 빼앗아 취하게 한다. 그런데 소인이 높은 자리를 얻을 경우 위에 있는 사람들은 그 이름과 기물을 모멸하고, 어진지 그렇지 않은지를 가리지 않고 함께 하지 않아, 심지어 사람들에게 빼앗기고 도둑들에게 피해를 당하는 지경에 이른다."

案

● 「繫辭傳」釋此爻云, '盜斯奪之'者, 奪負乘之人也, 又云'盜斯伐之'者, 非伐負乘之人, 乃伐上慢下暴之國家也. 蓋上褻其名器, 則是上慢, 如'慢藏之誨盜', 下肆其貪竊, 則是下暴, 如'冶容之誨淫'. 夫是以賊民興而國家受其害, 難又將何時而解乎.

「계사전」에서는 이 효를 해석하여 '도둑이 이 때문에 빼앗는다'고 한 말은 짊어지고 타고 있는 사람을 빼앗는 것이고, 또 '도둑이 이 때문에 친다'고 한 말은 짊어지고 타고 있는 사람을 치는 것이 아니라 위에서 오만하고 아래에서 난폭한 나라·가문을 치는 일이다. 위에서 이름과 기물을 더럽히는 것은 위에서 오만한 것으로 이를테면 「계사전」에서 '보관을 허술하게 하여 도둑질을 가르친다'는 것이고, 아래에서 함부로 탐하고 훔치는 것은 아래에서 난폭한 것으로 이를테면 「계사전」에서 '얼굴을 꾸며 음란함을 가르친다'는 것이다.[12]

12) 『주역』「계사전(繫辭傳)」 8장 : "子曰, 作易者, 其知盜乎. 易曰, 負且乘, 致寇至, 負也者, 小人之事也, 乘也者, 君子之器也, 小人而乘君子之

이 때문에 훔치는 백성들이 생겨 나라와 가문이 그 피해를 받으니, 어려움이 또 어느 때 풀리겠는가?

器, 盜思奪之矣, 上慢下暴, 盜思伐之矣, 慢藏誨盜, 冶容誨淫, 易曰, 負且乘致寇至, 盜之招也.[공자가 말하였다. 『역』을 지은 자는 도둑이 생기는 이유를 알았다. 『역』에서 '짊어지고 또 올라타고 있어 도둑이 오게 한다'고 하였으니, 지는 것은 소인(小人)의 일이고 타는 것은 군자의 기물이다. 소인이면서 군자 기물을 타고 있기 때문에 도적이 빼앗을 것을 생각하며, 위에서 거만하고 아래에서 사납기 때문에 도적이 칠 것을 생각한다. 보관을 허술하게 함이 도둑질을 가르치는 것이고, 모양을 치장함이 음란함을 가르치는 것이다. 역(易)에 '짊어지고 또 올라타고 있어 도둑이 오게 한다'고 하였으니, 도적을 불러들이는 것이다.]"라고 하였다.

九四, 解而拇, 朋至, 斯孚.

구사는 너의 엄지발가락을 풀어버리면 친구가 와서 믿을 것이다.

本義

'拇', 指初. 初與四, 皆不得其位而相應, 應之不以正者也. 然四陽而初陰, 其類則不同矣, 若能解而去之, 則君子之朋, 至而相信也.

'엄지발가락'은 초효를 가리킨다. 초효와 사효는 모두 제 자리를 얻지 못한 채 서로 호응하니, 호응함에 바르지 않은 것들이다. 그런데 사효는 양이고 초효는 음이어서 그 부류가 같지 않으니, 풀어서 버릴 수 있으면 군자인 친구들이 와서 서로 믿을 것이다.

程傳

九四以陽剛之才, 居上位, 承六五之君, 大臣也, 而下與初六之陰爲應. '拇'在下而微者, 謂初也. 居上位而親小人, 則賢人正士遠退矣, 斥去小人, 則君子之黨, 進而誠相得也. 四能解去初六之陰柔, 則陽剛君子之朋, 來至而誠合矣. 不解去小人, 則己之誠未至, 安能得人之孚也. 初六, 其應, 故謂遠之爲解.

구사는 굳센 양의 재질로 윗자리에 있으면서 육오의 임금을 받드니, 대신인데 아래로 초육의 음과 호응한다.
엄지발가락은 아래에 있고 미미한 것이니, 초육을 말한다. 윗자리에 있으면서 소인과 친하면 어진 이와 올바른 선비들이 멀리하여 물러갈 것이고, 소인을 배척해 버리면 군자의 무리들이 나아와 진실로 서로 얻을 것이다.
사효가 초육의 유약한 음을 풀어 버릴 수 있으면, 굳센 양으로 군자인 친구들이 와서 진실로 합할 것이다. 소인을 풀어버리지 못하면 자기의 정성이 지극하지 못함이니, 어떻게 남들의 믿음을 얻을 수 있겠는가? 초육이 그의 호응이기 때문에 멀리하는 것을 풀음이라고 하였다.

集說

● 劉氏牧曰："拇, 謂初也, 居下體之下, 而應於己, 故曰'拇'."

유목이 말했다. "엄지발가락은 초효를 말하니, 아래 몸체의 아래에 있으면서 자신에게 호응하기 때문에 '엄지발가락'이라고 하였다."

● 何氏楷曰："解, 去小人之卦也, 卦惟二四兩陽爻, 皆任解之責者. '而', 汝也. '拇', 足大指也. 九四居近君之位. 苟暱近比之小人而不解, 則君子之朋雖至, 彼必肆其離間之術矣."

하해가 말했다. "해(解䷧)괘는 소인을 없애는 괘이니, 괘에서 오직 이효와 사효 두 양효가 모두 풀어버림을 책임지는 것이다. '너[而]'는 너[汝]이다. '엄지발가락'은 발에서 큰 발가락이다. 구사는 임금과 가까운 자리이다. 그런데 가까이 있는 소인과 친해 풀어버리지 못하면, 군자인 친구들이 올지라도 저들이 반드시 함부로 이간질을 할 것이다."

六五, 君子維有解, 吉, 有孚于小人.

육오는 군자가 오직 풀어버림이 있으면 길하니, 소인에게 증험이 있다.

本義

卦凡四陰, 而六五當君位, 與三陰同類者, 必解而去之則吉也. '孚', 驗也, 君子有解, 以小人之退, 爲驗也.

괘에 음이 넷인데 육오가 임금의 지위를 맡고 있으면서 세 음과 한 패거리인 것은 반드시 풀어버리면 길하다.
'증험[孚]'은 효험이다. 군자가 풀어버림이 있는 것은 소인이 물러가는 일로 증험을 삼는다.

程傳

六五居尊位, 爲解之主, 人君之解也, 以君子通言之. 君子所親比者, 必君子也, 所解去者必小人也, 故君子維有解則吉也. 小人去則君子進矣, 吉孰大焉. '有孚'者, 世云見驗也, 可驗之於小人, 小人之黨去, 則是君子能有解也. 小人去, 則君子自進, 正道自行, 天下不足治也.

육오는 존귀한 지위에 있어 해(解䷧)괘의 주인이 되니, 임금이 푸는 것인데 군자로 통칭하여 말하였다. 군자가 친밀하게 하는 자들은 반드시 군자이고, 풀어서 버리는 자들은 반드시 소인이기 때문에 군자가 오직 풀어버림이 있으면 길하다.
소인이 떠나면 군자가 나오니, 길함에 무엇이 이보다 크겠는가? '증험이 있다'는 세상에서 '증거가 나타났다'고 하는 것으로 소인에게서 증험할 수 있는 것이니, 소인의 무리가 떠남은 군자가 풀 수 있었기 때문이다. 소인이 제거되면 군자가 스스로 나아가 바른 도리가 저절로 행해지니 천하는 별로 다스릴 것도 없다.

集說

● 鄭氏汝諧曰 : "益之戒曰, '任賢勿貳, 去邪勿疑', 如使世之小人, 皆信上之所用者必君子, 而所解者必小人, 則必改心易慮, 不復有投隙抵巇之望. 惟未孚於小人, 此小人所以猶有覬幸之心也. 五解之主也, 以其陰柔, 故有戒意."

정여해가 말했다. "백익(伯益)의 경계에서 '어진 자에게 맡기고 두 마음을 품지 마시고 사악한 자를 제거하여 의심하지 마소서'[13]라고 하였으니, 세상의 소인들이 모두 위에서 등용하는 자들은 반드시 군자이고, 풀어버리는 것은 반드시 소인이라는 것을 믿게 하면, 반드시 마음을 고치고 생각을 바꿔 틈을 타고 공격하려는 희망을 다시 품지 않는다. 단지 소인에게서 증험이 없으니, 이 때문에 소인

13) 『서경』「대우모(大禹謨)」: "吁戒哉. 儆戒無虞 罔失法度, 罔遊于逸, 罔淫于樂, 任賢勿貳, 去邪勿疑.[아! 경계하소서. 헤아림이 없을 때 경계하시어 법도를 잃지 마시고 편안함에 놀지 마시고 즐거움에 지나치지 마시며, 어진 자에게 맡기고 두 마음을 품지 마시고 사악한 자를 제거하고 의심하지 마소서.]"라고 하였다.

이 여전히 요행을 바라는 마음이 있다. 오효는 해(解䷧)괘의 임금인데, 음의 부드러움이기 때문에 경계하는 뜻을 둔 것이다."

● 胡氏炳文曰:"卦惟四五言解. 四能解小人, 可以來君子, 五能解小人, 亦可驗其能爲君子."

호병문이 말했다. "오직 괘의 사효와 오효에서만 풀어버림을 말하였다. 사효에서 소인을 풀어버릴 수 있음은 군자를 오게 만들어야 하는 것이고, 오효에서 소인을 풀어버릴 수 있음도 그가 군자임을 증험해야 하는 것이다."

案

● 鄭氏說'有孚于小人'與『傳』『義』異, 而其理尤精. 蓋朋至斯孚者, 君子信之也, 有孚于小人者, 小人亦信之也. 君子信, 故樂於爲善, 小人信, 故化而不爲惡. 往往國家有擧錯而小人未革心者, 未信之也. 信則枉者直, 而不仁者遠矣.

정씨가 '소인에게서 증험이 있다'라는 구절에 대해 설명한 것은 『정전』이나 『주역본의』와 다르고 그 논리가 더욱 정교하다.
친구가 와서 믿는 것은 군자가 믿는 것이고, 소인에게서 증험이 있는 것은 소인들도 믿는 것이다. 군자는 믿기 때문에 기꺼이 선을 행하고, 소인은 믿기 때문에 교화되어 악을 행하지 않는다.
종종 나라와 가문에 대책이 있을 때 소인이 마음을 바꾸지 않은 것은 아직 믿지 못하기 때문이다. 믿는다면 굽은 것은 곧게 되고 어질지 않은 자는 멀리 떠난다.

上六, 公用射隼於高墉之上, 獲之, 无不利.

상육은 공이 높은 담 위에서 새매를 쏘아 잡음이니, 이롭지 않음이 없다.

本義

「繫辭」備矣.

「계사전」에 설명이 있다.

程傳

上六, 尊高之地, 而非君位. 故曰公, 但據解終而言也. 隼, 鷙害之物, 象爲害之小人. 墉, 牆, 內外之限也. 害若在內, 則是未解之時也, 若出墉外, 則是无害矣, 復何所解. 故在墉上, 離乎內而未去也. 云'高', 見防限之嚴而未去者, '上', 解之極也. 解極之時而獨有未解者, 乃害之堅强者也. 上居解極, 解道已至, 器已成也, 故能射而獲之. 旣獲之則天下之患, 解已盡矣, 何所不利.

상육은 존귀하고 높은 자리이지만 임금의 자리가 아니다. 때문에 공(公)이라고 하였으니, 풀어버려 끝나는 것으로 말하였다. 새매는 사납고 해치는 새로 해를 끼치는 소인을 상징한다. 담[墉]은 담장으로 안팎을 나누는 것이다.

해로움이 안에 있다면 이는 아직 풀리지 않은 때이고, 담장 밖으로 나갔다면 해로움이 없는 것이니 다시 어디에서 풀겠는가? 그러므로 담장 위에 있는 것은 안에서 떠났지만 아직 제거되지 않은 것이다. '높은[高]'이라고 한 것은 엄하게 막았는데도 아직 가지 않은 것을 나타내고, '위[上]'는 풀어버림이 다한 것이다.

풀림이 극에 달하였을 때 유독 풀리지 않는 것은 해로움이 굳고 강한 것이다. 상육이 풀어버림의 끝에 있으니 풀어버리는 도가 이미 지극하고 기구가 이미 완성되었기 때문에 쏘아서 잡을 수 있다. 이미 잡았으면 천하의 근심이 다 풀려버린 것이니, 어찌 이롭지 않겠는가?

夫子於「繫辭」, 復伸其義, 曰"隼者, 禽也, 弓矢者, 器也, 射之者, 人也. 君子藏器於身, 待時而動, 何不利之有. 動而不括, 是以出而有獲, 語成器而動者也." 鷙害之物, 在墉上, 苟无其器, 與不待時而發, 則安能獲之. 所以解之之道, 器也, 事之當解, 與已解之之道至者, 時也. 如是而動, 故无括結, 發而无不利矣. 括結, 謂阻礙. 聖人於此, 發明藏器待時之義, 夫行一身, 至於天下之事, 苟无其器, 與不以時而動, 小則括塞, 大則喪敗. 自古, 喜有爲而无成功, 或顚覆者, 皆由是也.

공자가 「계사전」에서 그 뜻을 다시 펼쳐 "새매는 새이고, 활과 화살은 무기이며, 쏘는 것은 사람이다. 군자가 무기를 가지고 있다가 때를 기다려 움직이는데 어찌 이롭지 않음이 있겠는가? 움직임에 막히지 않기 때문에 나가서 잡으니, 무기를 완성해서 움직이는 것을 말한다"라고 하였다.

사납고 해치는 동물이 담장 위에 있는데, 무기가 없고 때를 기다리지 않고 쏜다면 어떻게 잡을 수 있겠는가? 그것을 풀어버리는 방도는 무기이며, 풀어야 할 일에 이미 풀어버릴 방도가 온 것은 때이다.
이와 같이 하여 움직이기 때문에 묶여 막히는 것이 없어, 화살을 쏘아 이롭지 않음이 없다. 묶여 막히는 것은 막히고 걸리는 것을 말한다. 성인이 여기에서 무기를 간직하여 때를 기다리는 뜻을 드러내어 밝혔으니, 한 몸에 실행하는 것에서 천하의 일까지 그 무기가 없고 때가 아닌데 움직인다면, 작게는 막히고 크게는 망한다. 예로부터 뭔가 해보기를 기뻐하면서도 성공하지 못하고 간혹 실패하는 것은 모두 이 때문이다.

集說

● 沈氏該曰 : "隼之爲物, 果於悖害者也. 墉, 所以衞内而限外也. 害在内小人在君側也, 出乎墉之外, 則非射之所能及. 高墉之上, 在内外之間. 據衞限之勢, 於此而射之, 則擬而後動, 動而不括, 獲之无不利矣. 在外卦之上, 射于高墉之象也."

심해[14]가 말했다. "새매는 과감하게 마음대로 피해를 입히는 새이

14) 심해(沈該) : 남송 호주(湖州) 귀안(歸安) 사람으로 자는 수약(守約)이고, 심시승(沈時升)의 아들이다. 고종(高宗) 소흥(紹興) 8년(1138) 금나라 사람이 회사(淮泗)에서 사신을 보내 화친을 청하자 글을 올렸는데, 바로 불려갔다. 16년(1146) 양절전운판관(兩浙轉運判官)으로 임안(臨安)을 다스렸다. 다음 해 권예부시랑(權禮部侍郎)이 되고, 외직으로 나가 기주지주(夔州知州)가 되었다. 불려 참지정사(參知政事)에 오르고 좌복야(左僕射)에 오른 뒤 나이가 들어 퇴직을 청했고, 『주역』에 정통했

다. 담은 안을 지켜 밖을 막는 것이다. 해로움이 안에 있음은 소인이 임금 곁에 있는 것이고, 담 밖으로 나가는 일은 활로 쏠 수 있는 것이 아니다. 높은 담의 위는 안과 밖의 사이에 있다. 지키고 막는 상황에 따라 여기에서 활로 쏘는 것은 계산을 한 다음에 움직이고, 움직이지만 막지 않는 것이니, 잡아도 이롭지 않음이 없다. 외괘의 위에 있어 높은 담에서 쏘는 상이다."

● 鄭氏汝諧曰 : "所謂'公'者, 非上六也. 言公於此爻, 當用射隼之道也. 隼指上之陰而言也, 墉指上之位而言也."

정여해가 말했다. "'공(公』'이라고 한 것은 상육이 아니다. 그런데 이 효에서 공이라고 말한 것은 새매를 쏘는 방도를 사용해야 하기 때문이다. 새매는 위의 음을 가리켜서 말하였고, 담은 위의 자리를 가리켜서 말하였다."

● 王氏申子曰 : "隼, 指上, 以其柔邪謂之狐, 以其陰鷙謂之隼. 上以陰柔處震之極, 而居一卦之上, 是陰鷙而居高者. 解之旣極, 尚何俟乎. 故獲之无不利."

왕신자가 말했다. "새매는 상효를 가리키니, 부드러우면서 간사한 것을 여우라고 하고, 음험하게 공격하는 것을 새매라고 한다. 상효가 음의 부드러움으로 진괘의 끝에 있고 한 괘의 위에 있으니, 음험하게 공격하면서 위에 있는 것이다. 풀어버림이 이미 다했는데, 여전히 무엇을 기다리겠는가? 그러므로 잡음에 이롭지 않음이 없다."

고, 저서에 문집과 『역소전(易小傳)』, 『중흥성어(中興聖語)』가 있다.

案

● 此言公用, 乃隨上離上王用之例, 皆非以本爻之位當王公也. 鄭氏王氏之說, 似可從, 或以解終言之, 而不指隼之爲誰, 亦可. 蓋狐者, 邪而穴於城社, 在內之奸也, 隼者, 鷙而翔於坰野, 化外之悍也. 自二至五, 所以解內難者備矣. 於是而猶有外來之強猛, 乘高墉以射之, 動而有功矣. 何則, 內脩者外攘之具, 所謂藏器於身, 待時而動者也. 前四爻所謂'其來復吉', 此爻所謂'有攸往夙吉'也.

여기에서 말한 '공용[公用]'은 바로 수(隨☱)괘의 상육[15]과 리(離☲)괘의 상구[16]에서 '임금이[王用]'라는 사례이니, 모두 이 효의 자리로 임금과 공에 해당하기 때문은 아니다. 정씨[정여해]와 왕씨[왕신자]의 설명은 따라야 될 것 같고, 간혹 풀어버림이 끝나는 것으로 말하고 새매가 무엇인지 가리키지 않은 것도 괜찮다.

여우는 간사해서 성의 사당에 굴을 파놓고 있으니, 안에 있는 간사한 것들이고, 새매는 사나우면서 들판에서 높이 날고 있으니, 바깥을 변화시키는 사나움이다.

이효에서 오효까지는 안의 어려움을 풀어버리는 것으로 설명하였다. 여기에서는 아직 밖에서 오는 강하고 사나운 것이 있어 높은 담에 올라가서 활로 쏘니, 움직여서 공이 있는 것이다. 그렇다면 안으로 닦는 것은 밖으로 물리치는 도구이니, 이른바 자신이 무기

15) 『주역』「수괘(隨卦)」: "上六, 拘係之, 乃從維之, 王用亨于西山.[상육은 잡아매 놓고 이에 따르면서 동여매니, 임금이 서쪽 산에 제사드린다.]"라고 하였다.

16) 『주역』「리괘(離卦)」: "上九, 王用出征, 有嘉折首, 獲匪其醜, 无咎.[상구는 임금이 출정하여 괴수만 벰을 가상히 여기고, 잡은 것이 일반 무리가 아니니 허물이 없다.]"라고 하였다.

를 간직하고 때를 기다리며 움직이는 일이다. 앞의 네 효는 이른바 '와서 회복함이 길하다'는 뜻이고, 이 효는 이른바 '갈 곳이 있으면 일찍 함이 길하다'는 말이다.

總論

● 徐氏幾曰 : "下三爻, 不言解, 上三爻, 言解, 所謂動而免乎險也."

서기가 말했다. "아래의 세효에서 풀어버림을 말하지 않고, 위의 세 효에서 풀어버림을 말한 것은 이른바 움직여서 험함을 벗어났기 때문이다."

41. 손損괘

☶艮上
☱兌下

程傳

損, 「序卦」, "解者, 緩也, 緩必有所失, 故受之以損." 縱緩則必有所失, 失則損也, 損所以繼解也. 爲卦艮上兌下, 山體高, 澤體深. 下深則上益高, 爲損下益上之義. 又澤在山下, 其氣上通, 潤及草木百物, 是損下而益上也. 又下爲兌說, 三爻皆上應, 是說以奉上, 亦損下益上之義. 又下兌之成兌, 由六三之變也, 上艮之成艮, 自上九之變也. 三本剛而成柔, 上本柔而成剛, 亦損下益上之義.

손괘에 대해 「서괘전」에서 "해(解)는 느슨해짐이니, 느슨해지면 반드시 잃는 것이 있기 때문에 손괘(損卦䷨)로 받았다"라고 하였다. 늘어지고 느슨해지면 반드시 잃는 것이 있고, 잃으면 손실되니 손(損䷨)괘가 그 때문에 해(解䷧)괘 다음에 있다.
괘의 모양은 간괘(☶)가 위에 있고 태(兌☱)괘가 아래에 있는데, 산의 몸체는 높고 못의 몸체는 깊다. 아래가 깊으면 위가 더욱 높으니, 아래에서 덜어 위에 보태는 뜻이다. 또 못이 산 아래 있고 그 기운이 위로 통하여 윤택함이 초목과 만물에 미치니, 아래에서 덜어 위에 보태는 것이다.

또 하괘는 태괘라는 기쁨이 되어 세 효가 모두 위로 호응하니, 기쁨으로 위를 받드는 것으로 또한 아래에서 덜어 위에 보태는 뜻이다. 또 아래의 태괘가 태괘로 된 것은 육삼으로 변했기 때문이고, 위의 간괘가 간괘로 된 것은 상구로 변했기 때문이다. 삼효는 본래 굳센 것이었는데 부드러운 음이 되고, 상효는 본래 부드러운 음이었는데 굳센 양이 되었으니, 또한 아래에서 덜어 위에 보태는 뜻이다.

損上而益於下則爲益, 取下而益於上則爲損, 在人上者, 施其澤, 以及下則益也, 取其下, 以自厚則損也. 譬諸壘土, 損於上, 以培厚其基本, 則上下安固矣, 豈非益乎. 取於下, 以增上之高, 則危墜至矣, 豈非損乎. 故損者, 損下益上之義, 益則反是.

위에서 덜어 아래에 보태면 익(益䷩)괘이고, 아래에서 취하여 위에 보태면 손(損䷨)괘이니, 윗자리에 있는 자가 은택을 베풀어 아래에 미치면 보탬이고, 그 아래에서 취하여 자신에게 두텁게 하면 덜어냄이다.

성루의 흙에 비유하면 위에서 덜어 그 터전을 북돋우면 위아래가 편안하고 튼튼할 것이니, 어찌 보탬이 아니겠는가? 아래에서 취하여 위를 높게 올리면 위태롭고 추락할 것이니, 어찌 덜어냄이 아니겠는가? 그러므로 손괘(損卦)는 아래에서 덜어 위에 보태는 뜻이고, 익괘(益卦)는 이와 반대이다.

損, 有孚, 元吉, 无咎, 可貞, 利有攸往,

손괘는 믿음이 있으면 크게 착하고 길하며 허물이 없고, 곧게 할 수 있으며, 가는 것이 이로우니,

本義

損, 減省也. 爲卦, 損下卦上畫之陽, 益上卦上畫之陰, 損兌澤之深, 益艮山之高. 損下益上, 損內益外, 剝民奉君之象, 所以爲損也. 損所當損, 而有孚信, 則其占, 當有此下四者之應矣.

손(損)은 덜어내고 생략함이다. 괘의 모양[䷨]이 아래에 있는 괘에서 위의 획인 양을 덜어내어 위에 있는 괘에 위의 획에 보태니, 태괘 연못의 깊음을 덜어내어 간괘 산의 높음에 보태는 것이다.
아래에서 덜어서 위에 보태고, 안에서 덜어 밖에 보태며, 백성에게 깎아내어 임금에게 받드는 상이기 때문에 손괘이다.
덜어내야 할 것을 덜어내어 믿음이 있으면 그 점에 당연히 아래 네 가지의 호응이 있어야 한다.

程傳

損, 減損也, 凡損抑其過, 以就義理, 皆損之道也. 損之道, 必有孚誠, 謂至誠順於理也. 損而順理, 則大善而吉, 所損无過差, 可貞固常行, 而利有所往也. 人之所損, 或過或不及或不常, 皆不合正理, 非有孚也. 非有孚, 則无吉而有咎, 非可貞之道, 不可行也.

손(損)은 덜어냄이니, 허물을 덜어내고 억제하여 의리로 나아가는 것이 모두 덜어내는 도리이다. 덜어내는 도리에는 반드시 믿음과 정성이 있어야 하니, 지극한 정성으로 이치에 순응함을 말한다. 덜어내지만 이치에 순응하면 크게 착하고 길하며, 덜어낸 것이 지나치거나 어긋남이 없고 곧고 굳을 수 있으며 한결같이 행할 수 있어 가는 것이 이롭다.
사람이 덜어냄에 지나치거나 미치지 못하거나 한결같지 못하면, 모두 바른 이치에 합하지 못한 것이니 믿음이 있는 것이 아니다. 믿음이 있지 않으면 길함은 없고 허물만 있으며, 바르고 곧은 도리가 아니어서 행할 수 없다.

集說

● 呂氏大臨曰 : "損之道, 不可以爲正. 當損之時, 故曰'可貞'. 時損則損, 時益則益, 苟當其時, 無往而不可, 故損益皆利有攸往."

여대림1)이 말했다. "손괘의 도는 바를 수 없다. 그런데 덜어낼 때

1) 여대림(呂大臨, 1040~1092) : 자는 여숙(與叔)이고, 당시 예각선생(藝閣先生)으로 불리었다. 송대 남전(藍田 : 현 섬서성 소속) 사람으로 『여씨향약(呂氏鄕約)』을 쓴 여대균(呂大鈞)의 동생이다. 장재(張載)가 처음으로 관중(關中)에 와서 강학할 때 형들과 함께 장재를 스승으로 모셨으

기 때문에 '곧을 수 있다'고 했다. 덜어낼 때면 덜어내고 보탤 때면 보태는 것은 진실로 그 때에 해당하는 것으로 어디를 가도 가하지 않은 것이 없기 때문에 손괘와 익괘에 모두 가는 것이 이롭다.[2)]"

● 蔡氏清曰 : "剝民奉君之義, 只可用之卦名. 其卦辭'有孚元吉无咎可貞利有攸往', 只承損字泛說. 言損所當損, 人人皆可用, 不專指上之損下也. 益卦'利有攸往利涉大川'亦然, 豈專爲益下之事乎."

채청이 말했다. "백성들에게 깎아내어 임금을 받드는 의미는 단지 사용할 수 있는 괘의 이름일 뿐이다. 그 괘사에 '믿음이 있으면 크게 착하고 길하며 허물이 없고, 곧게 할 수 있으며, 가는 것이 이롭다'고 했는데, 이는 다만 덜어낸다는 말을 이어 넓게 설명한 것이다. 덜어내야 할 것을 덜어낸다는 말은 사람마다 모두 사용할 수 있으니, 위에서 아래를 덜어낸다는 뜻을 오로지 가리킨 것은 아니다. 익(益䷩)괘에서 '가는 것이 이로우며 큰 내를 건너는 것이 이롭다'[3)]는 것도 그런 뜻이니, 어찌 아래에 보태주는 일을 오로지 하겠는가?"

나, 장재가 죽은 뒤 이정(二程)에게 배워 사량좌(謝良佐)·유초(游酢)·양시(楊時)와 함께 '정문4선생(程門四先生)'이라 일컫는다. 태학박사(太學博士)·비서성정자(秘書省正字)를 역임하였다. 저서는 『예기전(禮記傳)』, 『고고도(考古圖)』 등이 있다.

2) 『주역』「익괘(益卦)」: "益, 利有攸往.[익(益)은 가는 것이 이로우며]"라고 하였다.

3) 『주역』「익괘(益卦)」: "益, 利有攸往, 利涉大川.[익(益)은 가는 것이 이로우며 큰 내를 건너는 것이 이롭다.]"라고 하였다.

曷之用. 二簋, 可用享.

어디에 쓰겠는가? 그릇 둘로도 제사지낼 수 있다.

本義

言當損時則至薄, 无害.

덜어야 하는 때는 아주 간략하게 해야 해로움이 없다는 말이다.

程傳

損者, 損過而就中, 損浮末而就本實也. 聖人以寧儉, 爲禮之本, 故於損發明其義, 以享祀言之. 享祀之禮, 其文最繁, 然以誠敬爲本. 多儀備物, 所以將飾其誠敬之心, 飾過其誠則爲僞矣. 損飾, 所以存誠也. 故云'曷之用二簋可用享', 二簋之約, 可用享祭, 言在乎誠而已, 誠爲本也.

손(損)이란 지나친 것을 덜어 알맞게 하고, 헛되고 지엽적인 것을 덜어 근본적이고 실질적이게 하는 뜻이다. 성인은 차라리 검소함으로 예의 근본을 삼았기 때문에 손괘에서 그 뜻을 밝혀 제사지내는 것으로 말하였다.

제사의 예는 그 꾸밈이 아주 번잡하지만, 정성과 공경을 근본으로 한다. 의식을 많이 하고 제물을 갖춤은 그 정성스럽고 공경하는 마음을 꾸미려는 것이니, 꾸밈이 그 정성보다 지나치면 거짓이다. 꾸밈을 덜어냄은 정성을 보존하려는 것이다. 그러므로 "어디에 쓰겠는가? 그릇 둘로도 제사지낼 수 있다"라고 한 것은 그릇 둘의 간략함으로 제사지낼 수 있다는 뜻으로 정성에 달렸을 뿐이라는 말이니 정성이 근본이 된다.

天下之害, 无不由末之勝也, 峻宇雕牆, 本於宮室, 酒池肉林, 本於飮食, 淫酷殘忍, 本於刑罰, 窮兵黷武, 本於征討. 凡人欲之過者, 皆本於奉養, 其流之遠則爲害矣. 先王制其本者, 天理也, 後人流於末者, 人欲也. 損之義, 損人欲, 以復天理而已.

천하의 해로움은 지엽적인 것이 지나친 것에서 오지 않음이 없으니, 지붕을 높게 짓고 담장을 아로새김은 궁실에서 비롯되고, 주지육림은 음식에서 비롯되며, 혹독하고 잔인함은 형벌에서 비롯되고, 병력을 끝없이 일으키고 무력을 마구 씀은 정벌과 토벌에서 비롯된다.
인욕의 지나친 것은 모두 생계에서 비롯되지만 그것이 절제 없이 멀리 마음대로 흘러가면 해롭게 된다. 선왕이 그 근본을 제재한 것은 천리(天理)이고, 뒷사람이 지엽적인 데로 절제 없이 흘러간 것은 인욕이다. 손(損)의 뜻은 인욕(人欲)을 덜어 천리를 회복하는 일일 뿐이다.

集說

● 孔氏穎達曰: "'曷之用二簋可用享'者, 明行損之禮, 貴夫誠信, 不在於豐, 二簋至約, 可用享祭."

공영달이 말했다. "'어디에 쓰겠는가? 그릇 둘로도 제사지낼 수 있다'는 말은, 덜어내는 예를 행함에 정성과 믿음을 귀하게 여기는 것은 풍성함에 있지 않음을 밝힌 것으로 그릇 둘로도 제사를 지낼 수 있다는 뜻이다."

案

● 「彖辭」自'有孚'以下, 泛說損所當損之義, 蔡氏之說極爲得之. 蓋損益者, 時也, 時在當損, 不得不損. 惟以誠意爲主而行之, 又得乎大善之吉, 則不但无咎, 而且可以爲常道而利有所往矣. 擧一端以明之, 則如二簋薄祭, 固因乎時而節損者也. 然能積誠盡禮, 則可以致孝乎鬼神, 而推之凡事之當損者視此矣. 卦義以孚而行損, 『程傳』則因損以致孚, 畧有不同也.

「단사」에서 '믿음이 있다'는 말 이하는 덜어내야 할 것을 덜어낸다는 의미를 넓게 설명한 것으로 채씨[채청]의 설명은 아주 옳다. 덜어내고 보태는 것은 때를 따르는 일이니, 덜어내야 할 때라면 덜어내지 않을 수 없다. 오직 성의를 근본으로 하여 그것을 행하면, 또 아주 선한 길함을 얻으니 허물이 없을 뿐만 아니라 또 한결같은 도를 행해 가는 것이 이롭다.
하나의 단서를 들어 밝힌다면, 이를테면 그릇 둘로 제사를 지내는 것이니, 진실로 때에 따라 절약하여 덜어내는 일이다. 그런데 정성을 쌓아 예의를 극진하게 하면, 귀신에게 효를 다할 수 있으니, 덜어낼 것을 일에 미루어 간 것을 여기에서 본다.
괘사의 의미는 믿음으로 덜어냄을 행한다는 것인데, 『정전』에서는 덜어냄으로 믿음을 이룬다는 것이니, 대략 같지 않은 부분이 있다.

初九, 已事, 遄往, 无咎, 酌損之.

초구는 일을 멈추고 빨리 가야 허물이 없으니, 참작하여 덜어낸다.

本義

初九, 當損下益上之時, 上應六四之陰, 輟所爲之事, 而速往以益之, 无咎之道也. 故其象占如此. 然居下而益上, 亦當斟酌其淺深也.

초구는 아래에서 덜어 위에 보태는 때에 위로 육사의 음과 호응하니, 하는 일을 멈추고 빨리 가서 보태야 허물이 없는 도이다. 그러므로 그 상과 점이 이와 같다. 그런데 아래에 있으면서 위에 보태는 것은 또한 그 얕고 깊음을 참작해야 한다.

程傳

損之義, 損剛益柔, 損下益上也. 初以陽剛, 應於四, 四以陰柔, 居上位, 賴初之益者也. 下之益上, 當損己而不自以爲功. 所益於上者, 事旣已, 則速去之, 不居其功, 乃无咎也, 若享其成功之美, 非損己益上也, 於爲下之道, 爲有咎矣. 四之陰柔, 賴初者也, 故聽於初, 初當酌度其宜, 而損己以益之, 過與不及, 皆不可也.

손(損)의 뜻은 굳셈에서 덜어내 부드러움에 보태는 것이니, 아래에서 덜어내 위에 보태는 일이다.

초효는 굳센 양으로 사효와 호응하고, 사효는 부드러운 음으로 윗자리에 있으니, 초효의 보태줌에 힘입는 것이다. 아랫사람이 윗사람에게 보태줄때는 자기에게서 덜어내면서도 스스로 공으로 여겨서는 안 된다. 윗사람에게 보태주는 일은 일이 이미 끝났으면 빨리 떠나서 그 공을 차지하지 않아야 허물이 없다.

그 성공의 아름다움을 누린다면 자기에게서 덜어내 위에 보태는 것이 아니니, 아랫사람의 도리에 허물이 있게 된다. 사효는 부드러운 음으로 초효에 힘입는 것이기 때문에 초효의 말을 들으니, 초효는 그 마땅함을 참작하고 헤아려 자기에게서 덜어 보태야 하니, 지나침과 미치지 못함은 모두 옳지 않다.

集說

● 孔氏穎達曰 : "損之爲道, 損下益上, 如人臣欲自損己奉上. 然各有職掌, 若廢事而往, 咎莫大焉, 竟事速往, 乃得无咎. '酌損之'者, 以剛奉柔, 初未見親也, 故須酌而減損之."

공영달이 말했다. "덜어내는 도리는 아래에서 덜어내 위에 보태는 것으로 이를테면 신하가 자신에게서 덜어내 위로 받드는 것이다. 그런데 각기 직무가 있으면서 일을 그만 두고 간다면 허물이 그보다 큰 것이 없으니, 일을 끝내고 빨리 가야 허물이 없다. '참작하여 덜어낸다'는 것은 굳셈이 부드러움을 받들면 처음에는 친밀함을 받지 못하기 때문에 반드시 참작해서 덜어내야 한다는 뜻이다."

● 『朱子語類』云 : "酌損之, 在損之初下, 猶可以斟酌也."[4)]

『주자어류』에서 말했다. "참작해서 덜어내는 것이 손(損䷨)괘의 처음과 아래에 있으니, 참작해야 한다는 것과 같다."

案

● 孔氏說已事之義, 謂如學優而後從政之類, 於理亦精.

공씨[공영달]가 일을 끝낸다고 설명한 의미는 이를테면 학문이 넉넉해진 다음에 정치에 종사하라는 말이니, 이치에서는 또한 자세하다.

4) 『주자어류』 권72, 85조목.

九二, 利貞, 征, 凶, 弗損, 益之.

구이는 곧게 함이 이롭고 가면 흉하니, 덜어내지 않는 것이 보태주는 일이다.

本義

九二剛中, 志在自守, 不肯妄進, 故占者利貞而征則凶也. '弗損益之', 言不變其所守, 乃所以益上也.

구이의 굳세고 알맞음은 뜻이 스스로 지키는 데 있어 함부로 나아가려하지 않기 때문에 점치는 자가 곧음이 이롭고 나아가면 흉하다. '덜어내지 않는 일이 보태주는 일이다'는 말은 지키던 것을 바꾸지 않음이 위에 보태주는 것이라는 뜻이다.

程傳

二以剛中, 當損剛之時, 居柔而說體, 上應六五陰柔之君. 以柔說應上, 則失其剛中之德, 故戒所利在貞正也. '征', 行也. 離乎中則失其貞正而凶矣, 守其中乃貞也. '弗損益之', 不自損其剛貞, 則能益其上, 乃益之也. 若失其剛貞而用柔說, 適足以損之而已, 非損己而益上也. 世之愚者, 有雖无邪心, 而唯知竭力順上, 爲忠者, 蓋不知弗損益之之義也.

이효는 굳세고 알맞음으로서 굳셈을 덜어내는 때에 부드러운 자리에 있고 기뻐하는 몸체로 위로 부드러운 음인 육오의 임금과 호응한다. 부드럽고 기뻐함으로 위와 호응하면 그 굳세고 알맞은 덕을 잃어버리기 때문에 이로운 것이 곧고 바름에 있다고 경계하였다. '간다[征]'는 떠나간다[行]는 것이다. 알맞음에서 떠나면 그 곧고 바름을 잃어 흉하게 될 것이니, 그 알맞음을 지켜야 곧다. '덜어내지 않는 것이 보태주는 일이다'는 스스로 그 굳세고 곧음을 덜어내지 않으면 그 위에 보탤 수 있으니, 바로 보태준다는 것이다.
굳세고 곧음을 잃어 부드러움과 기쁨을 쓴다면 덜어내는 데 충분할 뿐이니, 자기를 덜어내어 위에 보태는 것이 아니다. 세상의 어리석은 자들 중에는 간사한 마음이 없을지라도 힘을 다해 위에 순종하는 것만을 충성이라고 아는 자들이 있으니, 덜어내지 않는 것이 보태주는 일이라는 의미를 알지 못하기 때문이다.

集說

● 林氏希元曰 : "九二在爻, 則爲剛中, 在人事, 則爲志在自守, 不肯妄進. 志在自守, 不肯妄進, 九二之貞也, 故占者利於守貞. 若征行, 則是變其所守而得凶矣, 夫自守而不妄進, 宜若無益於上矣. 然由是, 而啓時君尊德樂道之心, 止士大夫奔競之習, 其益於上也, 不少, 是弗損乃所以益之也. '桐江一絲, 繫漢九鼎', 清風高節, 披拂士習, 可當此爻之義."

임희원이 말했다. "구이가 효에서는 굳셈과 알맞음이고, 사람의 일에서는 뜻이 스스로 지키는 데 있어 함부로 나아가지 않는 것이다. 뜻이 스스로 지키는 데 있어 함부로 나아가지 않는 것은 구이의 곧음이기 때문에 점치는 자가 곧음을 지키는 것이 이롭다. 간다면 지키는 것을 바꾸어 흉하게 될 것이니, 스스로 지키고 함부로 나아가지 않음을 위에 보탬이 없는 것처럼 해야 된다. 그런데 이것으로 말미암아 당시 임금이 덕을 높이고 도를 즐기는 마음을 열고, 사대부들이 다투어 경쟁하는 습속을 그치게 하면 위에 보탬이 되는 것이 적지 않으니, 덜어내지 않는 것이 보태는 일이다. '동강의 한 올 낚싯줄이 한나라의 구정을 붙들어 매었다'[5]는 것은 맑은 기풍과 높은 절개로 선비들의 습속을 열어 올렸으니, 이 효의 의미에 해당한다고 할 수 있다."

5) '동강의 한 올 낚싯줄이 한나라의 구정을 붙들어 매었다'는 말은 후한 광무제(後漢光武帝)의 절친한 친구인 엄광(嚴光)이 높은 벼슬을 주려는 광무제의 호의를 거절하고 부춘산(富春山)에 들어가 숨어 살며 동강에서 낚시로 소일함으로써 선비들의 기개를 높여 주어 후한의 국운을 유지하게 했다는 뜻이다.

六三, 三人行, 則損一人, 一人行, 則得其友.

육삼은 세 사람이 가면 한 사람을 덜어내고, 한 사람이 가면 친구를 얻는다.

本義

下卦本乾, 而損上爻以益坤, 三人行, 而損一人也, 一陽上, 而一陰下, 一人行, 而得其友也. 兩相與則專, 三則雜而亂. 卦有此象, 故戒占者, 當致一也.

하괘는 본래 건(乾☰)괘인데 위의 효를 덜어 곤괘(☷)에 보탰으니, 세 사람이 가면서 한 사람을 덜어낸 것이고, 한 양이 올라가고 한 음이 내려왔으니, 한 사람이 가서 그 친구를 얻은 것이다.
둘이 서로 함께 하면 전일하고 셋이면 섞여 어지러워진다. 괘에 이런 상이 있기 때문에 점치는 자는 하나를 이루어야 한다고 경계하였다.

程傳

損者, 損所餘也, 益者, 益不足也. 三人謂下三陽, 上三陰, 三陽同行, 則損九三以益上, 三陰同行, 則損上六以爲三, 三'人行則損一人也'. 上以柔易剛, 而謂之損, 但言其減一耳. 上與三, 雖本相應, 由二爻升降, 而一卦皆成, 兩相與也. 初二二陽, 四五二陰, 同德相比, 三與上應, 皆兩相與, 則其志專, 皆爲得其友也. 三雖與四相比, 然異體而應上, 非同行者也.

덜어낸 것은 넉넉한 것에서 덜어내는 일이고, 보태는 것은 부족한 것에 보태는 일이다. 세 사람은 태(泰䷊)괘 하괘의 세 양과 상괘의 세 음을 말한다. 세 양이 동행하면 구삼을 덜어 위에 보태고, 세 음이 동행하면 상육을 덜어 삼효를 삼으니, '세 사람이 가면 한 사람을 덜어낸다'는 말이다.
상효는 부드러움을 굳셈으로 바꾸었는데 덜어냈다고 하였으니, 그 하나를 덜어냈음을 말했을 뿐이다. 상효와 삼효는 본래 서로 호응할지라도 두 효가 오르내림으로 말미암아 한 괘가 모두 이루어졌으니, 둘이 서로 함께 한다. 초효와 이효의 두 양과 사효와 오효의 두 음은 덕이 같아 서로 가깝고, 삼효와 상효는 호응하니, 둘이 서로 함께 하면 그 뜻이 전일하여 모두 그 친구를 얻는다. 삼효는 사효와 서로 가까울지라도 몸체가 다르고 상효와 호응하니 동행하는 자가 아니다.

'三人則損一人, 一人則得其友', 蓋天下无不二者. 一與二相對待, 生生之本也, 三則餘而當損矣, 此損益之大義也. 夫子又於「繫辭」, 盡其義曰, "天地絪縕, 萬物化醇, 男女構精, 萬物化生. 『易』曰, '三人行則損一人, 一人行則得其友', 言致一也." '絪縕', 交密之狀, 天地之氣相交而密, 則生萬物之化醇. 醇謂醲厚, 醲厚猶精一也. 男女精氣交構, 則化生萬物, 唯精醇專一, 所以能生也. 一陰一陽, 豈可二也. 故三則當損, 言專致乎一也. 天地之間, 當損益之明且大者, 莫過此也.

'세 사람이면 한 사람을 덜어내고, 한 사람이면 친구를 얻는다'는 말은 대체로 천하에 둘 아닌 것이 없기 때문이다. 하나와 둘은 서로 마주하여 기다려서 낳고 낳는 근본이고, 셋은 남아서 덜어내야 하는 것이니, 이것이 덜어내어 보태는 큰 뜻이다.

공자가 또 「계사전」에서 그 뜻을 다하여 "하늘과 땅의 기운이 성대함에 만물이 변화하여 두터워지고, 남녀가 정기를 함께 함에 만물이 변화하여 생겨난다. 『주역』에서 '세 사람이 가면 한 사람을 덜어내고, 한 사람이 가면 그 친구를 얻는다'고 하였으니 하나를 이룸을 말한다"고 하였다.

'천지의 기운이 성대한 것[絪縕]'은 사귀어 친밀한 모양이니, 하늘과 땅의 기운이 서로 사귀어 친밀하면 만물이 변화한 두터움을 낳는다. 두터움[醇]은 농후함을 말하고, 농후함은 '깨끗하고 한결같음[精一]'과 같다. 남녀의 정기가 서로 함께 하면 만물을 변화시켜 낳으니, 오직 깨끗하고 한결같기 때문에 낳을 수 있는 것이다.

한 번 음이 되고 한 번 양이 됨이 어찌 둘이겠는가? 그러므로 셋이면 덜어내야 하니, 오로지 하나가 되도록 해야 한다는 말이다. 천지 사이에 덜어내고 보태야 하는 것 중에서 분명하면서도 큰 것으로 이보다 더한 것은 없다.

集說

● 林氏希元曰:"此爻之辭, 兼舉六爻. 以三正是當損之爻, 乃卦之所以爲損者, 故於此言之."

임희원이 말했다. "이 효사는 여섯 효를 아울러 들었다. 그런데 세 효는 바로 덜어내야 하는 효이고, 이에 괘에서 덜어내는 것이기 때문에 여기에서 말했다."[6]

6) 임희원(林希元), 『역경존의(易經存疑)』「손괘(損卦)」: "下體本乾, 乾三

● 楊氏啓新曰："人之相與，惟其心之同而已．苟精神不孚，意氣不貫，則羣黨比周，固三也，卽一人之異，亦三也，是皆不可以不損也．苟精神相孚，意氣相貫，則二人同心，固兩也，卽千百其朋，亦兩也，是皆不可以不得者也."

양계신이 말했다. "사람이 서로 함께 하는 것은 그 마음이 같기 때문일 뿐이다. 마음으로 믿지 못하고 의기로 이어지지 않는 것은 무리를 결집해 사사롭게 영위하는 것으로 진실로 셋이니, 곧 한 사람의 다름이 또한 셋인 것으로 모두 덜어내지 않을 수 없는 것이다. 마음으로 믿고 의기로 이어지는 것은 두 사람이 한 마음인 것으로 진실로 둘이니, 수 없이 많은 친구가 또한 둘인 것으로 모두 얻지 않을 수 없는 것이다."

陽也．上體本坤，坤三陰也．如此則所謂三，則雜而亂，不得為兩相與矣．惟乾之一陽上往，坤之一陰下來，則初與二兩相與，四與五兩相與，三與上兩相與，不至雜而亂矣．初二四五以相比而相與也，三與上九相去隔越，以相應而相與也．三人行則損一人，一人行則得其友二句，緊緊相接說，言三人行，則損去一人，一人旣損去，則得其友矣．此純是象占者，必當致一也.[아래의 몸체는 본래 건(乾☰)괘이고 위의 몸체는 본래 곤(坤☷)괘이다. 이와 같다면 이른바 셋으로 섞여 혼란하여 둘이 서로 함께 할 수 없다. 오직 건괘의 한 양이 위로 가고 곤괘의 한 음이 아래로 가면, 초효와 이효 둘이 서로 함께 하고, 사효와 오효 둘이 서로 함께 하며, 삼효와 상효 둘이 서로 함께 하여 섞여 혼란하게 되지 않는다. 초효와 이효, 사효와 오효는 서로 가까워서 서로 함께 하는 것들이고, 삼효와 상구는 서로 떨어져 있는 것을 뛰어넘어 서로 호응함으로 서로 함께 하는 것들이다. '세 사람이 가면 한 사람을 덜어내고 한 사람이 가면 친구를 얻는다'는 두 구절은 확고하게 서로 이어서 설명한 것이니, 세 사람이 가면 한 사람을 덜어내고, 한 사람을 이미 덜어냈으면 그 친구를 얻는다는 말이다. 이것은 순수하게 상과 점이니, 반드시 일치시켜야 한다.]"라고 하였다.

六四, 損其疾, 使遄, 有喜, 无咎.
육사는 그 병을 덜어내는 데 빨리하면 기쁨이 있어 허물이 없다.

本義

以初九之陽剛益己, 而損其陰柔之疾, 唯速則善, 戒占者如是則无咎矣.

초구의 굳센 양을 자신에게 보태어 그 유약한 음의 병을 덜어냄에 빨리 하기만 하면 좋으니, 점치는 자가 이렇게 하면 허물이 없다고 경계하였다.

程傳

四以陰柔居上, 與初之剛陽相應. 在損時而應剛, 能自損以從剛陽也, 損不善以從善也. 初之益四, 損其柔而益之以剛, 損其不善也. 故曰'損其疾'. '疾'謂疾病, 不善也. 損於不善, 唯使之遄速, 則有喜而无咎. 人之損過, 惟患不速, 速則不致於深過, 爲可喜也.

사효는 부드러운 음으로 위에 있으면서 초효의 굳센 양과 서로 호응한다. 덜어내는 때에 굳셈과 호응하기에 스스로 덜어내서 굳센 양을 따를 수 있으니, 좋지 못한 것을 덜어내 좋은 것을 따름이다. 초효가 사효에 보탬은 부드러움을 덜어내고 굳셈으로 보태는 일로 좋지 못한 것을 덜어내는 일이기 때문에 '그 병을 덜어낸다'고 하였다.

'병'은 질병을 말하는 것으로 좋지 못한 일이다. 좋지 못한 것을 덜어냄에 오직 빨리하게 하면 기쁨이 있고 허물이 없다. 사람이 허물을 덜어냄에 빨리하지 못함을 근심할 뿐이니, 빨리하면 심하게 잘못되지 않아 기쁠 수 있다.

集說

● 王氏弼曰 : "履得其位, 以柔納剛, 能損其疾也, 疾何可久. 故速乃有喜, 有喜乃无咎也."

왕필이 말했다. "밟고 있는 것이 그 자리를 얻고 부드러움이 굳셈을 거둬 병을 덜어낼 수 있으니, 병이 어떻게 오래갈 수 있겠는가? 그러므로 빨리 해야 기쁨이 있고, 기쁨이 있어야 허물이 없다."

● 蘇氏軾曰 : "遄者初九也. 損其疾, 則初之從我也, 易故遄有喜."

소식이 말했다. "빠른 것은 초구이다. 병을 덜어내는 일은 초구가 나를 따르는 것으로 쉽기 때문에 빨리 기쁨이 있다.

● 楊氏萬里曰 : "六四以柔居柔, 得初九之陽以爲應, 損其疾者也. 初言'遄往', 四言'使遄', 蓋初之'遄', 實四有以使之也."

양만리가 말했다. "육사는 부드러움이 부드러운 자리에 있고 초구라는 양을 얻어 호응함으로 병을 덜어내는 것이다. 초효에서 '빨리

간다'고 하고 사효에서 '빨리 가게 한다'고 했으니, 초효의 '빨리'는 실로 사효에서 그렇게 하게 만든 것이 있기 때문이다."

● 胡氏炳文曰："六四與初九爲應, 初方巳其事, 而速於益四. 四損其陰柔之疾, 惟速, 則有喜. 不然, 彼方汲汲, 此乃悠悠, 非受益之道."

호병문이 말했다. "육사와 초구는 호응이고 초효는 한창 그 일을 이어받고 있어 사효를 돕는 데 신속하다. 사효가 음의 부드러운 병을 덜어냄에 오직 신속하니 기쁨이 있다. 그렇게 하지 않으면, 저것은 한창 급한데 이것은 그야말로 느긋하니, 보탬을 받는 도가 아니다."

● 又曰："下損己以益上, 當使下亦速有所喜, 乃无咎."

또 말하였다. "아래에서 자신을 덜어내어 위에 보탬에 아래에도 빨리 기쁨이 있게 해야 허물이 없다."

案

● 蘇氏楊氏說, 於使字語氣, 亦近是.

소씨[소식]와 양씨[양만리]가 '~하게 한다[使]'는 말에 대해 어세라고 설명한 것도 거의 옳다.

六五, 或, 益之十朋之龜, 弗克違, 元吉.

육오는 어떤 이가 열 쌍의 거북으로 보태도 어길 수 없으니 크게 길하다.

本義

柔順虛中, 以居尊位, 當損之時, 受天下之益者也. 兩貝爲朋, 十朋之龜大寶也. 或以此益之, 而不能辭, 其吉可知. 占者有是德, 則獲其應也.

유순하게 마음을 비워 존귀한 자리에 있으니, 덜어낼 때 천하의 보탬을 받는 것이다.
조개껍질 두 개가 쌍[朋]이니, 열 쌍의 거북은 큰 보물이다. 간혹 이것으로 보태도 거절할 수 없으니, 그 길함을 알 수 있다. 점치는 자가 이러한 덕이 있으면 그 호응을 얻을 것이다.

程傳

六五, 於損時, 以中順, 居尊位, 虛其中以應乎二之剛陽, 是人君能虛中自損, 以順從在下之賢也. 能如是, 天下孰不損己自盡以益之. 故或有益之之事, 則'十', 朋助之矣, 十衆辭. '龜'者, 決是非吉凶之物, 衆人之公論, 必合正理, 雖龜筴, 不能違也. 如此, 可謂大善之吉矣, 古人曰, '謀從衆則合天心'.

육오는 덜어내는 때 알맞게 순응함으로 존귀한 자리에 있고, 그 마음을 비워 구이의 굳센 양과 호응하니, 임금이 마음을 비우고 스스로 덜어내어 아래에 있는 현인을 따르는 것이다. 이와 같을 수 있다면 천하에서 누가 스스로 덜어내기를 극진히 하여 보태지 않겠는가? 그러므로 간혹 보탤 일이 있으면 열 명의 친구가 도울 것이니, '열[十]'은 많다는 말이다.
'거북'은 옳음과 그름, 길함과 흉함을 결단하는 물건이지만, 여러 사람의 공론이 반드시 바른 이치에 합한다면 거북점과 시초점일지라도 어길 수 없다.[7] 이와 같으면 크게 착해서 길하다고 할 수 있으니, 옛사람이 '도모함에 무리를 따르면 하늘의 마음에 합한다'고 하였던 것이다.

集說

● 張子曰: "'龜弗能違', 言受益之可必, 信然不疑也."

장재(張載)가 말했다. "'거북도 어기지 못한다'는 보탬을 받는 것이 틀림없어 믿고 의심하지 않는다는 말이다."

● 楊氏時曰: "柔得尊位, 虛己而下人, 則謙受益. 時乃天道. 天且不違. 況於人乎, 況於鬼神乎. 宜其益之者至矣. 故曰, '或益之, 十朋之, 龜弗克違, 元吉'."

7) 六五의 효사인 '六五, 或益之, 十朋之, 龜弗克違, 元吉.' 이 구절은 『정전』을 따르면, '육오는 간혹 보태면 친구가 열이어서 거북도 어기지 못할 것이니 크게 길하다'로 구두하고 번역해야 한다.

양시가 말했다. "부드러움이 존귀한 자리를 얻어 자신을 비우고 사람들에게 낮추는 것은 겸손하게 보탬을 받아들이는 일이다. 때에 맞추는 것이 바로 하늘의 도이니, 하늘이 또 어기지 않는다. 그런데 사람과 귀신에 대해 말할 필요가 있겠는가? 당연히 보태는 것이 지극한 일이다. 그러므로 '간혹 보태면 친구가 열이어서 거북도 어기지 못할 것이니 크게 길하다'라고 하였다."

● 郭氏雍曰 : "益之至, 豈獨人事而已. 雖元龜之靈, 弗能違, 此其所以元吉也. 「洪範」曰, '汝則從, 龜從筮從, 卿士從庶民從, 是之謂大同.' 六五之元吉, 猶「洪範」之大同也."

곽옹이 말했다. "보태는 것이 지극함이 어찌 사람의 일일 뿐이겠는가? 큰 거북의 신령함일지라도 어길 수 없으니, 이렇게 하는 것이 크게 길하기 때문이다. 『서경』「홍범」에서 '그대도 찬성함에 거북점도 찬성하고 시초점도 찬성하며, 경사도 찬성하고 서민도 찬성하면, 이것은 크게 같음이다'라고 했으니, 육오의 크게 길함은 「홍범」의 크게 같음과 같다."

● 楊氏簡曰 : "'或'者, 不一之辭. 益之者, 不一也, 人心歸之也. 十朋之龜, 皆從而弗違, 天與鬼神祐之也. 鬼神祐之, 故龜筮協從."

양간[8]이 말했다. "'어떤 이[或]'는 하나로 하지 않는다는 말이다. 보

8) 양간(楊簡, 1141~1226) : 남송 명주(明州) 자계(慈溪) 사람으로 자는 경중(敬仲)이고, 호는 자호선생(慈湖先生)이며, 시호는 문원(文元)이다. 양정현(楊庭顯)의 아들이다. 효종(孝宗) 건도(乾道) 5년(1169)에 진사(進士)가 되고, 부양주부(富陽主簿)에 올랐다. 이때 육구연(陸九淵)을

태는 것이 하나가 아니니 사람들이 마음으로 귀의하는 일이다. 열 쌍의 거북은 모두 따르고 어기지 않아 하늘과 귀신이 돕는 것이다. 귀신이 돕기 때문에 거북점과 시초점이 따른다."

스승으로 섬겨 육씨심학파(陸氏心學派)의 대표적 인물이 되었다. 원섭(袁燮), 서린(舒璘), 심환(沈煥) 등과 함께 녹상사선생(甬上四先生), 사명사선생(四明四先生)으로 일컬어졌다. 육구연의 심학을 우주의 만물(萬物), 만상(萬象), 만변(萬變)이 모두 자신에게 속해 있다는 유아론(唯我論)으로 발전시켰다. 저서에 『자호시전(慈湖詩傳)』, 『양씨역전(楊氏易傳)』, 『계폐(啓蔽)』, 『선성대훈(先聖大訓)』, 『오고해(五誥解)』, 『자호유서(慈湖遺書)』 등이 있다.

上九, 弗損, 益之, 无咎, 貞吉, 利有攸往, 得臣, 无家.

상구는 덜어내지 않더라도 보태면 허물이 없지만, 곧으면 길하여 가는 것이 이롭고, 신하를 얻음이 집안에서만이 아니다.

本義

上九當損下益上之時, 居卦之上, 受益之極而欲自損以益人也. 然居上而益下, 有所謂'惠而不費'者, 不待損己然後, 可以益人也. 能如是則无咎. 然亦必以正, 則吉而利有所往, 惠而不費, 其惠廣矣, 故又曰'得臣无家'.

상구는 아래에서 덜어내어 위에 보태야 하는 때 괘의 꼭대기에 있으니, 보태줌을 받는 끝이어서 스스로 덜어내어 남에게 보태려고 한다. 그런데 위에 있으면서 아래에 보태줌에는 이른바 『논어』에서 '은혜를 베풀면서도 낭비하지 않는다'는 말이 있으니, 자기에게 덜어낼 필요가 없게 된 다음에 남에게 보태줄 수 있다. 이와 같을 수 있다면 허물이 없다. 그러나 또한 반드시 곧으면 길하여 가는 것이 이롭다. 은혜를 베풀면서도 낭비하지 않는 것은 그 은혜가 넓은 것이기 때문에 또 '신하를 얻음이 집에서만이 아니다'라고 하였다.

程傳

凡損之義有三, 損己從人也, 自損以益於人也, 行損道以損於人也. 損己從人, 徙於義也, 自損益人, 及於物也, 行損道以損於人, 行其義也, 各因其時, 取大者言之.

덜어낸다는 뜻에는 세 가지가 있으니 자신에게서 덜어내어 남을 따르는 것과 스스로 덜어내어 남에게 보태주는 것과 덜어내는 도리를 행하여 남에게서 덜어내는 것이다. 자신에게서 덜어내어 남을 따르는 것은 의로움으로 옮겨가는 일이고, 스스로 덜어내어 남에게 보태는 것은 사물에 미치는 일이며, 덜어내는 도리를 행하여 남에게서 덜어내는 것은 의로움을 행하는 일이니, 각기 그 때에 따라 큰 것을 취해서 말한 것이다.

四五二爻, 取損己從人. 下體三爻, 取自損以益人. 損時之用, 行損道以損天下之當損者也. 上九, 則取不行其損爲義, 九居損之終, 損極而當變者也. 以剛陽居上, 若用剛以損削於下, 非爲上之道, 其咎大矣. 若不行其損, 變而以剛陽之道, 益於下則无咎, 而得其正且吉也. 如是則宜有所往, 往則有益矣. 在上能不損其下而益之, 天下孰不服從. 從服之衆, 无有內外也. 故曰, '得臣无家', '得臣', 謂得人心歸服, '无家', 謂无有遠近內外之限也.

사효와 오효 두 효는 자신에게서 덜어내어 남을 따르는 것을 취하였다. 아래 몸체의 세 효는 스스로 덜어내어 남에게 보태주는 것을 취하였다. 덜어내는 것이 때에 맞춰 쓰는 것은 덜어내는 도리를 행해 천하에서 덜어내야 할 것을 덜어내는 일이다.
상구에서는 그 덜어냄을 행하지 않는 것을 취해 뜻으로 삼았으니, 구(九)가 덜어내는 끝에 있어 덜어내는 일이 다해 변해야 할 것이기 때문이다. 굳센 양으로 위에 있으면서 굳셈을 써서 아래에서 덜어내어 깎는다면 윗사람이 된 도리가 아니어서 그 허물이 클 것이다. 덜어냄을 행하지 않고 변하여 굳센 양의 도리로 아래에 보태주면 허물이 없어 곧음과 길함을 얻을 것이다. 이와 같이 하면 당연히 갈 곳이 있으니, 가면 유익함이 있다. 위에 있으면서 그 아래에서 덜어내지 않고 보태줄 수 있다면, 천하에서 누가 복종하지 않겠는가? 따르고 복종하는 무리는 안팎이 없기 때문에 '신하를 얻음이 집안에서만이 아니다'라고 하였으니, '신하를 얻음'은 사람들이 마음으로 돌아와 복종한다는 말이고, '집안에서만이 아니다'는 원근과 안팎의 제한이 없다는 말이다.

集說

● 王氏肅曰 : "處損之極, 損極則益, 故曰, '不損益之得臣'. 則萬方一軌, 故'无家'也."

왕숙[9]이 말했다. "덜어냄의 끝에 있어 덜어냄이 다하면 보태기 때

9) 왕숙(王肅, 195~256) : 삼국시대 위(魏)나라 동해군 담현(東海郡 郯縣 : 현 산동성 소속) 사람으로 자는 자옹(子雍)이다. 삼국(三國)시대 조위(曹魏)의 관리이자 경학자(經學者)로 왕랑(王朗)의 아들이다. 사마소(司馬昭)의 장인으로 진(晉)나라 무제(武帝)의 외조부이며, 벼슬은 산기황문시랑(散騎黃門侍郎), 비서감(秘書監), 숭문관제주(崇文觀祭酒), 광평태수(廣平太守), 시중(侍中), 하남윤(河南尹) 등을 역임했다. 사후에 위장군(衛將軍)으로 추증되었고, 시호는 경후(景侯)이다. 부친인 왕낭(王朗)에게 금문학(今文學)을 배우고, 당대 대유학자(大儒學者)인 송충(宋忠)을 사사하여 고금경전(今古經典)에 해박했다. 특히 고문학자(古

문에, '덜지 않더라고 보태면 신하를 얻음이'라고 했다. 그렇게 되면 온 천지가 하나의 길로 통하기 때문에 '집안에서만이 아니다'는 것이다."

● 句氏微曰 : "上九剛德爲物所歸, 雖曰'得臣', 非已所有, 蓋以四海爲家."

구미(句微)가 말했다. "상구의 굳센 덕은 사물이 귀의하니, '신하를 얻음'이라 할지라도 이미 소유한 것이 아니니, 사해로 집안을 삼았다."

● 『朱子語類』云 : "得臣有家, 其所得也小矣, 无家則可見其大."

『주자어류』에서 말했다. "신하를 얻음이 집안에서라면 얻은 것이 작고, 집안에서만이 아니라면 그 큼을 알만하다."[10]

案

● 卦以損三益上成義. 則上者受益之極, 卦之主也, 故'无咎可貞利有攸往'之辭, 皆與卦同. 其不言'有孚元吉'者, 弗損於下而有益於己, 此非有至誠仁愛之心者, 不能也. 蓋黎民之生厚, 則

文學者) 가규(賈逵), 마융(馬融)의 현실주의적 해석을 계승해서, 정현(鄭玄)의 참위설(讖緯說)을 혼합한 경전해석을 반박하였다. 또한 정현의 예학(禮學) 체계에 반대하여 『성증론(聖證論)』을 지었다. 그의 학설은 모두 위나라의 관학(官學)으로서 공인받았다. 저서로는 『공자가어(孔子家語)』, 『고문상서공굉국전(古文尙書孔宏國傳)』 등이 있다.

10) 『주자어류』 권72, 89조목.

所以固本寧邦者至矣, 仁義之俗成, 則其有遺親後君者鮮矣, 其爲益, 孰大於是. 然其不損於下者, 乃所以自損於己也, 此所以合乎卦義有孚元善之德也.

괘에서는 셋에서 덜어내어 위에 보태는 것으로 뜻을 이룬다. 그렇다면 위에 있는 것은 보탬을 받는 끝으로 괘의 주인이기 때문에 '허물이 없지만, 곧으면 가는 것이 이롭다'는 말은 모두 괘와 같다. '믿음이 있으면 크게 길하다'는 말을 하지 않았는데, 이는 아래에서 덜어내어 자기에게 보태지 않는 것은 지극히 참되고 어질며 사랑하는 마음이 있는 자가 아니면 할 수 없기 때문이다.
백성들의 삶이 두텁게 되는 것은 지극히 근본을 튼튼하게 하고 나라를 평안하게 하는 일이고, 어질고 의로운 풍속이 이루어지는 것은 부모를 버리고 임금을 뒤로 하는 경우가 별로 없기 때문이니, 보태주는 것 중에서 무엇이 이것보다 크겠는가? 그런데 아래에서 덜어내지 않는 것은 바로 자신에게서 스스로 덜어내는 것이니, 이것이 괘의 의미인 믿음이 있으면 크게 선하다는 덕과 합하는 까닭이다.

'得臣无家', 則又極言弗損之規模, 與夫獲益之氣象. 自其弗損之心而言之, 爲天下君而不自利於己, 自其得益之量而言之, 莫匪王臣而不視爲私屬, 皆所謂得臣无家, 王道之至也. 蓋五上二爻, 相蒙爲義, 五之虛中, 旣已格乎鬼神, 而獲元吉. 則「象」所謂'有孚元吉'者已備, 故於此爻, 遂究其說以終其義也.

'신하를 얻음이 집안에서만이 아니다'라는 것은 또 덜어내지 않는 규모와 얻어 더하는 기상을 극도로 말하였다. 덜어내지 않는 마음으로 말하면 천하의 임금이 되어 자신을 스스로 이롭게 하지 않는 것이고, 얻는 도량으로 말하면 왕의 신하가 아님이 없어 사사로운 무리로 보지 않는 것이니, 모두 이른바 신하를 얻음이 집안에서만이 아닌 것으로 왕도의 지극함이다.
오효와 상효 두 효는 서로 이어받음으로 뜻이 되니, 오효의 비어 있는 가운데에는 이미 귀신에게까지 이르러 크게 길함을 얻은 것이다. 그렇다면 「단사」의 이른바 '믿음이 있으면 크게 길하다'는 것이 이미 구비되었기 때문에 이 효에서는 마침내 그 의미를 끝내는 사안으로 설명하였다.

九二之弗損, 謂損己, 益之謂益人, 此爻之弗損, 謂損人, 益之謂益己, 辭同而指異者. 卦義損下益上, 故在下卦爲自損, 在上卦爲受益.

구이의 덜어내지 않음은 자신에게서 덜어내는 것을 말하고, 보태줌은 사람들에게 보태주는 것을 말하고, 이 효에서 덜어내지 않음은 사람들에게서 덜어내는 것을 말하고, 보태줌은 자신에게 보태주는 것을 말하니, 말이 같은데도 다른 것을 가리키고 있다.
괘의 의미로는 아래에서 덜어내어 위에 보태기 때문에 아래의 괘에서는 스스로 덜어내는 것이고 위의 괘에서는 보태줌을 받는 일이다."

● 卦名, 以損下益上爲義. 卦辭, 則泛論損所當損, 而損中有益也. 六爻之辭, 其以上下體分損益, 則根乎卦名. 其言損所當損, 而損中有益, 則又根乎卦辭.

괘의 이름은 아래에서 덜어내어 위에 보태는 것을 뜻으로 하였다. 괘사에서는 덜어내야 할 것을 덜어내는 일을 넓게 설명해서 덜어내는 가운데 보태는 것이 있다.

여섯 효사에서 위아래의 몸체로 덜어내고 보태는 일을 나눈 것은 괘의 이름에 근거한 것이다. 그런데 덜어내야 할 것을 덜어내면서 덜어내는 가운데 보탬이 있다고 말한 부분은 또 괘사에 근거한 것이다.

42. 익益괘

䷩ 巽上
震下

程傳

益, 「序卦」, "損而不已, 必益, 故受之以益." 盛衰損益, 如循環, 損極必益, 理之自然. 益所以繼損也. 爲卦巽上震下, 雷風二物相益者也. 風烈則雷迅, 雷激則風怒, 兩相助益, 所以爲益, 此以象言也. 巽震二卦, 皆由下變而成. 陽變而爲陰者, 損也, 陰變而爲陽者, 益也. 上卦損而下卦益, 損上益下, 損以爲益. 此以義言也. 下厚則上安, 故益下爲益.

익(益䷩)괘에 대해 「서괘전」에서 "덜어내기를 그치지 않으면 반드시 보태게 되기 때문에 익괘로 받았다"라고 하였다. 흥성함과 쇠퇴함, 덜어냄과 보태줌은 순환하는 것과 같아서 덜어냄이 다하면 반드시 보태야 하는 것이 저절로 그런 이치이다. 그 때문에 익괘가 손괘 다음에 있다.

괘의 모양은 손(巽☴)괘가 위에 진(震☳)괘가 아래 있으니 우레와 바람 두 가지가 서로 보태주는 것이다. 바람이 세차면 우레가 빠르고 우레가 몰아치면 바람이 성난 듯이 불어 두 가지가 서로 돕고 보태기 때문에 보태주는 것이니, 이것은 상으로 말한 것이다.

손괘와 진괘 두 괘는 모두 아래 효가 변하여 이루어졌다. 양이 변하여 음이 되는 것은 덜어냄이고, 음이 변하여 양이 되는 것은 보태줌이다. 위의 괘에서 덜어내고 아래 괘에서 보태주는 것은 위에서 덜어내 아래에 보태주는 것으로 덜어내서 보태주는 일이니, 이것은 뜻으로 말한 것이다. 아래가 두터우면 위가 편안하기 때문에 아래에 보태는 것이 익(益)이다.

益, 利有攸往, 利涉大川.

익은 가는 것이 이롭고 큰 내를 건너는 것이 이롭다.

本義

益, 增益也. 爲卦損上卦初畫之陽, 益下卦初畫之陰, 自上卦而下於下卦之下, 故爲益. 卦之九五六二, 皆得中正, 下震上巽, 皆木之象, 故其占, 利有所往, 而利涉大川也.

익은 보태는 것이다. 괘의 모양이 위 괘의 첫 양을 덜어내어 아래 괘의 첫 음에 보태주어 위 괘에서 아래 괘의 아래로 내려왔기 때문에 보태는 것이다.
괘의 구오와 육이는 모두 중정을 얻었고, 아래 괘인 진(震☳)괘와 위 괘인 손(巽☴)괘가 모두 나무의 상이기 때문에 그 점사가 가는 것이 이롭고 큰 내를 건너는 것이 이롭다.

程傳

益者, 益於天下之道也, 故利有攸往. 益之道, 可以濟險難, 利涉大川也.

익(益)은 천하에 보태는 도이기 때문에 가는 것이 이롭다. 보태는 도는 험난함을 구제할 수 있으니 큰 내를 건너는 것이 이롭다.

集說

● 孔氏穎達曰 : "損卦則損下益上, 益卦則損上益下, 得名皆就下而不據上者. 向秀云'明王之道, 志在惠下, 故取下謂之損, 與下謂之益.'"

공영달이 말했다. "손(損䷨)괘에서는 아래에서 덜어내어 위에 보태주고, 익(益䷩)괘에서는 위에서 덜어내어 아래로 보태주니, 이름을 얻은 것이 모두 아래로 나아가고 위에 의지하지 않는 것이다. 향수(向秀)[1]는 '현명한 왕의 도는 뜻이 아래에 베푸는 데 있기 때문에 아래에서 취하는 것을 손(損)이라고 하였고, 아래에 주는 것을 익(益)이라고 했던 것이다'라고 했다."

● 陸氏贄曰 : "損上益下曰益, 損下益上曰損. 約己而裕於人, 人必悅而奉上矣, 豈不謂之益乎, 上蔑人而肆諸己, 人必怨而畔上矣, 豈不謂之損乎."

육지(陸贄)[2]가 말했다. "위에서 덜어내어 아래에 보태주는 것을 익(益)이라 하고, 아래에서 덜어내어 위에 보태주는 것을 손(損)이라 한다. 자신에게 검약하게 하여 남에게 관대하게 하면 사람들이 반

1) 향수(向秀, 220~420) : 위진시대의 현학자. 자는 자기(子期)이고 죽림7현(竹林七賢)의 한 사람으로, 『진서(晉書)』「향수전(向秀傳)」에 의하면 그가 『장자주(莊子注)』를 지었다고 한다. 이 문헌은 유실되었지만 육덕명(陸德明)의 『경전석문(經典釋文)』중에 그 인용문이 전한다. 또한 『주역주(周易注)』도 있었다고 하나 전하지 않는다.

2) 육지(陸贄, 754~805)는 자는 경여(敬輿)이다. 오군 가흥(吳郡嘉興, 지금 절강 가흥) 사람이다. 당나라의 유명한 정치가이자 문학가이다. 시호는 호선(號宣)이다.

드시 기뻐하며 위를 받들 것이니, 어찌 그것을 보태는 일이라 하지 않겠는가? 위에서 사람들을 모멸하며 자신에게 함부로 하면, 사람들이 반드시 원망하며 위를 배반할 것이니, 어찌 덜어내는 일이라 하지 않겠는가?"

● 范氏仲淹曰 : "益上曰損, 損上曰益者, 何也. 益上則損下, 損下則傷其本也, 損上則益下, 益下則固其本也."

범중엄이 말했다. "위에 보태주는 일을 손(損)이라고 하고, 위에서 덜어내는 일을 익(益)이라고 하는 것은 무엇 때문인가? 위에 보태주면 아래에서 덜어내고 아래에서 덜어내면 근본을 해치고, 위에서 덜어내면 아래로 보태주고 아래로 보태주면 근본을 튼튼하게 하기 때문이다."

● 蔡氏清曰 : "損下益上民貧, 則君不能獨富, 損道也故爲損. 損上益下民富, 則君不能獨貧, 益道也故爲益. 損則上下通一損, 益則上下通一益, 要知關於上者爲多."

채청이 말했다. "아래에서 덜어내 위에 보탰는데 백성들이 가난하면, 임금이 혼자 부유하게 될 수 없고 덜어내는 도이기 때문에 손(損)이다. 위에서 덜어내 아래에 보탰는데 백성들이 부유하면, 임금이 홀로 가난할 수 없고 보태는 도이기 때문에 익(益)이다. 덜어내는 것은 위아래가 두루 덜어내고, 보태는 것은 위아래가 두루 보태는 것인데, 위와 관련된 것이 대부분임을 알아야 한다."

案

● 「彖辭」與損同, 亦不專主, 損己惠下爲義. 蓋益以興利, 故利以圖大事而濟大難. 天下事有動而後獲益者, 不可坐以需時也.

「단사」가 손괘와 같은 것도 임금을 오로지 하지 않고, 자신에게 덜어내어 아래에 혜택을 주는 것으로 뜻을 삼았다. 익은 이로움을 일으키기 때문에 큰일을 도모하고 큰 어려움을 구제하는 데 이롭다. 천하의 일은 움직인 다음에 보태줌을 얻는 것이니, 앉아서 때를 기다려서는 안 된다.

初九, 利用爲大作, 元吉, 无咎.

초구는 크게 일을 일으킴이 이롭고, 크게 길해야 허물이 없다.

本義

初雖居下, 然當益下之時, 受上之益者也. 不可徒然无所報效, 故利用爲大作, 必元吉然後, 得无咎.

초구가 아래에 있을지라도 아래를 유익하게 해야 할 때 위의 보태줌을 받는 것이다. 그냥 아무 보답이 없어서는 안 되기 때문에 크게 일을 일으킴이 이롭고, 반드시 크게 길한 뒤에 허물이 없을 수 있다.

程傳

初九, 震動之主, 剛陽之盛也, 居益之時, 其才足以益物, 雖居至下, 而上有六四之大臣, 應於己. 四巽順之主, 上能巽於君, 下能順於賢才也. 在下者, 不能有爲也, 得在上者, 從之則宜以其道輔於上, 作大益天下之事, 利用爲大作也. 居下而得上之用, 以行其志, 必須所爲大善而吉, 則无過咎. 不能元吉, 則不唯在己有咎, 乃累乎上, 爲上之咎也. 在至下而當大任, 小善不足以稱也, 故必元吉然後, 得无咎.

초구는 떨쳐 움직이는 주인으로 굳센 양이 성대하니, 보태주는 때 그 재질이 충분히 사물을 유익하게 할 수 있고, 지극히 아래에 있을지라도 위에 육사라는 대신이 있어 자신과 호응한다. 사효는 공손함의 주인이어서 위로는 임금에게 공손할 수 있고 아래로는 어진 인재를 따를 수 있다.

아래에 있는 자는 일을 해볼 수 없으나 위에 있는 자를 만나 그를 따른다면, 그 도로 윗사람을 보좌하여 천하를 크게 유익하게 하는 일을 하니, 크게 일을 일으키는 것이 이롭다. 아래에서 윗사람의 쓰임을 얻어 그 뜻을 행하니, 반드시 크게 선한 일을 하여 길하면 허물이 없다.

크게 선하여 길하지 못하다면 자기에게만 허물이 있을 뿐이 아니니, 윗사람에게 누를 끼치는 것이 윗사람의 허물이기 때문이다. 지극히 아래에 있으면서 큰 임무를 맡으면 작은 선함으로는 감당하기 부족하기 때문에 반드시 크게 선하여 길한 뒤에야 허물이 없다.

集說

● 『朱子語類』云："初九在下，爲四所任而大作者，必盡善而後无咎. 若所作不盡善，未免有咎也."[3)]

『주자어류』에서 말하였다. "초구가 아래에서 사효의 신임을 받아 크게 일을 일으킬 경우에는 반드시 최선을 다한 이후에야 허물이 없다. 일을 일으킴에 최선을 다하지 않으면 허물을 면할 수 없다."

3) 『주자어류』 권123, 12조목.

案

● 卦以損四益初爲義, 則初亦受益之極, 卦之主也, 故其辭亦與卦同. '利用爲大作'者, 卽「彖」所謂'利有攸往利涉大川'也, 必大爲益人之事, 然後可以自受其益. 非然, 則受大益者, 乃所以爲大損矣. 凡易中言'吉无咎'者, 皆謂得吉而後可以免咎, 而損「彖辭」及此爻, 與萃四之辭爲尤著.

괘에서는 사효에서 덜어내 초효에 보태는 것으로 뜻을 삼았으니, 초효도 보태줌을 받는 궁극으로 괘의 주인이기 때문에 그 말이 또한 괘와 같다.
'크게 일을 일으킴이 이롭다'는 「단사」의 이른바 '가는 것이 이롭고 큰 내를 건너는 것이 이롭다'는 것이니, 반드시 사람들에게 보태주는 일을 크게 한 다음에야 그 보태줌을 스스로 크게 받을 수 있다. 그렇게 하지 않는다면, 크게 보태줌을 받는 것이 크게 덜어내는 일이 된다.
『역』에서 '길하여 허물이 없다'고 하는 경우는 모두 길한 다음에 허물을 면할 수 있다는 것을 말하니, 손괘의 「단사」[4]와 이 효와 취괘 사효 효사[5]에서 잘 나타난다.

4) 『주역』「손괘(損卦)」: "損, 有孚, 元吉, 无咎, 可貞, 利有攸往.[손괘는 믿음이 있으면 크게 착하고 길하며 허물이 없고, 곧게 할 수 있으며, 가는 것이 이롭다.]"라고 하였다.
5) 『주역』「취괘(萃卦)」: "九四, 大吉, 无咎.[구사는 크게 길하여야 허물이 없다.]"라고 하였다.

六二, 或, 益之十朋之龜, 弗克違, 永貞, 吉, 王用享于帝, 吉.

육이는 간혹 열 쌍의 거북으로 보태면 어길 수 없으나, 영원히 곧게 하면 길하니, 임금이 써서 상제께 제사지내더라도 길하다.

本義

六二, 當益下之時, 虛中處下, 故其象占, 與損六五同. 然爻位皆陰, 故以'永貞'爲戒. 以其居下而受上之益, 故又爲卜郊之吉占.

육이는 아래에 보태주어야 하는 때 속을 비우고 아래에 있기 때문에 그 상과 점이 손괘 육오[6]와 같다. 그러나 효와 자리가 모두 음이기 때문에 '영원히 곧음'을 경계로 삼았다.
그 아래에 있으면서 위의 보태줌을 받기 때문에, 또한 '들 제사를 점치는 것[卜郊]'에 길한 점이다.

程傳

六二, 處中正而體柔順, 有虛中之象, 人處中正之道, 虛其中

6) 『주역』「손괘(損卦)」: "六五, 或益之, 十朋之, 龜弗克違, 元吉.[육오는 어떤 이가 열 쌍의 거북으로 보태도 어길 수 없으니 크게 길하다.]"라고 하였다.

以求益而能順從, 天下孰不願告而益之. 孟子曰 : "夫苟好善, 則四海之內, 皆將輕千里而來, 告之以善." 夫滿則不受, 虛則來物, 理自然也. 故或有可益之事, 則衆朋, 助而益之.

육이는 중정한 데 있으면서 몸체가 유순하고 속을 비운 상이 있으니, 사람이 중정한 도로 처신하면서 그 속을 비워 유익함을 구하고 순종할 수 있으면, 천하에 누가 알려주고 보태주려 하지 않겠는가? 『맹자』「고자하(告子下)」에서 "진실로 착함을 좋아하면 온 세상 사람들이 모두 천리를 멀다 않고 와서 착함으로써 알려줄 것이다"라고 하였으니, 가득 차면 받을 수 없고 비우면 사물이 옴은 이치의 본래 그러한 것이다. 그러므로 간혹 보태줄만한 일이 있으면 여러 벗이 도와 유익하게 할 것이다.

'十'者, 衆辭, 衆人所是, 理之至當也. 龜者, 占吉凶辨是非之物, 言其至是, 龜不能違也. '永貞吉', 就六二之才而言, 二中正虛中, 能得衆人之益者也. 然而質本陰柔, 故戒在常永貞固則吉也. 求益之道, 非永貞則安能守也.

'십(十)'이란 여럿이란 말이니, 여러 사람이 옳다고 하는 바는 이치가 지극히 마땅한 것이다. 거북은 길흉을 점쳐서 옳고 그름을 판별하는 물건이니, 그것이 지극히 옳아서 거북점도 어길 수 없다는 말이다.
'영원히 곧게 하면 길하다'는 육이의 재질을 가지고 말한 것이니, 이 효는 중정하고 속을 비워 여러 사람의 보태줌을 얻을 수 있는 것이다. 그러나 바탕이 본래 유약한 음이기 때문에 항상 영원히 곧고 굳게 하면 길하다고 경계하였다. 보태주기를 구하는 도가 영원히 곧지 않다면 어떻게 지킬 수 있겠는가?

損之六五, '十朋之則元吉'者, 蓋居尊自損, 應下之剛, 以柔而居剛, 柔爲虛受, 剛爲固守, 求益之至善, 故'元吉'也. 六二虛中求益, 亦有剛陽之應, 而以柔居柔, 疑益之未固也, 故戒能常永貞固則吉也. '王用享于帝吉', 如二之虛中而能永貞, 用以享上帝, 猶當獲吉. 況與人接物, 其意有不通乎, 求益於人, 有不應乎. 祭天, 天子之事, 故云'王用'也.

손(損䷨)괘의 육오효에서 '친구가 열이어서 크게 길하다'[7]는 것은 대체로 높은 자리에서 스스로 덜어내어 아래의 굳셈과 호응함에 부드러움이 굳센 자리에 있으니, 부드러움은 비워서 받는 것이고, 굳셈은 굳게 지키는 것으로 보태줌을 구함에 지극히 착한 것이기 때문에 '크게 길하다'는 말이다.
육이는 속을 비우고 보태줌을 구함에 또한 굳센 양의 호응이 있지만 부드러운 음으로 음의 자리에 있어 보태줌이 견고하지 못할 것으로 의심되기 때문에 영원히 곧고 굳게 할 수 있으면 길하다고 경계하였다.
'임금이 상제께 제사지내더라도 길하다'는 것은 이효처럼 속을 비우고 영원히 곧게 할 수 있으면, 그것으로 상제께 제사지내더라도 여전히 길함을 얻음이 당연하다는 뜻이다. 그런데 하물며 사람을 상대하고 만물과 접촉함에 그 뜻이 통하지 않음이 있겠으며, 남에게

7) 『주역』「손괘(損卦)」: "六五, 或益之, 十朋之, 龜弗克違, 元吉.[육오는 혹 보태면 친구가 열이어서 거북도 어기지 못할 것이니 크게 길하다.]"라고 하였다.

보태주기를 구함에 호응하지 않음이 있겠는가? 하늘에 제사지내는 것은 천자의 일이므로 '임금이 써서'라고 하였다.

集說

● 王氏逢曰: "爲臣若是, 王者用之, 可享上帝."

왕봉(王逢)[8]이 말했다. "신하가 이와 같이 하면, 임금이 그를 등용하여 상제께 제사지낼 수 있다."

● 郭氏雍曰: "'或益之', 人益之也, 十朋之. '龜弗克違', 鬼神益之也. '王用享于帝吉', 天益之也. 天且弗違, 況於人與鬼神乎."

곽옹이 말했다. "'간혹 보탠다'는 사람이 보탠다는 뜻으로 친구가 열인 것이다. '거북도 어기지 못할 것이다'는 귀신이 보탠다는 뜻이다. '임금이 써서 상제께 제사지내더라도 길하다'는 하늘이 보탠다는 뜻이다. 하늘이 어기지 못하는데, 하물며 사람과 귀신에게서는 말해 무엇 하겠는가?"

8) 왕봉(王逢): 자는 원길(原吉)이고 호는 최한원정(最閑園丁), 최현원정(最賢園丁)이고 또 오계자(梧溪子), 석모산인(席帽山人)이라고 칭한다. 강음(江陰) 사람이다. 원명(元明) 시대 시인이다. 연릉(延陵) 진한경(陳漢卿)으로부터 시를 배우고 명성을 날렸다. 관직에 올랐으나 병이 깊어 사직했다. 송강(松江)을 유람하며 오계정사(悟溪精舍)를 청룡강(青龍江) 부근 청용진(青龍鎭)에 지었다. 왕봉의 이름이 원(園)이라서 최한원(最閑園)이고 사는 곳이 한한초당(閑閑草堂)이다.

● 蘭氏廷瑞曰 : “六二柔順, 受益之臣, 王用之可以享帝獲吉, 如‘成湯用伊尹而享天心’, ‘太戊用伊陟而格上帝’.”

난정서가 말했다. “육이는 유순해서 보태줌을 받는 신하이니, 임금이 그를 등용해서 상제께 제사를 지낼 수 있으면 길함을 얻는다. 이를테면 ‘탕임금이 이윤을 등용해서 천심에 합당할 수 있었다’[9]는 것이고, ‘태무가 이척[10]을 등용하여 상제에 이르렀다’[11]는 것이다.”

● 李氏簡曰 : “‘王用享于帝吉’, 猶言使之主祭而百神享之也.”

이간이 말했다. “‘임금이 써서 상제께 제사지내더라도 길하다’는 그를 시켜 제사를 주제하게 하면 모든 신이 받아들인다고 말하는 것과 같다.”

● 鄭氏維嶽曰 : “‘王用享帝’, 言王用六二以享帝也. 古人一德克享天心, 又曰‘籲俊尊上帝.’”

---

9) 『서경』「함유일덕(咸有一德)」: “惟尹躬暨湯, 咸有一德, 克享天心.[이윤이 ‘저는 몸소 탕왕과 모두 순일한 덕을 소유하여 천심에 합당할 수 있었습니다.’]”라고 하였다.

10) 이척(伊陟) : 은나라 이윤(伊尹)의 아들로서 태무 때의 현명한 재상이다.

11) 『사기』 권3 「은본기(殷本紀)」: 상나라 태무 때에 상(桑)과 곡(穀)이라는 나무가 조정 마당에 솟아났는데 아침에 나서 저녁에는 아주 굵게 자랐다. 태무가 두려워 이척에게 물으니, “신이 들으니, 요망함은 덕을 이기지 못한다고 합니다. 황제의 다스림에 무슨 잘못이 있으신 듯합니다. 황제께서는 덕을 닦으소서”라고 하였다. 중종이 그 말을 따라 덕을 닦으니, 요망한 나무들이 말라 죽었다.

정유악이 말했다. "'임금이 써서 상제께 제사지낸다'는 임금이 육이를 등용하여 상제께 제사지낸다는 말이다. 옛날 사람들은 덕을 전일하게 하여 천심에 합할 수 있었으니, 또 『서경(書經)』「주서(周書)」에서 '어진 이를 구해 상제를 높인다'고 했다."

案

● 郭氏說, 於文意甚明, 益之者人也. 弗克違者, 鬼神也. 然必克當天心, 乃獲是應, 故損五「象傳」推本於'自上祐', 而此爻辭又更有'享於上帝'之義也. 鄭氏謂'王用六二以享帝'者, 極是. 隨上升四, 其義皆同. 但彼云'西山''岐山', 而此云'上帝'者, 彼但言鬼神享之而已. 此爻上文旣云'朋龜弗違', 則鬼神其依之義已見, 故復推而上之至於上帝. 若山川之神則不大於蓍龜也.

곽씨[곽옹]의 설명은 문구의 의미에서 아주 분명하니, 보태주는 것은 사람이고, 어기지 않는 것은 귀신이다. 그런데 반드시 천심에 마땅해야 이런 호응을 얻기 때문에 손괘 오효의 「상전」에서 '위로부터 돕는 것이다'[12]까지 근본을 미루었고, 이 효사에서는 또 다시 '상제께 제사 지낸다'는 의미를 두었다.
정씨[정유악]가 '임금이 육이를 등용하여 상제께 제사 지낸다'고 한 것은 극히 옳다. 수(隨䷐)괘 상육[13]과 승(升䷭)괘 사효[14]는 그 의

---

12) 『주역』「손괘(損卦)」: "象曰, 六五元吉, 自上祐也.[「상전」에 말하였다. '육오는 크게 길하다'는 것은 위로부터 돕는 것이다.]"라고 하였다.

13) 『주역』「수괘(隨卦)」: "上六, 拘係之, 乃從維之, 王用亨于西山.[상육은 잡아매 놓고 이에 따르면서 동여매니, 임금이 서쪽 산에 제사드린다.]"라고 하였다.

14) 『주역』「승괘(升卦)」: "六四, 王用亨于岐山, 吉, 无咎.[육사는 임금이 기

미가 모두 같다. 다만 저기에서 '서쪽 산'과 '기산'이라고 하고, 여기에서 '상제'라고 한 것은 저기에서는 귀신이 받아들인다고 말한 것일 뿐이다.

이 효의 윗글에서 '열 쌍의 거북이 어길 수 없다'고 했는데 귀신이 그것에 의지한다는 의미가 이미 드러난 것이기 때문에 다시 미루어 올라가 상제에까지 이른 것이다. 산천의 신은 시초점이나 거북점보다 크지 않다.

산에서 제향하여 길하니 허물이 없다.]"라고 하였다.

六三, 益之用凶事, 无咎, 有孚中行, 告公用圭.

육삼은 보태줌을 흉한 일에 사용해서 허물이 없으니, 믿음을 가지고 알맞게 행하고 공에게 알림에 홀을 쓴다.

本義

六三, 陰柔不中不正, 不當得益者也. 然當益下之時, 居下之上, 故有益之以凶事者. 蓋警戒震動, 乃所以益之也, 占者, 如此然後, 可以无咎. 又戒以'有孚中行而告公用圭'也. '用圭', 所以通信.

육삼은 부드러운 음으로 알맞지도 바르지도 않으니, 보태주어서는 안 되는 것이다. 그러나 아래를 보태주는 때 아래 괘의 위에 있기 때문에 흉한 일에 사용하는 데는 보태주는 것이다.
경계하고 움직이는 것이 바로 보태주는 것이니, 점치는 자가 이와 같이 한 뒤에 허물이 없을 수 있다. 또 '믿음을 가지고 알맞게 행하고 공에게 알림에 홀을 쓴다'고 경계하였다. '홀을 쓴다'는 믿음으로 소통하는 것이다.

程傳

三, 居下體之上, 在民上者也, 乃守令也. 居陽應剛, 處動之極, 居民上而剛決, 果於爲益者也. 果於爲益, 用之凶事, 則无咎. 凶事, 謂患難非常之事. 三居下之上, 在下, 當承稟於上, 安得自任, 擅爲益乎. 唯於患難非常之事, 則可量宜應卒, 奮不顧身, 力庇其民, 故无咎也. 下專自任, 上必忌疾. 雖當凶難, 以義在可爲, 然必有其孚誠, 而所爲合於中道, 則誠意通於上, 而上信與之矣. 專爲而无爲上愛民之至誠, 固不可也, 雖有誠意, 而所爲不合中行, 亦不可也.

삼효는 하체의 위에 있으니 백성의 위에 있는 자로 곧 수령이다. 양의 자리에 있으면서 굳셈과 호응하고, 움직임의 끝에 있으니, 백성의 위에 있으면서 굳세게 결단하여 보태줌에 과감한 자이다. 보태줌에 과감한 것은 흉한 일에 쓴다면 허물이 없다. 흉한 일이란 보통이 아닌 환난의 일을 말한다.

삼효는 아래 괘의 위에 있으나 아래 괘에 있으니, 윗사람에게 여쭈어 받들어야지 어찌 스스로 자임하여 멋대로 보태줄 수 있겠는가? 보통이 아닌 환난의 일이면 마땅함을 헤아려 갑작스러운 일에 대응하고, 제 몸을 돌보지 않고 분발하여 힘써 그 백성을 돌보기 때문에 허물이 없다. 아랫사람이 전적으로 맡아 하면 윗사람이 반드시 꺼리고 미워한다.

흉하고 어려운 일을 만나 의리로는 할 것을 할지라도 반드시 믿음과 정성이 있고 하는 일이 알맞은 도리에 합하면, 정성과 뜻이 윗사람에게 통하고 윗사람이 믿어 그와 함께할 것이다. 전적으로 하면서 윗사람을 위하고 백성을 아끼는 지극한 정성이 없다면 참으로 옳지 않으니, 정성스런 뜻이 있더라도 하는 일이 알맞게 행함에 합당하지 않다면 또한 해서는 안 된다.

'圭'者, 通信之物, 『禮』云"大夫執圭而使, 所以申信也." 凡祭祀朝聘, 用圭玉, 所以通達誠信也. 有誠孚而得中道, 則能使上信之, 是猶告公上, 用圭玉也, 其孚能通達於上矣. 在下而有爲之道, 固當有孚中行, 又三陰爻而不中, 故發此義.

'홀'은 믿음으로 통하는 상징이니, 『예기』에 "대부가 홀을 가지고 사신으로 가는 것은 믿음을 펴는 일이다"라고 하였다. 제사와 조빙(朝聘)에 규옥(圭玉)을 쓰는 것은 정성과 신뢰를 알리려는 뜻이다. 정성과 믿음이 있으면서 알맞은 도리를 얻으면 윗사람에게 믿게 할 수 있으니, 공과 윗사람에게 고함에 규옥(圭玉)을 쓰는 것과 같아 그 믿음이 윗사람에게 통하여 전달될 수 있을 것이다. 아래에 있으면서 일을 도모하는 도리는 참으로 믿음을 가지고 알맞게 행하여야 하니, 또한 삼효가 음효이고 알맞지 못하기 때문에 이런 뜻을 밝혔다.

或曰 : "三乃陰柔, 何得反以剛果任事爲義."

어떤 이가 물었다. "삼효는 부드러운 음인데 어째서 도리어 굳세고 과감하게 일을 맡는 것으로 뜻을 삼았습니까?"

曰 : "三質雖本陰. 然其居陽, 乃自處以剛也, 應剛, 乃志在乎剛也. 居動之極, 剛果於行也, 以此行益, 非剛果而何. 『易』以所勝爲義, 故不論其本質也."

답하였다. "삼효의 바탕은 본래 음입니다. 그런데 양의 자리에 있어 스스로 굳셈으로 처신하고, 굳셈과 호응하여 바로 뜻에 굳셈이 있습니다. 움직임의 끝에 있으면서 행함에 굳세고 과감하니, 이것으로 보태줌을 행한다면 굳세고 과감함이 아니고 무엇이겠습니까?

『주역』에서 우세한 것으로 뜻을 삼기 때문에 그 본래의 바탕을 논하지 않았던 것입니다.”

集說

● 王氏安石曰 : “以至誠而中行, 則不獨无咎, 可以成功. 圭者, 所以告成功也.”

왕안석이 말했다. “지극한 정성으로 알맞게 행하면 허물이 없을 뿐만 아니라 일을 이룰 수 있다. ‘홀’은 일을 이루고 알리는 것이다.”

● 游氏酢曰 : “益則吉矣. 而‘用凶事’者, 所謂吉人凶其吉也. 三居下體之上, 當震之極, 不用凶事, 則高而危, 滿而溢矣.”

유초[15]가 말했다. “보태주면 길하다. 그런데 ‘흉한 일에 사용한다’

15) 유초(游酢, 1053~1123) : 자는 정부(定夫)·자통(子通)이고, 호는 치산(廌山)·광평(廣平)이며, 시호는 문숙(文肅)이다. 건양(建陽 : 현 복건성 건영) 사람이다. 북송 때 경학가이다. 1083년에 진사가 되어 태학박사(太學博士), 감찰어사(監察御使) 등을 지냈다. 형 유순(游醇)과 함께 학문과 행실로 알려져서 당시 지부구현(知扶溝縣)으로 있던 정호(程顥)의 부름을 받아 학사(學事)를 맡게 되었고, 그때부터 정호 형제를 사사하였다. 사량좌(謝良佐), 양시(楊時), 여대림(呂大臨)과 함께 ‘정문4선생(程門四先生)’으로 일컬어졌다. 도를 천지 만물 속에 있는 보편적 존재로 인식하여 자연의 도가 바로 인륜의 이치라고 주장하였다. 또 『주역』을 중시하여 그 책 속에 우주 만물의 이치가 포함되어 있다고 보았다. 만년에 선(禪)에 몰입하여 유가가 불가를 배척할 것이 아니라 서로 보완적인 관계가 되어야 한다고 주장하여, 후대 학자인 호굉(胡宏)으로부터 ‘정자

는 이른바 길한 사람은 그 길함을 흉하게 여긴다는 뜻이다. 삼효가 아래 몸체의 위에 있어 움직임의 끝이니 흉한 일로 쓰지 않으면 높아서 위태롭고 가득해서 넘치는 것이다."

● 『朱子語類』云:"'益之用凶事', 猶書言'用降我凶德, 嘉績于朕邦.'"16)

『주자어류』에서 말했다. "'보태줌을 흉한 일에 사용한다'는 것은 『서경(書經)』「상서(商書)」에서 '우리에게 흉한 덕을 물리쳐서 우리나라에 아름다운 공적이 있게 하였다'고 말하는 것과 같다."

● 蔡氏淵曰:"凶事, 困心衡慮之事. 在一卦之中, 故三四皆曰'中行.'"

채연이 말했다. "흉한 일은 마음을 괴롭게 하고 저울질하며 생각하는 일이다. 한 괘의 가운데 있기 때문에 삼효와 사효에서 모두 '알맞게 행한다'고 하였다."

● 蔡氏清曰:"當益之時, 槩當得益, 而居下之上, 乃危地也, 故獨爲益之以凶事之象. 雖益之而以凶事, 雖凶事, 亦益之也, 所

문하의 죄인'이라고 혹평을 받기도 하였다. 저술로 『역설(易說)』, 『중용의(中庸義)』, 『논어맹자잡해(論語孟子雜解)』, 『시이남의(詩二南義)』 등이 있었지만 모두 잃어버렸고, 남은 글을 모아 후세 사람이 엮은 『유치산집(游廌山集)』이 남아 있다.

16) 『주자어류』 권72, 97조목.

謂'苦其心志, 行拂亂其所爲, 所以動心忍性, 增益其所不能'者也. 其功夫又在有孚中行上."

채청이 말했다. "덜어내는 때 고르게 보태줌을 얻어야 하는데, 아래 괘의 위에 있어 바로 위태로운 곳이기 때문에 유독 흉한 일로 보태준다는 상이다. 보태줄지라도 흉한 일에 사용하고 흉한 일일지라도 보태주니, 이른바 '마음과 뜻을 괴롭게 하고 하는 일마다 어긋나서 이루지 못하게 해서 마음을 격동시키고 성질을 굳게 참고 버티도록 하여 잘하지 못하던 일을 더욱 잘하게 하기 위함이라는 것'[17]이다. 그 공부는 또 믿음을 가기고 알맞게 행하는 데 있다."

● 張氏振淵曰 : "益不以美事而以凶事, 如投之艱難, 寘之盤錯, 儆戒震動之謂也. '无咎', 言可因是而遷善補過也, 下二句, 正言其所以无咎. '有孚'者. 滌慮洗心, 誠於體國而不欺. '中行'者, 履正奉公, 合於中道而不悖. 卽此便是上通於君處, 猶告公而用圭以通信者然."

장진연이 말했다. "보태줌을 아름다운 일에 사용하지 않고 흉한 일에 사용하는 것은 이를테면 어려운 데 가고 엉켜 교착된 곳에 있어 경계하며 움직인다는 말이다. '허물이 없다'는 것은 이것으로 말미

17) 『맹자』「고자하(告子下)」 : "天將降大任於是人也, 必先苦其心志, 勞其筋骨, 餓其體膚, 空乏其身, 行拂亂其所爲, 所以動心忍性, 增益其所不能.[하늘이 어떤 사람에게 큰 사명을 내리려 할 때는, 반드시 먼저 그의 마음과 뜻을 고통스럽게 하고, 그의 힘줄과 뼈를 힘들게 하며, 그의 육체를 굶주리게 하고, 그의 몸을 궁핍하게 해서 하는 일마다 어긋나서 이루지 못하게 하니, 그의 마음을 격동시키고 그의 성질을 굳게 참고 버티도록 하여 그가 잘하지 못했던 일을 더욱 잘할 수 있게 해 주기 위함이다.]"

암아 선한 데로 옮겨가서 잘못을 보완한다는 말로 아래의 두 구절은 바로 허물이 없게 되는 까닭을 말하였다. '믿음을 가진다'는 것은 생각과 마음을 깨끗하게 해서 나라를 생각함에 정성으로 하고 속이지 않는다는 뜻이다. '알맞게 행한다'는 것은 바름을 이행하고 공평함을 받들며 중도에 합해 어그러지지 않는다는 말이다. 이것으로 곧 위로 임금이 있는 곳까지 통하는 것은 공에게 알리는데 홀을 사용해 믿음으로 통하는 일과 같은 것이다."

案

此爻與損之六四相反對. 損四受下之益者, 此爻受上之益者. 然皆不言所益, 而曰'疾', 曰'凶事', 蓋三四凶懼之位也, 故其獲益亦與他爻不同. 在上位者而知損四之義, 則不以下之承奉爲益, 而能匡其過, 能輔其所不逮者, 乃益也. 在下位者而知此爻之義, 則不以上之恩榮爲益, 而試之諸艱, 投之以多難者, 乃益也. 然在損四, 則宜速以改過, 在此爻, 則宜緩以通誠, 乃有以爲受益之地.

이 효는 손괘 육사[18]와 서로 반대이다. 손괘의 사효는 아래의 보태줌을 받는 것이고, 이 효는 위의 보태줌을 받는 것이다. 그런데 모두 보태줌이라고 말하지 않고 '병'이라고 하고 '흉한 일'이라고 했으니, 삼효와 사효는 두려운 자리이므로, 보태줌을 받는 것에서도 다른 괘와 같지 않다.
위의 지위에 있는 자이면서 손괘 사효의 의미를 알면, 아래의 받듦을 보태주는 것으로 여기지 않으니, 그 잘못을 바로 잡을 수 있고

18) 『주역』「손괘(損卦)」: "六四, 損其疾, 使遄, 有喜, 无咎.[육사는 그 병을 덜어내는 데 빨리하면 기쁨이 있어 허물이 없을 것이다.]"라고 하였다.

미치지 못한 자들을 도울 수 있는 것이 바로 보태주는 일이다. 아래의 지위에 있는 자이면서 이 효의 의미를 알면, 위의 은혜를 보태주는 것으로 여기지 않으니, 어려움으로 시험하고 많은 어려움을 보내게 하는 것이 바로 보태주는 일이다. 그러나 손괘 사효에서는 빨리 잘못을 고쳐야 하고, 이 효에서는 느긋하게 정성을 통하고 바로 그것을 보태줌을 받는 것으로 여겨야 한다.

六四, 中行, 告公從, 利用爲依, 遷國.

육사는 알맞게 행하면 공에게 알리고 따를 것이니, 써서 의지하여 나라를 옮기는 것이 이롭다.

本義

三四, 皆不得中, 故皆以中行爲戒. 此言以益下爲心, 而合於中行, 則告公而見從矣. 『傳』曰, "周之東遷, 晉鄭焉依," 蓋古者, 遷國以益下, 必有所依然後, 能立. 此爻, 又爲遷國之吉占也

삼효와 사효가 모두 알맞지 못했기 때문에 모두 알맞게 행하는 것을 경계를 하였다. 이것은 아래에 보태주는 일을 마음으로 삼아 알맞게 행함에 합하면 공에게 알림에 따라 줄 것이라는 말이다. 『춘추좌전』에 "주나라가 동쪽으로 옮길 때에 진(晉)나라와 정(鄭)나라에 의지했다"고 하였으니, 옛날에 나라를 옮겨 아랫사람들에게 보태줄 때 반드시 의지하는 것이 있은 뒤에야 세울 수 있다. 이 효는 또한 나라를 옮기는 데 길한 점이 된다.

程傳

四, 當益時, 處近君之位, 居得其正, 以柔巽輔上而下順應於初之剛陽. 如是, 可以益於上也, 唯處不得其中, 而所應又不

中, 是不足於中也. 故云'若行得中道, 則可以益於君上, 告於上而獲信從矣'. 以柔巽之體, 非有剛特之操, 故'利用爲依遷國', '爲依', 依附於上也, '遷國', 順下而動也. 上依剛中之君, 而致其益, 下順剛陽之才, 以行其事, 利用如是也. 自古國邑, 民不安其居則遷, 遷國者, 順下而動也.

사효는 보태주는 때 임금에 가까운 지위에 있고 처신이 바름을 얻어 부드럽고 공손하게 위를 보좌하며 아래로 초효의 굳센 양에게 순응한다. 이와 같이 하면 윗사람에게 보태주게 할 수 있다. 다만 처신이 알맞음을 얻지 못하고, 호응하는 것이 또 가운데가 아니니, 알맞기에 부족하다. 그러므로 '행함이 알맞은 도리를 얻는다면 임금에게 보태줄 수 있고, 윗사람에게 알려 믿고 따름을 얻을 수 있다'고 하였다.

부드럽고 공손한 몸체로서 굳세고 특별한 지조가 있는 것이 아니기 때문에 '써서 의지하여 나라를 옮기는 것이 이롭다'고 하였다. '의지한다'는 것은 윗사람에게 의지하여 따르는 일이고, '나라를 옮긴다'는 것은 아래에 순응하여 움직이는 일이다.

위로 굳세고 알맞은 임금에게 의지하여 보태줌을 이루고, 아래로 굳센 양의 재질에게 순응하여 그 일을 행하니, 써서 이로움이 이와 같다. 예로부터 나라의 도읍은 백성들이 거주하기에 편하게 여기지 않으면 옮기니, 나라를 옮기는 일은 아래에 순응하여 움직이는 일이다.

集說

● 吳氏曰愼曰 : "四正主於益下者, 然非君位, 不敢自專, 必告於公也, 中行則見從矣."

오왈신이 말했다. "사효의 바름은 아래에 보태주는 것을 주로 하지만 임금의 자리가 아니어서 감히 마음대로 할 수 없고, 반드시 공에게 알리니, 알맞게 행하면 따라 줄 것이다."

案

● 此爻亦與損三相反對. 損三爲卦之所損以益上者, 此爻爲卦之所損以益下者, 故辭義相類. 損三無私交, 而與上同德, 乃可以益上. 此爻不專己, 而與上同德, 乃可以益下也. '用', 用六四也, 與六二'王用'之用同. '遷國', 大事也, 亦卽卦之所謂'利有攸往利涉大川'者也.

이 효도 손괘 삼효[19]와 서로 반대이다. 손괘의 삼효는 괘에서 덜어내어 위에 보태는 것이고, 이 효는 괘에서 덜어내어 아래에 보태는 것이기 때문에 말의 의미가 서로 같다.
손괘의 삼효는 사사롭게 교제함이 없고 상효와 덕을 같이 하여 바로 위에 보태줄 수 있다. 이 효는 자신에게만 오로지 하지 않고 상효와 덕을 같이 하여 아래에 보태줄 수 있다.
'쓴다'는 것은 육사를 쓴다는 말이니, 육이에서 '임금이 쓴다'고 할 때의 쓴다와 같다. '나라를 옮기는 것'은 큰일이니 또한 괘사에서 말한 '가는 것이 이롭고 큰 내를 건너는 것이 이롭다'는 뜻이다.

19) 『주역』「손괘(損卦)」: "六三, 三人行, 則損一人, 一人行, 則得其友.[육삼은 세 사람이 가면 한 사람을 덜어내고, 한 사람이 가면 친구를 얻는다.]"라고 하였다.

九五, 有孚惠心, 勿問, 元吉, 有孚, 惠我德.

구오는 믿음을 갖고 마음을 은혜롭게 하여 묻지 않아도 크게 길하니, 믿음을 갖고 나의 덕을 은혜롭게 여긴 것이다.

本義

上有信以惠于下, 則下亦有信以惠於上矣, 不問而元吉, 可知.

윗사람이 믿음을 가지고 아랫사람에게 은혜롭게 하면 아랫사람도 믿음을 가지고 윗사람을 은혜롭다 할 것이니, 묻지 않아도 크게 길함을 알 수 있다.

程傳

五剛陽中正, 居尊位, 又得六二之中正相應, 以行其益, 何所不利. 以陽實在中, 有孚之象也, 以九五之德之才之位而中心至誠, 在惠益於物, 其至善大吉, 不問可知. 故云'勿問元吉'. 人君居得致之位, 操可致之權, 苟至誠益於天下, 天下受其大福, 其元吉, 不假言也. '有孚惠我德', 人君至誠益於天下, 天下之人, 无不至誠愛戴, 以君之德澤, 爲恩惠也.

오효는 굳센 양으로 중정하고 존귀한 자리에 있으며, 또 중정한 육이와 서로 호응함을 얻어 보태줌을 행하니 무엇이 이롭지 않겠는가? 양으로서 실로 가운데 있으니 믿음이 있는 상이고, 구오의 덕

·재질·지위로서 속마음의 지극히 진실함이 만물을 은혜롭고 유익하게 하는 데 있으니, 지극히 선해서 크게 길한 것은 묻지 않아도 알 수 있다. 그러므로 '묻지 않아도 크게 길하다'고 하였다.
임금이 이룰 수 있는 자리에 있고 이룰 수 있는 권세를 잡아 진실로 지극한 정성으로 천하에 보태주면 천하가 그 큰 복을 받으니, 크게 길함은 말할 필요가 없다.
'믿음을 갖고 나의 덕을 은혜롭게 여긴다'는 것은 임금이 지극한 정성으로 천하에 보태주면 천하 사람들이 지극한 정성으로 아끼고 추대하지 않음이 없어 임금의 덕과 은택을 은혜로 여긴다는 말이다.

集說

● 王氏弼曰 : "得位履尊爲益之主者也. 爲益之大莫大於信, 爲惠之大莫大於心. 因民所利而利之焉, 惠而不費, 惠心者也. 信以惠心, 盡物之願, 固不待問而元吉. 以誠惠物, 物亦應之, 故曰'有孚惠我德也'."

왕필이 말했다. "지위를 얻어 존엄함을 이행하는 것이 보태주는 임금이다. 보태줌을 행하는 큰 것으로는 믿음보다 큰 것이 없고, 은혜를 행하는 큰 것으로는 마음보다 큰 것이 없다. 백성들이 이롭게 여기는 것으로 말미암아 이롭게 하고, 은혜롭게 하면서도 낭비하지 않는 것이 마음을 은혜롭게 한다. 믿어서 마음을 은혜롭게 하고 사람들의 소원을 다해주는 것은 진실로 물을 것도 없이 크게 길하다. 정성으로 사물을 은혜롭게 하면 사물도 호응하기 때문에 '믿음을 갖고 나의 덕을 은혜롭게 여긴 것이다'라고 하였다."

● 呂氏祖謙曰 : "人君但誠心惠民, 不須問民之感. 如此然後元吉, 民皆交孚, 而惠君之德也. 苟惠民而先問民之感不感, 是計功利, 非誠心惠民者也, 安能使民之樂應乎."

여조겸[20]이 말했다. "임금은 백성들을 은혜롭게 하는 데 마음을 정성스럽게 할 뿐이고 굳이 백성들의 감사를 묻지 않는다. 이와 같이 한 다음에 크게 길하고, 백성들이 모두 믿음을 주고받아 임금의 덕을 은혜롭게 여긴다. 백성들에게 은혜롭게 하고, 백성들의 감사 여부를 먼저 묻는 것은 공리를 따지는 것으로 마음을 정성스럽게 하여 백성들을 은혜롭게 한 것이 아니니, 어떻게 백성들이 기꺼이 호응하게 할 수 있겠는가?"

● 蔡氏清曰 : "'惠心', 惠下之心也. '惠我德', 下惠我之德也. 而皆有孚, 上感而下應也. 有孚之施於下者, 在我只爲心, 自下之受此施者目之, 則爲德矣, 實非有二也."

채청이 말했다. "'마음을 은혜롭게 한다'는 것은 아래 사람에게 은혜롭게 하는 마음이다. '나의 덕을 은혜롭게 여긴다'는 아래에서 나의 덕을 은혜롭게 여기는 것이다. 그런데 모두 믿음을 갖는 것은

20) 여조겸(呂祖謙, 1137~1181) : 자는 백공(伯恭)이고, 세칭 동래선생(東萊先生)이라 한다. 송대 금화(金華 : 현 절강성 소속) 사람으로 주희·장식(張栻)과 함께 '동남3현(東南三賢)'으로 불리었다. 직비각저작랑(直秘閣著作郎), 국사원편수(國史院編修), 실록원검토(實錄院檢討)를 역임하였다. 『시(詩)』, 『서(書)』, 『춘추(春秋)』에 대하여 많은 고의(古義)를 궁구했다. 1175년 주희와 『근사록(近思錄)』을 편찬하였고, 신주(信州 : 현 강서성 상요〈上饒〉) 아호사(鵝湖寺)에 주희와 육구연을 초청하여 두 사람의 논쟁을 중재하려 하였다. 저서는 『고주역(古周易)』, 『동래좌씨박의(東萊左氏博儀)』, 『동래집(東萊集)』 등이 있다.

위에서 느끼고 아래에서 호응하기 때문이다. 믿음을 갖고 아래에 베푸는 것은 나에게는 마음일 뿐인데, 아래에서 이런 베풂을 받는 것으로 지목하면 덕이니, 실로 두 가지가 있는 것은 아니다."

● 鄭氏維嶽曰 : "損之六五, 受下之益者也, 益之九五, 益下者也. 損六五受益而獲元吉, 益九五但知民之當益而已, 勿問元吉也. 此惠心之出於有孚者也, 然上雖不望德於民, 而民固德其惠矣, 其德其惠, 亦出於有孚也, 故曰'王道本於誠意'."

정유악이 말했다. "손(損䷨)괘의 육오[21]는 아래에서 보태줌을 받는 것이고, 익(益䷩)괘의 구오는 아래에 보태주는 것이다. 손괘의 육오는 보태줌을 받아 크게 길함을 얻는데, 익괘의 구오는 백성들에게 보태주어야 함을 알뿐이니, 묻지 않아도 크게 길하다. 여기에서 마음을 은혜롭게 하는 것은 믿음을 갖는 데서 나왔다. 그런데 위에서 백성들에게 덕을 바라지 않을지라도 백성들은 진실로 그 은혜를 덕으로 여기니, 그 은혜를 덕으로 여기는 것도 믿음을 갖는 데서 나왔다. 그러므로 '왕도는 뜻을 정성스럽게 하는 것을 근본으로 한다'고 하였다.

案

● '勿問'二字, 呂氏說是, 觀孔子「象傳」可見.

'묻지 않는다'는 말은 여[여조겸]씨의 설명이 옳으니 공자의 「상전」을 보면 알 수 있다.

21) 『주역』「손괘(損卦)」: "六五, 或, 益之十朋之龜, 弗克違, 元吉.[육오는 어떤 이가 열 쌍의 거북으로 보태도 어길 수 없으니 크게 길하다.]"라고 하였다.

上九, 莫益之, 或擊之, 立心勿恒, 凶.

상구는 보태주는 이가 없으니 간혹 칠 것이고, 마음을 세우는 일이 항상되지 않으니 흉하다.

本義

以陽居益之極, 求益不已. 故莫益而或擊之. '立心勿恒', 戒之也.

양으로 보태주는 끝에 있어 보태주기를 구함이 끝이 없기 때문에 보태줌이 없고 간혹 친다. '마음을 세우는 일이 항상되지 않다'는 경계한 말이다.

程傳

上居无位之地, 非行益於人者也. 以剛處益之極, 求益之甚者也, 所應者陰, 非取善自益者也. 利者, 衆人所同欲也, 專欲益己, 其害大矣. 欲之甚, 則昏蔽而忘義理, 求之極, 則侵奪而致仇怨. 故夫子曰 : "放於利而行, 多怨", 孟子謂"先利, 則不奪不饜", 聖賢之深戒也. 九以剛而求益之極, 衆人所共惡. 故无益之者而或攻擊之矣. '立心勿恒凶', 聖人戒人存心不可專利. 云'勿恒', 如是, 凶之道也, 所當速改也.

상효는 지위가 없는 자리에 있으니 남에게 보태줌을 행하는 것이 아니다. 굳셈이 익괘의 끝에 있으니 보태주기를 심하게 구하는 일이고,

호응하는 것이 음이어서 착함을 취해 스스로 보태주는 일이 아니다. 이로움은 사람들이 동일하게 욕심내는 것인데 오로지 자신에게만 보태고자 하니 그 해로움이 크다. 욕심냄이 심하면 어둡고 가려져 의리를 잊어버리고, 구함이 지극하면 침범해서 빼앗아 원한을 만든다. 그러므로 공자는 "이익에 따라 행하면 원망이 많다"[22]고 하였고, 맹자는 "이익을 앞세우면 빼앗지 않고는 만족하지 않을 것입니다"[23]라고 하였으니 성현이 깊이 경계한 것이다.
상구가 굳셈으로 보태주기를 구함이 극에 달하니 여러 사람들이 함께 미워하는 바이다. 그러므로 보태주는 이가 없으니 간혹 공격한다는 말이다. "마음을 세움에 언제나 하지 않는 것은 흉하게 되기 때문이다"라는 말은 성인이 사람들에게 마음먹는 것이 이로움을 오로지해서는 안 된다고 경계한 것이다. '언제나 하지 않는다'라고 한 것은 이와 같으면 흉한 도리이니 빨리 고쳐야 한다는 뜻이다.

集說

● 孔氏穎達曰："上九處益之極，益之過甚者也. 求益無厭，怨

22) 『논어』「리인(里仁)」: "放於利而行多怨.[이익을 따라 행하면 원망이 많다.]"라고 하였다.
23) 『맹자』「양혜왕상(梁惠王上)」: "王曰，何以利吾國，大夫曰，何以利吾家，…. 萬取千焉，千取百焉，不爲不多矣 苟爲後義而先利，不奪不饜. [왕께서 어떻게 하면 내 나라를 이롭게 할까 하시면, 대부(大夫)들은 어떻게 하면 내 집안을 이롭게 할까 하며……만승(萬乘)에 천승(千乘)을 취하고 천승에 백승(百乘)을 취함이 많지 않은 것은 아닌데, 의로움을 뒤로하고 이익을 우선시하면 모두 빼앗지 않고는 만족하지 않을 것입니다.]"라고 하였다.

者非一, 故曰莫益之或擊之也. 勿猶無也. 求益無已, 是立心無恒者也. 無恒之人, 必凶咎之所集."

공영달이 말했다. "상구는 보태주는 끝에 있어 보태줌이 지나치게 심한 것이다. 보태주기를 구하는 것이 끝이 없으면 원망하는 것이 하나가 아니기 때문에 '보태주는 이가 없으니 간혹 칠 것이다'라고 하였다. '~하지 않는다[勿]'는 '없다[無]'는 말과 같다. 보태주기를 구함이 끝이 없음은 마음을 세움에 항상됨이 없는 것이다. 항상됨이 없는 사람에게는 반드시 흉함과 허물이 쌓인다."

案

● 卦義損上益下. 則上者受損之極者也, 若以受損爲克己利下亦可, 而爻義不然者. 蓋能克己利下, 則受益莫大焉, 不得云受損矣. 故損上以處損之終自損之極而得益爲義. 此爻以處益之終自益之極而得損爲義. 書云, '滿招損謙受益', 兩爻之意相備也.

괘의 의미로는 위에서 덜어내어 아래에 보태주는 것이다. 그렇다면 위에 있는 것은 덜어냄을 받는 궁극이니, 덜어냄을 받는 것을 자신을 극복하여 아래를 이롭게 하는 일로 여기는 것도 괜찮은 것 같은데, 효의 의미로는 그렇지 않다.
자신을 극복하여 아래를 이롭게 할 수 있는 것은 보태줌을 받는 일이 그보다 큰 것이 없으니, 덜어냄을 받는다고 할 수 없다. 그러므로 손괘의 상효[24]는 덜어내는 끝에서 스스로 덜어내는 일이 다해

24) 『주역』「손괘(損卦)」: "上九, 弗損, 益之, 无咎, 貞吉, 利有攸往, 得臣, 无家.[상구는 덜어내지 않더라도 보태면 허물이 없지만, 곧으면 길하여 가는 것이 이롭고, 신하를 얻음이 집안에서만이 아니다.]"라고 하였다.

보태줌을 얻는 의미로 하였고, 이 효는 보태주는 끝에서 스스로 보태주는 것이 다해 덜어냄을 얻는 의미로 하였다.
『서경』에서 '가득차면 덜어냄을 부르고 겸손하면 보태줌을 부른다'고 한 것에 두 효의 의미가 서로 갖추어져 있다.

總論

● 熊氏良輔曰:"損益二卦, 皆以損陽益陰爲義. 損自泰來者也, 益自否來者也, 天下之理, 未有泰而不否, 否而不泰, 亦未有損而不益, 益而不損者. 故泰居上經十一卦, 而損居下經十一卦. 泰否損益爲上下經之對, 後天序「易」, 其微意蓋可識矣."

웅량보가 말했다. "손(損䷨)괘와 익(益䷩)괘 두 괘는 모두 양에서 덜어내어 음에게 보태주는 것을 의미로 하였다.
손(損䷨)괘는 태(泰䷊)괘에서 온 것이고, 익(益䷩)괘는 비(否䷋)괘에서 온 것이니, 천하의 이치에는 편안하면 막히지 않고 막히면 편안해지지 않음이 없으며, 또한 덜어내면 보태지지 않고 보태지면 덜어내지 않음이 없다. 그러므로 태(泰䷊)괘는 「상경」의 열한 번째에 있는 괘이고 손(損䷨)괘는 「하경」의 열한 번째에 있는 괘이다. 태괘와 비괘, 손괘와 익괘가 「상경」과 「하경」의 짝인 것은 후천으로 「역」을 순서대로 했으니, 그 숨겨진 뜻을 알아야 한다."

43. 쾌夬괘

☱☰ 兌上
乾下

程傳

夬,「序卦」, "益而不已, 必決, 故受之以夬. 夬者, 決也." 益之極, 必決而後止. 理無常益, 益而不已, 已乃決也. 夬所以次益也. 爲卦, 兌上乾下. 以二體言之, 澤, 水之聚也, 乃上於至高之處, 有潰決之象. 以爻言之, 五陽在下, 長而將極, 一陰在上, 消而將盡, 衆陽上進, 決去一陰, 所以爲夬也. 夬者, 剛決之義, 衆陽進而決去一陰, 君子道長, 小人消將盡之時也.

쾌(夬䷪)괘에 대해 「서괘전(序卦傳)」에서 "보태주면서 그치지 않으면 반드시 터지기 때문에 쾌괘로 받았다. 쾌(夬)는 터짐이다"라고 하였다. 더하기를 끝까지 하다가 반드시 터진 뒤에 그친다. 이치로는 언제까지 더함은 없으니, 더하면서 그치지 않으면 끝내는 터진다. 쾌괘가 이 때문에 익괘(益卦)의 다음이 되었다.

괘의 모양은 태(兌☱)괘가 위에 있고 건(乾☰)괘가 아래에 있다. 두 몸체로 말하면 못은 물을 모아둔 곳인데 지극히 높은 곳보다 올라가 있으니 터지는 상이 있다. 효로 말하면 다섯 양이 아래에 있어 자라나 지극하게 되려고 하고, 한 음이 위에서 사라져 다하려고 하니, 여러 양이 위로 나아가 한 음을 결단하여 제거하기 때문에 쾌

(夬)이다.

쾌(夬)는 강하게 결단하는 뜻이다. 여러 양이 나아가 한 음을 결단하여 제거하니, 군자의 도가 자라나고 소인이 사라지며 다하려는 때이다.

夬, 揚于王庭孚號, 有厲, 告自邑, 不利卽戎, 利有攸往.

쾌(夬)는 임금의 조정에서 드날려 미덥게 호소하나 위태롭게 여김이 있어야 하며, 읍에서 알리고, 전쟁에 나아감을 이롭게 여기지 않으면 가는 것이 이롭다.

本義

夬, 決也. 陽決陰也, 三月之卦也. 以五陽去一陰, 決之而已. 然其決之也, 必正名其罪, 而盡誠以呼號其衆, 相與合力. 然亦尙有危厲, 不可安肆, 又當先治其私, 而不可專尙威武, 則'利有所往'也, 皆戒之之辭.

쾌(夬)는 결단함이다. 양이 음을 결단하는 것은 삼월(三月)[1]의 괘이다. 다섯 양으로 한 음을 제거하여 결단할 뿐이다. 그런데 결단할 때 반드시 그 죄에 대해 바르게 이름 붙이고, 성의를 다하여 무리에게 호소하여 서로 힘을 합해야 한다. 그러나 또한 여전히 위태로움이 남아 있으니 편안하게 여겨서는 안 되고, 또한 먼저 자신의 사사

1) 괘로 월(月)을 표시하는 경우, 양이 셋인 태(泰䷊)괘가 1월을, 넷인 대장(大壯䷡)괘가 2월을, 다섯인 쾌(夬䷪)괘가 3월을, 여섯인 건(乾䷀)괘가 4월을 나타내고, 음이 하나인 구(姤䷫)괘가 5월을, 둘인 돈(遯䷠)괘가 6월을, 셋인 비(否䷋)괘가 7월을, 넷인 관(觀䷓)괘가 8월을, 박(剝䷖)괘가 9월을, 곤(坤䷁)괘가 10월을 나타내며, 양이 하나인 복(復䷗)괘가 11월을, 둘인 임(臨䷒)괘가 12월을 나타낸다.

로움을 다스려야 하며 오로지 위엄과 무력만을 숭상해서는 안 되니, '가는 것이 이롭다'는 것은 모두 경계하는 말이다.

程傳

小人方盛之時, 君子之道未勝, 安能顯然以正道決去之. 故含晦俟時, 漸圖消之之道. 今旣小人衰微, 君子道盛, 當顯行之於公朝, 使人明知善惡, 故云'揚于王庭'. '孚', 信之在中, 誠意也. '號'者, 命衆之辭. 君子之道, 雖長盛, 而不敢忘戒備, 故至誠以命衆, 使知尙有危道. 雖以此之甚盛, 決彼之甚衰, 若易而無備, 則有不虞之悔. 是尙有危理, 必有戒懼之心則无患也, 聖人設戒之意深矣.

소인이 한창 왕성할 때는 군자의 도가 이기지 못하니, 어찌 드러내놓고 바른 도로 결단하여 제거하겠는가? 그러므로 머금고 감추어 때를 기다리며 조금씩 그들이 사라지게 할 방법을 도모해야 한다. 이제는 이미 소인들이 쇠퇴하여 군자의 도가 성대해졌으니, 조정에서 드러내놓고 행하여 사람들이 선과 악을 분명히 알게 해야 하기 때문에 '임금의 조정에서 드날린다'고 했다.
'미덥게[孚]'는 믿음이 마음속에 있는 것으로 성의(誠意)이다. '호령한다'는 것은 사람들에게 명령한다는 말이다. 군자의 도가 자라고 성대해질지라도 감히 경계와 대비를 잊어서는 안 되기 때문에 지극한 정성으로 사람들에게 명령하여 아직도 위태롭게 될 수 있는 길이 있음을 알게 해야 한다.
이쪽의 극히 성대함으로 저쪽의 극히 쇠약함을 결단할지라도 쉽게 여겨 대비함이 없으면 예상하지 못한 후회가 있다. 여전히 위태롭게 될 수 있는 이치가 있음에 반드시 경계하고 두려워하는 마음이 있으면 화가 없으니, 성인이 경계를 베푼 뜻이 깊다.

君子之治小人, 以其不善也, 必以己之善道, 勝革之, 故聖人誅亂, 必先修己. 舜之敷文德是也. '邑', 私邑, '告自邑', 先自治也. 以衆陽之盛, 決於一陰, 力固有餘, 然不可極其剛, 至於太過. 太過, 乃如蒙上九之爲寇也. '戎', 兵者, 强武之事. '不利卽戎', 謂不宜尙壯武也. '卽', 從也, '從戎', 尙武也. '利有攸往', 陽雖盛, 未極乎上, 陰雖微, 猶有未去, 是小人尙有存者, 君子之道, 有未至也, 故宜進而往也. 不尙剛武而其道益進, 乃夬之善也.

군자가 소인을 다스리는 것은 소인이 좋지 않아 반드시 자신의 좋은 도로 이겨서 고쳐야 하기 때문에 성인이 어지러움을 다스릴 때는 반드시 먼저 자신을 닦는다. 순임금이 문덕(文德)을 편 것이 여기에 해당한다.

'읍(邑)'은 '본인의 읍[私邑]'이니, '읍에서 알린다'는 것은 먼저 스스로 다스리는 일이다. 여러 양의 성대함으로 하나의 음을 결단하면 힘은 진실로 충분하지만 끝까지 강하게 하여 너무 지나치게 해서는 안 된다. 너무 지나치면 마침내 몽괘(蒙卦) 상구(上九)의 도적이 됨[2]과 같아진다.

'전쟁[戎]'은 싸우는 것으로 용맹하고 굳센 일이다. '전쟁에 나아감은

2) 『주역』「몽괘(蒙卦)」: "上九, 擊蒙, 不利爲寇, 利禦寇.[상구는 몽매함을 타파하는 것이지만 도적이 됨은 이롭지 않고, 도적을 막음이 이롭다.]"라고 하였다.

이롭게 여기지 않는다'는 무력을 숭상해서는 안 됨을 말한 것이다. '나아간다[卽]'는 따른다는 것이니, '전쟁을 따른다[從戎]'는 무력을 숭상하는 것이다. '가는 것이 이롭다'는 양이 성대할지라도 아직 상육까지 다하지 않았고, 음이 미약할지라도 여전히 제거되지 않음에 소인이 아직도 남아 있어 군자의 도가 지극하지 못하기 때문에 나아가야 하는 것이다. 강한 무력을 숭상하지 않으면서 그 도가 더욱 나아감이 바로 쾌(夬)의 선함이다.

集說

● 游氏酢曰 : "'揚于王庭', 誦言于上也. '孚號', 誕告于下也. '告自邑', 自近而及遠也."

유초가 말했다. "'임금의 조정에서 드날린다'는 위로 여쭌다는 것이다. '미덥게 호소한다'는 아래로 허망하게 말한다는 것이다. '읍에서 알린다'는 가까운데서 멀리 가는 것이다."

● 胡氏炳文曰 : "以五陽去一陰, 而象爲警戒危懼之辭不一, 蓋必揚于王庭, 使小人之罪明, 以至誠呼號其衆, 使君子之類合. 不可以小人之衰, 而遂安肆也, 有危道焉, 不可以君子之盛而事威武也, 有自治之道焉. 復利往, 往而爲臨爲泰爲夬也, 夬利往, 往而爲乾也. 蓋陰之勢雖微, 蔓或可滋, 窮或爲敵, 君子固無時不戒懼, 尤不可於小人道衰之時忘戒懼也."

호병문이 말했다. "다섯 양으로 하나의 음을 제거하는 데도 단사에서는 경계하고 위태롭게 여기는 말을 하나로 하지 않았으니, 대개 반드시 임금의 조정에서 드날려 소인의 죄가 밝혀지게 하고, 지극한 정성으로 사람들에게 호소하여 군자들이 합하게 하는 것이다. 소인들이 쇠약해졌다고 마침내 편안히 방종해서는 안 되니 위험하게 되는 도가 있기 때문이고, 군자들이 성대하다고 하여 권세를 일삼아서는 안 되니 스스로 다스리는 도리가 있기 때문이다. 복(復䷗)괘의 가는 것이 이로움은 가서 임(臨䷒)괘가 되고 태(泰䷊)괘가 되며 쾌(夬䷪)괘가 되고, 쾌(夬䷪)괘의 가는 것이 이로움은 가서 건(乾䷀)괘가 된다. 대개 음의 기세가 미약할지라도 뻗어나가 자랄 수 있고 막혀서 적이 될 수 있으니, 군자는 진실로 어느 때고 경계하고 두려워하지 않음이 없고, 더욱 소인의 도가 쇠약할 때라도 경계하고 두려워함을 잊어서는 안 된다."

案

● 以「彖傳」觀之, 則'揚于王庭'者, 聲罪正辭也. '孚號有厲'者, 警戒危懼也. '有厲', 不指時事, 謂其心之憂危也. 夫旣曰'揚于王庭'矣, 則所宣告者衆, 而治之務於武斷矣, 而又曰'告自邑不利卽戎', 意似相反, 何也. 曰雖宣告者衆, 而其本則在于自脩, 雖治之貴剛, 而神武則存乎不殺也. 蓋'告自邑不利卽戎', 是終孚號有厲之意, '利有攸往', 是終揚于王庭之意.

「단전」으로 보면, '임금의 조정에서 드날린다'는 것은 죄를 성토하여 말을 바르게 함이다. '미덥게 호소하나 위태롭게 여긴다'는 것은 경계하고 두려워함이다. '위태롭게 여기는 것'은 당시의 일을 가리키지 않고 마음으로 근심하고 위태롭게 여기는 일이다. 이미 '임금의 조정에서 드날린다'고 말했으면, 선고하는 자들이 많아 다스림이 권세로 독단하는 데 힘쓸 텐데, 또 '읍에서 알리고 전쟁에 나아감을 이롭게 여기지 않는다'고 한 것은 의미가 서로 반대인 것은 같으니, 무엇 때문인가?

말하자면, 선고하는 자들이 많을지라도 그 근본은 스스로 닦는 데 있고, 다스림이 굳셈을 귀하게 여길지라도 신묘한 무용은 죽이기를 좋아하지 않는 데 있기 때문이다. 대개 '읍에서 알리고 전쟁에 나아감을 이롭게 여기지 않는다'는 것은 마침내 미덥게 호소하나 위태롭게 여긴다는 의미이고, '가는 것이 이롭다'는 것은 마침내 왕의 조정에서 드날린다는 말이다.

初九, 壯于前趾, 往不勝, 爲咎.

초구는 발이 나아감에 씩씩하니, 가서 이기지 못하여 허물이 된다.

本義

'前', 猶進也. 當決之時, 居下任壯, 不勝宜矣, 故其象占如此.

'나아감[前]'은 전진함과 같다. 결단할 때 아래에 있으면서 씩씩함을 믿으면 이기지 못함이 당연하기 때문에 그 상과 점이 이와 같다.

程傳

九陽爻, 而乾體剛健, 在上之物, 乃在下而居決時, 壯于前進者也. '前趾', 謂進行. 人之決於行也, 行而宜則其決爲是, 往而不宜則決之過也, 故往而不勝則爲咎也. 夬之時而往, 往決也, 故以勝負言. 九居初而壯于進, 躁于動者也, 故有不勝之戒. 陰雖將盡, 而己之躁動, 自宜有不勝之咎, 不計彼也.

구(九)는 양효이고 건의 몸체는 강건하여 위에 있는 것인데, 아래에 있고 결단하는 때 있어 앞으로 나아감에 씩씩한 것이다. '발이 나아감'은 나아감을 말한다. 사람이 가기를 결단함에 가서 마땅하면 결단이 옳고, 가서 마땅하지 않으면 결단이 잘못되었기 때문에 가서 이기지 못하면 허물이다.

쾌(夬)의 때에 가는 것은 가기를 결단한 일이기 때문에 승부로써 말했다. 구(九)가 초효에 있고 나아감에 씩씩하고 움직임에 조급하기 때문에 이기지 못한다는 경계를 하였다. 음이 다하게 될지라도 자기의 조급한 행동에는 본래 당연히 감당하지 못하는 허물이 있으니, 저것을 따질 문제는 아니다.

集說

● 蘇氏軾曰 : "大壯之長, 則爲夬. 故夬之初九, 與大壯之初九無異."

소식이 말했다. "대장(大壯䷡)괘가 자라면 쾌(夬䷪)괘가 된다. 그러므로 쾌괘의 초구는 대장괘의 초구[3]와 다를 것이 없다."

● 『朱子語類』云 : "'壯于前趾', 與大壯初爻同. 此卦大率似大壯, 只爭一畫."[4]

『주자어류』에서 말했다. "'발이 나아감에 씩씩하다'는 것은 대장괘 초효와 같다. 이 괘는 대체로 대장괘와 비슷하고 단지 한 획만 다르다."

● 蔡氏清曰 : "其'不勝'者, 自爲不勝也, 故曰'爲咎', 明非時勢不利也."

3) 『주역』「대장괘(大壯卦)」: "初九, 壯于趾, 征, 凶有孚.[초구는 발에 장성하니, 가면 흉함이 틀림없다.]"라고 하였다.

4) 『주자어류』 권72, 106조목.

채청이 말했다. "'이기지 못한다'는 것은 스스로 감당하지 못한다는 말이다. 그러므로 '허물이 될 것이다'라고 했으니 분명히 시세가 이롭지 않기 때문이 아니다."

九二, 惕號, 莫夜, 有戎, 勿恤.

구이는 두려워 호소하니, 늦은 밤에 적군이 있더라도 걱정할 것이 없다.

本義

九二, 當決之時, 剛而居柔, 又得中道. 故能憂惕號呼, 以自戒備, 而莫夜有戎, 亦可无患也.

구이는 결단할 때 굳세면서 부드러운 자리에 있고 또 알맞은 도를 얻었다. 그러므로 두려워하고 호소하여 스스로 경계하고 대비하니 늦은 밤에 적군이 있더라도 걱정할 것이 없다.

程傳

夬者, 陽決陰, 君子決小人之時, 不可忘戒備也. 陽長將極之時, 而二處中居柔, 不爲過剛, 能知戒備, 處夬之至善也. 內懷兢惕, 而外嚴誡號, 雖莫夜有兵戎, 亦可勿恤矣.

쾌는 양이 음을 결단하는 것이니, 군자가 소인을 결단하는 때는 경계와 대비를 잊어서는 안 된다. 양이 자라나 지극해지려는 때인데, 이효가 가운데 있고 부드러운 자리에 있음에 지나치게 굳세게 하지 않고 경계하고 대비할 줄을 아니, 쾌에 대처하기를 지극히 잘하는 것이다. 안으로 두려워하는 마음을 품고 밖으로 경계와 호령을 엄하게 하니, 늦은 밤에 적군이 있을지라도 걱정할 것이 없다.

集說

● 張子曰 : "警懼申號, 能孚號而有厲也. 以必勝之剛, 決至危之柔, 能自危厲, 雖有戎何恤."

장재(張載)가 말했다. "경계하고 두려워하여 거듭 호소하는 일은 미덥게 호소하나 위태롭게 여길 수 있는 것이다. 반드시 이기는 굳셈으로 지극히 위태로운 부드러움을 결단하면서 위태롭게 여길 수 있으면, 적군이 있을지라도 무엇을 걱정하겠는가?"

● 蘇氏軾曰 : "'莫夜', 警也. '有戎', 勿恤靜也."

소식이 말했다. "'늦은 밤'은 경계한다는 뜻이다. '적군이 있다'는 걱정해서 가만히 있지 않는다는 말이다."

● 王氏中子曰 : "「彖」言孚號而以有厲處之矣. 二剛得中而知戒懼, 故亦惕號. 蓋必如是而後可免小人乘閒抵隙之憂. 故雖莫夜陰伏之時有兵戎, 亦不足慮矣. 以防之密而備之素也."

왕신자가 말했다. "「단전」에서는 미덥게 호소하나 위태롭게 여기는 것으로 처신한다고 말하였다. 이효의 굳셈이 알맞음을 얻어 경계하고 두려워할 줄 알기 때문에 두려워 호소하는 것이다. 반드시 이와 같이 한 다음에 소인이 틈을 타고 약점을 파고드는 근심을 면할 수 있다. 그러므로 늦은 밤에 음험하게 숨어 있는 때 적군이 있을지라도 걱정할 필요가 없으니, 꼼꼼히 평소에 방비하기 때문이다."

● 吳氏曰愼曰 : "剛中居柔, 能憂惕號呼, 卽「彖」之'孚號有厲, 告自邑, 不利卽戎'者也. 雖莫夜有戎而無憂."

오왈신이 말했다. "굳세고 가운데 있는 것이 부드러운 자리에 있어 걱정하고 두려워하며 호소할 수 있는 것은 곧 「단전」의 '미덥게 고소하나 위태롭게 여김이 있어야 하며, 읍에서 알리고 전쟁에 나아감을 이롭게 여기지 않는 것'이니, 늦은 밤에 적군이 있더라도 걱정할 일이 없다."

案

● 此爻辭有以'惕號莫夜'爲句, '有戎勿恤'爲句者, 言莫夜人所忽也, 而猶惕號, 則所以警懼者素矣. '有戎', 人所畏也, 而不之恤, 則所以持重者至矣. 蓋卽「彖」之所謂'孚號有厲不利卽戎'者也. 夫惟無事而惕號, 故有事而能勿恤, 史稱'終日欽欽, 如對大敵, 及臨陳則志氣安閒, 若不欲戰'者, 是也. 此卦當以九五爲卦主, 而「彖辭」之意, 獨備於九二者. 蓋九二遠陰, 主於平時, 則發孚號告邑不利卽戎之義, 九五近陰, 主於臨事, 則發揚于王庭利有攸往之義. 然其爲中行中道則一也.

이 효사는 '늦은 밤에 두려워 호소한다'를 구절로 하고 '적군이 있더라도 걱정할 것이 없다'를 구절로 하고 있는데, 늦은 밤에는 사람들이 소홀히 하지만 여전히 두려워 호소하니 평소에 경계하고 두려워한다는 말이다.
'적군이 있다'는 사람들이 두려워하는 일인데, 그것을 걱정할 필요가 없다면, 중요한 것을 지키는 일이 지극한 것이니, 대개 「단전」에서 말한 '미덥게 호소하나 위태롭게 여김이 있어야 하며, 전쟁에 나아감을 이롭게 여기지 않는다'는 뜻이다. 일이 없는데도 두려워 호소하기 때문에 일이 있어도 걱정할 일이 없다는 일이니, 『사기』에서 '종일토록 경건한 것이 큰 적을 만난 것과 같고, 전쟁을 하게 되면 지기가 안정되어 전쟁을 하지 않는 것 같다'는 말이 여기에 해당한다.

쾌괘는 구오를 괘의 주인으로 여겨야 하는데, 「단사」의 의미가 오직 구이에 구비된 것은, 구이는 음효와 멀리 떨어져 있어 평시에 주로 미덥게 호소하고 읍에서 알리며 전쟁에 나아감을 이롭게 여기지 않는다는 의미이고, 구오는 음과 가까워 일이 있을 때 주로 임금의 조정에서 드날리고 가는 것이 이롭다는 의미이기 때문이다. 그러나 알맞게 행하고 중도로 하는 것은 동일하다.

九三, 壯于頄, 有凶, 君子夬夬, 獨行遇雨, 若濡有慍, 无咎.

구삼은 얼굴에 씩씩하니, 흉함이 있으나 군자가 결단할 것을 결단하면 홀로 감에 비를 만나 젖는 듯이 하여 성냄이 있으나 허물이 없다.

本義

'頄', 顴也. 九三, 當決之時, 以剛而過乎中, 是欲決小人而剛壯, 見于面目也, 如是則有凶道矣. 然在衆陽之中, 獨與上六爲應, 若能果決其決, 不係私愛, 則雖合於上六, 如獨行遇雨, 至於若濡, 而爲君子所慍, 然終必能決去小人, 而无所咎也. 溫嶠之於王敦, 其事類此.

'얼굴[頄]'은 광대뼈[顴]이다. 구삼은 결단할 때 굳셈으로 알맞음을 지나쳤으니, 소인을 결단하고자 하여 강하고 씩씩함이 얼굴에 나타난 것으로 이와 같이 하면 흉한 도가 있다.
그러나 여러 양 가운데 있으면서 홀로 상육과 호응하니, 결단을 과감히 결행하여 사사로운 사랑에 얽매이지 않는다면, 상육과 합하는 것이 홀로 감에 비를 만나 젖는 듯이 하여 군자에게 성냄을 당할지라도 끝내는 반드시 소인을 결연히 제거해서 허물이 없다. 온교(溫嶠)가 왕돈(王敦)에게 한 일[5]이 이런 것이다.

5) 온교(溫嶠 : 288~329)와 왕돈(王敦 : 266~324)은 모두 진(晉)나라 사람

程傳

爻辭差錯. 安定胡公, 移其文曰, "壯于頄, 有凶, 獨行遇雨, 若濡有慍, 君子夬夬, 无咎",6) 亦未安也. 當云, "壯于頄, 有

이다. 당시 권력자인 왕돈이 반란을 일으키자 온교가 덕으로 이를 진압한 일을 말한다.

6) 호원(胡瑗), 『주역구의(周易口義)』「쾌괘(夬卦)」: "此一爻有錯倒之文, 當曰, 壯于頄, 有凶, 獨行遇雨, 若濡有慍, 君子夬夬, 无咎. 何則三應于上, 上爲陰柔被決之小人, 夫旣應于小人, 爲小人之所汚辱, 則何得无咎哉. 又象曰, 君子夬夬, 終无咎也, 以此固知夬夬而後无咎也. 頄者, 面之骨, 謂上六也. 上六處一卦之上, 故有面頄之象. 夫剝之卦五陰長, 而一陽在上, 猶五小人而剝一君子. 六三于小人之中獨能上應君子, 而不爲剝削之道, 故曰剝之无咎. 此卦五陽進而決一陰, 是五君子而決一小人也. 獨九三, 不與衆君子同心決去小人, 而反私應之, 是壯于頄, 凶之道也. 獨行遇雨, 若濡有慍, 君子夬夬, 无咎者. 夫雨者, 陰陽和合之所致也. 衆賢方共決上六之一小人, 而三獨應之, 而其志和合, 故曰, 獨行遇雨. 夫小人之性近之則不孫, 遠之則怨. 今夬決之時, 君子得志, 而反爲小人之所汚辱, 是獨遇雨而濡潤其身, 且有慍怒也. 夬夬者, 敢決之辭也. 惟君子之人, 性明而志果, 居九三之位, 不爲應之所撓, 奮然決之, 乃得无咎也. 「象」曰, 君子夬夬, 終无咎也者, 言九三終能抱公却私與君子之衆同德合義以決去小人, 則无過咎之累也.[이 효사는 뒤섞인 글이니, '얼굴에 씩씩하여 흉함이 있는 것은 혼자 가며 비를 만나 젖어서 화를 내는 것과 같으니, 군자가 결단하면 허물이 없다'라고 해야 한다. 왜냐하면, 삼효가 상효와 호응하는데, 상효는 음험하고 유약하여 결단을 당하는 소인이기 때문이다. 이미 소인과 호응하여 그에 의해 더럽혀졌다면 어떻게 허물이 없을 수 있겠는가? 또 「상전」에서 '군자가 결단한다는 것은 끝내 허물이 없다는 것이다'라고 하였으니, 이것으로 진실로 결단한 다음에 허물이 없다는 것을 알 수 있다. 얼굴은 광대뼈로 상육을 말한다. 상육은 한 괘의 꼭대기에 있기 때문에 광대뼈의 상이 있다. 박(剝䷖)괘는 다섯 음이 자라나는데, 하나의 양이 위에 있으니, 다섯 소인이 한 군

凶, 獨行遇雨, 君子, 夬夬, 若濡有慍, 无咎."

효사가 잘못 뒤섞였다. 안정호공(安定胡公)[7]이 그 글을 옮겨 "얼굴

자를 깎아내는 것과 같다. 그런데 육삼이 소인 중에서 혼자 군자와 호응할 수 있어 깎아내는 도를 하지 않기 때문에 '깎아내도 허물이 없다'고 하였다. 쾌(夬☱)괘는 다섯 양이 나아가서 하나의 음을 결단하니, 다섯 군자가 한 소인을 결단하는 것이다. 그런데 구삼 혼자 여러 군자들과 한 마음으로 소인을 제거하지 않고 도리어 사사롭게 호응하니 얼굴에 씩씩하여 흉한 도이다. '혼자 가며 비를 만나 젖어서 화를 내는 것과 같으니 군자가 결단하면 허물이 없다'는 것. 비는 음양이 화합하여 내리는 것이다. 여러 현인들이 함께 상육의 소인을 한창 결단하고 있는데, 삼효 혼자 그것과 호응하여 그 뜻이 화합하기 때문에 '혼자 가며 비를 만났다'고 하였다. 소인은 성품은 가까이 하면 불손하고 멀리하면 원망한다. 이제 결단하는 때에 군자들이 뜻을 얻었는데, 도리어 소인에게 물들어 욕이 되니, 혼자 비를 맞아 그 몸을 적시고 또 화를 내는 것이다. 결단한다는 것은 과감히 결행한다는 말이다. 그런데 오직 군자라는 사람은 성품이 밝고 뜻이 과감하여 구삼의 자리에 있으면서 호응으로 잘못되지 않고 분연히 결단하니 바로 허물이 없는 것이다. 「상전」에서 '군자가 결단한다는 것은 끝내 허물이 없다는 것이다'라고 한 것은 구삼이 마침내 공정함으로 사사로움을 물리쳐 군자의 무리와 덕과 의로움을 하나로 합해 소인을 결단하여 제거하니 허물되는 잘못이 없다는 말이다.]"

7) 호원(胡瑗, 993~1059) : 자는 익지(翼之)이고 시호는 문소(文昭)로서, 북송시대 태주 해릉(泰州海陵 : 현 강소성 태주시) 사람이다. 13살에 오경(五經)을 통독하고, 20세에 손복(孫復)과 석개(石介)를 산동성 태산(泰山) 서진관(棲眞觀)에서 배알하고 10년 동안 사사하였다. 30세에 귀향하여 7번 과거에 응시했으나 낙방하여, 안정서원(安定書院)을 짓고 후학 양성에 힘썼다. 이에 세칭 안정선생으로 불렸다. 42세에 범중엄(范仲淹)의 천거로 교서랑(校書郎)이 되고, 태자중사(太子中舍), 광록시승(光祿寺丞), 천장각시강(天章閣侍講), 태상박사(太常博士) 등을 역임하였다. 특히 관직 생활 중에도 강학에 힘을 쏟아 손복(孫復)·석개(石介)와

에 씩씩하여 흉함이 있는 것은 혼자 가며 비를 만나 젖어서 화를 내는 것과 같으니, 군자가 결단하면 허물이 없다"고 하였는데, 또한 자연스럽지 않다. 그러니 "광대뼈에 씩씩하여 흉함이 있고, 홀로 가면 비를 만나니, 군자는 결단할 것을 결단 한다. 젖는 듯이 하여 성냄이 있으면 허물이 없다"로 해야 할 것이다.

'夬', 決. 尙剛健之時, 三居下體之上, 又處健體之極, 剛果於決者也. '頄', 顴骨也, 在上而未極於上者也. 三居下體之上, 雖在上而未爲最上, 上有君而自任其剛決, 壯于頄者也, 有凶之道也. '獨行遇雨', 三與上六, 爲正應, 方羣陽共決一陰之時, 己若以私應之, 故不與衆同而獨行. 則與上六陰陽和合, 故云'遇雨'. 『易』中言'雨'者, 皆謂陰陽和也.

'쾌(快)'는 결단함이다. 강건을 숭상하는 때 구삼은 아래 몸체의 위에 있고 또 굳센 몸체의 끝에 있어 결단에 굳세고 과감한 것이다. '구(頄)'는 광대뼈이니, 위에 있으나 제일 위에 있는 것은 아니다. 구삼이 아래 몸체의 위에 있어 위에 있을지라도 제일 위는 아니니, 위에 임금이 있는데 강하게 결단함을 자임하면 광대뼈에 씩씩한 것으로 흉한 도이다.
'홀로 가면 비를 만난다[獨行遇雨]'는 구삼이 상육과 정응이 되어 여러 양이 함께 한 음을 결단하는 때에 자신이 사사롭게 호응한 것과 같기 때문에 여럿과 함께 하지 않고 홀로 간다는 뜻이다. 그렇다면

함께 송초삼선생(宋初三先生)으로 추숭되어 송대 리학의 선구가 되었다. 저서에 『주역구의(周易口義)』, 『홍범구의(洪範口義)』, 『춘추구의(春秋口義)』, 『논어설(論語說)』 등이 있다.

상육과 음양이 화합하게 되기 때문에 '비를 만난다'고 말하였다. 『역』에서 '비'라고 말한 경우는 모두 음양이 화합하는 것을 이른다.

君子道長, 決去小人之時, 而己獨與之和, 其非可知. 唯君子處斯時, 則能夬夬, 謂夬其夬, 果決其斷也. 雖其私與, 當遠絶之, 若見濡汙. 有慍惡之色, 如此, 則无過咎也. 三健體而處正, 非必有是失也, 因此義, 以爲教耳. 爻文所以交錯者, 由有'遇雨'字, 又有'濡'字, 故誤以爲連也.

군자의 도가 자라나 소인을 결단하여 제거할 때인데 자기만 홀로 소인과 화합한다면 그 그릇됨을 알만하다. 군자만이 이러한 때에 결단할 것을 결단할 수 있으니, 그 결단할 것을 결단하여 그 결단을 과감하게 행한다는 말이다.
사사로이 함께 했을지라도 멀리하고 끊어서 마치 더러움에 젖는 듯이 여겨야 한다. 성내고 미워하는 기색이 이와 같으면 허물이 없다. 구삼은 굳센 몸체로서 바른 자리에 있어 반드시 이러한 잘못이 있는 것이 아니니, 이러한 뜻으로 가르침을 삼을 뿐이다.
효의 글이 서로 뒤섞인 것은 '비를 만난다[遇雨]'는 말이 있는데다 또 '젖는다[濡]'는 말이 있기 때문에 잘못 연결되었다.

集說

● 陸氏希聲曰 : "當君子之世, 而應小人, 故外有沾汚之累. 内有慍恨之心, 然後獲无咎者, 志有存焉."

육희성[8]이 말했다. "군자의 시대인데 소인과 호응하기 때문에 밖으로 더럽혀지는 잘못이 있다. 안으로 화를 내며 한탄하는 마음이 있은 다음에 허물이 없는 것은 뜻이 보존되어 있기 때문이다."

● 王氏安石曰:"九三乾體之上, 剛亢外見, '壯于頄'者也. '夬夬'者, 必乎夬之辭也. 應乎上六, 疑於汚也, 故曰'若濡'. 君子之所爲, 衆人固不識, 若濡則有慍之者矣, 和而不同, 有夬夬之志焉, 何咎之有."

왕안석이 말했다. "구삼은 건괘 몸체의 위로 굳세게 높이 올라간 것이 겉으로 드러나니 '얼굴에 씩씩한 것'이다. '결단할 것을 결단한다'는 뜻은 결단할 것을 반드시 한다는 말이다. 상육과 호응하면서 더럽혀질 것을 생각하기 때문에 '젖는 듯이 한다'고 하였다. 군자가 하는 것은 사람들이 진실로 알지 못하니 젖은 듯이 되면 성냄이 있다. 그런데 어울리지만 휩쓸리지 않고 결단할 것을 결단하는 뜻이 있으니 어떻게 허물이 있겠는가?"

● 郭氏雍曰:"夬與大壯内卦三爻, 相類, 故初九九三言壯. 壯者, 小人用剛之事, 非大者之壯也. 二卦九三, 皆具君子小人二義, 故大壯曰, '小人用壯, 君子用罔', 而此曰, '壯于頄, 有凶, 君

8) 육희성(陸希聲) : 자는 홍경(鴻磬)이고, 호는 군양둔수(君陽遁叟) 혹은 단양도인(君陽道人)이며, 당나라 소주(蘇州) 오현(吳縣) 사람이다. 의흥(義興)에 은거했다가 천거되어 벼슬은 우습유(右拾遺), 합주자사(歙州刺史), 급사중(給事中), 호부시랑(戶部侍郞), 동중서문하평장사(同中書門下平章事) 등을 역임했다. 『역(易)』, 『춘추(春秋)』, 『도덕경(道德經)』에 정통했고, 문장을 잘 지었다. 저서에 『춘추통례(春秋通例)』, 『도덕경전(道德經傳)』이 있다.

子夬夬', 是也. 以小人用壯言之, 則知壯于頄者, 小人之事也, 是以凶也. 唯君子明夬夬之義, 則終无咎矣."

곽옹이 말했다. "쾌(夬☱☰)괘는 대장(大壯☳☰)괘 내괘 세 효와 서로 비슷하기 때문에 초구와 구삼에서 씩씩함을 말하였다. 씩씩함은 소인이 굳셈을 쓰는 일이니, 큰 것의 씩씩함이 아니다. 두 괘의 구삼에서 모두 군자와 소인 두 의미를 갖추었기 때문에 대장괘에서 '소인은 장성함을 사용하고, 군자는 무시함을 사용한다'[9]고 하고, 여기에서는 '구삼은 얼굴에 씩씩하니, 흉함이 있으나 군자가 결단할 것을 결단한다'고 한 것이 이에 해당한다. 소인이 씩씩함을 쓰는 것으로 말하면, 얼굴에 씩씩한 것이 소인의 일임을 알겠으니, 이 때문에 흉하다. 군자만이 결단할 것을 결단하는 의미를 분명하게 하니, 끝내 허물이 없다."

● 『朱子語類』云: "君子之去小人, 不必悻悻然見於面目, 至於遇雨而爲所濡濕, 雖爲衆陽所慍, 然志在決陰, 故得无咎也. 蓋九三雖與上六爲應, 而以剛居剛, 有能決之象. 故壯于頄, 則有凶, 而和柔以去之, 乃无咎."[10]

『주자어류』에서 말하였다. "군자가 소인을 제거함에 굳이 성내는 모습을 얼굴에 드러낼 필요가 없으니, 비를 만나 젖게 되면 여러 양이 성을 낼지라도 그 뜻이 음을 제거하는 데 있기 때문에 허물이

9) 『주역』「대장괘(大壯卦)」: "九三, 小人用壯, 君子用罔, 貞厲, 羝羊觸藩, 羸其角.[구삼은 소인은 장성함을 사용하고, 군자는 무시함을 사용하여 곧으면 위태로우니, 숫양이 울타리를 받아 그 뿔이 위태로운 것이다.]"라고 하였다.

10) 『주자어류』 권72, 108조목.

없게 된다. 구삼은 상육과 호응할지라도 굳셈이 굳센 자리에 있어 결단할 수 있는 상이 있다. 그러므로 얼굴에 씩씩하니 흉함이 있지만 관대함과 유순함으로 제거하니 이에 허물이 없다."

● 蔡氏淸曰 : "大意爲君子之去小人, 顧其本心何如耳. 本心果是要決小人, 則雖暫與之合, 而爲善類之慍, 終必能決之而无咎. 不愈於壯于頄而有凶乎. 此所以貴於決而和也."

채청이 말했다. "큰 의미는 군자가 소인을 제거하는 것으로 본래의 마음이 어떤지 되돌아보는 것일 뿐이다. 본래의 마음이 결단코 소인을 제거하려는 것이라면, 잠시 그들과 화합했을지라도 선한 것들이 화를 내면 마침내 반드시 결행할 수 있어 허물이 없다. 얼굴에서 씩씩한 것을 넘어가지 않았는데 허물이 있겠는가? 이 때문에 결행하면서 화합하는 것을 귀하게 여긴다."

● 何氏楷曰 : "上六爲成兌之主, 澤上於天, 故稱'雨'. 以其適値而非本心也, 故稱'遇'. 本非濡也而迹類之, 故稱'若'. 或觀其跡, 而不察其心也, 故稱'有慍'."

하해가 말했다. "상육은 태(兌☱)괘를 이루는 주인인데, 못이 하늘보다 위에 있기 때문에 '비'를 말했다. 가서 만나지만 본래의 마음이 아니기 때문에 '만난다'고 하였다. 본래 젖은 것이 아닌데 흔적이 그렇게 된 것이 같기 때문에 '~한 듯하다'고 하였다. 간혹 그 흔적으로 보았으나 그 마음을 살피지 못했기 때문에 '성냄이 있다'고 하였다."

九四, 臀无膚, 其行次且, 牽羊, 悔亡, 聞言, 不信.

구사는 볼기에 살이 없으며 가는 것을 머뭇거리니, 양을 끌듯하면 후회가 없겠는데, 말을 듣고도 믿지 않는다.

本義

以陽居陰, 不中不正, 居則不安, 行則不進. 若不與衆陽競進, 而安出其後, 則可以亡其悔, 然當決之時, 志在上進, 必不能也, 占者聞其言而信, 則轉凶而吉矣. 牽羊者, 當其前則不進, 縱之使前而隨其後, 則可以行矣.

양이 음의 자리에 있으면서 알맞지 않고 바르지 않으니 있으면 편하지 못하고 가면 나아가지 못한다. 여러 양과 앞 다투어 나아가지 않고 편안히 그 뒤에 나오면 뉘우침이 없을 수 있겠으나 결단할 때 뜻이 위로 나아감에 있으면 반드시 할 수 없을 것이니, 점치는 자가 이 말을 듣고 믿으면 흉함이 바뀌어 길하게 될 것이다. 양을 모는 자가 그 앞을 가로 막으면 나아가지 않으나 풀어놓아 앞으로 가게 해놓고 그 뒤를 따라가면 양을 가게 할 수 있기 때문이다.

程傳

'臀无膚', 居不安也. '行次且', 進不前也. '次且', 進難之狀. 九四以陽居陰, 剛決不足. 欲止則衆陽竝進於下, 勢不得安, 猶臀傷而居不能安也. 欲行則居柔, 失其剛壯, 不能强進, 故其行次且也. '牽羊悔亡', '羊'者, 羣行之物, '牽'者, 挽拽之義, 言若能自强而牽挽, 以從羣行, 則可以亡其悔. 然旣處柔, 必不能也, 雖使聞是言, 亦必不能信用也. 夫過而能改, 聞善而能用, 克己以從義, 唯剛明者能之. 在它卦, 九居四, 其失未至如此之甚, 在夬而居柔, 其害大矣.

'볼기에 살이 없다'는 거처가 불안하다는 뜻이다. '가는 것을 머뭇거린다'는 앞으로 나아가지 못하는 것이다. '머뭇거린다'는 것은 나아감이 어려운 모양이다.

구사는 양으로 음의 자리에 있어 굳세게 결단함이 부족하다. 머물고자 하면 여러 양이 아래에서 함께 올라와 형세가 편안할 수 없으니, 볼기가 상하여 거처가 편안할 수 없는 것과 같다. 가고자 하면, 부드러운 자리에 있음으로 굳세고 씩씩함을 잃어 강하게 나아가지 못하기 때문에 가는 것을 머뭇거리는 것이다.

'양을 끌듯 하면 후회가 없다'는 것은, '양'은 무리지어 다니는 동물이고 '끈다'는 것은 당긴다는 뜻이니, 스스로 강하게 끌어당겨서 무리가 가는대로 따라 가면 뉘우침이 없을 것이라는 말이다. 그런데 이미 부드러운 자리에 있어 반드시 할 수 없으니, 이러한 말을 듣더라도 또한 굳이 믿고 쓰지 않는다.

잘못을 하면 고칠 수 있고 선한 말을 들으면 사용할 수 있으며 자신의 사사로움을 극복해 의로움을 따르는 것은 오직 강하고 밝은 자만이 할 수 있다. 다른 괘에서는 구가 사효에 있어도 잘못이 이와 같이 심하지 않은데, 쾌괘에서는 부드러움에 있으면 그 해로움이 크다.

集說

● 方氏應祥曰："'牽羊'之說,『本義』謂讓羊使前而隨其後. 則羊乃衆君子之象, 若就兌羊之象言之, 則羊還是九四. 羊性善觸, 不至羸角不已. 聖人教以自牽其羊, 抑其很性, 則可以亡悔矣, 是亦壯頄有凶之意."

방응상(方應祥)[11]이 말했다. "'양을 끈다'는 설명에 대해『주역본의』에서는 양에게 양보하여 앞서게 하고 뒤따른다고 하였다. 그렇다면 양은 여러 군자들의 상인데, 태괘 양의 상으로 말하면, 양은 오히려 구사이다. 양의 성질은 부딪히기를 잘하여 뿔을 위태롭게 하는 것으로 그치지 않는다. 성인이 양을 끌어 거친 성격을 억누르는 것을 가르치는 일은 후회를 없앨 수 있기 때문이니, 또한 얼굴에 씩씩하여 흉함이 있다는 의미이다."

案

● 臀者, 與陰相背之物也. 夬四姤三, 皆與陰連體而相背, 故皆以臀爲象. 夫相背則勢猶相遠, 緩以處之可也. 若臀有膚, 則能安坐矣. '臀无膚', 喻四之不能安坐也. 不能安坐, 故次且而欲進,

11) 방응상(方應祥, 1560~1628) : 자는 맹선(孟旋)이고 호는 청동(青峒)이다. 명(明)대 구주부 서안현(衢州府西安縣 : 현 절강성 구주시〈衢州市〉) 사람이다. 학문이 깊고 넓어 30세가 되기 전에 제자들을 가르쳐 당시에 명망이 높았다. 명(明) 만력(萬曆) 44년(1616)에 진사에 급제하여 남경 병부직방사주사(南京兵部職方司主事), 전사부랑중(轉祠部郎中), 산동 포정사참정 겸 안찰사첨사(山東布政司參政兼按察司僉事) 등을 역임하였다. 저서에는『사서강의(四書講義)』,『청래각문집(青來閣文集)』등이 있다.

所以然者, 不能自制其剛壯故也. 苟能制其剛壯如牽羊然, 則可亡其悔, 特恐當此時也, 聞持重之言而不信耳. 聖人於占戒之外, 又設爲反辭者, 凡人有所憂畏瞻慮, 則受警戒也. 易, 時之可爲, 勢之可乘. 一則恐失事機, 二則恐犯衆議, 是以聞言而多不信也. '牽羊', 方氏說善.

볼기는 음과 서로 등지는 부분이다. 쾌(夬䷪)괘의 사효와 구(姤䷫)괘의 삼효[12]는 모두 음이 몸체로 연결되지만 서로 등지기 때문에 모두 볼기를 상으로 하였다.
서로 등지면 여전히 서로 멀리하는 상황이 되니, 느슨하게 처신해야 한다. 볼기에 살이 있으면 편안히 앉아 있을 수 있다. '볼기에 살이 없다'는 사효가 편안히 앉아 있을 수 없음을 비유한 것이다. 편안히 앉아 있을 수 없기 때문에 머뭇거리면서 나아가려하고, 그렇게 하는 것은 스스로 굳세고 씩씩함을 억제할 수 없기 때문이다. 굳세고 씩씩함을 양을 끌듯이 할 수 있다면, 그 후회가 없을 수 있는데, 이런 때는 중요함을 지키는 말을 듣기만 하고 믿지 않을 것을 걱정했을 뿐이다. 성인이 점으로 경계하는 것 외에 또 반대로 설명한 것은 일반 사람들이 두려워 염려되는 것이 있으면 경계를 받아들이기 때문이다.
역은 때에 맞춰 해야 되고, 상황에 따라 올라 타야 한다. 그런데 한편으로는 일의 실마리를 잃을까 염려하고 다른 한편으로는 여럿의 의론을 범할까 염려하니, 말을 들어도 대부분 믿지 않는다. '양을 끈다'는 것은 방씨의 설명이 좋다.

---

12) 『주역』「구괘(姤卦)」: "九三, 臀无膚, 其行次且, 厲, 无大咎.[구삼은 볼기에 살이 없으며 그 가는 것을 머뭇거리니, 위태하나 큰 허물은 없을 것이다.]"라고 하였다.

九五, 莧陸夬夬, 中行, 无咎.

구오는 비름나물이니, 결단하고 결단하되 알맞게 행하면 허물이 없다.

本義

'莧陸', 今馬齒莧, 感陰氣之多者. 九五當決之時, 爲決之主, 而切近上六之陰, 如莧陸然, 若決而決之, 而又不爲過暴, 合於中行, 則无咎矣. 戒占者當如是也.

'비름나물[莧陸]'은 지금의 쇠비름이니, 음기에 움직임이 많은 것이다. 구오가 결단할 때 결단하는 주체가 되었는데, 상육의 음과 매우 가까우니, 비름나물처럼 결단하고 결단하면서도 또 지나치게 난폭하게 하지 않아 알맞게 행함에 합하면 허물이 없다. 점치는 자가 이와 같이 해야 한다고 경계하였다.

程傳

五雖剛陽中正, 居尊位, 然切近於上六, 上六說體, 而卦獨一陰, 陽之所比也. 五爲決陰之主而反比之, 其咎大矣, 故必決其決, 如莧陸然, 則於其中行之德, 爲无咎也. '中行', 中道也. '莧陸', 今所謂馬齒莧, 是也. 曝之難乾, 感陰氣之多者也, 而脆易折. 五若如莧陸, 雖感於陰, 而決斷之易, 則於中行, 无過咎矣, 不然則失其中正也. 感陰多之物, 莧陸, 爲易斷, 故取爲象.

구오는 굳센 양의 알맞고 바름으로 높은 자리에 있을지라도 상육과 아주 가까이 있고, 상육은 기뻐하는 몸체[☱]이고 쾌(夬䷪)괘의 유일한 음이어서 양이 가까이 하는 것이다. 구오는 음을 결단하는 주체인데도 도리어 음을 가까이 해 그 허물이 크기 때문에 반드시 결단할 것을 결단하기를 비름나물과 같이 하면 알맞게 행하는 덕에 허물이 없다. '알맞게 행한다'는 도에 알맞게 하는 것이다. '비름나물'은 지금의 이른바 쇠비름[馬齒莧]이 이것이다. 햇볕으로 말리기 어려울 정도로 음기에 움직임이 많은데, 취약하여 부러지기 쉽다. 오효가 비름나물처럼 음기에 움직일지라도 결단하기 쉬우니, 알맞게 행하는 것에서는 허물이 없고, 그렇지 않으면 알맞고 바름을 잃는다. 음기에 움직임이 많은 것은 비름나물로 끊기가 쉽기 때문에 취하여 상으로 삼았다.

集說

● 鄭氏汝諧曰 : "'莧陸', 『本草』云, 一名商陸, 其根至蔓, 雖盡取之, 而旁根復生, 小人之類難絶如此."

정여해가 말했다. "'비름나물'은 『신농본초경』에서 상륙(商陸)이라고도 하는데, 그 뿌리가 너무 잘 뻗어나가 모두 없애버릴지라도 주변에 뿌리가 다시 나오니, 소인들은 이처럼 끊어버리기 어렵다는 것이다."

● 『朱子語類』云 : "莧陸是兩物, 莧者, 馬齒莧, 陸者, 草陸, 一名商陸, 皆感陰氣多之物. 藥中用商陸治水腫. 其物難乾, 其子紅."[13]

『주자어류』에서 말했다. "'현(莧)'과 '육(陸)'은 두 가지 물건이니, '현(莧)'은 비름나물[馬齒莧]이고, '육(陸)'은 초육(草陸)으로 상육(商陸)이라고도 하니, 모두 음기에 움직임이 많은 것들이다. 약 중에서는 상육(商陸)으로 수종(水腫)를 치료한다. 그것은 말리기 어렵고 그 씨앗은 붉다."

● 項氏安世曰 : "'夬夬'者, 重夬也. 當夬者, 上六也, 三應之, 五比之, 嫌其不能夬也, 故皆以夬夬明之. 三謂之'遇雨', 五謂之'莧陸', 皆與陰俱行者也. 比於陰而能自決以保其中, 故可免咎.

항안세가 말했다. "'결단하고 결단한다'는 것은 거듭 결단한다는 뜻이다. 결단해야 할 것은 상육인데, 삼효가 호응하고 오효가 가까이하여 결단할 수 없을 것으로 의심되기 때문에 모두 결단하고 결단하는 것으로 분명하게 했다. 삼효에서 '비를 만난다'고 하고, 오효에서 '비름나물'이라고 했으니, 모두 음과 함께 움직이는 것들이다. 음과 가까이 있지만 스스로 결단함으로써 그 알맞음을 보전할 수 있기 때문에 허물이 없을 수 있다."

案

此言'莧陸''夬夬', 猶姤言'包瓜', 皆以細草陰類喻小人也. 時當含章則包之, 時當揚庭則決之, 然其包之也以杞, 剛之體不失也,

13) 『주자어류』 권72, 113조목.

其決之也以中行, 柔之用兼濟也."

여기에서 '비름나물'과 '결단하고 결단한다'고 한 것은 구(姤䷫)괘에서 '오이를 싼다'[14]고 말하는 것과 같으니, 모두 하찮은 풀에서 음의 종류로 소인을 비유한 것이다.

때가 머금어야 할 때면 머금고, 때가 조정에서 드날려야 할 때면 결단하는데, 박달나무 잎으로 싸면 굳센 몸체를 잃지 않고, 알맞게 행하는 것으로 결단하면 부드러운 작용을 아울러 더한다.

14) 『주역』「구괘(姤卦)」: "九五, 以杞包瓜, 含章, 有隕自天.[구오는 박달나무 잎으로 오이를 싸니, 아름다움을 머금으면 하늘로부터 떨어짐이 있을 것이다.]"라고 하였다.

上六, 无號, 終有凶.

상육은 호소할 곳이 없으니, 마침내 흉함이 있다.

本義

陰柔小人, 居窮極之時, 黨類已盡, 无所號呼, 終必有凶也. 占者有君子之德, 則其敵當之, 不然反是.

부드러운 음인 소인이 다할 때 무리들이 이미 없어지고 호소할 데가 없으니, 끝내 반드시 흉함이 있다.
점치는 자가 군자의 덕이 있으면 상대방이 여기에 해당할 것이고 그렇지 않으면 이와 반대일 것이다.

程傳

陽長將極, 陰消將盡, 獨一陰, 處窮極之地, 是衆君子得時, 決去危極之小人也. 其勢必須消盡, 故云无用號咷畏懼, 終必有凶也.

양의 자라남이 궁극에 이르고 음의 사라짐이 다하려고 하여 오직 음 하나만 끝의 자리에 있으니, 여러 군자가 때를 얻어 지극히 위험한 소인을 결단하여 제거하는 것이다. 그런 상황에서는 반드시 없어지고 말 것이기 때문에 두려움을 호소하여 울부짖을 곳이 없으니, 끝내 반드시 흉함이 있다고 한 것이다.

集說

● 蘇氏軾曰 : "'无號'者, 不警也. 陽不警, 則有以乘之矣."

소식이 말했다. "'호소할 곳이 없다'는 경계하지 않는다는 뜻이다. 양이 경계하지 않으면 올라타는 것들이 생긴다."

● 楊氏簡曰 : "柔已決去, 剛道已長, 然不可不敬戒. 苟忽焉不敬不戒不警號, 則亦終有凶. 雖未必凶遂至, 而旣不警戒, 則放逸, 逸則失道矣. 失道者終於凶."

양간이 말했다. "부드러움을 이미 결단하고 제거하여 굳센 도가 이미 자라났지만 경계하지 않아서는 안 된다. 소홀히 해서 경계하지 않고 경계하여 호소하지 않으면 끝내 흉함이 생긴다. 흉함이 반드시 생기지 않았을지라도 이미 경계하지 않고 있다면 방탕하고 안일한 것이고, 안일하면 도를 잃는다. 도를 잃을 경우에는 마침내 흉해진다."

● 蔣氏悌生曰 : "易爲君子謀, 不爲小人謀. 詳味此爻, 若如『傳』『義』說, 似爲小人謀. 恐只依卦辭'孚號有厲'之意, 言雖是五陽決去, 一陰尚存, 爲君子之計. 苟或默然養禍, 則其終必致凶. 聖人之情, 何嘗慮小人有凶也."

장제생이 말했다. "역은 군자를 위해 도모하지 소인을 위해 도모하지 않는다. 이 효를 자세히 음미함에 『정전』과 『주역본의』에서 설명한 것과 같이 하면 소인을 위해 도모한 것과 비슷하다. 그런데 오직 괘사의 '미덥게 호소하나 위태롭게 여김이 있어야 한다'는 의미를 따르면, 다섯 양이 결단하여 제거하고 하나의 음이 아직 남아 있을지라도 군자를 위해 도모한 말로 생각된다. 성인의 마음이 어찌 소인이 흉함이 있을 것이라고 염려해서야 되겠는가?"

總論

● 徐氏幾曰:"夬, 決也. 以盛進之五剛, 決衰退之一柔, 其勢若甚易. 然而聖人不敢以易而忽之, 故於夬之一卦, 丁寧深切, 所以周防戒備者, 無所不至."

서기가 말했다. "쾌(夬)는 결단한다는 것이다. 성대하게 나아가는 오효의 굳셈이 쇠하여 물러나는 하나의 부드러움을 결단하니 그 형세가 아주 쉬운 것 같다. 그러나 성인은 감히 쉽게 여겨 소홀히 하지 않기 때문에 쾌라는 하나의 괘에서 간곡히 심각하게 했으니, 두루 방비하고 경계함에 이르지 않음이 없다."

● 龔氏煥曰:"夬卦似大壯, 故諸爻多與大壯相似, 初之壯于趾, 三之壯于頄之類, 是也. 夬以五陽決一陰, 其壯甚矣, 聖人慮其夬決之過. 故於爻皆致戒, 而以陽居陽者爲尤甚焉. 陽之決陰, 君子之去小人, 亦貴乎中而已矣."

공환[15]이 말했다. "쾌(夬䷪)괘는 대장(大壯䷡)괘와 비슷하기 때문에 여러 효가 대부분 대장괘와 서로 비슷하니, 초효가 발에 장성하

15) 공환(龔煥) : 자는 유문(幼文)이고, 천봉선생(泉峯先生)이라고 불렸다. 원(元)대 임천(臨川)사람이다. 요응중(饒應中)에게 사사하여 본체를 밝히고 실천에 옮기는 데 힘썼다. 당시 아직 과거제도가 시행되지 못했는데, 시행되면 반드시 정자와 주자의 학문을 법식으로 삼아야 한다고 주장했다. 과연 뒤에 그의 말대로 시행되었다.

고[16] 삼효가 얼굴에서 씩씩함과 같은 것들이 여기에 해당한다. 쾌괘의 다섯 양이 하나의 음을 결단해 그 씩씩함이 심하니, 성인이 결단하고 결단하는 지나침을 염려했다. 그러므로 효에서 모두 경계하였고, 양으로 양의 자리에 있는 경우에는 더욱 심하게 했다. 양이 음을 결단하고 군자가 소인을 결단하는 것도 알맞음을 귀하게 여겨야 한다."

案

● 夬之與壯, 前三爻全相類. 是已後三爻先儒未詳說, 須知壯之當前者四也, 夬之當前者五也, 故壯四之藩決, 卽夬五之夬夬. 若壯之六五, 則壯已過, 而非用壯之時, 夬之九四, 則夬未及, 而亦未可爲果決之事, 故壯五之喪羊, 卽夬四之牽羊也. 若壯上之艱, 夬上之號, 則戒之始終不忘危懼而已. 壯不如夬之盛, 故猶曰不能遂. 夬則可以遂矣, 然其危懼之心同也.

쾌(夬䷪)괘와 대장(大壯䷡)괘에서 앞의 세 효는 모두 서로 비슷하다. 이후의 세 효에 대해서는 선대의 학자들이 자세히 설명하지 않았는데, 대장(大壯䷡)괘에서 앞으로 가야 할 것은 사효이고 쾌(夬䷪)괘에서 앞으로 나아가야 할 것은 오효이기 때문에 대장괘 사효의 울타리가 터지는 것[17]은 바로 쾌괘 오효의 결단하고 결단하는 것이다.

16) 『주역』「대장괘(大壯卦)」: "初九, 壯于趾, 征, 凶有孚.[초구는 발에 장성하니, 가면 흉함이 틀림없다.]"라고 하였다.

17) 『주역』「대장괘(大壯卦)」: "九四, 貞吉, 悔亡, 藩決不羸, 壯于大輿之輹.[구사는 곧으면 길하여 뉘우침이 없게 되니, 울타리가 터져서 곤궁하지 않게 되며, 큰 수레의 바퀴살에 장성한 것이다.]"라고 하였다.

대장괘의 육오[18]라면 씩씩함이 이미 지나쳐 씩씩함을 쓸 때가 아니고, 쾌괘의 구사라면 결단함이 아직 미치지 못했고 또한 과감하게 결단할 일이 아니기 때문에 대장괘 오효의 양을 잃어버린 것은 쾌괘 사효의 양을 끄는 것이다.

대장괘 상효의 어렵게 여기는 것과 쾌괘 상효의 호소하는 것이라면, 경계의 처음부터 끝까지 위태롭게 여기고 두려워하는 것을 잊지 않을 뿐이다. 대장괘는 쾌괘의 성대함과 같지 않기 때문에 오히려 '물러날 수 없다'[19]고 하였다. 쾌괘는 나아갈 수 있지만 위태롭게 여기고 두려워하는 마음이라면 같다.

---

18) 『주역』「대장괘(大壯卦)」: "六五, 喪羊于易, 无悔.[육오는 양을 쉽게 잃어버렸지만, 후회가 없다.]"라고 하였다.

19) 『주역』「대장괘(大壯卦)」: "上六, 羝羊觸藩, 不能退, 不能遂, 无攸利, 艱則吉.[상육은 숫양이 울타리를 들이받아서 물러날 수도 없고 나아갈 수 없어 이로운 것이 없으니, 어렵게 여기면 길하다.]"라고 하였다.

44. 구姤괘

䷫ 乾上
巽下

程傳

姤,「序卦」, "夬, 決也. 決必有遇. 故受之以姤, 姤, 遇也." 決, 判也. 物之決判則有遇合. 本合則何遇, 姤所以次夬也. 爲卦, 乾上巽下. 以二體言之, 風行天下, 天之下者, 萬物也. 風之行, 无不經觸, 乃遇之象, 又一陰始生於下, 陰與陽遇也, 故爲姤.

구괘(姤卦䷫)에 대해 「서괘전(序卦傳)」에서 "쾌(夬)는 결단함이다. 결단하면 반드시 만남이 있기 때문에 구괘(姤卦)로 받았으니, 구(姤)는 만남이다"라고 하였다. 결단한다는 것은 판가름한다는 것이다. 사람들은 결단하여 판가름하면 만나 합함이 있다. 본래 합했으면 무엇 때문에 만나겠는가? 구괘가 이 때문에 쾌괘의 다음에 있다. 괘의 모양은 건(乾☰)괘가 위에 있고 손(巽☴)괘가 아래에 있다. 두 몸체로 말하면 바람이 하늘 아래로 부는데 하늘 아래는 만물이 있다. 바람이 붊에 경유하고 접촉하지 않음이 없으니 만나는 상이고, 또 한 음이 아래에서 처음 생기니, 하나의 음이 양과 만나는 것이기 때문에 구괘이다.

姤, 女壯, 勿用取女.

구는 여자가 건장하니, 여자를 취하지 말아야 한다.

本義

姤, 遇也. 決盡則爲純乾四月之卦, 至姤然後一陰可見, 而爲五月之卦. 以其本非所望而卒然值之, 如不期而遇者, 故爲遇. 遇已非正, 又一陰而遇五陽, 則女德不貞而壯之甚也. 取以自配, 必害乎陽, 故其象占如此.

구(姤)는 만남이다. 결단을 다하면 순수한 건(乾䷀)괘인 사월의 괘가 되고, 구(姤䷫)괘가 된 다음에 하나의 음을 볼 수 있으니 오월의 괘이다.

본래 바란 것이 아닌데 갑작스레 만나니, 기약하지 않고 만난 것과 같기 때문에 '만남[遇]'이라 하였다. 만남이 이미 바른 것이 아니고, 또 하나의 음이 다섯 양을 만났으니, 여자의 덕이 바르지 않고 건장함이 심하다. 취하여 자신의 짝으로 하면 반드시 양을 해치기 때문에 그 상과 점이 이와 같다.

程傳

一陰始生, 自是而長, 漸以盛大, 是女之將長壯也. 陰長則陽消, 女壯則男弱, 故戒勿用取如是之女. 取女者, 欲其柔和順從, 以成家道. 姤乃方進之陰, 漸壯而敵陽者, 是以不可取也.

女漸壯則失男女之正, 家道敗矣. 姤雖一陰甚微, 然有漸壯之道, 所以戒也.

하나의 음이 처음 생겨 이로부터 자라나 점점 성대해지니, 여자가 자라나 건장하게 된다. 음이 자라면 양이 사라지고, 여자가 건장하면 남자가 약해지기 때문에 이와 같은 여자를 취하지 말라고 경계하였다.

여자를 취하는 것은 유순하게 순종시켜 집안의 도를 이루려는 일이다. 그런데 구괘는 막 나오는 음으로 점점 장성하여 양을 대적하니 이 때문에 취할 수 없다. 여자가 점점 건장하게 되면 남여의 바름을 잃어 집안의 도가 무너진다. 구괘는 하나의 음이 매우 미약할지라도 점점 건장해지는 도가 있기 때문에 경계하였다.

集說

● 孔氏穎達曰:"姤遇也. 此卦一柔而遇五剛, 故名爲姤. 施之於人, 則是一女而遇五男, 爲壯至甚, 故戒之曰'此女壯甚, 勿用取此女也'."

공영달이 말했다. "구는 만남이다. 이 괘는 한 획이 부드러우면서 다섯 군셈을 만나기 때문에 구(姤䷫)괘가 되었다. 사람들에게 베풀면 한 명이 여자이면서 다섯 남자를 만나 건장함이 아주 심하기 때문에 '이 여자는 아주 건장하니 이런 여자는 취하지 말라'고 경계하였다."

● 郭氏雍曰:"陽至四五而後言壯. 姤一陰方長卽爲壯者, 亦見君子小人之情不同也."

곽옹이 말했다. "양이 사효와 오효에 이른 다음에 장성함을 말했다.[1] 그런데 구(姤䷫)괘에서 하나의 음이 한창 자라 곧 건장하게 되는 것도 군자와 소인의 실정이 같지 않음을 드러낸 것이다."

● 馮氏椅曰: "古文姤作遘. 遇也, 亦婚媾也, 以女遇男爲象. 王洙易改爲今文爲姤. 「雜卦」猶是古文, 鄭本同."

풍의가 말했다. "고문에서는 '만날 구[姤]'자가 '만날 구[遘]'자로 되었다. 만난다는 뜻은 또한 결혼하는 것이니, 여자가 남자를 만나는 것을 상으로 하였다. 왕수(王洙)가 금문(今文)으로 고쳐서 구(姤)로 해놓았다. 「잡괘전」에는 여전히 고문으로 되어 있으니, 정현(鄭玄)의 본에서도 동일하다.[2]"

● 胡氏炳文曰: "'女壯', 諸家皆以爲一陰有將盛之漸. 『本義』以爲一陰當五陽, 已有女壯之象."

호병문이 말했다. "'여자가 건장하다'는 것에 대해 여러 학자들이 모두 하나의 음이 점차로 장성하는 것으로 여겼다. 그런데 『주역본

1) 『주역』「대장괘(大壯卦)」: "九四, 貞吉, 悔亡, 藩決不羸, 壯于大輿之輹.[구사는 곧으면 길하여 뉘우침이 없게 되니, 울타리가 터져서 곤궁하지 않게 되며, 큰 수레의 바퀴살에 장성한 것이다.]"라고 하였다.

2) 왕응린(王應麟) 집(輯), 『증보정씨주역(增補鄭氏周易)』「구(遘)」: "遘, 女壯, 勿用取女.[구(遘)는 여자가 건장하니, 여자를 취하지 말아야 한다.]"라고 하였다.

의』에서는 하나의 음이 다섯 양을 상대해서 이미 여자가 건장한 상이 있는 것으로 여겼다.”

案

● 女壯之義, 非以一陰始生於下爲壯, 亦非以一陰獨當五陽爲壯. 蓋卦以陰爲主, 陰而爲主, 卽是壯也.

여자가 건장하다는 의미는 하나의 음이 아래에서 생겨나는 일을 건장하게 여긴 것도 아니고 하나의 음이 홀로 다섯 양을 상대한 일을 건장하게 여긴 것도 아니다. 괘가 음을 주인으로 하니, 음이면서 주인이 된 것이 바로 건장함이다.

初六, 繫于金柅, 貞吉, 有攸往, 見凶, 羸豕孚蹢躅.

초육은 쇠말뚝으로 매니 곧으면 길하고, 갈 곳이 있으면 흉함을 당할 것이니, 여윈 돼지가 뛰어오르는 데 믿음을 둔다.

本義

'柅', 所以止車, 以金爲之, 其剛可知. 一陰始生, 靜正則吉, 往進則凶. 故以二義戒小人, 使不害於君子, 則有吉而无凶. 然其勢不可止也, 故以羸豕蹢躅, 曉君子, 使深爲之備云.

'말뚝[柅]'은 수레를 멈추게 하는 것인데 쇠로 만들었으니, 그 굳셈을 알 만하다. 하나의 음이 처음 생겼으니, 고요하고 바르게 하면 길하지만 나아가면 흉하다. 그러므로 두 가지 의미로 소인을 경계하여 군자를 해치지 않으면 길함이 있고 흉함이 없다고 한 것이다. 그러나 그 형세를 그치게 할 수 없기 때문에 여윈 돼지가 뛰어오르는 것으로 군자를 깨우쳐서 깊이 대비하게 하였다.

程傳

姤, 陰始生而將長之卦. 一陰生則長而漸盛, 陰長則陽消. 小人道長也. 制之, 當於其微而未盛之時. '柅', 止車之物, 金爲之, 堅强之至也. 止之以金柅而又繫之, 止之固也. 固止, 使不得進, 則陽剛貞正之道吉也, 使之進往, 則漸盛而害於陽, 是見凶也.

구(姤)는 음이 처음 생겨나 자라나려는 괘이다. 하나의 음이 생겨나면 자라서 점점 성대해지는데, 음이 자라나면 양이 사그라진다. 소인의 도가 자라는 것은 미약하여 아직 성대하지 않을 때 막아야 한다.
'말뚝'은 수레를 멈추게 하는 것이니, 쇠로 만들면 지극히 견고하고 강하다. 쇠말뚝으로 저지하고 또 매어놓음은 견고하게 저지하는 것이다. 견고하게 저지해서 나아가지 못하게 하면 굳센 양의 곧고 바른 도가 길하고, 나아가게 하면 점점 성대하여 양을 해칠 것이니, 흉함을 당한다.

'羸豕孚蹢躅', 聖人重爲之戒, 言陰雖甚微, 不可忽也. 豕, 陰躁之物, 故以爲況. 羸弱之豕, 雖未能强猛, 然其中心, 在乎蹢躅. '蹢躅', 跳躑也. 陰微而在下, 可謂羸矣, 然其中心, 常在乎消陽也. 君子小人異道, 小人, 雖微弱之時, 未嘗无害君子之心, 防於微則无能爲矣.

'여윈 돼지가 뛰어오르는 데 믿음을 둔다'는 성인이 거듭 경계하여 음이 매우 미약할지라도 소홀히 해서는 안 됨을 말하였다. 돼지는 음으로 조급한 동물이기 때문에 그것으로 비유하였다. 여위고 약한 돼지는 아직 강하고 사납지 않을지라도 그 마음은 뛰어오르는 데 있다.
'뛰어오른다'는 날뛰는 것이다. 음이 미약하고 아래에 있으니, 약하다고 할 수 있으나 그 마음은 항상 양을 사라지게 함에 있다. 군자와 소인은 도를 달리하여 소인은 미약할 때일지라도 군자를 해칠 마음이 없던 적이 없으니, 미약할 때 막으면 해치지 못할 것이다.

集說

● 丘氏富國曰："姤之所以爲姤者，在此一爻．一陰始生，非以金柅繫之，則柔道何所牽制而不敢進，繫之所以防之也．"

구부국이 말했다. "구괘가 구괘가 된 까닭은 이 하나의 효에 있다. 하나의 음이 처음 생겨나니, 쇠말뚝으로 매어놓지 않으면, 부드러운 도를 어떻게 견제하여 감히 나아가지 못하게 하겠는가? 매어놓는 것은 막기 위한 방안이다."

● 胡氏炳文曰："「彖」總一卦而言，則以一陰而當五陽，故於女爲壯．爻指一畫而言，五陽之下一陰甚微，故於豕爲羸．壯可畏也，羸不可忽也．"

호병문이 말했다. "「단사」는 한 괘를 총괄하여 말했으니, 음이 하나인데 다섯 양을 감당하기 때문에 여자가 건장한 것이다. 효사는 하나의 획을 가리켜 말했으니, 다섯 양의 아래에 하나의 음이 아주 미약하기 때문에 돼지 중에서 여윈 것이다. 건장한 것은 두려워해야 하고, 여윈 것은 소홀히 해서는 안 된다."

案

一陰窮於上，衆以爲無凶矣，而曰'終有凶'，防其後之辭也．一陰伏於下，衆未覺其凶矣，而曰'見凶'，察於先之辭也．陰陽消息，循環無端，能察於先，卽所以防其後，能防其後，卽所以察於先也．

하나의 음이 위에서 다해 사람들이 흉함이 없다고 여기는데, '마침내 흉함이 있다'[3]고 하는 것은 뒤를 방비하는 말이다. 하나의 음이 아래에 잠복해 사람들이 그 흉함을 깨닫지 못하는데 '흉함을 당한다'고 하는 것은 앞을 살피는 말이다.

음과 양은 사그라지고 자라나며 순환에 실마리가 없으니, 앞에서 살필 수 있으면 곧 그 뒤를 방비하는 것이고 뒤를 방비할 수 있으면 곧 앞을 살피는 것이다.

3) 『주역』「쾌괘(夬卦)」: "上六, 无號, 終有凶.[상육은 호소할 곳이 없으니, 마침내 흉함이 있다.]"라고 하였다.

九二, 包有魚, 无咎, 不利賓.

구이는 꾸러미에 물고기가 있어 허물이 없는데 손님에게는 이롭지 않다.

本義

'魚', 陰物. 二與初遇, 爲包有魚之象. 然制之在己, 故猶可以无咎. 若不制而使遇於衆, 則其爲害廣矣, 故其象占如此.

'물고기'는 음에 속하는 물건이다. 이효가 초효와 만남은 꾸러미에 물고기가 있는 상이다. 그러나 제재함이 자신에게 있기 때문에 오히려 허물이 없을 수 있다.
만약 제재하지 않아 여러 사람을 만나게 하면 피해가 크기 때문에 그 상과 점이 이와 같다.

程傳

'姤', 遇也. 二與初密比, 相遇者也. 在他卦則初正應於四, 在姤則以遇爲重, 相遇之道, 主於專一. 二之剛中, 遇固以誠, 然初之陰柔, 羣陽在上, 而又有所應者, 其志所求也. 陰柔之質, 鮮克貞固, 二之於初, 難得其誠心矣. 所遇不得其誠心, 遇道之乖也.

'구(姤)'는 만남이다. 이효는 초효와 매우 가까워 서로 만나는 것들이다. 다른 괘에서는 초효가 사효와 바르게 호응하지만 구괘에서는 만남을 소중하게 여기고, 서로 만나는 도는 한결같음을 주로 한다. 굳세고 알맞은 이효가 진실로 정성으로 만나지만 부드러운 음인 초육은 여러 양이 위에 있고 또 호응하는 것이 있으니, 그 뜻이 구하는 바에 있다. 부드러운 음의 자질은 곧고 굳게 함이 드무니, 이효가 초효에게 그 정성스러운 마음을 얻기 어렵다. 만남에 그 정성스러운 마음을 얻지 못한다면 만나는 도가 어그러진 것이다.

'包'者, 苴裹也, '魚', 陰物之美者. 陽之於陰, 其所悅美, 故取魚象. 二於初, 若能固畜之, 如包苴之有魚, 則於遇爲无咎矣. '賓', 外來者也. 不利賓, 包苴之魚, 豈能及賓. 謂不可更及外人也. 遇道當專一, 二則雜矣.

'꾸러미'는 마른풀로 싸 놓는 것이고, '물고기'는 음에 해당하는 좋은 물건이다. 양은 음에 대하여 기뻐하고 아름답게 여기기 때문에 물고기의 상을 취하였다.

이효가 초효에게 견고하게 싸기를 꾸러미에 물고기가 있듯이 하면 만남에 허물이 없을 것이다.

'손님'은 밖에서 오는 자이다. 손님에게는 이롭지 않으니, 꾸러미에 있는 물고기를 어찌 손님과 함께 하도록 하겠는가? 다시 바깥 사람에게 함께 하도록 할 수 없다는 말이다. 만나는 도는 한결같아야 하니, 둘이면 잡되기 때문이다.

集說

● 陸氏希聲曰 : "不正之陰與剛中之二相比, 能包而有之, 使其邪不及於外."

육희성이 말했다. "바르지 못한 음이 굳세고 알맞은 이효와 서로 가까우니 꾸려서 가지고 있으면서 그 사악함이 바깥에 미치지 않도록 해야 한다."

● 李氏開曰: "剝之'貫魚'姤之'包有魚', 皆能制陰者也."

이개가 말했다. "박(剝䷖)괘의 '물고기를 꿴 것'[4]과 구(姤䷫)괘의 '꾸러미에 물고기가 있는 것'은 모두 음을 제재할 수 있다는 뜻이다."

● 胡氏炳文曰: "'包', 如'包苴'之包, 容之於内而制之, 使不得逸於外也."

호병문이 말했다. "'꾸러미'는 '마른 풀에 싸놓는다'고 할 때의 '싸놓는 것'과 같으니, 안에 담아놓고 제재하여 밖으로 달아나지 못하게 한다."

● 何氏楷曰: "包字與'繫豕''包瓜'同意. 古之小人所以亂天下者, 往往君子激之也. 二曰'包有魚', 則不視小人爲異類, 而直以兼容之量包之. 既不邇之使近, 亦不激之使無所容, 其何咎焉."

하해가 말했다. "꾸러미는 '돼지를 매어놓고'와 '오이를 싸놓는다'[5]

4) 『주역』「박괘(剝卦)」: "六五, 貫魚, 以宮人寵, 無不利.[육오는 물고기를 꿰어 궁인이 총애 받듯이 하니 이롭지 않음이 없다.]"
5) 『주역』「구괘(姤卦)」: "九五, 以杞包瓜, 含章, 有隕自天.[구오는 박달나

는 것과 같은 의미이다. 옛날에 소인들이 천하를 어지럽히는 것은 간혹 군자들이 격동시켰기 때문이다. 이효에서 '꾸러미에 물고기가 있다'고 했다면, 소인을 다른 것으로 보지 않고 곧바로 함께 포용하고 도량으로 싸안는다. 이미 가깝지 않아 가깝게 하는 것은 또한 격동시키지 않으면서 받아들이는 것이 함이니, 무엇을 허물하겠는가?"

案

● 制陰之義, 不取諸九四之相應, 而取諸九二之相比者. 陰陽主卦, 皆以近比者, 爲親切. 而處之又有中有不中焉, 故復六四之'獨復', 亦不如六二'休復'之爲美也. 夬五近上, 則有莧陸之嫌. 姤二比初, 獨不以陰邪爲累乎. 曰夬之陰, 其勢極矣, 如病之旣劇, 如亂之已成, 非有以除去之不可. 姤則陰始生也, 如病將發, 如亂初萌, 豫防而早治之, 則不至於盛長矣. 觀乎'不利賓'之戒, 未嘗不以陰邪之漸馴爲諄諄也. 『詩』云, "敝笱在梁, 其魚魴鰥, 齊子歸止, 其從如雲," 是不能制之, 而使及賓之驗矣.

음을 제재하는 의미를 구사의 서로 호응하는 것에서 취하지 않고 구이의 서로 가까운 것에서 취한 경우이다. 음과 양이 괘를 주도할 때 모두 가까운 것을 친절함으로 여긴다. 그런데 처신에 알맞고 알맞지 않은 것이 있기 때문에 복(復☷)괘 육사의 '혼자서 돌아온다'[6]는 말은 또한 육이의 '아름다운 돌아옴'[7]이 아름다운 것만 못하다.

무 잎으로 오이를 싸니, 아름다움을 머금으면 하늘로부터 떨어짐이 있다.]"라고 하였다.

6) 『주역』「복괘(復卦)」: "六四, 中行, 獨復.[육사는 가운데를 지나가지만 혼자서 돌아온다.]"라고 하였다.

쾌(夬䷪)괘의 오효가 상효를 가까이 하는 것은 비름나물[8]로 의심하였다. 그런데 구(姤䷫)괘 이효가 초효와 가까운 것만 유독 음의 사악함으로 허물을 삼지 않는가? 말하자면, 쾌괘의 음은 그 기세가 다하여 병이 이미 심하고 혼란이 이미 이루어진 것과 같으니, 제거하지 못할 사안이 아니다. 그런데 구괘는 음이 처음으로 나와 병이 생기려는 것과 같고 혼란이 시작되려는 것과 같으니, 예방하여 미리 다스린다면 장성하게 되지 않는다.

'손님에게는 이롭지 않다'는 경계를 보면 음의 간사함을 길들이기를 정성스럽게 하지 않은 적이 없다. 『시경』에서 "떨어진 통발이 어량에 있으니 그 물고기가 방어와 환어이고, 제자가 제나라로 돌아가니 따르는 자들이 비가 내리듯이 많다"[9]라고 한 것은 제재할 수 없어 손님과 함께 하는 증거이다.

---

7) 『주역』「복괘(復卦)」: "六二, 休復, 吉.[육이는 아름다운 돌아옴이니 길하다.]"라고 하였다.

8) 『주역』「쾌괘(夬卦)」: "九五, 莧陸夬夬, 中行, 无咎.[구오는 비름나물이니, 결단하고 결단하되 알맞게 행하면 허물이 없을 것이다.]"라고 하였다.

9) 『시경』「제풍(齊風)」: "敝笱在梁, 其魚魴鰥, 齊子歸止, 其從如雨.[해진 통발이 어량(魚梁)에 있으니, 그 고기가 방어와 환어이고, 제자가 돌아오니, 따르는 자들이 비가 내리듯이 많다.]"라고 하였다.

九三, 臀无膚, 其行次且, 厲, 无大咎.

구삼은 볼기에 살이 없으며 그 가는 것을 머뭇거리니, 위태로울지라도 큰 허물은 없다.

本義

九三, 過剛不中, 下不遇於初, 上无應於上, 居則不安, 行則不進, 故其象占如此. 然旣无所遇, 則无陰邪之傷, 故雖危厲, 而无大咎也.

구삼은 지나치게 굳세고 알맞지 못하며 아래로 초효와 만나지 못하고 위로 상효와 호응하지 못하니, 가만히 있으면 불안하고 나아가면 나아가지 못하기 때문에 그 상과 점이 이와 같다.
그러나 이미 만나는 것이 없으면 음란하고 사악한 것에 다치는 일이 없기 때문에 위태로울지라도 큰 허물은 없다.

程傳

二與初旣相遇. 三說初而密比於二, 非所安也. 又爲二所忌惡, 其居不安, 若臀之无膚也. 處旣不安, 則當去之, 而居姤之時, 志求乎遇, 一陰在下, 是所欲也, 故處雖不安, 而其行則又次且也. '次且', 進難之狀, 謂不能遽舍也. 然三剛正而處巽, 有不終迷之義, 若知其不正而懷危懼, 不敢妄動, 則可以无大咎也. 非義求遇, 固已有咎矣, 知危而止, 則不至於大也.

이효와 초효가 이미 서로 만나고 있다. 삼효가 초효를 좋아하지만 이효와 매우 가까워 편안하지 않다. 또 이효에게 시기와 미움을 받아 그 처신이 불안하니, 볼기에 살이 없는 것과 같다.
처신이 이미 불안하면 떠나야 하는데 만나는 때에 있어 뜻이 만나기를 구하며, 하나의 음이 아래에 있기를 원하기 때문에 처신이 불안할지라도 가는 것을 또 머뭇거린다. '머뭇거린다'는 것은 나아가기가 어려운 모양이니, 빨리 버릴 수 없다는 말이다.
그러나 삼효는 굳세고 바르면서 겸손한 것에 있어 끝내 헷갈리지 않는 뜻이 있으니, 그 바르지 못함을 알고 위태로움과 두려움을 품어 감히 함부로 행동하지 않는다면 큰 허물이 없을 수 있다. 의롭지 않은데 만나기를 구하면 진실로 이미 허물이 있는 것이고, 위태로움을 알고 중지하면 크게 되지 않는다.

集說

● 李氏簡曰 : "居則臀在下, 故困初六言臀, 行則臀在中, 故夬姤三四言臀."

이간이 말했다. "가만히 있으면, 볼기가 아래에 있기 때문에 곤(困䷮)괘 초육[10]에서 볼기를 말했고, 가면 볼기가 중간에 있기 때문에 쾌(夬䷪)괘[11]와 구(姤䷫)괘 삼효와 사효에서 볼기를 말했다."

10) 『주역』「곤괘(困卦)」 : "初六, 臀困于株木. 入于幽谷, 三歲不覿.[초육은 엉덩이가 나무 등걸 때문에 어렵다. 어두운 골짜기로 들어가서 삼년이 지나도 만나보지 못한다.]"라고 하였다.

案

● '臀无膚'之義, 與夬四同. '其行次且', 志欲制陰也. 非其位任, 而欲制之, 有危道焉, 然於義則无咎.

'볼기에 살이 없다'는 의미는 쾌(夬䷪)괘[12]와 같다. '그 가는 것을 머뭇거린다'는 뜻이 음을 제재하려는 것이다. 그 자리와 책임이 아니기 때문에 제재하려는 것에 위태로운 도가 있지만 의로움에는 허물이 없다.

11) 『주역』「쾌괘(夬卦)」: "九四, 臀无膚, 其行次且, 牽羊, 悔亡, 聞言, 不信.[구사는 볼기에 살이 없으며 가는 것을 머뭇거리니, 양을 끌듯하면 후회가 없겠는데, 말을 들어도 믿지 않을 것이다.]"라고 하였다.

12) 『주역』「쾌괘(夬卦)」: "九四, 臀无膚, 其行次且, 牽羊, 悔亡, 聞言, 不信.[구사는 볼기에 살이 없으며 가는 것을 머뭇거리니, 양을 끌듯하면 후회가 없겠는데, 말을 들어도 믿지 않을 것이다.]"라고 하였다.

九四, 包无魚, 起凶.

구사는 꾸러미에 물고기가 없으니, 흉함이 일어난다.

本義

初六正應, 已遇於二而不及於己, 故其象占如此.

초육이 바른 호응인데 이미 이효를 만나고 있어 자신과 함께 하지 못하기 때문에 그 상과 점이 이와 같다.

程傳

'包'者, 所裹畜也, '魚', 所美也. 四與初爲正應, 當相遇者也, 而初已遇於二矣. 失其所遇, 猶包之无魚, 亡其所有也. 四當姤遇之時, 居上位而失其下, 下之離, 由己之失德也. 四之失者, 不中正也. 以不中正而失其民, 所以凶也. 曰, "初之從二, 以比近也, 豈四之罪乎." 曰, "在四而言, 義當有咎, 不能保其下, 由失道也. 豈有上不失道而下離者乎." 遇之道, 君臣民主夫婦朋友, 皆在焉, 四以下睽, 故主民而言. 爲上而下離, 必有凶變. '起'者, 將生之謂, 民心旣離, 難將作矣.

'꾸러미'는 싸는 것이고, '물고기'는 좋은 것이다. 사효는 초효와 바른 호응이니, 서로 만나야 할 것들인데 초효가 이미 이효와 만나고 있다. 만날 것을 잃어버림은 꾸러미에 물고기가 없는 것과 같이 가질 것을 잃은 것이다.

사효는 만나는 때 윗자리에 있으면서 아랫사람을 잃었으니, 아랫사람이 떠난 것은 자신이 덕을 잃었기 때문이다. 사효가 잃게 된 것은 알맞지 않고 바르지 못하기 때문이다. 그렇게 해서 백성들을 잃었기 때문에 흉하다. "초효가 이효를 따름은 가깝기 때문이니, 어찌 사효의 죄이겠는가?"라고 한다면, "사효로 말하면 의리상 당연히 허물이 있어 그 아래를 보호하지 못한 것은 도를 잃었기 때문이다. 어찌 윗사람이 도를 잃지 않았는데 아랫사람이 떠나겠는가?"라고 하겠다.

만나는 도는 임금과 신하, 백성과 군주, 남편과 아내, 친구들 사이에 다 있는데, 사효는 아래에서 떠나기 때문에 백성을 위주로 말하였다. 윗사람이 되어 아랫사람이 떠나면 반드시 흉한 변화가 있다. '일어난다'는 생길 것이라는 말이니, 민심이 이미 떠났다면 어려움이 생길 것이다.

集說

● 吳氏曰愼曰 : "九三以不遇陰, 而无大咎, 上九以不遇陰, 而无咎. 四則包无魚, 起凶, 何也. 蓋初六本其正應, 當遇而不遇故也."

오왈신이 말했다. "구삼은 음을 만나지 않아 큰 허물이 없고, 상구는 음을 만나지 않아 허물이 없다. 그런데 사효는 꾸러미에 물고기가 없으니 흉함이 일어나는 것은 무엇 때문인가? 초육은 본래 그 바르게 호응함이어서 만나야 하는데 만나지 않아서이다."

案

● 四與初正應, 當制陰之任者也, 然不能制之, 而爲包无魚之象何也. 曰此與夬之九三同, 當決陰制陰之任, 而德非中正. 故一則剛壯而懷慍怒, 一則疾惡而胥絶遠, 無包容之量, 無制服之方故也. 以是爻德而適犯卦義, 取女之戒, 則其起凶宜矣. 書曰"寬而有制", 有容德乃大, 又曰, "爾無忿疾于頑", 是包有魚无魚之所由分也.

사효는 초효와 바른 호응이어서 음을 제재할 책임이 있는 것인데, 제재할 수 없어 꾸러미에 물고기가 없는 상이 된 것은 무엇 때문인가? 말하자면, 이는 쾌(夬䷪)괘의 구삼효[13]와 같은 것으로 음을 결단하고 제재할 책임이 있는데 덕이 알맞고 바르지 않는다. 그러므로 한편으로는 굳셈이 씩씩해서 분노를 품고 있고, 다른 한편으로는 미워해서 멀리 끊어버렸으니, 포용하는 도량이 없고 제재하여 복종시킬 방법이 없기 때문이다.

이런 효의 덕으로 괘의 의미를 범하면 여자를 취하는 경계로 흉함이 일어난다는 것이 당연하다. 『서경』에서 "너그럽게 하면서도 제재하라"[14]고 하였으니, 포용하는 덕이 있어야 관대하고, 또 "완악함에 분해하거나 미워하지 말라"[15]고 하였으니, 꾸러미에 물고기가 있고 없는 것이 나눠지는 까닭이다.

13) 『주역』「쾌괘(夬卦)」: "九三, 壯于頄, 有凶, 獨行遇雨, 君子夬夬. 若濡有慍, 无咎.[구삼은 얼굴에 씩씩하니, 흉함이 있으나 군자가 결단할 것을 결단하면 홀로 감에 비를 만나 젖는 듯이 하여 성냄이 있으나 허물이 없다.]"라고 하였다.

14) 『서경』「주서(周書)」: "寬而有制, 從容以和.[너그럽게 하면서도 제재하고 느긋하게 화합하라]"라고 하였다.

15) 『서경』「주서(周書)」: "無忿疾于頑.[완악함에 분해하거나 미워하지 말라.]"라고 하였다.

九五, 以杞包瓜, 含章, 有隕自天.

구오는 박달나무 잎으로 오이를 싸니, 아름다움을 머금으면 하늘에서 떨어짐이 있다.

本義

'瓜', 陰物之在下者, 甘美而善潰. '杞', 高大堅實之木也. 五以陽剛中正, 主卦於上, 而下防始生必潰之陰, 其象如此. 然陰陽迭勝, 時運之常, 若能含晦章美, 靜以制之, 則可以回造化矣. '有隕自天', 本无而倏有之象也.

'오이'는 아래에 있는 음의 물건으로 달고 맛있지만 잘 물러터진다. '박달나무'는 높고 크며 튼실한 나무이다.
오효가 굳센 양이면서 바르고 알맞아 위에서 괘를 주도하고, 아래로 처음 생겨 반드시 물러터지는 음을 방지하니, 그 상이 이와 같다. 그러나 음과 양이 번갈아 이기는 것은 시운(時運)의 떳떳함이니, 아름다움을 머금어 감추고 조용히 제재한다면 조화를 회복할 수 있다. '하늘로부터 떨어짐이 있다'는 것은 본래는 없었는데 갑자기 있게 되는 상이다.

程傳

九五下亦无應, 非有遇也, 然得遇之道, 故終必有遇. 夫上下之遇, 由相求也. '杞', 高木而葉大, 處高體大而可以包物者, 杞也. 美實之在下者, 瓜也, 美而居下者, 側微之賢之象也. 九五尊居君位而下求賢才, 以至高而求至下, 猶以杞葉而包瓜. 能自降屈如此, 又其內蘊中正之德, 充實章美. 人君如是, 則无有不遇所求者也. 雖屈己求賢, 若其德不正, 賢者不屑也. 故必含蓄章美, 內積至誠, 則有隕自天矣, 猶云'自天而降', 言必得之也. 自古人君至誠降屈, 以中正之道, 求天下之賢, 未有不遇者也. 高宗感於夢寐, 文王遇於漁釣, 皆由是道也.

구오가 아래로 또한 호응이 없어 만나는 것이 있지 않지만 만나는 도를 얻었기 때문에 끝내 반드시 만남이 있다. 위와 아래가 만남은 서로 구하기 때문이다.
'박달나무'는 높이 자라는 나무로 잎이 크니, 있는 곳이 높고 몸체가 커서 물건을 감쌀 수 있는 바로 그 나무이다. 맛있는 열매가 아래에 있는 것은 오이이니, 맛있으면서 아래에 있는 것은 미천하면서 어진 사람의 상이다.
구오가 존귀하게 임금의 자리에 있으면서 아래로 어질고 재주 있는 신하를 구하는 것은 지극히 높은 이가 지극히 낮은 사람을 구하는 일이니, 박달나무 잎으로 오이를 싸는 것과 같다. 스스로 낮추고 굽히기를 이와 같이 하고, 또 안에 알맞고 바른 덕을 쌓아 충실하고 아름답다. 임금이 이와 같이 하면 구하는 자를 만나지 못함이 없다. 몸을 굽혀 어진 자를 구하더라도 그 덕이 바르지 못하면 어진 자가 좋게 여기지 않는다. 그러므로 반드시 아름다움을 머금고 쌓아 안으로 지극한 정성을 모으면 하늘로부터 떨어짐이 있어 '하늘에서 내려온다'고 말하는 것과 같으니, 반드시 얻는다는 말이다.
예로부터 임금이 지극한 정성으로 몸을 낮추고 굽혀 알맞고 바른 도로 천하의 어진 이를 구하면 만나지 못하는 경우가 없다. 고종(高宗)이 꿈속에서도 감동하여 부열(傅說)을 만나고, 문왕(文王)이 낚시질하는 곳에서 여상(呂尙 : 강태공)을 만난 것은 모두 이 도를 따른 것이다.

集說

● 胡氏炳文曰 : "魚與瓜, 皆陰物. 二與初遇, 故包有魚, 五與初無相遇之道, 猶以高大之杞而包在地之瓜也. 然瓜雖始生而必潰, 九五陽剛中正, 能含晦章美, 靜以待之, 是雖陰陽消長, 時運之常, 而造化未有不可回者. 姤其將可轉而爲復乎."

호병문이 말했다. "물고기와 오이는 모두 음에 속하는 물건들이다. 이효와 초효는 만났기 때문에 꾸러미에 물고기가 있고, 오효와 초효는 서로 만나는 도가 없어 높고 큰 박달나무 잎으로 땅에 있는 오이를 싼 것이다. 그런데 오이가 처음 나왔을지라도 반드시 무르기 때문에 알맞고 바른 양의 굳센 구오가 아름다움을 머금어 감출 수 있어 고요히 기다리니, 음과 양의 사그라지고 자라남이 시운의 일정함일지라도 조화는 돌아오지 않은 경우가 없다. 만남이 변해서 돌아올 것이다."

● 俞氏琰曰 : "'含'卽'包'之謂. 其初含蓄不露, 一旦瓜熟蒂脫自杞墜地, 故曰'含章有隕自天'."

유염이 말했다. "'머금는다'는 '싼다'는 것을 말한다. 그 처음에 머금어 쌓아놓고 드러내지 않으니, 하루아침에 오이가 익고 꼭지가 빠져 박달나무에서 땅으로 떨어지기 때문에 '아름다움을 머금으면 하늘에서 떨어짐이 있다'고 하였다."

● 林氏希元曰 : "'含章'不是全無所事, 是用意周密, 不動聲色, 而自有以消患於方萌也."

임희원이 말했다. "'아름다움을 머금었다'는 일삼는 것이 전혀 없는 뜻이 아니고, 마음씀씀이가 주도면밀하다는 말이니, 목소리와 낯빛을 움직이지 않고 저절로 싹터 오르는 모습에서 근심을 없애는 일이다."

案

● 五爲卦主, 而與陰無比應, 得卦'勿用取女'之義也. 夫與陰雖無比應, 而爲卦主, 則有制陰之任焉, 故極言脩德回天之道.

오효는 괘의 주인인데 음과 가까이 하거나 호응이 없으니, 괘사의 '여자를 취하지 말아야 한다'는 의미를 얻었다.
음과 함께 하거나 호응이 없을지라도 괘의 주인이라면 음을 제재하는 책임이 있기 때문에 덕을 닦아 하늘로 돌아가는 것을 지극하게 말하였다.

上九, 姤其角, 吝, 无咎.

상구는 만남에 그 뿔이니, 부끄러우나 허물은 없다.

本義

'角', 剛乎上者也. 上九以剛居上而无位, 不得其遇. 故其象占, 與九三類.

'뿔[角]'은 위에서 굳센 것이다. 상구가 굳셈으로 위에 있지만 지위가 없어 그 만남을 얻지 못하기 때문에 그 상과 점이 구삼과 비슷하다.

程傳

至剛而在最上者, 角也. 九以剛居上, 故以角爲象. 人之相遇, 由降屈以相從, 和順以相接, 故能合也. 上九高亢而剛極, 人誰與之. 以此求遇, 固可吝也. 己則如是, 人之遠之, 非他人之罪也, 由己致之, 故无所歸咎.

지극히 굳세면서 가장 위에 있는 것은 뿔이다. 양인 구가 굳셈으로 위에 있기 때문에 뿔로 상을 삼았다. 사람이 서로 만남은 낮추고 굽혀서 서로 따르고 화합하며 순종하여 서로 사귀기 때문에 합할 수 있다.

상구는 너무 높고 지극히 굳세니, 어떤 사람이 그와 함께 하겠는가? 이로써 만나기를 구하면 진실로 부끄러울 만하다. 자신이 이와 같이 하여 사람들이 멀리하는 것은 다른 사람들의 죄가 아니라 자신이 그렇게 한 것이기 때문에 허물을 돌릴 데가 없다.

集說

● 徐氏幾曰："上九處姤之窮, 與初無遇, 雖吝然, 亦无咎, 陰不必遇也."

서기가 말했다. "상구가 만남의 끝에 있어 초효와 만남이 없으니, 부끄러울지라도 허물이 없는데, 음은 만날 필요가 없기 때문이다."

● 胡氏炳文曰："九三以剛居下卦之上, 於初陰無所遇, 故雖厲而无大咎. 上九以剛居上卦之上, 於初陰亦不得其遇故雖吝而亦无咎. 遇本非正不遇, 不足爲咎也."

호병문이 말했다. "구삼은 굳셈이 아래 괘의 위에 있어 초효인 음과 만날 바가 없기 때문에 위태롭게 여길지라도 큰 허물이 없다. 상구는 굳셈으로 위의 괘의 위에 있어 초효인 음과 또한 만남이 없기 때문에 부끄러울지라도 허물이 없다. 만남이 본래 바른 것이 아니어서 만나지 않아도 허물될 것이 없다.

案

● 此爻亦與夬初反對, 皆與陰絶遠者也. 不與陰遇, 不能制陰, 故可吝, 然非其事任也, 故无咎. 此如避世之士, 不能救時, 而亦身不與亂者也.

이 구(姤䷫)괘의 효 또한 쾌(夬䷪)괘 초효와 반대이니, 모두 음과 더 없이 멀리 있는 것이다. 음과 만나지 않아 그것을 제재할 수 없기 때문에 부끄러워해야 하지만 그 일을 책임진 것은 아니기 때문에 허물이 없다. 이는 은둔한 선비가 시대를 구할 수 없지만 또한 자신이 혼란과 함께 하지 않는다는 것과 같다.

45. 취萃괘

䷬ 兌上
艮下

程傳

萃,「序卦」, "姤者, 遇也. 物相遇而后聚, 故受之以萃, 萃者, 聚也." 物相會遇, 則成羣, 萃所以次姤也. 爲卦兌上坤下. 澤上於地, 水之聚也, 故爲萃. 不言澤在地上, 而云澤上於地, 言上於地, 則爲方聚之義也.

취(萃䷬)괘에 대해 「서괘전」에서 "구(姤)는 만나는 것이다. 사물은 서로 만난 이후에 모이기 때문에 취괘로 받았으니, 취괘는 모이는 것이다"라고 하였다. 사물이 서로 만나면 무리를 이루기 때문에 취괘가 구괘 다음에 있다.

괘의 모양은 태(兌☱)괘가 위에 있고 곤(坤☷)괘가 아래에 있다. 못이 땅보다 올라가 있는데 물이 모인 것이기 때문에 취괘이다. 못이 땅 위에 있다고 하지 않고 못이 땅보다 올라가 있다고 하였으니, 땅보다 올라가 있다고 하면 한창 모이는 뜻이 된다.

萃, 亨王假有廟, 利見大人, 亨, 利貞. 用大牲, 吉, 利有攸往.

취는 임금이 사당에 가니, 대인을 봄이 이로움은 형통하기 때문이지만 바름이 이롭다. 큰 제물을 써서 길하니, 가는 것이 이롭다.

本義

'萃', 聚也. 坤, 順, 兌, 說. 九五剛中, 而二應之, 又爲澤上於地, 萬物萃聚之象, 故爲萃. '亨'字衍文. '王假有廟', 言王者可以至乎宗廟之中, 王者, 卜祭之, 吉占也. 祭義曰, "公假于太廟", 是也. 廟所以聚祖考之精神, 又人必能聚己之精神, 則可以至于廟而承祖考也. 物旣聚, 則必見大人而後, 可以得亨. 然又必利於正, 所聚不正, 則亦不能亨也. 大牲必聚而後有, 聚則可以有所往, 皆占吉而有戒之辭.

'취(萃)'는 모이는 것이다. 곤(坤☷)괘는 순종하는 것이고, 태(兌☱)괘는 기뻐하는 것이다. 구오가 굳세고 가운데 있는데 이효가 호응하고, 또 못이 땅보다 위에 있어 만물이 모이는 상이기 때문에 취이다.
'형(亨)'자는 잘못 들어간 글자이다. '임금이 사당에 간다'는 것은 임금이 종묘의 안으로 갈 수 있다는 말로 임금이 점쳐 제사를 지낸 것이니 길한 점이다.
「제의」에서 "공이 태묘에 갔다"1)는 것이 여기에 해당한다. 사당은 조상들의 정신을 모은 곳이니, 또 사람들이 반드시 자신들의 정신을 모을 수 있으면 그곳에 가서 조상들을 계승할 수 있다.
사람들이 이미 모였으면 반드시 대인을 본 이후에 형통할 수 있다. 그러나 반드시 바름에서 이로우니, 모인 것이 바르지 않으면 또한 형통할 수 없다. 큰 제물은 반드시 모인 뒤에 있고, 모이면 가는 것이 있으니, 모두 점이 길할지라도 경계하는 말을 두었다.

程傳

王者, 萃聚天下之道, 至於有廟, 極也. 羣生至衆也, 而可一其歸仰, 人心莫知其鄉也, 而能致其誠敬, 鬼神之不可度也, 而能致其來格. 天下萃合人心, 總攝衆志之道, 非一, 其至大莫過於宗廟. 故王者, 萃天下之道, 至於有廟, 則萃道之至也. 祭祀之報, 本於人心, 聖人制禮, 以成其德耳. 故豺獺能祭, 其性然也. '萃'下有'亨'字, 羨文也, '亨'字自在下, 與渙不同. 渙則先言卦才, 萃乃先言卦義, 「彖辭」甚明.

왕이 천하의 도를 모아 사당을 두게 된 것은 지극하다. 여러 민생은 지극히 많은데 그 귀의하고 우러러보는 마음을 통일할 수 있으니, 사람들의 마음은 그 방향을 알 수 없지만 그 정성과 공경을 이룰 수 있으며, 귀신은 헤아릴 수 없지만 와서 강림하게 할 수 있다. 천하에서 사람들의 마음을 모아 합하고, 여러 사람들의 뜻을 총괄하는 방법은 한 가지가 아니지만 그 지극함이 종묘보다 큰 것은 없다. 그러므로 왕이 천하의 도를 모아 사당을 두게 되면 모으는 도가

1) 『예기(禮記)』「제통(祭統)」: "六月丁亥, 公假于大廟.[유월 정해일에 공이 태묘에 갔다.]"라고 하였다.

지극한 것이다. 제사의 보답은 사람의 마음에 근본을 두었으니, 성인이 예를 제정하여 그 덕을 이루었다. 그러므로 승냥이와 수달도 제사를 지낼 수 있으니 그 천성이 그런 것이다.
'취(萃)'자의 아래 '형(亨)'자가 있는 것은 잘못 들어간 글자이니, '형(亨)'자가 본래 아래에 있어도 환(渙䷺)괘와는 같지 않다.[2] 환괘에서는 먼저 괘의 재질을 말했고, 취괘에서는 먼저 괘의 의미를 말하였으니, 「단사」에 아주 분명하다.

天下之聚, 必得大人以治之. 人聚則亂, 物聚則争, 事聚則紊, 非大人治之, 則萃所以致争亂也. 萃以不正, 則人聚爲苟合, 財聚爲悖入, 安得亨乎. 故利貞.

천하가 모임일 때 반드시 대인을 얻어 다스려야 한다. 사람이 모이면 어지럽고, 사물이 모이면 싸우며, 일이 모이면 문란하니, 대인이 다스리지 않으면 모임은 다투어 어지럽게 된다.
모임을 바르게 하지 않으면, 사람의 모임은 구차하게 합하고, 재물의 모임은 어그러져 들어오니, 어떻게 형통할 수 있겠는가? 그러므로 바름이 이롭다.

萃者, 豐厚之時也, 其用宜稱, 故用大牲吉. 事莫重於祭, 故以祭享而言, 上交鬼神, 下接民物, 百用莫不皆然. 當萃之時, 而交物以厚, 則是享豐富之吉也, 天下莫不同其富樂矣. 若時

2) 『주역』「환괘(渙卦)」: "渙, 亨, 王假有廟, 利涉大川, 利貞.[환은 형통하니, 임금이 사당에 이르며 큰 내를 건넘이 이로우니, 정고함이 이롭다.]"라고 하였다.

之厚, 而交物以薄, 乃不享其豐美, 天下莫之與, 而晦吝生矣. 蓋隨時之宜, 順理而行, 故「彖」云, '順天命也.' 夫不能有爲者, 力之不足也, 當萃之時, 故利有攸往. 大凡興功立事, 貴得可爲之時, 萃而後用, 是動而有裕, 天理然也.

취는 풍족한 때라 그 쓰임이 걸맞아야 하기 때문에 큰 제물을 씀이 길하다. 일에 제사보다 귀중한 것이 없기 때문에 제사지내는 일로 말했으니, 위로 귀신과 사귀고 아래로 백성들과 만남에 온갖 쓰임이 모두 그렇지 않은 것이 없다.
모이는 때에 사물들과 사귀기를 두텁게 하면, 바로 풍성한 길함을 누리게 되니, 천하가 그 부유함과 즐거움을 함께 하지 않음이 없다. 두텁게 할 때인데 사물을 박하게 대하면, 그야말로 풍부한 아름다움을 누리지 못하니, 천하에서 아무도 함께 하지 않아 후회하고 부끄럽게 된다.
때의 마땅함에 따라 이치에 순응하여 행하기 때문에 「단전」에서 '천명에 순응한다'[3]고 하였다. 일을 할 수 없는 것은 힘이 부족하기 때문인데, 모이는 때이기 때문에 가는 것이 이롭다. 대체로 공을 일으켜 일을 할 적에는 할 수 있는 때를 얻어 모인 뒤에 쓰는 것을 귀하게 여기니, 움직여 여유가 있는 것은 하늘의 이치가 그래서이다.

集說

● 程子曰 : "萃渙皆立廟. 因其精神之萃, 而形於此, 爲其渙散,

3) 『주역』「취괘(萃卦)」: "用大牲吉, 利有攸往, 順天命也.['큰 제물을 써서 길하니, 가는 것이 이롭다'는 천명에 순응하는 것이다.]"라고 하였다.

故立此以收之."

정자가 말했다. "취(萃☷)괘와 환(渙☴)괘는 모두 사당을 세운 것이다. 정신을 모아 여기에 드러낼 때 흩어지기 때문에 이것을 세워 거둬들였다."

● 項氏安世曰:"卦名下, 元無'亨'字. 獨王肅本有. 王弼遂用其說. 孔子「彖辭」初不及此字."

항안세가 말했다. "괘 이름의 아래에 원래 '형(亨)'자가 없고, 왕숙본에만 있었는데, 왕필이 왕숙본의 설을 마침내 받아들였다. 공자의 「단사」에서는 처음부터 이 글자에 대해 언급조차 하지 않았다."

● 趙氏汝騰曰:"陽居五, 而五陰從之爲比, 陽居五與四, 而四陰從之爲萃. 二卦相似, 然比者衆陰始附之初, 聖人作而萬物覩之時也, 萃者二陽相比, 羣陰萃而歸之, 君臣同德, 萬物盛多之時也."

조여등[4]이 말했다. "양이 오효의 자리에 있고 다섯 음이 따르는 것은 비(比☷)괘이고, 양이 오효와 사효의 자리에 있고 네 음이 따르는 것은 취(萃☷)괘이다. 두 괘가 서로 비슷하지만 비(比)는 여러 음이 처음으로 의지하는 시초에 성인이 일어나 만물이 보는 때이

4) 조여등(趙汝騰 ?~1261) : 송대의 유학자로 복건 사람이고, 자는 무실(茂實)이며, 호는 용재(庸齋)이다. 1226년에 진사가 되고 예부상서겸급사중(礼部尚书兼给事中)을 거쳐 한림학사에 제수되었다. 만년에 자하옹(紫霞翁)이라 하였다. 저서로는 『용재집(庸齋集)』 6권이 있다.

고, 취(萃)는 두 양이 서로 가까워 여러 음이 모여 귀의하니, 임금과 신하가 덕을 같이 하고 만물이 성대하게 많아지는 때이다."

● 龔氏煥曰："'假'字, 疑當作'昭假烈祖'之'假', 謂感格也. 王者致祭於宗廟, 以己之精神感格祖考之精神, 所以爲萃也."

공환이 말했다. "'갔다[假]'는 것은 '선조들께 밝게 이르렀다'고 할 때의 '이르렀다'로 보아야 할 것으로 생각되니, 감동시킨다는 말이다. 임금이 종묘에서 제사를 지낼 때 자신의 마음으로 조상들의 마음을 감동시키기 때문에 모이는 것이다."

● 何氏楷曰："'用大牲吉', 承'王假有廟'言, '利有攸往', 承'利見大人'言."

하해가 말했다. "'큰 제물을 써서 길하다'는 '임금이 사당에 갔다'는 뜻을 이어서 말하였고, '가는 것이 이롭다'는 '대인을 봄이 이롭다'를 이어서 말한 것이다."

案

● 以「彖傳」觀之, '利見大人亨利貞', 爲一事無疑. '王假有廟'者, 神人之聚也, '利見大人'者, 上下之聚也. '用大牲吉', 廣言羣祀, 由假廟而推之, 皆所以聚於神也. '利有攸往,' 廣言所行, 由見大人而推之, 皆所以聚於人也.

「단전」으로 보면, '대인을 봄이 이로움은 형통하기 때문이지만 바름이 이롭다'는 하나의 일임에 의심할 것이 없다. '임금이 사당에 간다'는 귀신과 사람이 모이는 일이고, '대인을 봄이 이로움'은 위아래가 모인 것이다.

'큰 제물을 써서 길하다'는 여러 제사를 넓게 말한 것으로 사당에 가는 일로 말미암아 미뤄보면 모두 귀신에게 모이는 상황이다. '가는 것이 이롭다'는 가는 것을 넓게 말한 것으로 대인을 보는 일로 말미암아 미뤄보면 모두 사람에게 모이는 상황이다.

初六, 有孚, 不終, 乃亂乃萃, 若號, 一握爲笑, 勿恤, 往, 无咎.

초육은 믿지만 끝까지 하지 못하고 이에 혼란해서 모이니, 부르짖으면 일제히 비웃겠지만 근심하지 말고 가면 허물이 없다.

本義

初六, 上應九四, 而隔於二陰, 當萃之時, 不能自守, 是有孚而不終, 志亂而妄聚也. 若呼號正應, 則衆以爲笑, 但勿恤而往, 從正應則无咎矣. 戒占者當如是也.

초육은 위로 구사와 호응하지만 두 음에게 가로 막혀 모이는 때에 스스로 지킬 수 없으니, 믿지만 끝까지 가지 못하고 뜻이 혼란하여 함부로 모이는 것이다.
바르게 호응함을 부르짖으면 무리들이 비웃겠지만 그냥 근심하지 말고 가서 바르게 호응함을 따르면 허물이 없다. 점치는 자가 이와 같아야 한다고 경계하였다.

程傳

初與四, 爲正應, 本有孚以相從者也. 然當萃時, 三陰聚處, 柔无守正之節, 若捨正應而從其類, 乃有孚而不終也. '乃亂', 惑亂其心也, '乃萃', 與其同類聚也. 初若守正不從, 號呼以求正應, 則一握笑之矣. '一握', 俗語, 一團也, 謂衆以爲笑也. 若能勿恤而往, 從剛陽之正應, 則无過咎, 不然, 則入小人之羣矣.

초효와 사효는 바르게 호응함이니, 본래 믿으며 서로 따르는 것들이다. 그러나 모일 때에 세 음이 모인 것에서는 유순함이 바름을 지키는 절개가 없으니, 바르게 호응함을 버리고 그 무리를 따른다면, 믿지만 끝까지 하지 못하게 된다.
'이에 혼란하다[乃亂]'는 그 마음을 헷갈려 혼란하게 한다는 말이고, '모인다[乃萃]'는 같은 무리와 모인다는 뜻이다. 초효가 바름을 지켜 따라가지 않고 부르짖으면서 바르게 호응함을 구한다면 패거리들이 비웃을 것이다.
'일제히[一握]'는 속어로 '한 패'라는 의미이니, 무리지어 비웃는다는 말이다. 근심하지 말고 갈 수 있어 굳센 양의 바르게 호응함을 따른다면 허물이 없고, 그렇지 못하면 소인의 무리에 끼어들 것이다.

集說

● 胡氏瑗曰: "'號', 謂號咷也. 萃聚之世, 必上下相求和會, 然後必有所濟. 故始有號咷之怨, 終得與四萃聚而有懽笑也."

호원이 말했다. "'부르짖는다'는 울며 외침을 말한다. 모이는 때는 반드시 상하가 서로 화합하여 모이기를 구한 다음에 반드시 구제되는 바가 있다. 그러므로 처음에는 울며 외치는 원망이 있지만 끝에는 사효와 모여 환호하며 웃을 수 있다."

● 王氏宗傳曰 : "初之於四, 相信之志, 疑亂而不一也, 然居萃之時, 上下相求. 若號焉, 四必說而應之, 則一握之頃, 變號咷而爲笑樂矣, 謂得其所萃也. 故戒之曰, '勿恤', 又勉之曰, '往无咎'."

왕종전이 말했다. "초효가 사효에 대해 서로 믿는 마음이 혼란되어 한결같지 않지만 모이는 때에 있어 상하가 서로 구한다. 울부짖음에 사효가 기뻐하여 호응한다면 잠깐 사이에 울며 외치는 것을 바꿔 웃으며 즐거워하게 되었으니, 모이는 바를 얻었다는 말이다. 그러므로 '근심하지 말라'고 경계하였고, 또 '가면 허물이 없다'라고 권했다."

● 姚氏舜牧曰 : "初四相應, 此心本自相孚. 但孚須有終爲善. 如有孚而不終, 則乃亂而乃萃矣, 萃其可亂乎哉. 若念有孚之當終, 而呼號以往從之, 則正應可合, 而無妄萃之咎矣."

도순목(姚舜牧)이 말했다. "초효와 사효가 서로 호응함은 이런 마음으로 본래 서로 믿는 것이다. 다만 믿음은 반드시 끝까지 선해야 한다. 믿으면서 끝까지 하지 못하면 이에 혼란해서 모이니, 모임이 혼란해서야 되겠는가? 믿고 끝까지 해야 한다고 생각하고 부르짖으며 간다면, 바르게 호응하고 합할 수 있어 함부로 모이는 허물은 없어질 것이다."

● 錢氏志立曰 : "萃與比同, 所異者多九四一陽耳. 比初無應, 曰'有孚'者, 一於五也. 萃初與四應, 曰'有孚不終'者, 有二陽焉, 不終於四也. 及此時而號以求萃, 可以破涕爲笑, 同人'先號咷而後笑'者, 是也."

전지립(錢志立)이 말했다. "취(萃䷬)괘는 비(比䷇)괘와 같으니, 다른 것은 구사의 한 양이 많다. 비(比䷇)괘의 초효는 호응이 없는데, '믿음으로'[5]라고 한 것은 오효에 한결같이 해서이다. 취(萃䷬)괘의 초효는 사효와 호응하는데, '믿지만 끝까지 하지 못한다'고 한 것은 양이 둘이 있어 사효에게 끝까지 하지 못하기 때문이다. 이때 부르짖으며 모이기를 구한다면 우는 것을 없애고 웃을 수 있으니, 동인(同人䷌)괘의 '먼저는 울부짖고 뒤에는 웃는다'[6]는 것이 이에 해당한다."

案

● 胡氏王氏姚氏錢氏諸說, 皆於文義甚合. 蓋『易』中'號''笑'二字, 每每相對也. 兩'乃'字, 不同. 上'乃'字, 虛字也, 下'乃字', 猶汝也. 正如書而康而色, 上'而'字, 虛字也, 下'而'字, 猶汝也. 言有孚不終, 則必亂汝之所萃也, 其所以亂之故, 則錢氏得之矣. '握'者, 手所執持以轉移之機也, 言能致誠迫切, 則一轉移之閒, 必有和合之喜. 故曰'若號一握爲笑'.

호씨[호원]·왕씨[왕종전]·도씨[도순목]·전씨[전지립]의 여러 설은 모두 문맥의 의미에 잘 부합한다. 『역』에서 '부르짖는다[號]'와 '웃는다[笑]'는 두 글자는 매번 서로 짝이 된다.
두 번의 '이에[乃]'라는 말은 의미가 같지 않으니, 앞의 '이에[乃]'는

5) 『주역』「비괘(比卦)」: "初六, 有孚比之, 无咎.[초육은 믿음으로 친하니 허물이 없다.]"라고 하였다.

6) 『주역』「동인괘(同人卦)」: "九五, 同人, 先號咷而後笑, 大師克, 相遇.[구오는 사람들과 함께 하지만 먼저는 울부짖고 뒤에는 웃으니, 큰 군사들로 이겨야 서로 만날 것이다.]"라고 하였다.

의미 없는 것이고, 뒤의 '이에[乃]'는 '너[汝]'라는 의미와 같다. 바로 『서경』「주서」의 '너의 얼굴빛을 편안히 하다'는 것처럼 앞의 '이(而)'자는 의미가 없는 것이고, 뒤의 '이(而)'자는 '너[汝]'라는 의미와 같은 것이다.
믿지만 끝까지 하지 못하면 반드시 너희들의 모임을 혼란하게 할 것이라는 말이니, 혼란하게 되는 까닭은 전씨[전지립]가 설명했다. '악(握)'은 손으로 잡아 구르게 하는 것이니, 정성을 다해 다가가면 한 번 굴러가는 사이에 반드시 화합하는 기쁨이 있다는 말이다. 그러므로 '부르짖으면 한 번 잡아 구르게 해서 웃게 된다'고 하였다.

六二, 引吉, 无咎, 孚乃利用禴.

육이는 끌어당기면 길하여 허물이 없고, 정성이 있으면 약 제사로 할지라도 이롭다.

本義

二應五而雜於二陰之間, 必牽引以萃, 乃吉而无咎. 又二中正柔順, 虛中以上應, 九五剛健中正, 誠實而下交. 故卜祭者有其孚誠, 則雖薄物, 亦可以祭矣.

이효가 오효와 호응하지만 두 음의 사이에 끼여 있으니, 반드시 끌어당겨 모여야 길하고 허물이 없다. 또 이효는 중정하고 유순하여 속을 비우고 위로 호응하며, 구오는 강건하고 중정하여 정성스럽고 진실하게 해서 아래로 사귄다.
그러므로 제사를 점친 사람이 믿음과 정성이 있으면 제물을 담박하게 할지라도 제사지낼 수 있다.

程傳

初陰柔, 又非中正, 恐不能終其孚, 故因其才而爲之戒. 二雖陰柔而得中正, 故雖戒而微辭. 凡爻之辭, 關得失二端者, 爲法爲戒, 亦各隨其才而設也. '引吉无咎', '引'者, 相牽也. 人之交相求則合, 相待則離. 二與五爲正應, 當萃者也而相遠, 又在羣陰之間, 必相牽引, 則得其萃矣. 五居尊位, 有中正之德,二亦以中正之道, 往與之萃, 乃君臣和合也, 其所共致, 豈可量也. 是以吉而无咎也.

초효는 유순한 음이고 또 중정하지 않아 그 정성을 끝까지 할 수 없을 것을 염려하였기 때문에 그 재질에 따라 경계하였다. 이효가 유순한 음일지라도 중정하기 때문에 경계했을지라도 은미하게 말했다.
효사에서 득과 실 두 가지에 관계된 것은 법이 되고 경계가 되니, 또한 제각기 그 재질에 따라 늘어놓았다. '끌어당기면 길하여 허물이 없다'에서 '끌어당긴다'는 서로 끌어당기는 것이다. 사람들의 사귐에 서로 찾으면 합하고 서로 버티면 헤어진다.
이효와 오효는 바르게 호응함이어서 모여야 하는 것들이나 서로 멀리 있고 또 여러 음들 사이에 있으니, 반드시 서로 끌어당기면 모일 수 있다. 오효가 존귀한 자리에 있고 알맞고 바른 덕이 있음에 이효가 알맞고 바른 도로 가서 모여야 임금과 신하가 화합하니, 그들이 함께 이루는 것을 어찌 헤아릴 수 있겠는가? 이 때문에 길하고 허물이 없다.

'无咎'者, 善補過也, 二與五不相引則過矣. '孚乃利用禴', '孚', 信之在中, 誠之謂也, '禴', 祭之簡薄者也, 菲薄而祭, 不尚備物, 直以誠意交於神明也. '孚乃'者, 謂有其孚, 則可不用文飾, 專以至誠交於上也. 以禴言者, 謂薦其誠而已, 上下相聚而尚飾焉, 是未誠也. 蓋其中實者, 不假飾於外, 用禴之義也. 孚信者, 萃之本也, 不獨君臣之聚, 凡天下之聚, 在誠而已.

'허물이 없다'는 잘못을 잘 고치는 일이니, 이효와 오효가 서로 끌어당기지 않으면 잘못하는 것이다. '정성이 있어야 약제사로 할지라도 이롭다'는 것에서 '정성'은 믿음이 마음에 있다는 뜻이니 진실을 말하고, '약제사'는 제사를 간략하게 한다는 말로 담박하게 제사하여 제물을 갖추는 것을 숭상하지 않고 단지 성의로 신명(神明)과 사귀는 것이다.
'정성이 있다'는 정성이 있으면 문식을 사용하지 않고 오로지 지극한 정성으로 위와 사귀는 것을 말한다. 약제사로 말한 것은 정성을 드리는 일일 뿐임을 말했으니, 상하가 서로 모여 꾸밈을 숭상하면 이는 정성스럽지 않은 것이다. 속이 진실한 자는 밖으로 꾸밀 필요가 없으니, 약제사로 한다는 의미이다. 정성과 믿음은 모임의 근본이니, 임금과 신하의 모임에서뿐만 아니라 모든 천하의 모임은 정성에 달려 있다.

集說

● 胡氏瑗曰:"君子之進, 不可自媒以苟媚其君, 而幸其時之寵榮也. 是故君子進用, 必須有道. 六二以陰居陰, 履得其中, 又上應九五中正之君, 必待其君援引於己, 然後往之. 此所以得吉而无咎也. '孚', 信也. '禴', 薄祭也. 君子之進, 必在乎誠信相交, 心志相接. 當萃聚之時, 誠信既著, 心志既通, 則可以不煩外飾, 其道得行矣. 孚信中立, 則雖禴之薄祭, 亦可通於神明也."

호원이 말했다. "군자의 나아감은 스스로 임금에게 구차하게 아첨하는 것을 매개로 그때의 사랑과 영화를 바라서는 안 된다. 이 때문에 군자가 나아가 등용되는 데는 반드시 도가 있다.
육이는 음으로 음의 자리에 있고 밟고 있는 것이 알맞음을 얻었으며, 또 위로 알맞고 바른 구오의 임금과 호응하니, 반드시 그가 자신을 끌어당겨주기를 기다린 다음에 가야 한다. 이 때문에 길함을 얻고 허물이 없다.
'정성이 있다'는 믿음이 있다는 것이다. '약제사'는 검소한 제사이다. 군자의 나아감은 반드시 정성과 믿음으로 서로 사귀고 마음과 뜻으로 서로 맞이하는 데 있다. 모일 때 정성과 믿음이 이미 드러나고 마음과 뜻이 이미 통했으면, 번거롭게 밖으로 꾸미지 않아도 도를 행할 수 있다. 믿음이 알맞게 확립되면 간소한 약제사일지라도 신명에 통할 수 있다."

● 張子曰 : "能自持不變, 引而後往, 吉乃无咎. 凡言'利用禴', 皆誠素著白於幽明之際."

장자(張載)가 말했다. "자신을 지키는 것을 고치지 않아 당긴 이후에 나아가니, 길하고 이에 허물이 없다. '약제사로 할지라도 이롭다'고 하는 것은 모두 정성과 바탕으로 저승과 이승의 사이에 드러내는 일이다."

● 王氏宗傳曰 : "「彖」以用大牲爲吉, 而六二以用禴爲利, 何也. 備物者, 王者所以隨其時, 有孚者, 人臣所以通乎上."

왕종전이 말했다. "「단전」에서는 큰 제물 쓰는 일을 길함으로 여기는데, 육이에서는 약제사를 이로움으로 여기는 것은 무엇 때문인가? 제물을 준비하는 것은 임금이 그 시기에 따르고, 정성이 있는 것은 신하가 위와 통하는 일이다."

案

● 「彖」言'利見大人', 九五者, 卦之大人也. 六二應之, 得見大人之義矣. 然見大人者, 聚必以正, 故必待其引而從之, 乃吉而无咎. 蓋聚而不正, 則不亨也. '孚乃利用禴'者, 言相聚之道, 以誠爲本, 苟有明信, 雖用禴可祭矣, 況大牲乎. 亦根卦義而反其辭也. 『易』曰, '可用汲, 王明並受其福', 『傳』曰, '在下位, 不援上'. 此'引'字, 是汲引之引, 非援引之引.

「단전」에서 '대인을 봄이 이롭다'고 한 것은 구오가 괘에서 대인이기 때문이다. 육이에서 호응함은 대인의 보는 뜻을 얻는 것이다. 그러나 대인을 보는 일은 모임에 반드시 바른 것으로 하기 때문에 끌어당기기를 기다린 다음에 따르고 이에 길해서 허물이 없다. 모이지만 바르지 않으면 형통하지 않다.
'정성이 있으면 약 제사로 할지라도 이롭다'는 서로 모이는 도는 정성을 근본으로 함에 분명한 믿음이 있으면 약 제사라도 제사를 지낼 수 있다는 뜻이니, 하물며 큰 제물이야 말해 무엇 하겠는가? 또한 괘의 의미에 근본하여 그 말을 반대로 한 것이다.
『역』에서 '물을 길을 수 있다. 임금이 현명하면 함께 그 복을 받을 것이다'[7]라고 했고, 『중용』에서는 '아랫자리에 있으면서 윗사람에게 매달리지 않는다'[8]라고 했다. 그런데 여기의 '끌어당긴다'는 퍼

7) 『주역』「정괘(井卦)」: "九三, 井渫不食, 爲我心惻, 可用汲, 王明, 並受其福.[구삼은 우물이 청소되었는데도 먹어주지 않아서 나를 위하여 마음으로 슬퍼하니 물을 길을 수 있다. 임금이 현명하면 함께 그 복을 받을 것이다.]"라고 하였다.
8) 『중용』 14장: "在上位, 不陵下. 在下位, 不援上. 正己而不求於人, 則無怨. 上不怨天, 下不尤人.[윗 자리에 있으면서 아랫사람을 능욕하지 않는다. 아랫자리에 있으면서 윗사람에게 매달리지 않는다. 자기를 바르

올리며 끌어당긴다고 할 때의 끌어당긴다는 말이지 매달리며 끌어당긴다고 할 때의 끌어당긴다는 뜻이 아니다.

게 하고 남에게 구하지 않으니, 원망하는 일도 없다. 위로는 하늘을 원망하지 않고 아래로 남을 탓하지 않는다.]"라고 하였다.

六三, 萃如嗟如, 无攸利, 往无咎, 小吝.

육삼은 모이려다가 한탄하지만 이로운 것이 없고, 가면 허물이 없지만 조금 부끄럽다.

本義

六三, 陰柔不中不正, 上无應與, 欲求萃於近而不得, 故嗟如而无所利. 唯往從於上, 可以无咎, 然不得其萃, 困然後往, 復得陰極无位之爻, 亦可小羞矣. 戒占者當近捨不正之强援, 而遠結正應之窮交, 則无咎也.

육삼은 유순한 음이 중정하지 않고 상효가 호응함으로 함께 함이 없어 가까운 데 모이려 하는데 그렇게 하지 못하기 때문에 한탄하지만 이로운 것이 없다. 오직 상효에게 가서 따르면 허물이 없을 수 있지만 그 모임을 얻지 못해 곤궁한 뒤에 가서 다시 음의 끝에 자리가 없는 효를 얻었으니 조금 부끄러울 수 있다.
점치는 자가 가까이서 바르지 않은 강한 원조를 버리고 멀리서 바르게 호응함의 궁색한 교제를 얻는다면 허물이 없다고 경계하였다.

程傳

三, 陰柔不中正之人也, 求萃於人, 而人莫與. 求四則非其正應, 又非其類, 是以不正, 爲四所棄也. 與二, 則二自以中正應五, 是以不正, 爲二所不與也. 故欲萃如, 則爲人棄絶而嗟如, 不獲萃而嗟恨也.

삼효는 유순한 음으로 중정하지 않은 사람이니, 사람들에게 모이기를 구해도 아무도 함께 하지 않는다. 사효에게 구하면 바르게 호응함이 아닌데다 또 그 무리가 아니고, 이 때문에 바르지 않아 사효가 버린 것이다.
이효와 함께 하면 이효는 본래 중정하고 오효와 호응하며 이 때문에 바르지 않아 이효가 함께 하지 않는 것이다. 그러므로 모이려 하면 사람들에게 버려지고 끊어져서 한탄하니, 모임을 얻지 못해 한탄하는 것이다.

上下皆不與, 无所利也, 唯往而從上六, 則得其萃, 爲无咎也. 三與上, 雖非陰陽正應, 然萃之時, 以類相從, 皆以柔居一體之上, 又皆无與, 居相應之地, 上復處說順之極, 故得其萃而无咎也. 『易』道變動无常, 在人識之. 然而小吝, 何也. 三始求萃於四與二, 不獲而後, 往從上六, 人之動爲如此, 雖得所求, 亦可小羞吝也.

상하가 모두 함께 하지 않아 이로운 것이 없다. 그러나 오직 가서 상육을 따른다면 그 모임을 얻어 허물이 없다. 육삼과 상육은 음과 양이 바르게 호응함이 아닐지라도 모이는 때 같은 무리로 서로 따르니, 모두 유순함으로 한 몸체의 위에 있고, 또 모두 함께 하는 것 없이 서로 호응하는 자리에 있으며, 상효는 다시 기뻐하고 유순한 것의 끝에 있기 때문에 모임을 얻어도 허물이 없다.
『역』의 도리는 변동이 일정하지 않으니, 사람이 그것을 아는 데 달려 있다. 그런데 조금 부끄러운 것은 무엇 때문인가? 삼효가 처음에 사효와 이효에게 모임을 구하다가 얻지 못한 뒤에 상육에게로 가서 따랐으니, 사람의 행동이 이와 같아서는 구하는 것을 얻을지라도 다소 부끄러운 것이다.

集說

● 吳氏澄曰："與二陰萃於下，而上無應，故嗟嘆不得志. 雖無應而比近九四之陽，苟能往而上求九四，則可无咎."

오징이 말했다. "두 음과 함께 아래에 모여 있는데 위로 호응이 없기 때문에 뜻을 얻지 못함을 한탄한다. 그런데 호응이 없을지라도 구사의 양을 가까이 하고 있으니, 가서 위로 구사를 구하다면 허물이 없다."

● 兪氏琰曰："萃之時，利見大人，三與五非應非比，而不得其萃，未免有嗟嘆之聲，則无攸利矣. 既曰'无攸利'，又曰'往无咎'，三與四比，則其往也捨四可乎. 三之從四，四亦巽而受之，故无咎. 第無正應而近比於四，所聚非正，有此小疵耳."

유염이 말했다. "모이는 때는 대인을 봄이 이롭지만 삼효와 오효는 호응도 아니고 가까이 하는 것도 아니어서 그 모임을 얻지 못함에 한탄하는 소리가 있음을 면하지 못하니, 이로울 것이 없다. 이미 '이로울 것이 없다'고 하고 나서 또 '가면 허물이 없다'고 했는데, 삼효와 사효는 가까이 있으니, 사효를 버리고 갈 수 있겠는가? 삼효가 사효를 따르고 사효도 겸손하게 받아들이기 때문에 허물이 없다. 다만 바르게 호응함이 없이 사효를 가까이 하는 것은 취한 바가 바른 것이 아니어서 이런 작은 흠이 있을 뿐이다."

案

以「象傳」觀之, 吳氏俞氏之說是也. 『易』例三四隔體, 無相從之義, 然亦有以時義而相從者, 隨三之'係丈夫', 及此爻是也. 其不正而亦以時義相從者, 豫三咸三是也, 皆因九四有主卦之義者故然.

「상전」으로 보면, 오씨[오징]와 유씨[유염]의 설명이 옳다. 『역』의 사례에서 삼효와 사효는 떨어져 있는 몸체여서 서로 따르는 의리가 없지만 또한 때와 뜻으로 서로 따르는 것이 있으니, 수(隨䷐)괘 삼효의 '장부에 얽매였다'[9]는 것과 이 효가 이런 경우이다. 바르지 않을지라도 때와 뜻으로 서로 따르는 것은 예(豫䷏)괘 삼효[10]와 함(咸䷞)괘 삼효[11]가 이런 경우인데 모두 구사에 괘를 주도하는 의미가 있기 때문에 그러하다.

---

9) 『주역』「수괘(隨卦)」: "六三, 係丈夫, 失小子, 隨有求得, 利居貞.[육삼효는 장부에 얽매여 어린아이를 잃으니, 따르던 것에서 구함을 얻었으나 곧게 처신하는 것이 이롭다.]"라고 하였다.

10) 『주역』「예괘(豫卦)」: "六三, 盱豫, 悔遲, 有悔.[육삼은 올려다보며 아래로는 즐기니, 느리게 하면 후회가 있다.]"라고 하였다.

11) 『주역』「함괘(咸卦)」: "九三, 咸其股. 執其隨, 往, 吝.[구삼은 넓적다리에서 느낀다. 따르는 것을 잡고 있으니, 가면 부끄럽다.]"라고 하였다.

九四, 大吉, 无咎.
구사는 크게 길해야 허물이 없다.

本義

上比九五, 下比衆陰, 得其萃矣, 然以陽居陰, 不正, 故戒占者必大吉, 然後得无咎也.

위로 구오와 가깝고 아래로 여러 음을 가까이 하여 그 모임을 얻었지만, 양이 음의 자리에 있어 바르지 않기 때문에 점치는 자가 반드시 크게 길한 다음에 허물이 없다고 경계하였다.

程傳

四當萃之時, 上比九五之君, 得君臣之聚也, 下比下體羣陰, 得下民之聚也, 得上下之聚, 可謂善矣. 然四以陽居陰, 非正也, 雖得上下之聚, 必得大吉, 然後爲无咎也. '大', 爲周遍之義, 无所不周, 然後爲大. 无所不正則爲大吉, 大吉則无咎也.

사효가 모이는 때 위로 구오라는 임금과 가까워 임금과 신하의 모임을 얻고, 아래로 아래 몸체의 여러 음을 가까이 하여 백성들의 모임을 얻음으로 위아래로 모임을 얻었으니 훌륭하다고 할 수 있다. 그러나 사효가 양으로 음의 자리에 있어 바르지 않으니, 위아래로 모임을 얻었을지라도 반드시 크게 길한 뒤에 허물이 없다. '크게'는 두루 한다는 의미로 두루 하지 않는 것이 없게 된 다음에 크게 된다. 바르지 않은 것이 없으면 크게 길하고, 크게 길하면 허물이 없다.

夫上下之聚, 固有不由正道而得者, 非理枉道而得君者自古多矣, 非理枉道而得民者蓋亦有焉. 如齊之陳恒, 魯之季氏是也, 然得爲大吉乎, 得爲无咎乎. 故九四必能大吉, 然後爲无咎也.

위아래의 모임을 진실로 바른 도로 하지 않고 얻는 경우가 있으니, 도리가 아닌데 임금의 신임을 얻은 자들이 옛날부터 많았고, 도리가 아닌데 민심을 얻은 자들도 있었다.
이를테면 제(齊)나라의 진항(陳恒)[12]과 노(魯)나라의 계씨(季氏)[13]가 여기에 해당되니 크게 길할 수 있겠고 허물이 없을 수 있겠는가? 그러므로 구사는 반드시 크게 길할 수 있은 뒤에야 허물이 없다.

集說

● 房氏喬曰 : "'大吉', 謂匪躬盡瘁, 始終無玷, 可免專民之咎, 有謂立大功可免咎者非也."

12) 진항(陳恒) : 춘추시대 제나라의 권신 진걸(陳乞)의 아들이다. 진걸은 백성들에게 곡식을 소두로 받고 대두로 줌으로써 권력을 장악하였다. 그 뒤를 이은 진항은 군주 간공(簡公)을 시해하고 평공(平公)을 세웠고 봉읍(封邑)이 군주의 식읍(食邑)보다 컸고 그 후손이 제나라를 완전히 장악하여 군주가 되었다.

13) 계씨(季氏) : 『논어』에 나오는 춘추시대 노나라의 권신 계손씨로 세습하여 집권하고 국토의 거의 절반을 차지하여 분수에 넘치는 짓을 하였다.

방교가 말했다. "'크게 길하다'는 것은 자신을 돌보지 않고 전력을 다하여 처음과 끝에 흠이 없으면 백성들을 독점하는 허물을 면할 수 있다는 말이지, 큰 공을 세워 허물을 면할 수 있다는 뜻은 아니다."

● 項氏安世曰 : "無尊位而得衆心, 故必大吉, 而後可以无咎, 如益之初九, 在下位而任厚事, 亦必元吉, 而後可以无咎也."

항안세가 말했다. "높은 지위가 없는데 사람들의 마음을 얻었기 때문에 반드시 크게 길한 다음에 허물이 없으니, 익(益䷩)괘 초구[14]가 아랫자리에 있으면서 두터운 일을 맡아 또한 반드시 크게 길한 다음에 허물이 없을 수 있는 것과 같다."

● 胡氏炳文曰 : "比卦五陰, 皆比五之一陽. 萃四陰, 皆聚歸五與四之二陽, 五曰, '萃有位', 以見四之萃非有位也. 無尊位而得衆心, 非大吉, 安能无咎."

호병문이 말했다. "비(比䷇)괘의 다섯 음은 모두 오효인 하나의 양을 가까이 한다. 취(萃䷬)괘의 네 음은 모두 오효와 사효의 두 양에게 모이고 귀의하니, 오효에서 '모임에 지위가 있다'고 하여 사효의 모임에 자리가 있는 것이 아님을 드러냈다. 존귀한 자리가 없으면서 사람들의 마음을 얻었으니, 크게 길한 것이 아니라면 어떻게 허물이 없을 수 있겠는가?"

---

14) 『주역』「익괘(益卦)」: "初九, 利用爲大作, 元吉, 无咎.[초구는 크게 일을 일으킴이 이롭고, 크게 길해야 허물이 없다.]"라고 하였다.

九五, 萃有位, 无咎, 匪孚, 元永貞, 悔亡.

구오는 모임에 지위가 있고 허물이 없는데, 믿지 않을 경우 크고 영원하며 바르게 하니 후회가 없다.

本義

九五剛陽中正, 當萃之時而居尊, 固无咎矣. 若有未信, 則亦修其元永貞之德, 而悔亡矣. 戒占者當如是也.

구오는 중정한 굳센 양이 모이는 때 존귀한 자리에 있어 진실로 허물이 없다. 그런데 믿지 않을 경우 또 크고 영원하며 바른 덕을 닦으니, 후회가 없다. 점치는 자에게 이처럼 해야 한다고 경계하였다.

程傳

九五居天下之尊, 萃天下之衆而君臨之, 當正其位修其德. 以陽剛居尊位, 稱其位矣, 爲有其位矣, 得中正之道, 无過咎也. 如是而有不信而未歸者, 則當自反以修其元永貞之德, 則无思不服而悔亡矣. '元永貞'者, 君之德, 民所歸也. 故比天下之道, 與萃天下之道, 皆在此三者. 王者旣有其位, 又有其德, 中正无過咎, 而天下尙有未信服歸附者, 蓋其道未光大也, 元永貞之道未至也, 在修德以來之.

구오가 천하의 존귀한 자리에 있어 천하의 무리를 모아 군림하니,

지위를 바르게 하고 덕을 닦아야 한다. 군센 양으로 존귀한 자리에 있어 그 지위에 걸맞으니, 지위가 있고 중정한 도를 얻어 허물이 없다. 이와 같은 데도 믿지 않아 귀의하지 않는 자가 있으면, 스스로 반성하고 크고 영원하며 바른 덕을 닦아야 하니, 복종하지 않는 자가 없어 후회가 없게 된다.
'크고 영원하며 바르게 한다'는 것은 임금의 덕으로 백성들이 귀의할 곳이다. 그러므로 천하를 가까이 하는 도리와 천하를 모으는 도리는 모두 이 세 가지에 있다.
임금은 이미 지위가 있고 또 덕이 있으며 중정하고 허물이 없는 데, 천하에 아직 믿고 복종하며 귀의하지 않는 자들이 있다면, 그것은 도가 아직 빛나고 크지 않아 크고 영원하며 바른 도가 지극하지 않기 때문이니, 덕을 닦아 오게 하는 것이다.

如苗民逆命, 帝乃誕敷文德, 舜德非不至也, 蓋有遠近昏明之異, 故其歸有先後. 旣有未歸, 則當修德也, 所謂德, 元永貞之道也. '元', 首也, 長也, 爲君德. 首出庶物, 君長羣生, 有尊大之義焉, 有主統之義焉. 而又恒永貞固, 則通於神明, 光於四海, 无思不服矣, 乃无匪孚而其悔亡也. 所謂悔, 志之未光, 心之未慊也.

이를테면, 묘(苗) 땅의 백성들이 명을 거역하자 순임금이 문덕(文德)을 크게 폈으니, 그의 덕이 지극하지 않아서가 아니라 멀리 있거나 가까이 있거나 어리석거나 밝은 차이가 있기 때문에 귀의함에 앞섬과 뒤짐이 있었다.
아직 귀의하지 않았으면 덕을 닦아야 하니, 이른바 덕은 크고 영원하며 바른 도이다. '큼'은 머리와 으뜸으로 임금의 덕이다. 만물 중에 으뜸으로 나와 생명 있는 것들의 우두머리가 되었으니, 존귀하고 큰 뜻이 있고 주관하고 통솔하는 뜻이 있다.
또 항구하고 영원하며 바르고 견고한 것은 신명과 통하고 온 세상에 빛나 복종하지 않을 마음이 없으니, 믿지 않음이 없고 후회가 없다. 이른바 후회는 뜻이 아직 빛나지 않아 마음이 흡족하지 않은 것이다.

集說

● 王氏宗傳曰 : "五, 萃之主也, 當萃之時, 爲萃之主, 莫大於有其位, 尤莫大於有其道. 有是位而無是道, 則天下不我信者亦衆矣, 故曰'匪孚'. 謂天下之人容有言曰, '上之人但以位而萃我也, 而其道則未至也, 故必元永貞而後悔亡.'"

왕종전이 말했다. "오효는 모임의 주인으로 모일 때 모임의 주인이 되었으니, 그 지위를 가진 것보다 큰 것은 없고 그 도를 가진 것보다 큰 것은 더욱 없다. 이런 지위가 있으나 이런 도가 없다면 천하에 나를 믿어주지 않는 자들이 또한 많을 것이기 때문에 '믿지 않을 경우에는'이라고 했다. 그러니 천하의 사람들이 '위의 사람들이 단지 자리로 나를 모아 그 도가 아직 지극하지 않기 때문에 반드시 크고 영원하며 바르게 한 이후에 허물이 없다'라고 한 것을 좋은 말로 받아들였다."

● 『朱子語類』問 : "九五以陽剛中正, 當萃之時, 而居尊位, 安得又有匪孚." 曰 : "此言有位而無德, 則雖萃而不能使人信. 故人有不信, 當脩其元永貞之德而後悔亡也."[15]

『주자어류』에서 물었다. "구오는 양의 굳셈으로 알맞고 바르면서 모이는 때 존귀한 자리에 있는데, 어떻게 또 믿지 않는 자들이 있을 수 있겠습니까?"
답하였다. "여기에서는 자리가 있고 덕이 없으면, 모일지라도 사람들이 믿게 할 수 없다는 것입니다. 그러므로 사람들 중에 믿지 않는 자들이 있으면 크고 영원하며 바른 덕을 닦은 다음에 후회가 없게 해야 한다는 뜻입니다."

案

● 萃九五, 居尊以萃羣陰, 與比畧同. 卦象澤上於地, 與比象亦畧同也. 故其'元永貞'之辭亦同, '元永貞悔亡', 卽所謂'原筮元永貞无咎'也.

취(萃䷬)괘의 구오가 존귀한 자리에 있어 여러 음을 모으는 것은 비(比䷇)괘와 대략 같다. 괘의 모양으로는 땅보다 못이 높아진 것이니, 비괘의 상과 또한 대략 같다. 그러므로 '크고 영원하며 바르다'는 말도 같으니, '크고 영원하며 바르게 하니 후회가 없다'는 것은 이른바 '두 번 점쳐 크고 영원하며 곧아야 허물이 없다'[16]는 뜻이다.

15) 『주자어류』 권72, 129조목.
16) 『주역』「비괘(比卦)」: "比, 吉, 原筮, 元永貞, 无咎.[비(比)는 길하나 두 번 점쳐 크고 영원하며 곧아야 허물이 없다.]"라고 하였다.

上六, 齎咨涕洟, 无咎.

상육은 한탄하며 눈물과 콧물을 흘리니 허물이 없다.

本義

處萃之終, 陰柔无位, 求萃不得, 故戒占者必如此, 而後可以无咎也.

모임의 끝에 있고 유순한 음으로 지위가 없어 모이려 해도 할 수 없기 때문에 점치는 자가 이와 같이 한 다음에 뉘우침이 없을 수 있다고 경계하였다.

程傳

六, 說之主. 陰柔小人說高位而處之, 天下孰肯與也. 求萃而人莫之與, 其窮至於齎咨而涕洟也. '齎咨', 咨嗟也. 人之絶之, 由已自取, 又將誰咎. 爲人惡絶, 不知所爲, 則隕穫而至嗟涕, 眞小人之情狀也.

상육은 기쁨의 주인이다. 유순하고 음험한 소인이 높은 자리를 좋아하여 그곳에 있으니 천하에서 누가 함께 하려 하겠는가? 모으려고 해도 사람들이 아무도 함께 하지 않으니, 한탄하며 눈물과 콧물을 흘릴 정도로 곤궁하게 되었다.
'한탄한다'는 탄식하는 것이다. 사람들의 절교를 자신이 스스로 취했으니, 또 누구를 탓하겠는가? 사람들이 싫어서 절교하여 어찌할 바를 모른다면, 상실감에 빠져 눈물과 콧물을 흘리게 되니, 진실로 소인의 정황이다.

集說

● 方氏應祥曰 : "此爻照'後夫凶'看, 比之上六, 以比之最後而凶, 萃之上六, 亦以萃之最後而有未安者, 故其憂懼若此, 此正所謂孤臣孽子也."

방응상(方應祥)이 말했다. "이 효는 '뒤에 오는 장부는 흉하다'[17]고 한 것과 대조해 보면, 비(比☷☵)의 상육[18]은 친하게 하는 최후여서 흉하고, 취(萃☱☷)괘의 상육도 모이는 최후여서 편안하지 않음이 있기 때문에 두려워함이 이와 같으니, 이것이 바로 이른바 외로운 신하와 첩의 자식이다."[19]

● 黃氏淳耀曰 : "上乃孤孽之臣子也. 萃極將散, 而不得所萃,

17) 『주역』「비괘(比卦)」: "不寧, 方來, 後夫, 凶.[편안하지 못한 이가 올 것이고, 뒤에 오는 장부는 흉하다.]"라고 하였다.

18) 『주역』「비괘(比卦)」: "上六, 比之无首, 凶.[상육은 친하게 함에 머리가 없으니, 흉하다.]"라고 하였다.

19) 『맹자』「진심상(盡心上)」: "人之有德慧術知者, 恒存乎疢疾. 獨孤臣孽子, 其操心也危, 其慮患也深, 故達.[사람의 덕스러운 지혜와 기술적인 재능은 항상 위기 속에서 나온다. 오직 외로운 신하와 첩의 자식은 마음가짐을 극도로 조심하고 환란을 깊이 걱정하기 때문에 사리에 통달하는 것이다.]"라고 하였다.

乃不得於君親者, '齎咨涕洟'四字, 乃極言怨艾求萃之情, 故終得萃而无咎."

황순요(黃淳耀)[20]가 말했다. "상효는 외로운 신하와 첩의 자식이다. 모임이 다해 흩어지려고 하여 모일 수 없는 것이 바로 임금과 부모를 얻지 못한 자들이다. '한탄하며 눈물과 콧물을 흘린다'는 말은 원한으로 모임을 구하는 실정을 극도로 말한 것이기 때문에 마침내 모임을 얻고 허물이 없다."

案

● 方氏黃氏之說, 得之, 蓋不止孤臣孽子, 乃放臣屛子之倫也. 方氏以比上相照亦是. 然比上直曰'凶', 此則'齎咨涕洟而无咎'者. 比「象」有'後夫凶'之辭, 故遂以上六當之. 此「象」有'利見大人'之辭, 正與蹇卦同例, 故尙有積誠求萃之理也.

방씨[방응상]와 황씨[황순요]의 설명이 분명하니, 외로운 신하와 첩의 자식뿐만 아니라 쫓겨난 신하와 내쫓은 자식의 무리들이다. 방씨[방응상]가 비(比䷇)괘 상육으로 서로 대조한 것도 옳다. 그런

20) 황순요(黃淳耀, 1605~1645) : 명나라 말기 소주부(蘇州府) 가정(嘉定) 곧 지금의 상해시(上海市) 사람으로 자는 온생(蘊生)이고, 호는 도암(陶庵)이다. 복사(復社)의 구성원이다. 숭정(崇禎) 16년(1643) 진사가 되었지만, 관직은 받지 않았다. 귀향해 더욱 열심히 경적(經籍)을 연구했다. 홍광(弘光) 원년(1645) 가정의 민중들이 청나라에 항거하는 봉기를 일으키자 후동증(侯峒曾)과 함께 지도자로 추대되었다. 그런데 성이 파괴되자 동생 황연요(黃淵耀)와 함께 암자에 들어가 목을 매어 자살했다. 문인들이 정문(貞文)이라 사시(私諡)했다. 시문에 능했다. 저서에 『도암집(陶庵集)』 22권과 『산좌필담(山左筆談)』 등이 있다.

데 비괘의 상효에서는 단지 ‘흉하다’[21]는 것이고, 여기에서는 ‘한탄하며 눈물과 콧물을 흘리니 허물이 없다’는 것이다. 비괘의 「단전」에 ‘뒤에 오는 장부는 흉하다’[22]는 말이 있기 때문에 마침내 상육을 그것에 해당시켰다.

이 「단전」에 ‘대인을 봄이 이롭다’라는 말이 있는 것은 바로 건(蹇䷦)괘[23]와 같은 사례이기 때문에 여전히 정성을 쌓아 모임을 구하는 이치가 있다.

---

21) 『주역』「비괘(比卦)」: “上六, 比之无首, 凶.[상육은 친하게 함에 머리가 없으니, 흉하다.]”라고 하였다.

22) 『주역』「비괘(比卦)」: “不寧, 方來, 後夫, 凶.[편안하지 못한 이가 올 것이고, 뒤에 오는 장부는 흉할 것이다.]”라고 하였다.

23) 『주역』「건괘(蹇卦)」: “蹇利西南, 不利東北, 利見大人, 貞, 吉.[건(蹇)은 서남이 이롭고 동북은 이롭지 않으며, 대인을 보는 것이 이로우니, 곧으면 길하리라.]”라 하였고, “上六, 往, 蹇, 來, 碩, 吉, 利見大人.[상육은 가면 어렵고 오면 커서 길할 것이니, 대인을 보는 것이 이롭다.]”라고 하였다.

46. 승升괘

䷭ 坤上
巽下

程傳

升,「序卦」, "萃者, 聚也, 聚而上者, 謂之升, 故受之以升." 物之積聚而益高大, 聚而上也, 故爲升, 所以次於萃也. 爲卦, 坤上巽下. 木在地下, 爲地中生木. 木生地中, 長而益高, 爲升之象也.

승(升䷭)괘에 대해 「서괘전」에서 "취(萃)는 모이는 것이다. 모여서 올라가는 것을 승이라고 하기 때문에 승괘로 받았다"라고 하였다. 사물이 쌓이고 모여서 더욱 높고 커지는데, 모여서 올라가기 때문에 승(升)이고, 취(萃䷬)괘 다음에 오는 이유이다.

괘의 모양은 곤(坤☷)괘가 위의 괘이고 손(巽☴)괘가 아래의 괘이다. 나무가 땅 아래 있으니 땅 속에서 나오는 나무이다. 나무가 땅 속에서 나와 자라면서 더욱 높아지는 것이 승(升䷭)괘의 상이다.

升, 元亨, 用見大人, 勿恤, 南征, 吉.

승은 크게 형통하여 이것으로 대인을 만나니, 근심하지 말고 남쪽으로 가면 길하다.

本義

升, 進而上也. 卦自解來, 柔上居四. 內巽外順, 九二剛中, 而五應之, 是以其占如此. 南征, 前進也.

승은 나아가 올라가는 것이다. 승(升䷭)괘가 해(解䷧)괘에서 와서 부드러움이 위로 올라가 사효의 자리에 있다. 내괘는 공손하고 외괘는 유순하며, 굳센 구이가 가운데 있어 오효가 호응하니, 이 때문에 그 점이 이와 같다. 남쪽으로 가는 것은 앞으로 나아감이다.

程傳

升者, 進而上也. 升進則有亨義, 而以卦才之善, 故元亨也. 用此道, 以見大人, 不假憂恤, 前進則吉也. 南征, 前進也.

승은 나아가 올라가는 것이다. 올라가면 형통한 뜻이 있고 괘의 재질이 선하기 때문에 크게 형통하다. 이 도를 쓰면 대인을 볼 것이니 근심할 필요 없이 앞으로 가면 길하다. 남쪽으로 가는 것은 앞으로 나아감이다.

集說

● 代氏淵曰 : "尊爻無此人, 故不云利見."

대연(代淵)[1]이 말했다. "존귀한 효에는 이런 사람이 없기 때문에 '보는 것이 이롭다'고 하지 않았다."

案

● 卦直言'元亨'而無他辭者, 大有鼎也, 雖有他辭而非戒辭者, 升也. 歷選『易』卦, 惟此三者. 蓋大有與比相似, 然所比者陰也, 民也, 所有者陽也, 賢也. 鼎與井相似, 然'往來井井'者, 民也. '大烹以養'者, 賢也. 升與漸相似, 然漸者賢之有所需待而進者也, 升者賢之無所阻礙而登者也. 『易』道莫大於尚賢, 而賢人得時之卦, 莫盛於此三者. 故其「彖」皆曰'元亨'而無戒辭也. 不曰'利見大人', 而曰'用見', 代氏之說得之.

괘사에서 '크게 형통하다'고만 해 놓고 다른 말이 없는 것은 대유(大有䷍)괘[2]와 정(鼎䷱)괘[3]이고, 다른 말이 있을지라도 경계하는

1) 대연(代淵, 985~1057) : 송나라 대주(代州) 사람으로 자는 중안(仲顔) 또는 온지(蘊之)고, 만호(晩號)는 허일자(虛一子)다. 인종(仁宗) 천성(天聖) 2년(1024) 진사(進士)가 되고, 일찍이 이전(李畋)과 장달(張達)에게 배웠다. 청수주부(淸水主簿)를 지내다가 관직을 버리고 돌아와 강학(講學)했는데, 항상 자리가 가득 찼다. 안무사(安撫使)가 천거한 자리를 사양하고 나가지 않았다. 익주지주(益州知州) 양일엄(楊日嚴)이 천거하여 태자중윤(太子中允)을 지내고, 치사(致仕)했다. 저서에 『주역지요(周易指要)』와 『노불잡설(老佛雜說)』 등이 있다.
2) 『주역』「대유괘(大有卦)」 : "大有, 元亨.[대유는 크게 선하고 형통하다.]"라고 하였다.

말이 아닌 것은 승(升☷)괘이다. 『역』의 괘를 차례로 뽑아보면 오직 이 셋뿐이다.

대유(大有☲)괘는 비(比☵)괘와 서로 닮았는데, 가까이 하는 것들은 음이니 백성들이고, 소유한 것들은 양이니 어진 이들이다. 정(鼎☲)괘는 정(井☵)괘와 서로 닮았는데, '오고가는 이가 우물을 우물로 사용하는 것'[4]은 백성들이고, '크게 삶아 기르는 것'[5]은 어진 이들이다. 승(升☷)괘와 점(漸☴)괘는 서로 닮았는데, 점진적인 것은 어진 이가 구하여 대비하고 나아가는 것이고, 올라가는 것은 어진 이가 험하게 막힘이 없이 올라가는 것이다.

『역』의 도는 어진 이를 높이는 것보다 큰 것이 없는데, 어진 이가 때를 얻은 괘로 이 세 개의 괘보다 성대한 것은 없다. 그러므로 「단전」에 모두 '크게 형통하다'하고 경계하는 말이 없다. '대인을 보는 것이 이롭다'고 하지 않고, '이것으로 만난다'고 한 것은 대씨의 설명이 분명하다.

---

3) 『주역』「정괘(鼎卦)」: "鼎, 元亨.[정(鼎)은 크게 형통하다.]"라고 하였다.

4) 『주역』「정괘(井卦)」: "井, 改邑不改井, 无喪无得, 往來井井.[정괘는 고을은 바꾸어도 우물은 바꾸지 않는다. 잃음도 없고 얻음도 없어 오고가는 이가 우물을 우물로 쓴다.]"라고 하였다.

5) 『주역』「정괘(鼎卦)」: "象曰, 鼎, 象也, 以木巽火, 亨飪也, 聖人亨, 以享上帝, 而大亨, 以養聖賢.[「단전」에서 말하였다. 정(鼎)은 상(象)이니, 나무가 불에 공손함은 삶아 익힘이니, 성인이 삶아서 상제께 제향하고, 크게 삶아 성현을 기른다.]"라고 하였다.

初六, 允升, 大吉.

초육은 믿어서 자라나니 크게 길하다.

本義

初以柔順居下, 巽之主也, 當升之時, 巽於二陽. 占者如之, 則信能升而大吉矣.

초효가 부드러움으로 아래에 있어 손(巽☴)괘의 주인인데, 자라는 때여서 두 양에게 낮춘다. 점치는 자가 이와 같이 하면 진실로 올라가서 크게 길할 수 있다.

程傳

初以柔居巽體之下, 又巽之主, 上承於九二之剛, 巽之至者也. 二以剛中之德, 上應於君, 當升之任者也. '允'者, 信從也. 初之柔巽, 唯信從於二. 信二而從之同升, 乃大吉也. 二以德言則剛中, 以力言則當任. 初之陰柔, 又无應援, 不能自升, 從於剛中之賢以進, 是由剛中之道也, 吉孰大焉.

초효는 부드러움으로 손(巽☴)괘 몸체의 아래에 있고 또 손(巽☴)의 주인이면서 위로 굳센 구이를 계승하니, 지극히 공손한 것이다. 이효는 굳세고 가운데 있는 덕으로 위로 임금과 호응하니, 올라가는 책임을 맡은 것이다.

'믿는다'는 믿고 따르는 것이다. 유순하고 공손한 초효는 이효를 믿고 따를 뿐이다. 이효를 믿고 따라 함께 올라가니 그야말로 크게 길하다. 이효는 덕으로 말하면 굳세고 알맞고, 힘으로 말하면 임무를 맡았다.

음으로 부드러운 초효가 호응과 후원이 없고 스스로 올라갈 수 없어 굳세고 알맞은 어진 이를 따라 나아가는 것은 굳세고 알맞은 도를 따라 나아감이니, 길함이 무엇이 이보다 크겠는가?

集說

● 王氏申子曰 : "以柔而升, 升之義也. 初以柔居下, 卽木之升言之, 乃木之根. 故信其升之必達而獲大吉也."

왕신자가 말했다. "부드러움으로 올라가는 것이 승(升)의 의미이다. 초효는 부드러움으로 아래에 있으니, 나무가 자라나는 것으로 말하면 바로 나무의 뿌리이다. 그러므로 자라서 반드시 다다르고 크게 길함을 얻으리라 믿는다."

● 何氏楷曰 : "初六巽主居下, 猶木之根也, 而得地氣以滋之, 其升也允矣. 所以爲升者, 巽也, 所以爲巽者初也, 大吉孰如之.

하해가 말했다. "초육은 손(巽☴)괘의 주인으로 아래에 있어 나무의 뿌리처럼 땅의 기운을 얻어 자라니, 자라나는 것을 믿는다. 자라나는 것은 겸손하기 때문이고, 겸손한 것은 초효가 근거가 되기 때문이니, 크게 길함이 무엇이 이와 같겠는가?"

案

此'允升''允'字, 當與晉之'衆允'同義. 蓋不獲上信友, 不可以升進也. 然晉三言'衆允', 升初遂言'允升', 則王氏何氏, 巽主木根之說, 是也.

여기서 '믿어서 자라난다'고 할 때의 '믿는다'는 말은 진(晉䷢)괘의 '무리가 믿어준다'[6]와 같은 의미이다. 위에 있는 것을 얻고 친구를 믿지 못하면 올라가 나아갈 수 없다. 그런데 진(晉䷢)괘 삼효에서 '무리가 믿어준다'고 했고, 승(升䷭)괘 초효에서는 '믿어서 자라난다'고 했으니, 왕씨[왕신자]와 하씨[하해]가 언급한 것처럼, 손괘의 주인이고 나무의 뿌리라는 설명이 옳다.

6) 『주역』「진괘(晉卦)」: "六三, 衆允, 悔亡.[육삼은 무리가 믿어주니, 후회가 없다.]"라고 하였다.

九二, 孚, 乃利用禴, 无咎.

구이는 정성이 있어야 약제사로 함이 이로우니 허물이 없다.

本義

義見萃卦.

의미는 취(萃䷬)괘에 있다.

程傳

二陽剛而在下, 五陰柔而居上. 夫以剛而事柔, 以陽而從陰, 雖有時而然, 非順道也. 以暗而臨明, 以剛而事弱, 若黽勉於事勢, 非誠服也. 上下之交不以誠, 其可以久乎, 其可以有爲乎. 五雖陰柔, 然居尊位, 二雖剛陽, 事上者也, 當內存至誠, 不假文飾於外. 誠積於中, 則自不事外飾, 故曰'利用禴', 謂尙誠敬也.

이효는 양의 굳셈이면서 아래에 있고 오효는 음의 부드러움이면서 위에 있다. 굳셈으로 부드러움을 섬기고 양으로 음을 따르니, 때에 따라 그럴 수 있지만 순리대로 하는 도는 아니다. 어두움으로 밝음을 다스리고 굳셈으로 약함을 섬기니, 일의 추세에 힘쓰는 것 같지만 진실로 복종하는 것이 아니다. 상하의 사귐에 정성으로 하지 않는다면, 어떻게 오래 갈 수 있고, 어떻게 일을 할 수 있겠는가?

오효가 부드러운 음이지만 존귀한 자리에 있고, 이효가 굳센 양이지만 위를 섬기는 자이니, 안으로 지극한 정성을 가지고 밖으로 꾸미지 않아야 한다. 정성이 안에 쌓이면 본래 밖으로 꾸미지 않기 때문에 '약제사로 함이 이롭다'고 했으니, 정성과 공경을 숭상한다는 말이다.

自古剛强之臣, 事柔弱之君, 未有不爲矯飾者也. '禴', 祭之簡質者也. 云'孚乃', 謂旣孚乃宜不用文飾, 專以其誠感通於上也, 如是則得无咎. 以剛强之臣, 而事柔弱之君, 又當升之時, 非誠意相交, 其能免於咎乎.

옛날부터 굳세고 강한 신하가 유약한 임금을 섬김에 속이고 꾸미지 않은 경우는 없었다. '약제사로 한다'는 제사를 간단하고 소박하게 하는 것이다. '정성이 있어야'라고 한 것은 이미 정성이 있어야 꾸미지 않고 오로지 정성으로 위를 감동시켜 통하는 뜻으로 이처럼 하면 허물이 없다는 말이다. 굳세고 강한 신하로 유약한 임금을 섬기고, 또 올라가는 때 성의로 서로 사귀지 않는다면, 어떻게 허물을 면할 수 있겠는가?

集說

● 張氏清子曰 : "萃六二以中虛爲孚, 而與九五應, 升九二以中實爲孚而與六五應. 二爻虛實雖殊, 其孚則一也. 孚則雖用禴而亦利, 故二爻皆曰'孚乃利用禴'. 「象」言'剛中而應'指此爻也."

장청자(張淸子)가 말했다. "취(萃☷☱)괘의 육이는 알맞고 비어 있음으로 정성이 있어 구오와 호응하고, 승(升䷭)괘의 구이는 알맞고 비어 있음으로 정성이 있어 육오와 호응한다. 두 효의 비어 있음과 차 있음이 다를지라도 정성은 한 가지이다. 정성으로 하면 약제로 할지라도 이롭기 때문에 이효에서 모두 '정성이 있어야 약제사로 함이 이롭다'[7]고 하였다. 「단전」에서 '굳세고 알맞으면서 호응한다' 고 말한 것은 이 효를 가리킨다."

案

● 升晉之時, 以柔爲善, 二剛而亦利者, 以其中也. 剛中有應, 是見大人者也. 故亦爲升之利. 初言'吉', 以君子得時之遇言也, 二言'无咎', 以君子進身之道言也, 六四則兼之.

올라가고 나아가는 때는 부드러움을 좋은 것으로 여기는데, 이효가 굳세면서도 이롭다는 것은 알맞기 때문이다. 굳세고 알맞음에 호응이 있어 대인을 보는 것이기 때문에 또한 올라가는 이로움이다. 초효에서 '길하다'고 한 것은 군자가 때를 얻어 만나는 것으로 말하였고, 이효에서 '허물이 없다'고 한 것은 군자가 자신이 나가는 도로 말하였다. 육사에서는 그것들을 겸했다.

---

7) 『주역』「취괘(萃卦)」: "六二, 引吉, 无咎, 孚乃利用禴.[육이는 끌어당기면 길하여 허물이 없고, 정성이 있으면 약 제사로 할지라도 이롭다.]"라고 하였다.

九三, 升虛邑.

구삼은 빈 고을로 올라간다.

本義

陽實陰虛, 而坤有國邑之象. 九三以陽剛, 當升時而進臨於坤, 故其象占如此.

양은 '채워져[⚊]' 있고 음은 '비어[⚋]' 있어 곤(坤☷)괘에 나라와 고을의 상이 있다.
구삼이 굳센 양으로 올라갈 때를 만나 곤(坤☷)괘로 나가 임하기 때문에 그 상과 점이 이와 같다.

程傳

三以陽剛之才, 正而且巽, 上皆順之, 復有援應. 以是而升, 如入无人之邑, 孰禦哉.

삼효는 양의 굳센 재질로 바르고 또 공손하며, 위에 있는 것들은 모두 유순하여 다시 응원한다. 이것으로 올라가면 사람이 없는 고을에 들어가는 일과 같으니, 누가 막겠는가?

案

● 諸爻皆有吉利之占, 三獨無之. 則升虛邑者, 但言其勇於進,而無所疑畏耳. 方升之時, 故無凶咎之辭, 然終不如二五之中, 初四之順也. 九三過剛與柔以時升之義反, 故其辭非盡善.

여러 효에 모두 길하고 이롭다는 점사가 있는데 삼효에만 없다. 그렇다면 빈 고을로 올라가는 것은 나아감에 용감하고 의심과 두려움이 없다는 말일 뿐이다. 한창 올라갈 때이기 때문에 흉하고 허물이 있다는 말이 없는 것이지만 끝내 이효와 오효의 알맞음과 초효와 사효의 유순함만은 못하다.
구삼의 지나치게 굳셈은 부드러움이 때에 맞춰 올라가는 의미와 반대이기 때문에 그 말에 최선을 다한 것은 아니다.

六四, 王用亨于岐山, 吉, 无咎.

육사는 임금이 기산에서 제향하여 길하니 허물이 없다.

本義

義見隨卦.

뜻은 수(隨䷐)괘에 있다.

程傳

四柔順之才, 上順君之升, 下順下之進, 己則止其所焉. 以陰居柔, 陰而在下, 止其所也. 昔者, 文王之居岐山之下, 上順天子而欲致之有道, 下順天下之賢, 而使之升進, 己則柔順謙恭, 不出其位. 至德如此, 周之王業, 用是而亨也. 四能如是, 則亨而吉, 且无咎矣.

부드러운 사효의 자질로 위로 임금의 올라감에 순종하고, 아래로 아래의 나아감을 따르며 자신은 자신의 자리에 머물러 있다. 음이 부드러운 자리에 있고 음이어서 아래에 있는 것은 자신의 자리에 머물러 있는 것이다.
옛날에 문왕이 기산의 아래 있으면서 천자에 순종하여 도가 있는 데로 나아가게 했고, 아래로 천하의 현자들을 따라 그들이 올라가 나아가도록 하면서 자신은 유순하고 겸손하여 그 자리에서 벗어나지 않았다. 지극한 덕이 이와 같아 주나라의 왕업이 이 때문에 형통하였다. 사효가 이와 같이 할 수 있으면 형통하고 길하며 또 허물이 없다.

四之才固自善矣, 復有无咎之辭, 何也. 曰, 四之才雖善, 而其位當戒也. 居近君之位, 在升之時, 不可復升, 升則凶咎可知. 故云, '如文王則吉而无咎'也. 然處大臣之位, 不得无事於升, 當上升其君之道, 下升天下之賢, 己則止其分焉. 分雖當止, 而德則當升也, 道則當亨也, 盡斯道者, 其唯文王乎.

사효의 재질은 진실로 본래 선한데 다시 허물이 없다고 한 것은 무엇 때문인가? 사효의 재질이 선할지라도 그 자리에서는 경계해야 하기 때문이다. 임금과 가까운 자리에 있으면서 올라가는 때 다시 올라가서는 안 되니, 올라가면 흉하고 허물이 있음을 알 수 있다. 그러므로 '문왕과 같이 하면 길하여 허물이 없다'고 하였다. 그런데 대신의 지위에서 올라감을 일삼지 않을 수 없으니, 위로는 임금의 도를 올리고 아래로는 천하의 현자를 올려야 될지라도 자신은 자신의 분수에 머물러 있어야 한다. 분수로는 머물러 있어야 할지라도 덕은 올라가야 하고 도는 형통해야 하니, 이 도리를 극진하게 한 사람은 오직 문왕뿐일 것이다.

案

● 卦義柔以時升, 六四初交上體, 又位在巽坤之閒, 有南征之象. 廹近尊位, 有見大人之義, 是爻之合於卦義者也, 在己者, 用之以見大人則吉. 爲大人者, 用之以享神明則宜, 與隨上之義同, 皆言王用此人以享於山川也. 不曰'西山'而曰'岐山', 避「彖辭」'南征'之文. 先儒或言岐山在周西南.

괘의 의미는 부드러움이 때에 맞춰 올라가는 것인데, 육사는 처음부터 위의 몸체와 교제하고, 또 자리가 손(巽☴)괘와 곤(坤☷)괘의 사이에 있어 남쪽으로 가는 상이 있다.
존귀한 자리에 아주 가까워 대인을 보는 의미가 있는데 효가 괘의 의미에 합하는 것이니, 자신에게서는 그것으로 대인을 보면 길하다. 대인인 경우에는 그것으로 신명에 제사지내는 일이 마땅하니, 수(隨䷐)괘 상효[8]의 의미와 동일한 것으로 모두 임금이 이런 사람을 등용하여 산천에 제사지낸다는 말이다.
'서산'이라고 하지 않고 '기산'이라고 한 것은 「단사」의 '남쪽으로 간다'는 말을 피한 것이다. 선대의 학자들은 간혹 기산이 주나라의 서남쪽에 있다고 하였다.

8) 『주역』「수괘(隨卦)」: "上六, 拘係之, 乃從維之, 王用亨于西山.[상육효는 잡아매 놓고 이에 따르면서 동여매니, 임금이 서쪽 산에 제사드린다.]" 라고 하였다.

六五, 貞, 吉, 升階.

육오는 바르게 해야 길하니, 계단을 올라가듯이 한다.

本義

以陰居陽, 當升而居尊位, 必能正固, 則可以得吉而升階矣. 階, 升之易者.

음이 양의 자리에 있고 올라갈 때 존귀한 자리에 있으니, 반드시 바르고 견고하게 하면 길해서 계단을 올라갈 수 있다. 계단은 올라가기 쉬운 것이다.

程傳

五以下有剛中之應, 故能居尊位而吉. 然質本陰柔, 必守貞固乃, 得其吉也. 若不能貞固, 則信賢不篤, 任賢不終, 安能吉也. 階所由而升也. 任剛中之賢輔之, 而升猶登進自階, 言有由而易也. 指言九二正應, 然在下之賢, 皆用升之階也, 能用賢則彙升矣.

오효는 아래에 굳세고 알맞은 호응이 있기 때문에 존귀한 자리에서 길할 수 있다. 그러나 재질이 본래 음으로 유순하여 반드시 바르고 견고함을 지켜야 길하게 된다. 바르고 견고하게 할 수 없으면, 어진 신하를 믿고 맡기는 것이 돈독하지 못하고 끝까지 가지 못하니, 어떻게 길하게 되겠는가?
계단은 의지해서 올라가는 것이다. 굳세고 알맞은 현인이 보필하게 맡겨두어 올라가는 것이 계단으로 올라가는 상황과 같으니, 의지해서 올라가는 것이 쉽다는 말이다.
구이의 바른 호응을 가리켜 말하였지만 아래에 있는 현인이 모두 올라오는 계단을 사용할 것이니, 그들을 등용하면 무리지어 올라올 수 있다.

集說

● 李氏元量曰："'貞吉升階', 升而有序, 故以階言之, 謂賓主以揖遜而升者也."

이원량(李元量)이 말했다. "'바르게 해야 길하니, 계단을 올라가듯이 한다'는 올라가는데 차례가 있기 때문에 계단으로 말한 것으로 손님과 주인이 사양과 겸손으로 올라간다는 뜻이다."

● 王氏宗傳曰："「彖傳」, 柔以時升, 蓋謂五也."

왕종전[9]이 말했다. "「단전」에서 '부드러움이 때에 따라 올라간다'고 했는데, 오효를 말한다."

---

9) 왕종전(王宗傳) : 자는 경맹(景孟)이고, 송대 영덕(寧德 : 현 복건성 영덕시) 사람이다. 1181년에 진사에 급제하여 소주교수(韶州教授)를 역임하였다. 왕필의 의리역학을 추종하여 상수역학을 배척하였다. 저서에는 『동계역전(童溪易傳)』이 있다.

● 熊氏良輔曰 : "以順而升, 如歷階然."

웅량보가 말했다. "순서대로 올라가는 것은 계단을 차례로 올라가는 상황과 같다."

案

● 升至五而極, 居坤地之中, 亦有南征之象焉, 乃卦之主也. 不取君象, 但爲臣位之極者, 與晉漸之五同也. '升階', 須從李氏熊氏之說. 蓋古者賓主三揖三讓而後升階. 將上堂矣, 而猶退遜如此, 以況君子始終之進以禮者也. 升晉之所以必貴於柔順者以此, '升階'之戒, 不在'貞'字之外, 乃發明'貞吉'之意爾.

올라가는 것이 오효에서 지극하여 곤(坤☷)괘의 가운데 있으면서도 남쪽으로 간다는 상이 있으니 괘의 주인이기 때문이다. 임금의 상을 취하지 않고 단지 신하의 지위에서 끝으로 여긴 것은 진(晉䷢)괘[10]와 점(漸䷴)괘[11]의 오효와 같다.

'계단을 올라가듯이 한다'는 것에 대해서는 반드시 이씨[이원량]과 웅씨[웅량보]의 설을 따라야 한다.

옛날에 손님과 주인은 세 번 사양하고 세 번 겸손하게 한 다음에 계단으로 올라갔다. 집으로 들어가려 하면서도 이와 같이 겸손하게

10) 『주역』「진괘(晉卦)」: "六五, 悔亡, 失得勿恤, 往吉, 无不利.[육오는 후회가 없으니, 잃고 얻음을 근심하지 않으면, 가는 것이 길하여 이롭지 않음이 없다.]"라고 하였다.

11) 『주역』「점괘(漸卦)」: "九五, 鴻漸于陵, 婦三歲不孕, 終莫之勝, 吉.[구오는 기러기가 높은 구릉으로 점진적으로 나아가니, 부인이 삼년 동안 잉태를 하지 못했지만, 끝내 그를 이기지 못하니, 길하다.]"라고 하였다.

행동하는데, 군자가 처음부터 끝까지 예의로 나아가는 것에 있어서야 말해 무엇 하겠는가?
올라가고 나아감에 유순함을 귀하게 여기는 것은 이 때문이니, '계단을 올라가듯이 한다'라고 경계하는 것은 '바르게 하다'는 말 밖에 있지 않고, 바로 '바르게 해야 길하다'는 의미를 드러내 밝힌 것일 뿐이다.

上六, 冥升, 利于不息之貞.

상육은 올라가는 일에 어두우니, 쉬지 않는 바름에서 이롭게 한다.

本義

以陰居升極, 昏冥不已者也. 占者遇此, 无適而利, 但可反其不已於外之心, 施之於不息之正而已.

음으로 승(升䷭)괘의 끝에 있으니, 어두워서 멈추지 못하는 것이다. 점치는 자가 이것을 만나면 어디를 가도 이롭지 않으니, 오직 밖으로 멈추지 못하는 마음을 되돌려 쉼이 없는 바름에서 시행한다.

程傳

六以陰居升之極, 昏冥於升, 知進而不知止者也, 其爲不明甚矣. 然求升不已之心, 有時而用於貞正而當不息之事, 則爲宜矣. 君子於貞正之德, 終日乾乾, 自强不息, 如上六不已之心, 用之於此則利也. 以小人貪求无已之心, 移於進德, 則何善如之.

육효는 음으로서 승(升䷭)괘의 끝에 있고, 나아감에 어두워 나아갈 줄만 알고 멈출 줄 모르니, 밝지 못함이 아주 심하다. 그러나 올라가기를 구해 멈추지 않는 마음을 때에 알맞게 하면서 곧고 바르게 써야, 쉬지 않아야 하는 일에서 마땅하게 된다.

군자는 바른 덕을 종일토록 힘쓰고 힘써 스스로 굳세게 쉬지 않으니, 상육의 멈추지 않는 마음을 여기에 쓰면 이롭다. 소인이 탐욕스럽게 구하여 그치지 않는 마음을 덕에 나아가게 하는 것으로 옮긴다면, 어떤 선인들 그것과 같을 수 있겠는가?

集說

● 石氏介曰 : "已在升極, 是昧於升進之理. 若能知時消息, 但自消退, 不更求進, 乃利也."

석개가 말했다. "이미 올라가는 끝에 있는 것은 올라가 나아가는 이치에 어둡다. 때가 사라지고 생겨나는 것을 알 수 있다면, 다만 스스로 사라지고 물러나 다시 나아갈 것을 구하지 않으니, 그래야 이롭다."

● 徐氏之祥曰 : "豫上樂極, 故冥豫, 升上進極, 故冥升."

서지상(徐之祥)이 말했다. "예괘의 상효는 즐거움의 끝이기 때문에 즐거운 일에 어둡고,[12] 승괘의 상효는 나아감의 끝이기 때문에 올라가는 일에 어둡다."

案

● '冥升', 與'晉其角'之義同, 皆進而不能退者也. 以其剛也. 故

12) 『주역』「예괘(豫卦)」: "上六, 冥豫成, 有渝无咎.[상육은 즐거움에 눈이 멀었으나 변함이 있을 것이니, 허물이 없다.]"라고 하였다.

曰'角', 以其柔也, 故曰'冥'. '利于不息之貞', 其戒亦與'維用伐邑'之義同, 皆勤於自治, 不敢以盛滿自居者也. 以其剛也, 故曰'伐邑', 以其柔也, 故曰'不息之貞'.

'올라가는 일에 어둡다'는 '뿔에 나아간다'13)는 의미와 같으니, 모두 나아가면서 물러날 수 없는 것들이다. 그런데 그것이 굳세기 때문에 '뿔'이라고 했고, 그것이 부드럽기 때문에 '어둡다'고 했다.
'쉬지 않는 바름에서 이롭게 한다'는 그 경계가 또한 '읍을 정벌하는 데만 사용한다'14)는 의미와 같으니, 스스로 다스리는 일에 힘쓰고 감히 성대하게 넘침을 자처하지 않는 것이다. 그것이 굳세기 때문에 '읍을 정벌한다'고 하였고, 그것이 부드럽기 때문에 '쉬지 않는 바름'이라고 했다.

---

13) 『주역』「진괘(晉卦)」: "上九, 晉其角, 維用伐邑, 厲, 吉, 无咎, 貞吝.[상구는 뿔에 나아감이니, 읍을 정벌하는 데만 사용하면, 위태로울지라도 길하고 허물이 없는데, 곧을지라도 부끄럽다.]"라고 하였다.
14) 『주역』「진괘(晉卦)」: "上九, 晉其角, 維用伐邑, 厲, 吉, 无咎, 貞吝.[상구는 뿔에 나아감이니, 읍을 정벌하는 데만 사용하면, 위태로울지라도 길하고 허물이 없는데, 곧을지라도 부끄럽다.]"라고 하였다.

47. 곤困괘

☱ 兌上
☵ 坎下

程傳

困,「序卦」, "升而不已必困, 故受之以困." '升'者, 自下而上. 自下升上, 以力進也, 不已必困矣. 故升之後, 受之以困也. 困者, 憊乏之義. 爲卦, 兌上而坎下. 水居澤上, 則澤中有水也, 乃在澤下, 枯涸无水之象, 爲困乏之義. 又兌以陰在上, 坎以陽居下, 與上六在二陽之上, 而九二陷於二陰之中, 皆陰柔揜於陽剛, 所以爲困也. 君子爲小人所揜蔽, 窮困之時也.

곤(困䷮)괘에 대해 「서괘전」에서 "올라가고 그치지 않으면 반드시 피곤하기 때문에 곤괘로 받았다"고 하였다. '승(升)'은 아래로부터 올라가는 것이다. 아래로부터 위로 오름은 힘써 나아감이어서 그치지 않으면 반드시 피곤하기 때문에 승괘(升卦)의 뒤에 곤괘(困卦)로써 받았다. 곤(困)은 피곤하다는 뜻이다.

괘의 모양은 태(兌☱)괘가 위에 있고 감(坎☵)괘가 아래에 있다. 물이 못 위에 있음은 못 가운데 물이 있는 것인데, 못의 아래에 있음은 못이 말라 물이 없는 상으로 어렵고 모자라다는 뜻이다.

또 태괘가 음으로 위에 있고 감괘가 양으로 아래에 있으며, 상육이 두 양의 위에 있고 구이가 두 음의 가운데 빠져 있어 모두 부드러운 음이 굳센 양을 가린 것이기 때문에 곤괘이다. 군자가 소인에게 가림을 당하는 것은 곤궁한 때이다.

困, 亨, 貞大人吉, 无咎, 有言不信.

곤은 형통한데 곧은 대인이면 길하고 허물이 없고, 말을 하면 믿지 않는다.

本義

困者, 窮而不能自振之義. 坎剛爲兌柔所揜, 九二爲二陰所揜, 四五爲上六所揜, 所以爲困. 坎險兌說, 處險而說, 是身雖困而道則亨也. 二五剛中, 又有大人之象, 占者處困能亨, 則得其正矣. 非大人, 其孰能之. 故曰'貞', 又曰'大人'者, 明不正之小人不能當也. '有言不信', 又戒以當務晦默, 不可尙口, 益取困窮.

곤(困)은 막혀서 스스로 움직이지 못한다는 뜻이다. 감괘의 굳셈이 태괘의 부드러움에 가려지고 구이가 두 음에게 가려지며 사효와 오효가 상육에게 가려지기 때문에 곤괘이다.
감괘는 험함이고 태괘는 기쁨이니, 험한 처지이나 기뻐하는 것으로 몸이 곤궁할지라도 도가 형통한다. 이효와 오효가 굳센 양으로 가운데 있고 또한 대인의 상이 있으니, 점치는 자가 곤궁한 처지일지라도 형통할 수 있다면 그 바름을 얻을 것이다. 그런데 대인이 아니면 그 누가 할 수 있겠는가? 그러므로 '곧다'고 말하고 또 '대인'이라고 한 것은 바르지 않은 소인으로는 해당될 수 없음을 밝힌 것이다. '말을 하면 믿지 않는다'는 감추고 침묵하는 데 힘써야 되고 입을 숭상하여 더욱 곤궁하게 해서는 안 됨을 경계한 것이다.

程傳

如卦之才, 則困而能亨, 且得貞正, 乃大人處困之道也, 故能吉而无咎. 大人處困, 不唯其道自吉, 樂天安命, 乃不失其吉也. 況隨時善處, 復有裕乎. '有言不信', 當困而言, 人誰信之.

괘의 재질과 같으면 어려우나 형통할 수 있고, 또 곧고 바름을 얻은 것은 대인이 어려움에 대처하는 도리이기 때문에 길하고 허물이 없다.
대인이 어려움에 대처하는 것은 그 도가 본래 길할 뿐만 아니라, 천리를 즐거워하고 목숨을 편안히 여겨 그 길함을 잃지 않는다. 하물며 때에 따라 잘 대처하고 다시 여유까지 있음에야 말해 무엇 하겠는가?
'말을 하면 믿지 않는다'는 어려운 때 말하면 누가 믿겠느냐는 뜻이다.

集說

● 孔氏穎達曰: "'困'者, 窮厄委頓之名. 道窮力竭, 不能自濟, 故名爲困. 小人遭困, 則窮斯濫矣. 君子遇之, 則不改其操, 處困而不失其自通之道, 故曰'困亨'. 處困而能自通, 必是履正體大之人. 能濟於困, 然後得吉而无咎, 故曰'貞大人吉无咎'. 處困求濟在於正身脩德. 若巧言飾辭, 人所不信, 則其道彌窮, 故誡之以'有言不信'也."

공영달이 말했다. "'곤(困)'은 곤궁을 당하고 피곤한 것에 대한 이름이다. 도가 막히고 힘이 다해 스스로 구제할 수 없기 때문에 곤이라고 이름 붙였다. 소인이 곤궁함을 당하면 궁해서 이에 함부로 한다. 군자가 곤궁함을 당하면, 그것에 대처하고 스스로 통하는 도를 잃지 않기 때문에 '곤은 형통하다'고 했다. 곤궁함에 대처하여 스스로 통할 수 있는 것은 반드시 바름을 밟고 큼을 체득한 사람이다. 곤궁함을 구제한 다음에 길하여 허물이 없기 때문에 '곤은 대인이면 길하고 허물이 없다'고 하였다. 곤궁함에 대처하여 구제하는 것은 자신을 바르게 하고 덕을 닦는 데 있다. 말을 교묘하게 하고 꾸며 사람들이 믿지 않으면, 그 도가 더욱 곤궁하게 되기 때문에 '말을 하면 믿지 않는다'고 경계하였다."

案

● '困亨'者, 非謂處困而能亨也. 蓋困窮者, 所以動人之心忍人之性, 因屈以致伸, 有必通之理也. 然惟守正之大人, 則能進德於困, 而得其所以可通者爾, 豈小人之所能乎. '困'者, 君子道屈之時也. 屈則不伸矣. '有言不信', '信'字疑當作'伸'字解. 蓋有言而動, 見沮抑, 乃是困厄之極, 不特人疑之而不信也. 夬卦'聞言不信', 己不信人之言也, 而夫子以聰不明解之, 以'信'字對聰字, 則信字當爲'疑信'之'信'. 此卦'有言不信', 人不行己之言也, 而夫子以尚口乃窮解之. 以'信'字對'窮'字, 則'信'字當爲'屈伸'之'伸'.

'곤은 형통하다'는 곤궁에 대처하여 형통할 수 있음을 말하는 것이 아니다. 곤궁한 경우에는 사람의 마음을 움직이고 사람의 성품을 참게 하여 굽힌 것으로 말미암아 펼 수 있게 해서 반드시 통하게 하는 이치가 있기 때문이다. 그러나 바름을 지키는 대인은 곤궁한 때 덕을 나아가게 해서 소통할 수 있게 할 뿐이니, 어찌 소인이 할 수 있는 것이겠는가?
'곤(困)'은 군자의 도가 꺾이는 때이다. 꺾이면 펴지 못한다. '말을 하면 믿지 않는다'에서 '믿는다[信]'는 아마도 '편다[伸]'로 풀이해야 할 것 같다. 말을 하면서 움직이면 저지를 당해 극히 곤궁한 때이니 사람들이 의심할 뿐만 아니라 믿지 않는다.

쾌(夬䷪)괘의 '말을 들어도 믿지 않는다'[1]는 자신이 사람들의 말을 믿지 않는 것으로 공자는 귀가 밝지 못한 것[2]으로 풀이했다. 그러니 '믿는다[信]'는 말을 '귀'라는 말과 대조하면 믿는다는 말은 '의심하고 믿는다[疑信]'고 할 때의 '믿는다[信]'로 해야 한다.

이 괘에서 '말을 하면 믿지 않는다'는 사람들이 자신의 말을 행하지 않는 것으로 공자는 입을 숭상하여 곤궁한 것[3]으로 풀이했다. 그러니 '믿는다[信]'는 말을 '곤궁하다[窮]'는 말과 대조하면, '믿는다'는 말은 '꺾이고 편다[屈伸]'고 할 때의 '편다[伸]'는 것으로 해야 한다.

---

1) 『주역』「쾌괘(夬卦)」: "九四, 臀无膚, 其行次且, 牽羊, 悔亡, 聞言, 不信.[구사는 볼기에 살이 없으며 가는 것을 머뭇거리니, 양을 끌듯하면 후회가 없겠는데, 말을 들어도 믿지 않는다.]"라고 하였다.

2) 『주역』「쾌괘(夬卦)」: "象曰, 其行次且, 位不當也, 聞言不信, 聰不明也.[「상전」에서 말하였다. '그 감을 머뭇거림'은 자리가 마땅하지 않기 때문이고, '말을 들어도 믿지 않음'은 귀가 밝지 못하기 때문이다.]"라고 하였다.

3) 『주역』「곤괘(困卦)」: "彖曰 … . 有言不信, 尙口乃窮也.[「단전」에서 말하였다. 말을 해도 믿지 않는 것은 입을 숭상하여 곤궁하다.]"라고 하였다.

初六, 臀困于株木. 入于幽谷, 三歲不覿.

초육은 엉덩이가 나무 등걸 때문에 어렵다. 어두운 골짜기로 들어가 삼년이 지나도 만나보지 못한다.

本義

臀, 物之底也, '困于株木', 傷而不能安也. 初六, 以陰柔處困之底, 居暗之甚, 故其象占如此.

엉덩이는 동물의 아래쪽으로 '나무 등걸 때문에 어렵다'는 상하여 편안하지 못한 것이다.
초육은 부드러운 음으로 곤괘의 밑에 있고 심한 어둠에 있기 때문에 그 상과 점이 이와 같다.

程傳

六以陰柔處於至卑, 又居坎險之下, 在困不能自濟者也, 必得在上剛明之人爲援助, 則可以濟其困矣. 初與四爲正應, 九四以陽而居陰爲不正, 失剛而不中, 又方困於陰揜, 是惡能濟人之困. 猶株木之下, 不能蔭覆於物. 株木无枝葉之木也.

육(六)은 부드러운 음으로 지극히 낮은 곳에 있고, 또 험한 감괘의 아래에 있어 어려울 때 스스로 구제하지 못하는 것이니, 반드시 위에 있는 굳세고 밝은 사람을 얻어 돕는 자로 삼으면 그 어려움을 구제할 수 있다.

초효는 사효와 바르게 호응함이지만 구사는 양이 음의 자리에 있어 바르지 않고, 굳셈을 잃고 알맞지 못하며, 또 음에게 붙잡혀 막혔으니, 어찌 다른 사람의 어려움을 구제할 수 있겠는가? 나무 등걸이 그늘지게 덮어주지 못함과 같다. 나무 등걸은 가지와 잎이 없는 나무이다.

四近君之位, 在他卦不爲无助, 以居困而不能庇物, 故爲株木. 臀所以居也. '臀困於株木', 謂无所庇而不得安其居. 居安則非困也. '入于幽谷', 陰柔之人, 非能安其所遇, 旣不能免於困, 則亦迷暗妄動入於深困. '幽谷', 深暗之所也. 方益入於困, 无自出之勢, 故至於三歲不覿, 終困者也. '不覿', 不遇其所亨也.

사효는 임금과 가까운 자리로 다른 괘에서는 도움이 없지 않지만 곤(困䷮)괘에서는 다른 것들을 비호해 주지 못하기 때문에 나무 등걸이다. 엉덩이는 앉는 신체의 부분이다. '엉덩이가 나무 등걸 때문에 어렵다'는 것은 비호 받는 것이 없어 편안히 처신하지 못함을 말한다. 처신이 편안하면 어려움이 아니다.

'어두운 골짜기로 들어간다'는 말은, 음으로 부드러운 사람은 만난 것을 편안히 여길 수 있는 것이 아니고, 이미 어려움을 벗어나지 못했으면 또 혼미하고 어두워 함부로 움직여 깊은 어려움에 빠져드는 것이다. '어두운 골짜기'는 깊고 어두운 곳이다. 더욱 어려운 데로 들어가 스스로 벗어날 수 있는 상황이 아니기 때문에 삼년이 지나도 만나보지 못하니, 끝내 어려운 것이다. '만나보지 못한다'는 형통함을 만나지 못한다는 뜻이다.

集說

● 項氏安世曰:"初六在坎下, 故爲入于幽谷, 卽坎初爻入于坎窞也."

항안세가 말했다. "초육이 감(坎☵)괘의 아래에 있기 때문에 어두운 골짜기로 들어감이니, 감괘의 초효는 감괘에서 구덩이에 빠진 것이다."

● 張氏清子曰:"人之體行則趾爲下, 坐則臀爲下. 初六困而不行, 此坐困之象也."

장청자가 말했다. "사람의 몸은 걸어 다니면 발이 아래이고, 앉아 있으면 엉덩이가 아래이다.

案

● 『詩』云, '出于幽谷, 遷于喬木.' 初不能自遷于喬木, 而惟坐困株木之下, 則有愈入于幽谷而已. 陰柔處困之最下, 故其象如此. 在人則卑暗窮陋, 而不能自拔者, 言臀者, 況其坐而不遷也.

『시경』에서 '깊숙한 골짝을 벗어나서 우뚝한 나무로 이동한다'[4]고 했다. 그런데 초효는 스스로 우뚝한 나무로 이동할 수 없어 오직 나무 등걸의 아래에 앉아 어려움을 당하고 있으니, 어두운 골짜기로 더욱 들어갈 뿐이다.

4) 『시경』「소아(小雅)」: "出于幽谷, 遷于喬木.[깊숙한 골짝을 벗어나서 우뚝한 나무로 이동한다.]"라고 하였다.

음의 부드러움이 곤(困䷮)괘의 가장 아래에 있기 때문에 그 상이 이와 같다. 사람에게서는 낮고 어두우며 궁색하여 스스로 나올 수 없어 엉덩이라고 한 것인데, 하물며 앉아 있어 이동하지 못함에야 말해 무엇 하겠는가?

九二, 困于酒食, 朱紱方來, 利用亨祀, 征凶无咎.

구이는 술과 밥 때문에 어렵지만 붉은색 슬갑이 한창 오고 있으니, 제사지내는 것이 이롭고, 가면 흉하지만 허물은 없다.

本義

'困于酒食', 厭飫苦惱之意. 酒食人之所欲, 然醉飽過宜, 則是反爲所困矣. '朱紱方來', 上應之也. 九二有剛中之德, 以處困時, 雖無凶害而反困於得其所欲之多, 故其象如此, 而其占利以享祀. 若征行, 則非其時故凶, 而於義爲无咎也.

'술과 밥 때문에 어렵다'는 것은 술과 밥을 배불리 먹어 괴롭다는 뜻이다. 술과 밥은 사람이 먹고 싶은 것이지만, 취하고 배부름이 적당함을 지나치면 도리어 괴로운 것이 된다.
'붉은색 슬갑이 한창 온다'는 윗사람이 호응하는 것이다. 구이가 굳세고 알맞은 덕을 소유하고 어려운 때 흉함과 해로움이 없을지라도 도리어 하고자 하는 많은 것을 얻는 데서 어렵게 되기 때문에 그 상이 이와 같고, 그 점은 제사를 지내는 것이 이롭다.
가면 알맞은 때가 아니기 때문에 흉하지만 의리로는 허물이 없다.

程傳

酒食人所欲而所以施惠也. 二以剛中之才, 而處困之時. 君子安其所遇, 雖窮戹險難, 无所動其心, 不恤其爲困也, 所困者,唯困於所欲耳. 君子之所欲者, 澤天下之民, 濟天下之困也. 二未得遂其欲施其惠, 故爲困于酒食也. 大人君子懷其道而困於下, 必得有道之君, 求而用之, 然後能施其所蘊. 二以剛中之德困於下, 上有九五剛中之君, 道同德合, 必來相求, 故云'朱紱方來.' '方來', 方且來也. 朱紱, 王者之服, 蔽膝也. 以行來爲義, 故以蔽膝言之.

술과 밥은 사람들이 원하고 은혜를 베푸는 것이다. 이효는 굳세고 알맞은 재질로 어려운 때에 있다. 군자는 만난 것을 편안히 여겨 곤궁하고 험난할지라도 마음의 동요 없이 그 어려움을 근심하지 않으니, 어려운 것은 오직 하려는 것에 어려울 뿐이다. 군자가 원하는 것은 천하의 백성에게 은택을 내려 천하의 어려움을 구제하는 일이다. 이효가 소원을 이루어 은혜를 베풀지 못하기 때문에 술과 밥에 어려운 것이다. 대인과 군자는 도를 품고 있어 아래에서 어려울 때 반드시 도가 있는 임금이 찾아 등용된 뒤에 가지고 있는 것을 베풀 수 있다.
이효가 굳세고 알맞은 덕으로 아래에서 어렵지만 위에 굳세고 알맞은 구오의 임금이 있어 도가 같고 덕이 합하면 반드시 와서 서로 찾을 것이기 때문에 '붉은색 슬갑이 한창 오고 있다'고 말하였다. '한창 오고 있다'는 오려고 한다는 뜻이다. '붉은색 슬갑'은 임금의 의복으로 무릎 가리개이다. 걸어오는 것을 뜻으로 했기 때문에 무릎 가리개로 말하였다.

'利用享祀', 享祀以至誠通神明也. 在困之時, 利用至誠如享祀然, 其德旣誠, 自能感通於上. 自昔賢哲困於幽遠, 而德卒升聞, 道卒爲用者, 唯自守至誠而已. '征凶无咎', 方困之時,若不至誠安處以俟命, 往而求之, 則犯難得凶, 乃自取也, 將誰咎乎. 不度時而征, 乃不安其所, 爲困所動也. 失剛中之德, 自取凶悔, 何所怨咎. 諸卦二五以陰陽相應而吉, 唯小畜與困乃戹於陰, 故同道相求, 小畜陽爲陰所畜, 困陽爲陰所掩也.

'제사지내는 것이 이롭다'는 지극한 정성으로 제사를 지내 신명과 통한다는 뜻이다. 어려운 때는 지극한 정성으로 제사지내듯이 하는 것이 이로우니, 그 덕이 성실해지고 나면 저절로 윗사람을 감동시켜 통하게 할 수 있다. 예로부터 현명하고 밝은 사람들이 궁벽한 곳에서 어려웠지만 그 덕이 끝내 위로 알려져 도가 마침내 쓰였던 것은 오직 스스로 지극한 정성을 지켰기 때문이다.
'가면 흉하지만 허물은 없다'는 '한창 어려운 때 지극한 정성으로 편안히 있으면서 천명을 기다리지 않고 가서 구하는 것은 어려움을 범해 흉하게 됨을 스스로 취하는 일이니 누구를 허물하겠는가?'라는 뜻이다. 때를 헤아리지 않고 가는 것은 제자리를 편안히 여기지 못함이니, 어려움에 흔들린 것이다. 굳세고 알맞은 덕을 잃어 스스로 흉함과 뉘우침을 취하니, 누구를 원망하고 허물하겠는가?
여러 괘에서 이효와 오효는 음과 양이 서로 호응해서 길하지만, 소축(小畜䷈)괘와 곤(困䷮)괘만은 음에 어려움을 당하기 때문에 도를 함께 하며 서로 구하니, 소축괘는 양이 음에게 저지당하고, 곤괘는 양이 음에게 가려지는 것이다.

集說

● 石氏介曰 : "'朱紱', 祭服, 謂可衣朱紱而享宗廟也. '征凶', '既在險中, 何可以行.' '无咎', 以其居陽明之德, 可以无咎."

석개가 말했다. "'붉은색 슬갑'은 제사지내는 의복으로 붉은 슬갑을 입고 종묘에 제사지낼 수 있음을 말한다. '가면 흉하다'는 '이미 험한 가운데 있어 무엇을 행할 수 있겠는가?'라는 뜻이다. '허물이 없다'는 그것이 양의 밝은 덕에 있어 허물이 없을 수 있다는 말이다.

案

● 小人以身窮爲困, 君子以道窮爲困. 卦之三陽, 所謂君子也, 所困者, 非身之窮, 乃道之窮也. 故二五則紱服榮於躬, 四則金車寵於行. 然而道之不通, 則其榮寵也, 適以爲困而已矣. 然榮寵, 亦非無故而來, 神明之意, 必有在焉, 惟竭誠以求當神明之意, 則終有通時矣. 故雖當困之時, 征行必凶, 而其要无咎也. '用享祀'者, 謂服此朱紱用此酒食以享之, 喩所得之爵祿, 不敢以之自奉, 而以爲竭誠盡職之具也. 書曰, '予不敢宿, 則禋于文王武王', 意義相近矣.

소인은 자신이 곤궁한 것을 어려움으로 여기고 군자는 도가 막힌 것을 어려움으로 여긴다. 괘에서 세 양이 이른바 군자이니, 어려운 일은 자신이 곤궁함이 아니라 도가 막힌 것이다. 그러므로 이효와 오효는 슬갑으로 자신을 영화롭게 하고 사효는 쇠수레로 가는 것을 총애로 한다. 그러나 도가 통하지 않으면 그 영화와 총애는 그대로 어렵게 끝날 뿐이다.
영화와 총애는 까닭 없이 오는 것이 아니라 신명의 뜻이 반드시 그것에 있기 때문이니, 오직 정성을 다해 신명의 뜻에 합하기를 구하면 끝내 시대와 통한다. 그러므로 어려운 때에 가면 반드시 흉하지만 허물이 없기를 바라는 것이다.
'제사지낸다'는 이런 붉은색 슬갑을 입고 이런 술과 밥으로 제사를 지낸다는 뜻이니, 얻은 벼슬과 녹봉으로 감히 자신을 봉양하지 않고 정성을 다해 직분에 매진하는 방편으로 삼는다는 말이다. 『서경』에서 '제가 감히 이것을 받을 수 없으니, 문왕과 무왕께 제사를 지냅니다'[5]라고 한 것과 의미가 서로 가깝다.

5) 『서경』「주서(周書)」: "予不敢宿, 則禋于文王武王.[제가 감히 이것을 받을 수 없으니, 문왕과 무왕께 제사를 지냅니다.]"라고 하였다.

六三, 困于石, 據于蒺藜. 入于其宮, 不見其妻, 凶.

육삼은 돌 때문에 어렵고 가시나무에 앉아 있다. 집에 들어가도 아내를 만나보지 못하니 흉하다.

本義

陰柔而不中正, 故有此象而其占則凶. 石指四, 蒺藜指二, 宮謂三而妻則六也. 其義則「繫辭」備矣.

부드러운 음이면서 알맞고 바르지 않기 때문에 이러한 상이 있고 점이 흉하다.
돌은 사효를 가리키고 가시나무는 이효를 가리키며, 집은 삼효를 말하고 아내는 육효이니, 그 뜻은 「계사전」에 구비되어 있다.

程傳

六三, 以陰柔不中正之質, 處險極而用剛. 居陽, 用剛也, 不善處困之甚者也. 石, 堅重難勝之物, 蒺藜, 刺不可據之物. 三以剛險而上進, 則二陽在上, 力不能勝, 堅不可犯, 益自困耳, '困于石'也. 以不善之德, 居九二剛中之上, 其不安猶藉刺, '據于蒺藜'也. 進退旣皆益困, 欲安其所, 益不能矣.

육삼이 중정하지 못한 부드러운 음의 자질로 험한 끝에 있으면서 굳셈을 쓴다. 양의 자리에 있는 것은 굳셈을 쓰니, 어려움에 아주 잘 대처하지 못하는 것이다. 돌은 견고하고 무거워서 감당하기 어려운 물건이고, 가시나무는 찔려서 앉아 있을 수 없는 것이다.
삼효가 굳셈과 험함으로 위로 나아가면, 두 양이 위에 있어 힘으로는 이길 수 없고, 견고함으로는 범할 수 없어 더욱 스스로 어렵게 될 뿐이니, '돌 때문에 어렵다'는 말이다.
좋지 못한 덕으로 굳세고 알맞은 구이의 위에 있어 가시를 깔고 앉은 것처럼 편하지 못한 것이 '가시나무에 앉아 있다'는 표현이다. 진퇴가 이미 모두 어려워 제자리를 편안히 여기고자 하나 더욱 할 수가 없다.

'宮', 其居所安也, '妻', 所安之主也. 知進退之不可, 而欲安其居, 則失其所安矣. 進退與處皆不可, 唯死而已, 其凶可知. 「繫辭」曰, "非所困而困焉, 名必辱, 非所據而據焉, 身必危. 旣辱且危, 死期將至, 妻其可得見耶." 二陽不可犯也, 而犯之以取困, 是非所困而困也. 名辱, 其事惡也. 三在二上, 固爲據之, 然苟能謙柔以下之, 則无害矣. 乃用剛險以乘之, 則不安而取困, 如據蒺藜也. 如是死期將至, 所安之主, 可得而見乎.

'집'은 거처하기 편안한 곳이고, '아내'는 편안함의 근본이다. 진퇴가 불가함을 알면서도 거처를 편안히 하려는 것은 편안함을 잃은 것이다. 진퇴와 거처가 모두 어찌할 수 없다면 죽어야 할 뿐이니, 그 흉함을 알만하다. 그러니 「계사전」에서 "어려울 데가 아닌데 어려우니 이름이 반드시 욕될 것이고, 앉아 있을 곳이 아닌데 앉아 있으니 몸이 반드시 위태로울 것이다. 이미 욕되고 또 위태로워 죽을 시기가 올 것이니, 아내를 만나볼 수 있겠는가?"라고 하였다.
두 양은 범해서는 안 되는데 범하여 어려움을 취하니, 어려울 것이 아닌데 어렵게 한 것이다. 명예를 욕되게 함은 일을 잘못한 것이다. 삼효가 이효의 위에 있으니 진실로 앉아 있어도 되지만 겸손하고 유순하게 낮추면 해로움이 없다. 그런데 굳세고 험함을 사용하여 그것을 올라타고 있으니, 불안하고 어려움을 취함이 가시나무에 앉아 있는 것과 같다. 이와 같으면 죽을 시기가 올 것이니, 편안함의 근본을 만나볼 수 있겠는가?

案

● 三陰, 皆非能處困者, 初在下, 坐而困者也, 三居進退之際, 行而困者也. 傷於外者, 必反其家, 而又無所歸, 甚言妄行取困, 其極如此.

세 음은 모두 어려움에 대처할 수 있는 것들이 아니니, 초효는 아래에 있어 앉아서 어려운 것이고, 삼효는 진퇴의 사이에 있으면서 가서 어려운 것이다.
밖에서 상처를 입은 경우에는 반드시 집으로 돌아와야 하는데 또 돌아올 곳이 없으니, 함부로 가서 어려움을 취한 것은 그 끝이 이와 같음을 호되게 말하였다.

九四, 來徐徐, 困于金車, 吝有終.

구사가 느리게 오는 것은 쇠수레 때문에 어려워서이니, 부끄럽지 만 끝이 있다.

本義

初六, 九四之正應. 九四處位不當, 不能濟物, 而初六方困於下, 又爲九二所隔, 故其象如此. 然邪不勝正, 故其占雖爲可吝, 而必有終也. 金車爲九二象未詳, 疑坎有輪象也.

초육은 구사와 바르게 호응함이다. 그런데 구사의 자리가 합당하지 않아 사람들을 구제할 수 없고, 초육은 아래에서 어려우며 또 구이에게 막혔기 때문에 그 상이 이와 같다.
그러나 간사함은 바름을 이기지 못하기 때문에 그 점에서는 부끄럽게 될 수 있을지라도 반드시 끝이 있다.
쇠수레가 구이의 상이 된 것은 자세하지 않으니, 아마도 감(坎☵)괘에 수레바퀴의 상이 있기 때문인 듯하다.

程傳

唯力不足故困, 亨困之道, 必由援助. 當困之時, 上下相求, 理當然也. 四與初爲正應, 然四以不中正處困, 其才不足以濟人之困. 初比二, 二有剛中之才, 足以拯困, 則宜爲初所從矣.

오직 힘이 부족하기 때문에 어려우니, 어려움을 형통하게 하는 길은 반드시 매달려 도와줌을 따라야 한다. 어려운 때 위와 아래가 서로 구하는 것은 이치의 당연함이다.
사효는 초효와 바르게 호응함이지만 사효가 중정하지 못하고 어려운 처지에 있어 그 재주로는 사람들의 어려움을 구제하기에 부족하다.
초효는 이효와 가까이 있는데, 이효는 굳세고 알맞은 재주가 있어 충분히 어려움을 구제할 수 있으니, 당연히 초효가 따른다.

'金', 剛也, '車', 載物者也, 以二剛在下載己, 故謂之金車. 四欲從初, 而阻於二, 故其來遲疑而徐徐, 是困于金車也. 己之所應, 疑其少己而之他, 將從之, 則猶豫不敢遽前, 豈不可羞吝乎. '有終'者, 事之所歸者正也. 初四正應, 終必相從也. 寒士之妻, 弱國之臣, 各安其正而已, 苟擇勢而從, 則惡之大者, 不容於世矣. 二與四皆以陽居陰, 而二以剛中之才, 所以能濟困也. 居陰者, 尚柔也, 得中者, 不失剛柔之宜也.

'쇠'는 굳세고 '수레'는 물건을 싣는 것이다. 이효가 굳세면서 아래에서 자신을 싣고 있기 때문에 쇠수레라고 말하였다. 사효가 초효를 따르고자 하나 이효에 막혀 있기 때문에 그 오는 것이 더디고 의심스러우며 느리니, 쇠수레 때문에 어려운 것이다. 자신의 호응이 자신을 하찮게 여기고 다른 데로 갈까 염려되어 따르려고 하면 머뭇거리고 감히 서둘러 나오지 않으니, 어찌 부끄러워하지 않을 수 있겠는가?
'끝이 있다'는 말은 일의 귀결이 바른 것이다. 초효와 사효는 바르게 호응함이니, 끝내 반드시 서로 따를 것이다. 가난한 선비의 아내와

약소국의 신하는 각기 자신들의 바름을 편안히 여길 뿐이니, 세력을 택해 따른다면 죄악이 커서 세상에 용납 받지 못한다.
이효와 사효는 모두 양으로 음의 자리에 있지만 이효는 굳세고 알맞은 재질을 가지고 있기 때문에 어려움을 구제할 수 있다. 음의 자리에 있는 것은 부드러움을 숭상하고, 알맞음을 얻은 것은 굳셈과 부드러움의 마땅함을 잃지 않는다.

集說

● 胡氏瑗曰: "'徐徐'者, 舒緩不敢決進也."

호원이 말했다. "'느리게'는 느긋해서 감히 빨리 나오지 않는 것이다."

案

'來徐徐'者, 喻君子當困時, 不欲上進也. '困于金車'者, 招我以車不容不來也. 如是則可羞吝矣, 然上近九五之剛中正, 乃卦所謂大人者與之同德, 終有亨道.

'느리게 온다'는 말은 군자가 어려운 때 위로 나아가려 하지 않음을 비유한 것이다. '쇠수레 때문에 어렵다'는 말은 수레로 나를 초대해 오지 않을 수 없다는 것이다. 이와 같이 하면 부끄러워해야 하지만 위로 굳세고 알맞으며 바른 구오와 가까이 있으니, 괘에서 말한 대인이 그와 덕을 함께 하면 끝내 형통한 도가 있다는 뜻이다.

九五, 劓刖, 困于赤紱, 乃徐有說, 利用祭祀.

구오는 코를 베이고 발을 베이니 적색 슬갑 때문에 어렵지만 늦게는 기쁨이 있으니, 제사에 쓰는 것이 이롭다.

本義

'劓刖'者, 傷於上下. 下旣傷, 則赤紱無所用而反爲困矣. 九五當困之時, 上爲陰揜, 下則乘剛, 故有此象. 然剛中而說體, 故能遲久而有說也. 占具象中, 又利用祭祀, 久當獲福.

'코를 베이고 발을 베이다'는 위와 아래를 상한다는 뜻이다. 아래가 이미 상했으면 적색 슬갑을 쓸 곳이 없어 도리어 어렵게 된다. 구오가 어려운 때 위로는 음에게 가려지고 아래로는 굳셈을 타고 있기 때문에 이런 상이 있다.

그러나 굳세고 알맞으며 기뻐하는 몸체이기 때문에 오래 기다릴 수 있으면 기쁨이 있다. 점은 상 가운데 갖추어져 있고 또 제사에 쓰는 것이 이로우니, 오래 되면 당연히 복을 받는다.

程傳

截鼻曰'劓', 傷于上也, 去足爲'刖', 傷於下也. 上下皆揜於陰, 爲其傷害劓刖之象也. 五, 君位也. 人君之困, 由上下無與也. '赤紱', 臣下之服. 取行來之義, 故以'紱'言. 人君之困, 以天下不來也, 天下皆來, 則非困也. 五雖在困而有剛中之德, 下有

九二剛中之賢, 道同德合, 徐必相應而來, 共濟天下之困. 是始困而徐有喜說也. '利用祭祀', 祭祀之事, 必致其誠敬而後受福. 人君在困時, 宜念天下之困, 求天下之賢, 若祭祀然, 致其誠敬, 則能致天下之賢, 濟天下之困矣.

코를 잘라 없애는 일을 '코를 베는 것'이라고 하니 위에서 상하는 것이고, 발을 잘라 버리는 일을 '발을 베는 것'이라고 하니 아래에서 상하는 것이다. 위와 아래가 모두 음에 가려진 것이 코를 베고 발을 베는 상이다.

오효는 임금의 자리이다. 임금이 어려운 것은 위아래에 함께하는 이가 없기 때문이다. '적색 슬갑'은 신하의 의복이다. 걸어오는 뜻을 취하였기 때문에 '슬갑'으로 말하였다. 임금이 어려운 것은 천하 사람이 오지 않기 때문이니, 천하 사람이 모두 온다면 어려운 것이 아니다.

오효가 어려운 처지에 있을지라도 굳세고 알맞은 덕이 있고, 아래의 구이라는 굳세고 알맞으며 현명한 사람이 도가 같고 덕이 합함으로 천천히 반드시 서로 호응하며 와서 함께 천하의 어려움을 구제할 것이니, 처음에는 어려우나 늦게는 기쁨이 있다.

'제사에 쓰는 것이 이롭다'는 제사지내는 일은 반드시 정성과 공경을 다한 뒤에 복을 받는다는 의미이다. 임금이 어려운 때는 당연히 천하의 어려움을 염려하여 천하의 현명한 사람 구하기를 마치 제사지낼 때처럼 정성과 공경을 다하는데, 천하의 현명한 사람을 초빙하여 천하의 어려움을 구제하려는 뜻이다.

五與二同德, 而云上下无與, 何也. 曰陰陽相應者, 自然相應也, 如夫婦骨肉分定也. 五與二皆陽爻, 以剛中之德同, 而相

應相求, 而後合者也, 如君臣朋友義合也. 方其始困, 安有上下之與. 有與則非困, 故徐合而後有說也. 二云'享祀', 五云'祭祀', 大意則宜用至誠, 乃受福也. '祭'與'祀''享', 泛言之則可通, 分而言之, 祭天神, 祀地示, 亨人鬼. 五君位言祭, 二在下言亨, 各以其所當用也.

오효와 이효는 덕을 함께 하는데, 위아래에 함께 하는 이가 없다고 한 것은 무엇 때문인가? 음과 양이 서로 호응하는 것은 저절로 서로 호응하는 일이니 부부(夫婦)와 골육(骨肉)이 본분에 따라 정해진 것과 같다.

오효와 이효는 모두 양효로 굳세고 알맞은 덕이 같아 서로 호응하고 서로 찾은 뒤에 합하는 것이니, 임금과 신하, 친구사이에 의로 합하는 것과 같다. 한창 처음 어려울 때 어찌 위아래로 함께하는 것이 있겠는가? 함께하는 이가 있다면 어려움이 아니기 때문에 늦게 합한 뒤에야 기쁨이 있는 것이다.

이효에서는 '제사지내는 것'이라 하고, 오효에서는 '제사'라고 했는데, 큰 뜻은 지극한 정성으로 해야 복을 받는다는 말이다. 제사라는 의미의 '제(祭)'와 '사(祀)'와 '향(享)'은 널리 말하면 통용할 수 있고, 나누어 말하면 하늘의 신에게는 제(祭)하고, 땅의 신에게는 사(祀)하며, 사람의 신에게는 향(享)한다.

오효는 임금의 자리라서 '제(祭)'라 말하고, 이효는 아래에 있기 때문에 '향(享)'이라 말하였으니, 각기 당연히 써야 할 바로 하였다.

集說

● 王氏應麟曰 : "困九五曰'利用祭祀', 李公晦, 謂'明雖困於人,而幽可感於神, 豈不以人不能知, 而鬼神獨知之乎.' 愚謂孔子云, '知我者其天乎'. 韓子云惟乖於時, 乃與天通, 不求人知而求天知, 處困之道也."[6]

왕응린이 말했다. "곤(困䷮)괘의 구오에서 '제사에 쓰는 것이 이롭다'고 하였는데, 이공회(李公晦)가 '밝음이 사람들에게 어려울지라도 그윽함이 신명을 감동시킬 수 있으니, 사람이 알 수 없는 것으로 귀신만 아는 것이 아니겠는가?'라고 하였다. 내 생각에는 공자가 '나를 알아주는 것은 아마도 하늘뿐일 것이다'[7]라 했고, 한자(韓子)가 '시대와 어긋나 하늘과 통한다'[8]고 했으니, 사람들이 알아주기를 구하지 않고 하늘이 알아주기를 구하는 것이 어려움에 대처하는 도이다."

案

● 九五不取君象, 但取位高而益困者耳, 其象與九二同. 但二則朱紱方將來, 五則高位而已困于赤紱矣. '乃徐有說'者, 五兌體, 故能從容以處之而有餘裕也. 利用祭祀之義, 亦與二同.

구오에서 임금의 상을 취하지 않고 지위가 높은 것만 취해 어려움을 더할 뿐이니, 그 상이 구이와 같기 때문이다. 이효는 붉은 슬갑

6) 왕응리(王應麟), 『곤학기문(困學紀聞)』「역(易)」.

7) 『논어』「헌문(憲問)」: "不怨天, 不尤人. 下學而上達, 知我者, 其天乎. [나는 하늘을 원망하지도 않고 사람을 탓하지도 않는다. 아래로는 사람의 일을 배우고 위로는 하늘의 이치를 터득하려고 노력하는데, 나를 알아주는 것은 아마도 하늘뿐일 것이다.]"라고 하였다.

8) 王伯大(왕백대), 『별본한문고이(別本韓文考異)』「잡문(雜文)」「하비후혁화전(下邳侯革華傳)」.

이 한창 오는 것이고, 오효는 높은 지위인데 적색 슬갑에 어려울 뿐이다.

'늦게는 기쁨이 있다'는 오효가 태괘의 몸체이기 때문에 느긋하게 처신할 수 있어 여유가 있다는 말이다. 제사에 쓰는 것이 이롭다는 의미도 이효와 같다.

上六, 困于葛藟于臲卼, 曰動悔, 有悔, 征吉.

상육은 칡넝쿨과 위태로움 때문에 어려우니, 움직이면 후회한다고 말하고, 후회하면 가는 것이 길하다.

本義

以陰柔處困極, 故有'困于葛藟于臲卼曰動悔'之象. 然物窮則變, 故其占曰, '若能有悔, 則可以征而吉矣.'

부드러운 음으로 어려운 끝에 있기 때문에 '칡넝쿨과 위태로움 때문에 어려우니, 움직이면 후회한다'는 상이 있다.
그러나 만물이 다하면 변하기 때문에, 그 점에 '후회하는 마음을 가지면 가는 것이 길하다'고 하였다.

程傳

物極則反, 事極則變, 困旣極矣, 理當變矣. '葛藟', 纏束之物, '臲卼', 危動之狀. 六處困之極, 爲困所纏束, 而居最高危之地, 困于葛藟與臲卼也. '動悔', 動輒有悔, 无所不困也. '有悔', 咎前之失也. '曰', 自謂也. 若能曰, '如是動皆得悔', 當變前之所爲, 有悔也. 能悔則往而得吉也. 困極而征, 則出於困矣, 故吉.

물건은 다하면 돌아오고 일은 다하면 변하니, 어려움이 이미 다하였으면 이치상 당연히 변해야 한다.
'칡넝쿨'은 묶어 매는 물건이고, '위태로움'은 위태롭게 움직이는 모양이다. 육(六)이 어려운 끝에서 어려움에 묶여 가장 높고 위태로운 곳에서 칡넝쿨과 위태로움 때문에 어렵다.
'움직이면 후회가 있을 것'이라는 말은 움직이기만 하면 후회가 있어 어렵지 않을 수 없다는 뜻이다. '후회한다'는 이전의 잘못을 책망하는 말이다. '말한다'는 스스로 말하는 것이다. '이와 같이 움직이면 모두 후회할 것이다'라고 말할 수 있다면, 이전에 했던 것을 바꾸어야 하니, 뉘우침이 있다. 뉘우치면 가서 길하게 된다. 어려움이 다해서 가면 어려움에서 벗어나기 때문에 길하다.

三以陰在下卦之上而凶, 上居一卦之上而无凶, 何也. 曰三居剛而處險, 困而用剛險故凶, 上以柔居說, 唯爲困極耳, 困極則有變困之道也. 困與屯之上, 皆以無應居卦終, 屯則'泣血漣如', 困則'有悔征吉', 屯險極而困說體故也. 以說順進, 可以離乎困也.

삼효는 음으로 아래괘의 위에 있는 데도 흉하고, 상효는 한 괘의 위에 있는 데도 흉함이 없는 것은 무엇 때문인가? 말하자면, 삼효는 굳센 양의 자리에 있고 험한 곳에 있으니, 어려우면서 굳셈과 험함을 쓰기 때문에 흉하고, 상효는 부드러운 음으로 기쁨에 있고 어려움의 끝일뿐이니, 어려움이 다하면 그것을 변하게 하는 도가 있다. 곤(困䷮)괘와 준(屯䷂)괘의 상효는 모두 호응이 없으면서 괘의 끝에 있는데, 준괘는 '피눈물을 줄줄 흘리고'[9] 곤괘는 '후회하면 가는 것

9) 『주역』「준괘(屯卦)」: "上六, 乘馬班如, 泣血漣如.[상육은 말을 타고 나

이 길하니', 준괘는 험함의 끝이고 곤괘는 기뻐하는 몸체이기 때문이다. 기뻐함과 순함으로 나아가면 어려움에서 떠날 수 있다.

集說

● 項氏安世曰: "此「彖」所謂'尙口乃窮也'. 若能斷葛藟而不牽, 辭臲卼而不居, 行而去之吉, 孰加焉."

항안세가 말했다. "이것은 「단전」에서 말한 '입을 숭상하여 곤궁함이다'[10]는 뜻이다. 칡넝쿨을 끊어버려 구애되지 않고 위태로움을 사양하여 자처하지 않으니, 가면 길한 데 무엇을 여기에 더하겠는가?"

● 易氏祓曰: "陽剛不可終困, 而二四五皆不言吉. 陰柔未免乎困, 而上獨言吉者, 困極則變, 如否之有泰, 雖險而終濟也."

이볼이 말했다. "양의 굳셈은 끝까지 어려울 수 없는데 이효·사효·오효에서는 모두 길함을 말하지 않았다. 음의 부드러움이 아직 어려움을 벗어나지 못했는데, 상효에서만 길하다고 말한 것은 어려움이 다하면 변하는 것이 비(否䷋)괘에 태(泰䷊)괘가 있는 것과 같으니, 험할지라도 끝내 구제되기 때문이다."

아가지 못하여 피눈물을 줄줄 흘리고 있다.]"라고 하였다.

10) 『주역』「곤괘(困卦)」: "有言不信, 尙口乃窮也.[말을 해도 믿지 않는 것은 입을 숭상하여 곤궁함이다.]"라고 하였다.

● 徐氏幾曰 : “震无咎者存乎悔. 困已極矣, 有悔則可出困而征吉. 困窮而通, 其謂是夫.”

서기가 말했다. “진(震☳)괘에서 허물이 없는 것은 후회함에 있다. 어려움이 이미 다했으니, 후회가 있으면 어려움을 벗어나고 가는 것이 길하다. 어려움이 다하면 통한다는 뜻도 아마 이를 말했을 것일 것이다.”

● 吳氏曰愼曰 : “困非自己致而時勢適逢者, 則當守其剛中之德, 是謂困而不失其所亨也. 其道主於貞, 若困由己之柔暗而致者, 則當變其所爲, 以免於困也. 其道主於悔, 學者深察乎此, 則處困之道, 異宜而各得矣.”

오왈신이 말했다. “어려움은 스스로 자신이 그렇게 한 것이 아니고 시대의 형세가 그렇게 만든 일이어서 굳세고 알맞은 덕을 지켜야 하니, 어려워도 형통함을 잃지 않음을 말한다. 그 도가 바름을 주로 하는데 어려움이 자신의 부드럽고 어두운 것 때문에 그렇게 된 것이라면, 자신이 하는 일을 고쳐 어려움에서 벗어나야 한다. 그 도가 후회를 주로 하여 학자들이 이를 깊이 살피는 것이라면, 어려움에 대처하는 도가 마땅함을 달리하여 각기 바름을 얻는다.

案

● 處困貴於說, 而上說之主也, 故雖當困極而尚有征吉之占, 異乎初與三之坐困行蹇者也. 然爲兌主, 則又有尚口之象. 尚口則支離繳繞, 如困于葛藟. 然將且鼿卼不安, 而失其所爲說矣, 故必悔悟而離去之則吉.

어려움에서는 기쁨을 귀하게 여기는데 상육은 기쁨의 주인이기 때문에 어려움의 끝일지라도 여전히 가는 것이 길하다는 점이 있으니, 초효와 삼효의 앉아서 어렵고 가서 막히는 것과는 다르다. 그러나 태(兌☱)괘의 주인이면 또 입을 숭상하는 상이 있다. 입을 숭상하면 어지럽게 얽히고설키니 칡넝쿨 때문에 어려운 것과 같다. 그러나 또 위태로워 불안하여 기뻐하는 것을 잃기 때문에 반드시 후회하고 떠나면 길하다.

總論

● 龔氏煥曰 : "卦以柔揜剛而爲困, 主乎陽而言也, 而陰之困爲尤甚. 「彖傳」曰'困而不失其所亨, 其惟君子乎', 三剛爻之謂矣."

공환이 말했다. "괘가 부드러움이 굳셈을 막아 어렵게 된 것은 양효를 주로 해서 말했으나 음효의 어려움은 더욱 심하다. 「단전」에서 '어려워도 형통함을 잃지 않으니, 오직 군자일 것이다'라고 했는데, 세 개의 굳센 효를 말한 것이다.

| 역주자 소개 |

신창호申昌鎬

현 고려대학교 교수

고려대학교 박사(Ph. D, 동양철학/교육철학 전공)

권우(惓宇) 홍찬유(洪贊裕), 일평(一平) 조남권(趙南勸), 중관(中觀) 최권흥(崔權興), 위재(威齋) 김중렬(金重烈), 수강(修岡) 유명종(劉明鍾) 선생 등으로부터 한학 및 동양학 사사

한국교육철학학회 회장(역임)

「중용(中庸) 교육사상의 현대적 조명」(박사논문) 외 『관자』, 「주역 계사전」, 『유교의 교육학 체계』, 한글사서(『논어』, 『맹자』, 『대학』, 『중용』) 등 100여 편의 논저가 있음

김학목金學睦

현 고려대학교 연구교수

건국대학교 박사(Ph. D, 한국철학 전공)

해송학당 원장(사주명리 · 동양학 강의)

「박세당의 『신주도덕경』 연구」(박사논문)를 비롯하여 『왕필의 노자주』, 『하상공의 노자』, 『한국주역대전』 등 50여 편의 논저가 있음

심의용沈義用

현 숭실대학교 H.K 연구교수

숭실대학교 박사(Ph. D, 주역철학 전공)

「정이천의 『역전』 연구」(박사논문)를 비롯하여 『주역』, 『성리대전』, 『인역』, 『주역과 운명』, 『세상과 소통하는 힘』 『시적 상상력으로 주역을 읽다』 등 30여 편의 논저가 있음.

윤원현尹元鉉

전 고려대학교 연구교수

臺灣 文化大學校 박사(Ph. D, 주자철학 전공)

한중철학회 회장(역임)

「從朱子思想中之天人架構闡論其義理脈絡」(박사논문)를 비롯하여 『성리대전』, 『태극해의』, 『역학계몽』, 『율려신서』 등 10여 편의 논저가 있음.

한 국 연 구 재 단
학술명저번역총서
[동 양 편] 620

주역절중周易折中 4

초판 인쇄 2018년 11월 1일
초판 발행 2018년 11월 15일

편 찬 | 이광지
책임역주 | 신창호
공동역주 | 김학목 · 심의용 · 윤원현
펴 낸 이 | 하운근
펴 낸 곳 | 學古房

주 소 | 경기도 고양시 덕양구 통일로 140 삼송테크노밸리 A동 B224
전 화 | (02)353-9908 편집부(02)356-9903
팩 스 | (02)6959-8234
홈페이지 | www.hakgobang.co.kr
전자우편 | hakgobang@naver.com, hakgobang@chol.com
등록번호 | 제311-1994-000001호

ISBN 978-89-6071-794-7 94140
978-89-6071-287-4 (세트)

값 : 42,000원

이 책은 2015년도 정부재원(교육부)으로 한국연구재단의 지원을 받아 연구되었음
(NRF-2015S1A5A7018113).
This work was supported by National Research Foundation of Korea Grant funded by the Korean Government(NRF-2015S1A5A7018113).

이 도서의 국립중앙도서관 출판예정도서목록(CIP)은 서지정보유통지원시스템 홈페이지
(http://seoji.nl.go.kr)와 국가자료종합목록시스템(http://www.nl.go.kr/kolisnet)에서 이용
하실 수 있습니다. (CIP제어번호 : CIP2018032004)